LOUIS XIV

LA VIE DU GRAND ROI

Max Gallo

de l'Académie française

LOUIS XIV

LA VIE DU GRAND ROI

EDITIONS

Avant-propos

Je n'aimais pas Louis XIV.

Roi-Soleil ? Louis Dieudonné ? Louis le Grand ? Toutes ces manières que je trouvais grandiloquentes de nommer ce roi qui commençait à régner alors qu'il n'avait que cinq ans me choquaient.

Louis XIV était pour moi un « pillard » pressurant son royaume et ses sujets, leur volant de quoi payer son armée, et surtout récompensant ses courtisans.

En bref, Louis XIV annonçait un « prince dictateur », une sorte de cynique versaillais, dont on répandait la nouvelle qu'il s'exhibait sur la scène du théâtre du château de Versailles et dont on allait, répétant avec emphase : « Louis le Grand a les plus belles jambes du royaume. » On disait de surcroît qu'il était l'égal d'Apollon.

J'ajoutais la persécution des huguenots (deux cent mille exilés) et les autres étaient condamnés à ramer sur les galères royales, les plus dures, les plus injustes des prisons, en fait un bagne impitoyable.

Et je n'oubliais pas les emprisonnements destinés à satisfaire le bon plaisir du souverain plein de mépris pour ceux de la noblesse qui refusaient d'aller s'agenouiller à Versailles devant lui, le monarque qui était, à mes yeux, le roi de la suffisance, enflé d'amour-propre. Et naturellement, on racontait les débordements de la vie nocturne. On se disputait au château les chambres qui possédaient une cheminée – plus de deux mille assurait-on –, privilège rare car, sans un bon feu, on gelait à Versailles.

Et quand mon éditeur – Bernard Fixot – me proposa d'écrire une biographie de Louis XIV, je ricanai. Moi, auteur d'une biographie de Robespierre, allais-je faire ma cour à Versailles ? Ridicule !

En fait, je découvrais en multipliant mes lectures que j'étais l'un de ces historiens qui, tout en se proclamant adepte de la vérité, sont devenus aveugles, c'est-à-dire partisans.

Heureusement, j'ai lu le livre de Louis XIV qui, soucieux de laisser ses instructions pour le Dauphin, voit la réalité dans la clarté indispensable à la connaissance.

Heureusement, je l'ai vu reconstruire une armée et une flotte royales.

Heureusement, je me suis perdu dans les bosquets du parc de Versailles, découvrant les couples qui s'y constituaient.

Heureusement, j'ai imaginé la grande opération ouvrir les zones purulentes du corps royal et Louis XIV résister, s'efforçant de répondre au mal par le courage. Louis le Grand faisait donc son métier de roi, et restait impassible malgré les élancements que l'horrible douleur diffusait dans tout son corps.

J'ai lu l'Adresse qui, en 1709 – durant la guerre de succession d'Espagne –, fit connaître au peuple la réalité des affrontements. Et Louis est entendu. Car ce roi qu'on accuse d'avoir vidé les coffres du royaume, d'avoir utilisé les dragons pour mater les va-nu-pieds, les croquants, se soucie de son peuple. Et il l'écrit : «J'ai trop aimé la guerre et les bâtiments! Trop de dépenses somptueuses.» Mais ce n'est pas son amour-propre qu'il adore, c'est le royaume de France qui le préoccupe, et devant les courtisans rassemblés, le roi dit :

« Messieurs, je m'en vais ; mais l'État demeurera toujours. »

On le défend. Il trouve des admirateurs. Le père de la Rue écrit dans son panégyrique :

> « Il avait des défauts, le soleil a ses taches
> Mais il est toujours le soleil. »

Alors, par-dessus l'accord de ceux qui grimacent d'ironie, lorsque se rapprochent Molière et Racine, tant d'autres illustres, il y a l'immense foule du peuple français qui se rend à Versailles pour admirer l'œuvre de son roi. Ces « gens » mesurent combien le Roi-Soleil était attentif à la vie de son royaume.

Et s'il a fait la guerre, c'est qu'il a voulu défendre « la justice et l'honneur du peuple français ».

Il eut jusqu'à sa mort, le dimanche 1er septembre 1715, le courage d'avoir accepté cette mission, persuadé qu'il l'avait reçue de Dieu.

Et pour Louis XIV, il n'y avait rien de plus grand pour la France.

Max Gallo

Philippe III
d'Espagne

Philippe IV
d'Espagne

Anne d'Autriche
† 1666

Louis XIII
† 1643

Léopold Ier
empereur — Marguerite

Charles II
d'Espagne

Marie-Thérèse
d'Autriche

Louis XIV
† en 1715

Joseph Ier
empereur

Charles VI
roi d'Espagne
et empereur

Louise de La Vallière
† en 1710

Louis
de Bourbon
1665-1666

Louis
de Bourbon
comte de
Vermandois
1667-1683

Philippe
1665-1666

Marie-Anne
Mademoiselle
de Blois,
princesse
de Conti
1666-1714

MARIE-ANNE CHARlotte
de BAVIERE → Le Grand Dauphin
† 1711

Louis

Charles
duc de Berry
† 1714

Duc d'Anjou
Philippe V
roi d'Espagne

1er mariage

2e mariage   Elisabeth Farnese

Louis
duc de Bourgogne
† 1711

Louis
duc de
Bretagne 1
1705-1705

Louis
duc de
Bretagne 2
1707- 1712

Louis
duc d'Anjou
1710-1774

Louis XV

Henri IV
+ 1610

Gaston d'Orléans

Henriette
de France _____ + _____ **Charles Ier**
d'Angleterre

Anne Marie Louise
duchesse de Montpensier,
La Grande Mademoiselle
† 1693

Trois filles
duchesses de Toscane,
Guise et Savoie

Philippe
d'Orléans
Monsieur
† 1701

Henriette
d'Angleterre
† 1670

Charles
II
d'Angleterre

Jacques
II

Marie

Athénaïs de Rochechouart de Mortemart
duchesse de Montespan
† 1707

1er mariage _____ +

Marie
reine
d'Angleterre

Anne
reine
d'Angleterre

Jacques
III

Louis-
Auguste
duc
du Maine
1670-1736

Louise-
Françoise
Mademoiselle
de Nantes,
duchesse
de Bourbon-
Condé
1673-1749

Marie-Louise
d'Orléans
épouse de
Charles II,
roi d'Espagne

Anne-Marie
d'Orléans
épouse de
Victor-Amédée,
duc de Savoie

Guillaume III
d'Orange
stathouder
des Provinces-
Unies
et roi
d'Angleterre

Louis-
Alexandre
comte
de Toulouse
1678-1737

Louis-César
comte de Vexin
1672-1683

Louise-Marie-
Anne
Mademoiselle
de Tours
† 1681

Françoise-Marie
Mademoiselle
de Blois
1677-1743

2e mariage + _____ **Elisabeth-Charlotte**
de Bavière – La Palatine
† 1722

8 enfants dont :

Philippe II
d'Orléans
duc de Chartres,
duc d'Orléans,
régent de France
† 1723

Elisabeth-Charlotte
d'Orléans
Mademoiselle
de Chartres, épouse du duc
de Lorraine

+

Marie-Louise
d'Orléans

Marie-Louise
de Savoie
† 1714

Marie-Adélaïde
de Savoie
† 1712

Le Roi-Soleil

Je vous enseignerai, mon fils, un moyen aisé de profiter de tout ce que les (courtisans) diront à votre avantage : c'est de vous examiner secrètement vous-même, et d'en croire votre propre cœur plus que leurs louanges...

Mes projets et leurs motifs, je vous les expliquerai sans déguisement, aux endroits mêmes où mes bonnes intentions n'auront pas été heureuses, persuadé qu'il est d'un petit esprit, et qui se trompe ordinairement de vouloir ne s'être jamais trompé.

Louis XIV
Mémoires pour l'Instruction du Dauphin

PROLOGUE

Louis Dieudonné

Il est debout devant le lit de sa mère.

Il sait qu'elle va mourir.

Il voudrait rester impassible parce qu'il est le roi, celui qu'on appelle, déjà, Louis le Grand.

On le guette. Il ne doit montrer aucune faiblesse.

Il se cambre. Il croise les bras. Il redresse la tête, mâchoires serrées.

Il domine de sa haute taille la foule des courtisans qui se pressent dans cette chambre du palais du Louvre où l'on a transporté la reine mère.

Il fait un pas. Il veut s'approcher d'elle, la voir et l'entendre encore.

Elle murmure :

— Ah, Seigneur, je vous offre ces douleurs ! Recevez-les pour satisfaction de mes péchés.

Il se penche vers elle. Elle ouvre les yeux et il reconnaît son regard, celui d'autrefois, quand elle était la forte, la rayonnante Anne d'Autriche la régente, la reine, et qu'il marchait vers elle, si fier d'être son fils, de sentir qu'elle l'admirait, qu'il la comblait de joie, et il était heureux de s'incliner devant elle, puis de saluer d'un hochement de tête toutes les suivantes aux cheveux bouclés tombant sur leurs épaules souvent nues.

Qu'était-elle devenue, cette mère, cette reine, la courageuse, la déterminée Anne d'Autriche, fuyant la nuit les grands seigneurs en révolte, défendant bec et ongles le pouvoir royal ?

Il voit ses mains, jadis si fines, enflées et déformées. La peau des bras est marbrée, les chairs gangrenées.

Les médecins et les chirurgiens ont entaillé les abcès, les tumeurs qui se sont depuis quelques jours multipliés. Ils ont percé les seins, y enfouissant des morceaux de viande pour que le cancer s'en nourrisse, ne dévore plus le corps. Ils ont versé sur les plaies à vif de l'eau de chaux, pour les nettoyer, brûler les impuretés, les miasmes, ont-ils dit. Ils ont bandé la poitrine et les épaules avec des pansements que les humeurs nauséabondes ont imbibés et jaunis.

Anne d'Autriche a pourtant la force d'esquisser un sourire, de dire :

— Ah, voilà le roi !

Puis, tentant, en vain, de lever la main, elle ajoute :

— Allez, mon fils, allez souper.

Il hésite. Les médecins lui assurent que la mort recule parce que leur traitement est efficace. Chaque matin et chaque soir ils découpent avec des rasoirs les parties corrompues. La reine va survivre et, avec l'aide de Dieu, terrasser la maladie.

Louis sort de la chambre, suivi par la foule qui jacasse.

Tout à coup il s'arrête. Il ne peut oublier le corps noirci de sa mère.

La puanteur des chairs purulentes a aussi envahi l'antichambre. Il s'arrête. Il entend sa cousine, la Grande Mademoiselle, dire de sa voix aiguë :

— C'est une telle odeur qu'on ne peut souper quand on s'en retourne après l'avoir vu panser.

Il la toise. Elle courbe la nuque. Il rentre dans la chambre.

C'est le milieu de la nuit du 20 janvier 1666.

Il s'approche à nouveau du lit. Il est effrayé. Il a suffi de ces quelques minutes pour que le visage d'Anne d'Autriche que la maladie avait épargné jusqu'alors devienne une boule noirâtre, aux traits effacés, aux yeux enfoncés. Les cheveux sont épars, ternes. La peau du crâne apparaît entre les mèches.

Louis mord ses lèvres pour ne pas crier. Il sent qu'il va pleurer. Lui, Louis le Grand ; lui, le Roi-Soleil, il ne doit pas dévoiler son désespoir, cette émotion qui le submerge, qui le fait trembler.

Ils sont là, tous aux aguets, à l'observer. Il craint de tomber. Il cherche un appui, tend les mains en arrière, s'accroche au rebord d'une table en argent massif.

Il ferme les yeux. Il prie.

Quelqu'un crie :

— La reine se meurt.

Il lui semble reconnaître la voix de Monsieur, son frère cadet, Philippe duc d'Orléans, qui était lui aussi au chevet de leur mère.

Louis voudrait avancer, mais sa vue se trouble, il chancelle. Les voix et les rumeurs s'estompent. On répète près de lui : « Le roi, le roi tombe. »

Il tente de se redresser, des mains le soutiennent.

Il est cet enfant de cinq ans, qui marche le 14 mai 1643 vers le cercueil de son père.

Une voix lance : « Le roi est mort ! Vive le roi ! »

On s'était incliné devant lui, Louis XIV, fils de Louis XIII et d'Anne d'Autriche.

Et aujourd'hui, c'est elle qui meurt.

Il n'ouvre pas les yeux. Il se laisse porter hors de la chambre. Tout ce qu'il a appris de ses parents surgit de sa mémoire.

Son premier valet de chambre Nyert, qui avait été valet de la garde-robe de Louis XIII, lui avait par bribes raconté comment ses parents avaient été mariés à treize ans, en 1615, contraints de consommer leur union. Et pendant plus de vingt ans, on avait jugé Anne d'Autriche stérile, et murmuré que Louis XIII préférait aux femmes ses jeunes favoris, aristocrates élégants et beaux couverts de dentelles et comblés de titres et de cadeaux.

Et puis, une nuit, à la fin de cette année 1637 où les devins et les astrologues avaient annoncé qu'un enfant naîtrait enfin du couple royal, Louis XIII s'était présenté au palais du Louvre, où logeait, avec ses suivantes, Anne d'Autriche.

C'était le 5 décembre. Louis XIII s'était attardé plusieurs heures au couvent Sainte-Marie de la Visitation, rue Saint-Antoine, y bavardant à travers la grille avec Louise Angélique de La Fayette, l'une de ces femmes dont il proclamait qu'il les aimait, mais on le soupçonnait de se servir d'elles comme d'un paravent pour masquer ses amours homosexuelles, son «vice italien», et de mener avec elles un duel galant et anodin. Louise Angélique s'était retirée du monde, lassée de ces enfantillages ambigus, et elle avait invité Louis XIII à aller retrouver son épouse, à accomplir son devoir conjugal de roi. Elle s'était engagée à prier pour que cette nuit du 5 décembre 1637 fût fertile.

Louis XIII avait hésité. Il voulait se rendre au château de Saint-Maur mais, au moment où il quittait le couvent, l'orage s'était déchaîné, transformant les rues en torrents. Saint-Maur était loin. Le château était vide, les meubles sous l'averse. Le capitaine des gardes avait insisté pour qu'on reste à Paris, qu'on gagne le Louvre, où un grand feu devait crépiter dans les chambres de la reine. Louis XIII avait cédé enfin. Et s'en était allé souper au Louvre.

Oublié pour quelques heures le souvenir affreux de la nuit de noces, quand deux enfants maladroits qu'on a mariés sont poussés dans un lit.

Oubliées aussi les humiliations de l'une et de l'autre.

Celle de Louis XIII quand il avait appris que son épouse s'était laissé voler quelques baisers par l'ambassadeur d'Angleterre, le duc de Buckingham, puis que cette reine de France, restée Anne d'Autriche, une Habsbourg, avait entretenu, alors que la guerre opposait la France à l'Espagne, une correspondance avec les ennemis du royaume. Humiliation. Trahison.

Et celle d'Anne d'Autriche qui avait été démasquée par Richelieu, contrainte de rédiger des aveux, de reconnaître donc sa culpabilité, et d'être ainsi menacée de répudiation, obligée de s'en remettre au bon vouloir de ce cardinal, de cet homme rouge, qui jouait avec elle et semblait pourtant sensible à ses charmes.

Oubliées pour une nuit ces vingt années d'incompréhension, de jalousie et de dépit, d'impuissance et de stérilité.

Sortant du Louvre, alors que l'orage a cessé en cette matinée du 6 décembre 1637, Louis XIII fait un vœu à la Vierge, consacre le royaume de France à la mère du Christ et, quelques semaines plus tard, en février 1638, on apprend qu'Anne d'Autriche enfin porte un enfant !

Dieu et la Vierge soient loués !

L'enfant naîtra vers onze heures, le 5 septembre 1638, au château Neuf de Saint-Germain, alors que dans toutes les pièces on prie depuis le commencement des douleurs, il y a plus d'un jour.

Enfin un cri, puis une dame d'honneur de la reine, Mme de Seneçay, se précipite chez le roi qui attend.

— C'est un dauphin, lance-t-elle.

Louis XIII s'agenouille, et la nouvelle se répand dans le château. Des courriers s'élancent vers Paris, mais ils ne peuvent traverser la Seine, car le pont de Neuilly a été emporté. Ils agitent leurs chapeaux, ils crient «C'est un dauphin!». Des messagers l'annoncent dans toute la ville. Les cloches sonnent le *Te Deum* à Notre-Dame. On allume des feux de joie, on danse, on boit. On rend grâce à Dieu et à la Vierge. On porte des reliques en procession, d'une église à l'autre. On illumine les carrefours dans ces nuits encore douces du début de septembre.

Cet enfant, c'est le signe de la bienveillance de Dieu.

— Dieu vous l'ayant donné, il l'a donné au monde pour de grandes choses, dit Richelieu au roi.

Et Louis XIV se souvient que ses nourrices, les suivantes de la reine, toutes ces femmes qui l'entouraient de leurs soins, l'appelaient l'«enfant du miracle», Louis Dieudonné.

Et maintenant, il rentre dans cette chambre du palais du Louvre, où vingt-huit ans plus tôt, un 5 décembre 1637, il a été conçu, et, en cette aube du 20 janvier 1666, il s'avance vers le lit où repose sa mère.

Il voit Monsieur, Philippe duc d'Orléans, soutenu par ses jeunes favoris, poudrés et enrubannés.

Il s'approche. Les médecins le retiennent.

— Est-elle morte? demande-t-il.

— Oui, sire.

Il entend les sanglots de Philippe, ses gémissements, les mots que son frère répète : «Est-ce là la reine, ma mère?»

Il est le roi, Louis le Grand. Il ne peut pas pleurer. Il ne le doit pas.

Et cependant, il baisse la tête, et les larmes inondent son visage.

Il reste là un long moment, immobile, entouré de cette foule de courtisans.

L'un d'eux murmure :

— Ce fut une de nos plus grandes reines.

Louis le Grand se redresse. Il ne pleure plus. Il dit, lèvres serrées, voix méprisante :

— Non, un de nos plus grands rois.

Il sort lentement de la chambre.

Il veut s'éloigner de Paris, gagner le château Neuf de Saint-Germain, voir ces lieux où, il y a vingt-huit ans, sa mère lui a donné la vie.

Il méditera seul.

Il a découvert que, même si un prince doit sacrifier au bien de son empire tous ses mouvements particuliers et maîtriser ses émotions, il est des moments où cette règle ne peut se pratiquer.

«La nature avait formé les premiers vœux qui m'unissaient à la reine, ma mère, écrit-il. Mais les liaisons qui se font dans le cœur, par le rapport des qualités de l'âme, se rompent bien plus malaisément que celles qui ne sont produites que par le seul commerce du sang... Cette habitude que j'avais formée à ne faire qu'un même logis et qu'une même table avec elle, cette assiduité avec laquelle je la voyais plusieurs fois chaque jour malgré l'empressement de mes affaires, n'était point une loi que je me fusse imposée par raison d'État, mais une marque du plaisir que je prenais en sa compagnie...»

Il est seul.

Il se souvient de la rigueur avec laquelle sa mère, cette princesse, cette reine, a soutenu sa couronne, «dans les temps où il ne pouvait encore agir», et la manière dont elle lui a abandonné son autorité souveraine afin qu'il fût pleinement le roi.

Il n'avait rien eu à craindre d'elle, de son ambition.

Elle avait voulu que dès le jour de sa naissance, le dimanche 5 septembre 1638, dans ce château Neuf de Saint-Germain où il est revenu en ce mois de janvier 1666, il soit, lui, l'enfant du miracle, lui, Louis Dieudonné, le Roi-Soleil, Louis le Grand.

PREMIÈRE PARTIE

1638-1652

1.

L'enfant, l'avenir du royaume de France, est aux mains des femmes.

Sa mère, les cheveux brillants et défaits tombant sur ses épaules, le tient contre elle, puis elle le présente à l'évêque de Meaux, qui l'ondoie.

L'enfant crie, ouvre et tord la bouche. Les femmes rient. L'une d'elles, petite et forte, s'avance le corsage défait. C'est Mme de La Giraudière, la nourrice, qu'entourent Mme de Lansac, la gouvernante, et Mme de Seneçay, dame d'honneur de la reine, d'autres encore, qui se penchent pour voir cet enfant vigoureux, qui cherche le mamelon, le happe goulûment. Et Mme de La Giraudière rit, en renversant sa tête en arrière, en faisant jaillir ses seins.

Puis elle porte l'enfant jusqu'à l'appartement qui a été préparé.

La chambre où il va reposer est une vaste pièce, à trois fenêtres. Elle est tendue d'un tissu de damas à fleurs. Une balustrade sépare du reste de la chambre l'espace où se trouvent le berceau et une table couverte de coussins. C'est l'autel où l'on place Louis Dieudonné, devant lequel on s'incline.

Ce n'est qu'un nouveau-né de deux jours, mais ce mardi 7 septembre 1638, à quatre heures, couché sur un oreiller blanc, il donne sa première audience. La délégation du parlement de Paris, les magistrats des différentes cours viennent le saluer, sortent de la chambre à reculons, félicitent Louis XIII et le cardinal de Richelieu qui se tient près de lui mais un peu en retrait. Le roi sursaute quand on entend la voix aiguë de l'enfant. Mais on ferme les portes et le roi baisse la tête, redevient ce vieil homme gris, maigre et maussade.

Il hésite. Il s'avance vers la chambre de sa femme. On devine dans la pénombre Anne d'Autriche, qu'on coiffe, qu'on habille, qu'on parfume et qui apparaît enfin, pâle encore, mais belle, rayonnante, jetant à peine un regard vers son époux, ignorant l'homme rouge, ce cardinal qui l'a humiliée et qui maintenant la suit des yeux, cependant qu'elle entre dans la chambre de son fils, dont on entend à nouveau la voix.

C'est un enfant avide. Les nourrices ont les seins meurtris, les mamelons mordus par ces dents aiguës, qui ont poussé si vite. Les femmes se succèdent.

— Il maltraite leurs mamelles, répète-t-on dans tout le château.

Le bruit se répand. Les nourrices le fuient, blessées, affolées. Il en a usé sept en six mois.

Les ambassadeurs transmettent ces nouvelles. L'un d'eux écrit : « C'est aux voisins de la France de se méfier d'une aussi précoce voracité. »

Mais Anne d'Autriche ne se lasse pas de regarder son fils téter, grandir, grossir, faire ses premiers pas.

Elle remercie Dieu de lui avoir donné, après quatre fausses couches, cet enfant qui s'accroche aux jupes de ses nourrices, pour les contraindre à se baisser, à le nourrir.

Elle consulte les astrologues et les devins. Ils dressent les configurations célestes qui annoncent le destin de cet enfant du miracle.

Elle écoute, elle lit et relit les prédictions favorables, qui annoncent un avenir solaire pour ce Louis, né un dimanche, jour du soleil.

«Le dauphin éclairera et chauffera, comme le soleil, le royaume de France, dont il fera le bonheur, et il répandra sa lumière et sa chaleur sur les amis de la France.»

Elle se penche vers lui qui se presse contre elle, au moment où entre, amaigri encore, sombre, Louis XIII, le père revêche, qui s'impatiente, s'irrite de voir ce fils qui refuse de l'approcher et se réfugie dans les jupes de sa mère, ou se cache derrière ses gouvernantes, ses nourrices, les dames d'honneur et les suivantes de la reine.

— Je suis très mal satisfait de mon fils, maugrée-t-il. Il est opiniâtre. Mais je ne suis nullement résolu de lui souffrir ses méchantes humeurs. Dès qu'il me voit, il hurle comme s'il voyait le diable et crie toujours à maman. Ce grand nombre de femmes autour de lui gâte tout. Il faut l'ôter d'auprès de la reine, le plus tôt qu'on pourra.

L'enfant résiste. Il se pelotonne contre sa mère, quand elle l'assoit près d'elle dans cette voiture qui, lentement, fait le tour du parc du château.

Ils rentrent. Ils sont surpris par Louis XIII qui se dresse devant eux, semble menaçant. Les femmes entraînent le dauphin. Louis XIII suit sa femme dans sa chambre. Quelques mois plus tard, le 21 septembre 1640, un second fils, Philippe, naîtra. Mais il n'est que le cadet, celui qui toujours sera soumis à Louis le Grand, que sa mère comble lui aussi de sa tendresse mais qu'elle habillera en fille, parce qu'il ne doit y avoir qu'un seul dauphin, qu'un seul roi, et qu'elle sait combien les frères de souverains sont jaloux et dangereux.

Elle devine ainsi la déception de Gaston d'Orléans, le frère de Louis XIII. Il était, tant que le roi n'avait pas de fils, le successeur désigné. Le voici qui recule de deux rangs au moment même où la mort emporte Richelieu – le 4 décembre 1642 – et où il pourrait ainsi s'approcher du trône que ne garde plus l'homme rouge. Et d'autant plus que Louis XIII s'alite, que son corps décharné est secoué de tremblements, que les vomissements le plient, le vident, que tout annonce la mort, et que les yeux du souverain deviennent vitreux, reflètent l'épuisement et aussi le désir de quitter cette vie.

Parfois, Louis XIII a un regain de vitalité. Il se lève, s'emporte contre ce fils et sa mère. Il ne tolère plus les dérobades et les mauvaises humeurs du dauphin. Il faut que cet enfant s'agenouille, demande pardon au roi son père. Et Louis XIII menace une nouvelle fois de séparer les fils, Louis et Philippe, de leur mère. Puis le corps du roi s'affaisse, il vomit, des coliques le déchirent. On le reconduit jusqu'à son lit.

C'est le mois d'avril 1643. Un homme, un cardinal au teint pâle, aux mains jointes gantées de gris, une fine moustache soulignant son sourire doux, l'expression bienveillante, presque caressante de son regard, s'incline devant Anne d'Autriche et son fils. Il est auprès du roi le successeur de Richelieu. Lorsqu'il répète son nom, Giulio Mazarini, sa voix chante. Le roi veut rassembler les siens dans sa chambre, dit-il.

On suit Mazarin.

Louis XIII, le visage couvert de plaques jaunes et de pustules que la poudre ne réussit pas à dissimuler, annonce d'une voix lente que la mort s'avance vers lui et qu'il a décidé de constituer un Conseil souverain de régence, composé de son frère Gaston d'Orléans, de Mazarin, du prince de Condé, du chancelier Séguier.

L'enfant de cinq ans écoute. Il lève la tête. Il voit le visage de sa mère. Elle a les lèvres serrées mais son menton tremble. Elle lui saisit la main, la presse. L'enfant observe Gaston d'Orléans. Son oncle sourit, le visage épanoui. Et l'enfant se tend, répond à la pression des doigts de sa mère. Il sait qu'on l'humilie, qu'on veut la dépouiller.

Il l'entend qui, dans l'antichambre du roi, murmure à ses suivantes que ce Conseil souverain de régence est constitué pour lui interdire de régner. Elle craint l'ambition de Gaston d'Orléans. Elle veut qu'on renforce la garde autour de ses appartements et de ceux de ses fils, qu'on surveille les alentours et les portes du château.

Mais voici qu'on entoure la mère et ses fils. C'est ce même 21 avril 1643 que le roi a choisi comme jour du baptême du dauphin.

On se rend d'un pas solennel dans la chapelle du château de Saint-Germain.

Sous les voûtes, les magistrats, Gaston d'Orléans, et le roi, chancelant, puis le parrain, ce cardinal de Mazarin, et la marraine, Charlotte de Montmorency, princesse de Condé, qui fut la maîtresse – la dernière peut-être – d'Henri IV.

L'enfant se tient droit, visage grave, cependant qu'on prie autour de lui. Il aperçoit son père qui s'est redressé, qui s'avance, qui lui murmure que, bientôt, car c'est la volonté de Dieu : « Mon fils, vous vous appellerez Louis XIV. »

Et il suffit en effet de quelques semaines pour que la vie se retire, en une agonie douloureuse, de Louis XIII.

L'enfant de cinq ans, poudré, portant un habit de soie violet, des dentelles blanches et noires entourant son cou, ses poignets, marche le 14 mai 1643 vers le cercueil où son père est étendu, cependant que l'on crie, et les mots sont répétés par l'écho qui court le long des couloirs du château : « Le roi est mort ! Vive le roi ! »

2.

Il n'oubliera jamais ces jours du mois de mai de l'an 1643.

Il voit tous ces hommes chamarrés, ducs, princes, parlementaires en robes et chaperons d'écarlate, en manteaux de velours aux parements d'or, ces femmes aux robes chatoyantes, et la plus belle de toutes, sa mère, la régente, Anne d'Autriche.

On s'incline devant lui, on se presse autour de sa mère.

Il devine les clans qui se forment, d'abord celui de Gaston d'Orléans, son oncle, dont la fille de seize ans, la Grande Mademoiselle, s'approche, le dévisage, lui sourit, esquisse une révérence, les yeux remplis de malice. Voici que s'avancent les Condé, le prince et la princesse, cette Charlotte de Montmorency qui est sa marraine, et l'un de leurs fils, le prince de Conti ; l'autre, le duc d'Enghien, commande les armées qui devant Rocroi se préparent à attaquer les Espagnols. Et les derniers qui se présentent à sa mère sont les Vendôme, le duc de Beaufort et le duc de Mercœur, les fils de Gabrielle d'Estrées, maîtresse d'Henri IV. Ce sont ceux auxquels sourit Anne d'Autriche parce qu'ils sont les plus faibles. Elle choisit le duc de Beaufort pour commander les cavaliers chargés d'escorter le cortège royal, qui doit quitter Saint-Germain pour le Louvre, au cœur de cette capitale que l'enfant ne connaît pas.

Il se tient droit, assis dans la voiture tirée par des chevaux noirs, auprès de sa mère, et l'escorte cavalcade tout autour. Sa mère peu à peu, qui lui a paru inquiète, lui serrant la main, s'épanouit. Les premiers cris de «Vive le roi!» retentissent avant même qu'on soit entré dans Paris.

Il n'a jamais vu pareille foule. Il découvre ce peuple, rassemblé sur le bord de la route puis dans les rues, qui l'acclame. Les femmes, leurs enfants, les hommes agitent leurs chapeaux, les cloches sonnent, cependant que le cortège s'approche du palais, les cavaliers de l'escorte formant deux haies mouvantes de couleur rouge et or, de part et d'autre de la voiture.

Puis ce sont les grandes salles du Louvre, d'où l'on voit le fleuve, les quartiers grouillants.

Les cloches sonnent toujours, saluant l'entrée du roi dans sa capitale.

La nuit est courte.

Le 18 mai, les femmes habillent l'enfant d'une robe violette, glissent sur sa poitrine un grand bandeau doré, puis s'avancent le duc de Joyeuse, grand chambellan, et le comte de Charost, capitaine des gardes.

Ils vont l'accompagner au Parlement.

Sa mère lui explique ce qu'est un lit de justice, ce qu'il doit dire. Elle le répète, et il doit retenir cette phrase : «Messieurs du Parlement, je suis venu vous voir pour témoigner au Parlement ma bonne volonté. Monsieur le chancelier dira le reste.»

Louis s'efforce de prononcer distinctement des mots mystérieux, mais il sait que le sort de sa mère, et donc aussi le sien, en dépend.

Ce seront ses premières paroles de roi.

Il entre dans la grande salle du Parlement, il voit les présidents, les parlementaires, ces hommes aux vêtements rouge et noir, tenant à deux mains leurs mortiers, les visages austères l'observent tandis qu'il gravit les trois marches qui conduisent au trône, puis qu'il se laisse soulever par le duc de Joyeuse et le comte de Charost.

Il écoute les salutations des présidents des différentes chambres du Parlement, puis c'est sa mère qui s'approche, avec Mme de Lansac. Elles le portent, le font admirer aux parlementaires. Il est impassible. Il se souvient des mots qu'il a appris. Il les dit avec le plus de force qu'il peut. Il n'est qu'un enfant d'à peine cinq ans.

Mais sa mère le serre contre elle, alors que le chancelier Séguier prend la parole.

Et Louis observe Anne d'Autriche cependant que les hommes graves approuvent, baissant la tête. Elle est radieuse. Elle est la régente, régnant seule sans ce Conseil souverain dans lequel Louis XIII avait voulu l'enfermer et que le Parlement, à la demande d'Anne d'Autriche et de son fils, vient d'abolir.

Sa mère l'embrasse, les femmes autour de lui dans ces chambres du palais du Louvre rient, félicitent la reine.

Lui joue avec l'enfant d'une femme de chambre, une petite fille, Marie, à laquelle il obéit.

Anne d'Autriche la renvoie. Il est le roi.

Le lendemain de ce lit de justice, le 19 mai 1643, on l'habille de vêtements noirs, rehaussés de dentelle blanche et de cordon d'or, il se rend à l'abbaye de Saint-Denis.

Il marche au côté de sa mère dans la nef. Derrière eux, portant des cierges auxquels sont accrochées des pièces d'or, les princes de la famille royale s'approchent du cercueil du roi. Les aumôniers du monarque, les prêtres de Saint-Denis se bousculent pour se saisir des cierges et de l'or, alors que s'élèvent les prières étouffées par le brouhaha.

On porte le cercueil dans la crypte.

La foule des évêques, des princes, des ducs, des religieux, et plus loin le peuple, écoutent le héraut d'armes crier, une nouvelle fois :

— Le roi est mort, priez pour son âme ! Et vive le roi quatorzième du nom par la grâce de Dieu, roi de France et de Navarre, mon seigneur et maître !

On le congratule, on murmure qu'il promet d'être un grand roi. On s'incline devant sa mère.

Elle lui prend la main. Il la sait heureuse. Elle est la reine, maîtresse du pouvoir.

C'est lui son fils qui lui donne cette force parce qu'il est le roi.

3.

C'est encore un enfant et c'est déjà le roi.

Il parcourt d'un pas martial les couloirs du palais, à la tête d'une troupe d'enfants qui portent comme lui épées, piques et mousquets miniatures. On défile, on fait l'exercice, sous les ordres d'une « capitainesse », Mme de La Salle, femme de chambre de la reine. Et souvent Anne d'Autriche surgit, contemple ce fils qui joue déjà à l'homme de guerre. Elle lui commande de s'approcher, s'étonne de sa tenue, un pourpoint de toile blanche toute simple, sans doublure, avec de la dentelle de fil blanc. Est-ce là vêtement de roi ?

— Je le veux comme cela, moi, dit-il.

Il s'obstine. Déjà, alors qu'il était en compagnie de sa mère sur la frontière, entre Amiens et Armentières, et que les combats opposaient Français et Espagnols, il avait refusé de revêtir un habit chamarré, avec or et pierres précieuses, pour marquer son entrée dans Amiens.

— Je vous ferai bien voir, dit Anne d'Autriche, que vous n'avez point de pouvoir et que j'en ai un ! Il y a trop longtemps que vous n'avez pas été fouetté. Je veux vous faire voir que l'on fesse à Amiens comme à Paris.

Elle regarde autour d'elle. Le gouverneur du roi s'est approché, c'est le maréchal de Villeroy. Et il y a là aussi les précepteurs du roi, Péréfixe chargé d'enseigner l'histoire et les belles-lettres, et ceux qui doivent apprendre à l'enfant le dessin, l'espagnol, l'italien, l'écriture et le calcul ou bien l'équitation, la musique, la danse et l'art de la guerre et des armées. Et l'enfant, s'il aime jouer du luth et de la guitare, et s'initie au latin, préfère à l'étude la chasse, les chevauchées, les jeux de guerre.

Depuis que la Cour a, le 7 octobre 1643, quitté le Louvre pour le Palais-Cardinal, bientôt nommé Palais-Royal, on a construit dans les jardins des forts en réduction pour ce roi qui aime déplacer sur ses tables des armées de soldats en argent, des canons en cuivre et en or. Louis conduit l'assaut, cependant qu'on tire à blanc.

Le valet de chambre Dubois, et le premier valet de Sa Majesté, La Porte, surveillent ces jeux guerriers.

C'est à eux aussi que s'adresse Anne d'Autriche.

— Je ne veux pas que vous fassiez ce que le roi vous commande, dit-elle. Allez-vous-en trouver, lorsque le roi exigera quelque chose, M. le maréchal de Villeroy, si le gouverneur le juge à propos, faites-le, sinon n'en faites rien.

Elle a parlé d'une voix forte et dure qui tranche avec sa douceur et sa tendresse habituelles.

— Maman, je vous demande pardon, je vous promets de n'avoir jamais d'autre volonté que la vôtre.

La Porte reconduit Louis dans sa chambre. Elle est austère.

« La coutume est que l'on donne au roi, tous les ans, douze paires de draps, et deux robes de chambre, dit La Porte. Néanmoins je les ai vus servir six paires de draps, trois ans entiers, et une robe de chambre de velours vert, doublé de petit-gris, servir hiver et été pendant le même temps, en sorte que la dernière année elle ne lui venait qu'à la moitié des jambes, et pour les draps, ils étaient si usés que j'ai trouvé plusieurs fois le roi les jambes passées au travers. »

C'est au cardinal Mazarin que, le 15 mars 1646, Anne d'Autriche confiera la tâche d'être « surintendant au gouvernement et à la conduite du roi ». Mazarin, avare et avide, surveille les dépenses, impose peu à peu sa loi à la reine.

Louis les voit chaque soir, assis l'un près de l'autre, devisant à voix basse, dans une pièce située au bout des appartements de la reine, mais toutes portes ouvertes, pour que les courtisans les aperçoivent sans pouvoir les entendre.

Louis observe ce cardinal de haute taille, à la voix douce, au regard voilé, qui semble subjuguer sa mère et que l'on courtise, l'accompagnant dans ses promenades, sollicitant une faveur, et, dès qu'il s'éloigne, répandant des rumeurs sur les liens que l'éminence italienne entretient avec la reine, ou bien critiquant son avarice, sa vanité, son goût de l'opéra italien, des tissus, des tableaux, des bijoux et des statues.

Louis lui obéit, écoute les leçons que chaque jour le cardinal lui donne, le faisant participer au Conseil qu'il préside. Il l'a entendu répondre à Péréfixe, qui se plaignait que le roi ne « s'applique pas à l'étude » :

— Ne vous mettez pas en peine, reposez-vous-en sur moi : il n'en saura que trop car quand il vient au Conseil, il me fait cent questions sur la chose dont il s'agit.

Louis a confiance dans cet homme que sa mère regarde avec des yeux pleins d'indulgence et de tendresse. Cette complicité, cette union le rassurent, et l'irritent aussi.

Il ne peut s'empêcher de céder à des mouvements d'humeur devant cette Éminence qui aime le faste, qui peuple les appartements royaux d'œuvres d'art, de livres anciens, et dont les coffres regorgent de pièces d'or.

Il le voit passer sur la terrasse du château de Compiègne, où la Cour séjourne. Les courtisans suivent le cardinal, obséquieux, comme si cet Italien de Giulio Mazarini était le souverain.

— Voilà le Grand Turc qui passe, lance Louis.

Et aussitôt il regrette ces mots, il s'inquiète. Il sait qu'on l'a entendu, qu'on rapportera ce propos au cardinal, et surtout à Anne d'Autriche, et que sa mère en sera blessée.

En même temps il se rebelle. Il a parfois le sentiment que Mazarin veut le maintenir dans l'enfance, pour mieux régner. *Mais c'est moi le roi.* Et il ne se calme qu'au moment où Mazarin s'incline devant lui, lui demande de féliciter le duc d'Enghien qui, le 19 mai 1643, a vaincu les Espagnols à Rocroi, et qui vient de vaincre encore les Impériaux à Nördlingen.

Louis se hisse sur la pointe des pieds pour donner l'accolade au duc d'Enghien, dont on dit qu'il sera le Grand Condé, le plus talentueux des chefs de guerre du royaume, au moins égal au maréchal de Turenne.

Et Louis, menton levé, la poitrine barrée par une écharpe de soie blanche frangée d'or, tranchant sur son vêtement bleu, passe en revue, marchant en avant des officiers, son régiment de gardes suisses, alignés dans le bois de Boulogne.

Il retrouve les Suisses, formant avec les gardes du corps une haie d'honneur, devant l'entrée du Parlement, ce 7 septembre 1645, alors qu'il doit en compagnie de sa mère y tenir un lit de justice.

Il marche près d'Anne d'Autriche, dont il respire le parfum sucré, dont il entrevoit derrière les voiles noirs ce visage aux traits réguliers qui l'émeut toujours.

Il se laisse soulever par le grand chambellan qui l'assied sur un amoncellement de coussins bleus à fleurs de lys d'or. Il doit parler, avant le chancelier et le président, afin d'exiger des parlementaires qu'ils se soumettent, acceptent de nouveaux impôts en échange de l'abandon d'une taxe dite de la toise que Mazarin a décrétée et qui a provoqué émeutes, révoltes et résistances, et le Parlement a lui aussi donné de la voix.

Maintenant il faut qu'il plie, qu'il accepte un compromis.

Le roi, l'enfant, se redresse. Il récite les mots appris. Il les prononce avec plus de netteté que ceux qu'il avait dits, un peu hésitants, lors du premier lit de justice, le 18 mai 1643.

Deux années ont passé. Il a sept ans. C'est l'âge auquel les femmes doivent se retirer, laisser la place au gouverneur Villeroy et, au-dessus de lui, au surintendant, le cardinal Mazarin.

Quand le roi a achevé de répéter : « Messieurs les parlementaires, je suis ici pour vous parler de mes affaires, mon chancelier vous dira ma volonté », les applaudissements déferlent.

Louis respire cet encens de la soumission, du respect et de l'adulation. Il regarde sa mère, assise à ses côtés, mais au-dessous de lui.

Il est le roi, Louis le Grand.

Être roi, c'est gloire mais aussi humilité.

Péréfixe, son précepteur, prêtre, bientôt évêque de Rodez, le lui rappelle, et c'est en procession que Louis se rend, le jeudi saint de l'année 1645, à l'église Saint-Eustache, sa paroisse. Il s'accroupit pour laver les pieds de douze enfants pauvres, lui le roi. C'est là son devoir de justice et de charité.

Quand il rentre ce jour-là, l'enfant demande à La Porte, comme il le fait souvent, de venir s'allonger près de lui, de lui lire des passages de l'Histoire Sainte et de l'Histoire de France.

Il veut que La Porte lui parle encore du roi David, ou de ce roi de France qui partit en croisade, fut un roi juste et un saint homme, et qui portait lui aussi le nom de Louis, Louis le Neuvième, *Saint Louis, mon ancêtre.*

Parfois, la nuit, Louis se réveille, et il s'en va coucher au côté de La Porte, retrouvant ainsi le sommeil. Au matin il est à nouveau dans son lit. Le premier valet de chambre a dû l'y déposer endormi.

Il écoute La Porte dont il connaît le dévouement, qui a servi avec fidélité Anne d'Autriche, subissant les pressions des hommes de Richelieu, refusant de livrer, même menacé de la torture, les secrets qu'il détenait et qui eussent pu fournir aux accusateurs de la reine des prétextes, des arguments, peut-être des preuves.

Maintenant, La Porte s'inquiète de l'influence de Mazarin, cet autre cardinal, légué par Richelieu à Louis XIII, cet Italien rapace et enjôleur, qui est le parrain de Louis, qui endort la vigilance de la reine à force de compliments, de cadeaux, de regards langoureux. Et pendant ce temps il remplit ses coffres, il pille la France, il la saigne avec de nouveaux impôts, il ternit la réputation de la reine, dont on dit qu'elle succombe aux charmes de l'Italien, qu'elle ne peut même pas imaginer les ragots, les soupçons qui comme des poisons se répandent parmi la Cour.

La Porte n'ose pas avouer cela à Louis. Mais ses silences, ses soupirs, ses conseils troublent l'enfant.

« Il y a des espions autour de Sa Majesté », murmure La Porte.

Il ajoute que certains veulent maintenir le roi dans l'ignorance, l'empêcher de côtoyer des gens de bien capables de lui enseigner de bons sentiments, et c'est pour cela qu'on écarte les précepteurs de qualité et qu'on retire du cabinet du roi les bons livres !

Louis se tait, et La Porte ajoute :

« On sait que Sa Majesté a de l'esprit, qu'il voit et entend toutes choses, et c'est ce que l'on craint. »

Ces « certains », ce « on », il n'est pas besoin que La Porte les nomme, ce sont le cardinal Mazarin et ses affidés.

Louis se détourne. Il ne veut plus entendre La Porte. Comment pourrait-il se dresser contre le cardinal alors que sa mère en a fait son surintendant, ministre d'État, le premier de son Conseil, son conseiller, son confident, le guide de son fils ?

Louis ne peut lui en vouloir. Elle est sa mère, si pure, si tendre. Il devine, sans pouvoir l'exprimer, ce qu'Anne d'Autriche ressent pour Mazarin, qu'elle confiera à la comtesse de Brienne :

« Je t'avoue que je l'aime et je puis même dire tendrement, mais l'affection que je lui porte ne va pas jusqu'à l'amour, ou si elle y va c'est sans que je le sache, mes sens n'ont pas de part ; mon esprit seulement est charmé de la beauté de son esprit. Cela est-il criminel ? Ne me flatte point et sois assurée que s'il y a dans cet amour l'ombre du péché, j'y renonce dès maintenant devant Dieu et devant les saints dont les reliques reposent dans cet oratoire. »

Louis accepte cette faveur, cette affection, cette attirance. Il la sent partagée par le cardinal, qui écrit à Anne d'Autriche :

« Nous sommes unis ensemble par des liens que vous êtes tombée d'accord, Madame, plus d'une fois avec moi qu'ils ne pouvaient être rompus ni par le temps ni par quelques efforts qu'on y fît. »

Sa mère et le cardinal lui paraissent inséparables, et ils sont près de lui quand la fièvre tout à coup le saisit, ce lundi 11 novembre 1647, que les douleurs glissent le long de son dos, tordent ses reins, et qu'il entend les médecins, penchés autour de lui, répéter ces mots de « petite vérole » qu'il découvre pour la première fois.

Sa mère ne lui paraît pas inquiète. Elle se penche vers lui, caresse ses joues brûlantes, lui murmure qu'il perdra peut-être un peu de sa beauté. Mais les rois sont aimés, même s'ils ont la peau grêlée.

Sa présence et son calme le rassurent.

Les médecins pourtant insistent pour le saigner, le purger. Et la fièvre l'emporte. Il perd conscience. Il lui semble qu'autour de lui on s'affole, sa mère elle-même s'évanouit.

On le saigne. La fièvre serre sa tête. Il entend le cardinal chuchoter à Anne d'Autriche que l'oncle de Louis, le duc Gaston d'Orléans, festoie en son palais du Luxembourg car, Louis XIV mort, il suffira de se débarrasser de son frère Philippe pour que Gaston accède enfin au trône.

Louis ouvre les yeux, son corps est couvert de pustules. On lui présente un verre de calomel et de séné. Il obéit. Il boit. Il subit les saignées, les incisions et les lavements. Il est entre les mains de Dieu et il s'abandonne donc à ces médecins qui se chamaillent, les uns partisans d'une nouvelle saignée, les autres préférant la purgation qui «fait sortir l'humeur qui fermente dans le bas-ventre et particulièrement dans l'estomac».

Il vomit. Il lui semble que les visages et les contours des meubles et de la chambre sont à nouveau nettement dessinés. Il se redresse un peu. Les médecins le félicitent. Il a échappé à une mort quasi certaine, disent-ils. Ils louent le courage, l'assurance, la fermeté, la grandeur de l'enfant.

Louis regarde sa mère. Durant ces deux semaines de maladie elle ne l'a pas quitté, alors que le Palais-Royal s'était vidé de tous les courtisans, affolés devant les risques de contagion.

Il est reconnaissant au cardinal d'être resté auprès de la reine, ne s'absentant que pour «donner ordre aux affaires les plus importantes de l'État».

Louis a vu, de ses yeux voilés par la maladie, Anne d'Autriche et Mazarin, épaule contre épaule, penchés vers lui.

Il ne les séparera pas. Il n'oubliera pas cette première rencontre avec la mort. Il n'a pas eu peur.

Il est le roi.

4.

Louis s'approche du miroir.

Il regarde la peau de son visage. Il caresse du bout de ses doigts ses joues et son front. Il effleure les pustules, les cicatrices, les boutons encore purulents, les marques de cette petite vérole dont il a triomphé.

Il recule d'un pas.

Il eût pu succomber. Être le roi n'empêche pas la maladie de vous assaillir, de vous terrasser, de vous laisser affaibli avec ces plaies sur le visage.

Il faut être à chaque instant sur ses gardes, car la vie est une guerre. Les ennemis sont aux aguets.

Il le soupçonnait. Il les voit surgir chaque jour de plus en plus nombreux. Ils menacent. Ils hurlent. Ils insultent.

Le samedi 11 janvier 1648, il a entendu sa mère raconter d'une voie aiguë, tremblante de colère et d'inquiétude, l'affront qu'elle a subi, les dangers qu'elle a courus. Plusieurs centaines de femmes l'ont encerclée, poursuivie jusque dans la nef de Notre-Dame, où elle se rendait pour suivre la messe.

Anne d'Autriche porte les mains à ses oreilles comme si

elle entendait encore ces hurlements qui résonnaient dans la cathédrale.

Elle s'indigne. Ce sont ces parlementaires, qui refusent de se soumettre, qui excitent le peuple, veulent soulever Paris, cette ville qui est un volcan énorme de plus de quatre cent mille habitants, afin que le roi cède devant le tumulte, retire ses projets de nouveaux impôts.

Anne d'Autriche s'est tournée vers Mazarin. Suffit-il donc de deux cent vingt parlementaires, qui suivent l'un des conseillers à la Grand-Chambre, le vieux Broussel, pour que le roi s'incline ?

Louis se souvient de ce que son premier valet de chambre La Porte lui répète :

— L'hommage est dû aux rois. Ils font ce qui leur plaît... Dieu vous a choisi. Il vous a donné cette majestueuse prestance, cet air et ce port presque divins, cette taille et cette beauté dignes de l'empire du monde qui attirent les yeux et le respect de tous ceux à qui Votre Majesté se fait voir.

Louis se tait, murmure pour lui seul :

— Je dois donc toujours me souvenir que je suis le roi.

Mais c'est aussi être toujours menacé.

Quand il s'est rendu le dimanche 12 janvier à Notre-Dame pour y célébrer une action de grâces, y remercier Dieu d'avoir veillé sur lui durant cette maladie, de lui avoir permis de la vaincre, il a entendu dans les rues proches de la cathédrale les cris de la foule que l'escorte de gardes suisses avait repoussée.

Il a les nuits suivantes été réveillé par des décharges de mousquet, aux abords du Palais-Royal. Il s'est levé, est allé se coucher dans le lit de son premier valet, et La Porte l'a rassuré.

Il n'est qu'un enfant qui n'a pas encore dix ans, qui sait déjà que tous les yeux sont braqués sur lui. Que ce n'est que lorsqu'il se retire dans sa chambre et qu'il n'a plus pour témoin que La Porte qu'il peut s'autoriser à exprimer ce qu'il ressent.

Mais dès qu'il est exposé aux regards des autres, il doit demeurer impassible, silencieux, étonné de subjuguer, lui l'enfant. Rester ainsi immobile, sans manifester d'ennui ou d'impatience, durant les six heures que dure ce spectacle d'*Orphée*, le premier opéra présenté en France, à l'initiative de Mazarin.

Cet Italien, ce cardinal, ce Grand Turc, il faut à la fois accepter son autorité, ses conseils, puisque la reine mère le veut, et lui faire sentir qui est le roi, qui détient le pouvoir, qui sera le maître, un jour.

Alors que Mazarin attend dans la chambre de Louis pour le saluer à son coucher, qu'il tempête, ses courtisans découvrent que le roi peut rester autant qu'il le veut sur sa chaise percée, dans sa garde-robe, et qu'il ne sortira pas, que c'est Mazarin, le tout-puissant, qui devra s'éloigner, humilié.

Bonne leçon pour le Grand Turc.

Mais c'est Mazarin qui gouverne, lui qu'Anne d'Autriche écoute, lui qui dit que le Parlement, avec sa Grand-Chambre, ses cinq chambres d'enquêtes, ses deux de requêtes et ses présidents, ses conseillers, Broussel, Potier de Blancmesnil, est puissant, que la population de Paris le suit, qu'il est dans l'île de la Cité comme dans une forteresse, avec ces rues grouillantes, tumultueuses, autour de son palais.

Il faut donc subir l'avocat général du Parlement, Omer Talon, qui prononce un plaidoyer aux accents d'un réquisitoire.

Louis, ce 15 janvier 1648, encore marqué par la maladie, assis sur des coussins bleus à fleurs de lys, doit donc entendre Omer Talon dire :

— Vous êtes, Sire, notre Souverain Seigneur.

Mais Talon ajoute :

— Il importe à votre gloire que nous soyons des hommes libres et non des esclaves. Être roi de France, c'est régner sur des hommes de cœur, des âmes libres, et non sur des forçats...

Louis tourne insensiblement la tête.

Il devine à son expression la colère de sa mère. Près d'elle, en retrait, le cardinal Mazarin, les yeux mi-clos, est impassible. C'est pourtant contre lui que se dresse le Parlement, hostile aux nouveaux impôts que Mazarin a décidé de créer.

Car l'argent manque. Il faut financer la guerre contre l'Espagne. Les paysans pressurés, affamés, se sont révoltés dans plusieurs provinces. En Rouergue, en Guyenne, en Bretagne, ces croquants ont dû être traqués par l'armée comme des bêtes sauvages. Et leurs meneurs condamnés aux galères. Mais l'argent n'est pas rentré pour autant.

Louis a compris depuis longtemps ce que signifiaient les soupirs de son valet La Porte, ses yeux levés au ciel, ses accusations muettes contre Mazarin qui remplirait ses coffres avec l'argent du royaume.

Mais que faire quand on n'est qu'un enfant ? Vieillir ! Patienter ! Laisser ce cardinal rapace vous retirer les cent louis que le ministre des Finances vous a remis. Coucher dans des draps troués, découvrir que le cuir des portières de son carrosse est entièrement emporté, que les jambes sont ainsi exposées à la pluie, à la boue, et, las de toutes ces mesquineries, se plaindre à la reine, au surintendant des Finances, et à Son Éminence qui s'incline, patelin, promet que Sa Majesté va se voir attribuer cinq carrosses neufs...

Louis regarde à nouveau Omer Talon. L'avocat général poursuit sa harangue. Est-ce cela un lit de justice, quand le Parlement devient accusateur au lieu de s'incliner devant la volonté du roi ?

— Il y a, Sire, dit Omer Talon, dix ans que la campagne est ruinée, les paysans réduits à coucher sur la paille, leurs meubles vendus pour le paiement des impositions auxquelles ils ne peuvent satisfaire, et que pour entretenir le luxe de Paris des millions d'âmes innocentes sont obligées de vivre de pain et de son. S'ils possèdent encore leurs âmes en propriété, c'est qu'elles n'ont pu être vendues à l'encan...

Est-il possible de tolérer un tel discours ? D'accepter que les différentes chambres du Parlement se réunissent par un arrêt d'Union, créent une chambre Saint-Louis pour présenter leurs exigences ? Veulent-ils agir comme le Parlement anglais, faire s'agenouiller le roi ?

Louis entend l'indignation de sa mère.

— Quelle est cette espèce de république dans la monarchie ? lance-t-elle.

Il se tient près d'elle, dans ses salons, au milieu de ses suivantes dont les robes le frôlent.

Les femmes de chambre sont plus audacieuses. Elles se penchent, et il sent leurs seins contre son visage. Mme de Beauvais, la première femme de chambre, aux formes généreuses, au visage souriant, attirant bien qu'elle soit borgne, glisse ses mains comme par inadvertance le long du corps de Louis.

Elle s'écarte vite quand Anne d'Autriche s'approche, exulte, annonçant qu'un habitant d'Arras vient d'arriver, qu'il apporte la nouvelle d'une grande victoire du duc d'Enghien, devenu prince de Condé, contre les Espagnols, à Lens.

Il faut profiter de cette victoire. Louis s'avance. Il voudrait avoir à décider, lui aussi.

Il murmure : « Ces Messieurs du Parlement seront fâchés de cette nouvelle. » Sa mère le serre contre elle, puis le renvoie, car Mazarin s'avance, entraîne la reine. Que se trame-t-il ?

C'est le dimanche 26 août 1648.

Louis est au premier rang face à l'autel, dans le chœur de Notre-Dame, cependant que les cloches du *Te Deum* carillonnent pour célébrer la victoire de Lens. Puis tout à coup, au moment où le cortège sort de la nef, ce sont des mousqueteries, des cris.

L'escorte de gardes suisses et de gardes-françaises se rapproche. Il faut rentrer au palais.

Louis entend les officiers annoncer que des barricades commencent à s'élever dans les ruelles, autour du Louvre, dans l'île de la Cité, depuis qu'a été apprise l'arrestation du conseiller Broussel et du président de chambre Blancmesnil.

C'était donc cela qu'avaient décidé Son Éminence et Anne d'Autriche : profiter du *Te Deum,* de la victoire de Condé à Lens, pour s'emparer des deux parlementaires. Mais l'opération a été mal conduite, la population alertée a même tenté de s'opposer à l'arrestation de Broussel.

Louis ne peut plus s'intéresser aux jeux de guerre auxquels il s'adonne habituellement. La guerre est dans les rues de Paris, barrées par des centaines de barricades, six cents, dit-on. Les gardes suisses campent dans les jardins, car le Palais-Royal qui ne comporte pas de fossé peut être attaqué, envahi.

La foule l'entoure. Louis entend les cris, les chants, les lazzis.

« Un vent de fronde s'est levé ce matin et je crois qu'il gronde contre Mazarin. »

Louis observe, silencieux.

Il a l'impression qu'il est à nouveau assailli par une maladie, et qu'il ne peut pour triompher d'elle que croire en lui, se défier de tous ; de son oncle Gaston d'Orléans, de sa cousine la Grande Mademoiselle, de ce Paul de Gondi, coadjuteur de l'archevêque de Paris, qui vient souvent au palais, parle longuement avec Anne d'Autriche, conseille à voix basse, s'éloigne lorsque paraît Mazarin. Viennent aussi le prince de Conti – frère de Condé –, le duc de Longueville, tous ces grands qui s'inclinent cérémonieusement.

Louis veut que pas un des traits de son visage ne bouge. Il devine derrière ces révérences la jubilation, l'avidité de princes qui rêvent de s'emparer du pouvoir, qui espèrent que la révolte de Paris, la rébellion des parlementaires leur permettront d'assouvir leur ambition.

Il se sent seul dans ce palais assiégé par la foule. Il voit s'avancer les magistrats du Parlement, en une longue procession d'hermine et de pourpre. Ils viennent réclamer, acclamés par les émeutiers, la libération du conseiller Broussel et du président Blancmesnil.

Il entend sa mère crier :

« J'étranglerai plutôt Broussel de ces deux mains. »

Puis Mazarin entraîne Anne d'Autriche, cependant que retentissent de nouvelles mousqueteries, que des hurlements plus forts encore encerclent le palais. La foule vient d'apprendre que la reine refuse de libérer le conseiller et le président du Parlement. Elle agresse les magistrats revenus bredouilles.

Mais bientôt ce sont des cris de joie, des acclamations. La reine a cédé. On relâche Broussel et Blancmesnil.

Louis ressent cette concession comme une injustice.

Est-ce que sa mère renonce à le réprimander, à le menacer du fouet, à le châtier quand il se rebelle contre son autorité, qu'il commet une impertinence ? Et cependant il est le roi. Et voici qu'elle s'incline devant des émeutiers qui l'ont insultée, défiée, dont il a vu les visages déformés par la haine, dont il a entendu les cris, les insultes adressées à Mazarin :

Pour tout dire Mazarin
Ta carcasse désentaillée
Par la canaille tiraillée
Ensanglantera le pavé
Ton Priape haut levé
Sur une gaule
Dans la capitale de Gaule
Sera le jouet des Laquais.

Il n'est qu'un enfant, mais il serre les poings. Il n'acceptera jamais d'être traité ainsi. Un roi ne capitule pas. Un roi
impose son autorité. Un roi punit. Il regarde avec une compassion mêlée de mépris son frère cadet Philippe qui, atteint
à son tour par la petite vérole, geint et pleurniche. Celui-là
ne sera jamais roi.

Anne d'Autriche prend prétexte de son état pour quitter
Paris, le 13 septembre.

On fuit donc. On s'installe au château de Rueil.

Louis se morfond alors que les pluies de septembre et
d'octobre rayent l'horizon, que les brouillards couvrent la
Seine.

Louis va d'une pièce à l'autre. Les meubles sont rares.
Dans les cheminées le bois humide fume au lieu de brûler.
L'humidité imprègne les draps troués.

Un roi peut avoir froid et vivre des jours sans gloire. Il
peut être contraint de quitter sa capitale et de céder au Parlement, aux rebelles, s'il veut y rentrer, ce 31 octobre 1648.

Ce n'est pas cela, se conduire en roi.

5.

Louis est indigné, humilié.

Il sent que Paris, cette ville bruyante, reste rebelle. Autour du Palais-Royal, ce sont presque tous les jours des rassemblements de populace. Il ne peut se rendre à Notre-Dame que protégé par une forte escorte. Et la foule gronde ou se détourne. Il aperçoit les délégations des parlementaires qui traversent les salles du palais, arrogantes. Et la reine est contrainte de les écouter. Autour d'elle, les princes du sang, les ducs, la regardent avec commisération. Ils ignorent Mazarin ou lui manifestent leur mépris.

Est-ce cela, être roi?

Louis se souvient de la lignée royale dont il est le descendant. Il n'a que dédain pour les rois fainéants, ces souverains paresseux et soumis, qui ont subi la domination des maires du Palais, ou ceux qui ont succombé aux cabales des grands, ou ont dû fuir devant la révolte de leurs sujets.

Il a le sentiment de vivre des moments aussi sombres, de devoir affronter des «agitations terribles».

Dans la nuit du 5 au 6 janvier 1649, il se réveille en sursaut. Le maréchal de Villeroy le secoue. Le premier valet de chambre La Porte l'aide à s'habiller.

On fuit à nouveau. On sort du palais par la petite porte qui donne sur les jardins. Les valets de chambre éclairent la

54

marche avec des torches. Louis a saisi la main de son frère. Il rassure Philippe. Trois carrosses attendent, dans cette nuit glaciale. On s'y pelotonne. Anne d'Autriche donne le signal du départ et l'on chevauche, traversant Paris endormi, obscur, désert.

Au-delà des portes de la ville, dans la lumière blafarde, Louis devine, aux reflets du métal, des casques, des armures et des armes de soldats. Ce sont ceux de Condé, dont les cavaliers vont accompagner les trois carrosses jusqu'au château de Saint-Germain.

Les bâtiments du vieux château sont vides. Louis, pour la première fois de la nuit, grelotte. Les torches éclairent des murs craquelés, les bottes de paille qu'on vient de jeter sur les parquets pour les proches qui ont accompagné la reine et Mazarin.

Les lits de camp sont réservés à Anne d'Autriche, à ses fils et à Son Éminence.

Louis ne réussit pas à s'endormir. Le vent s'engouffre par les fenêtres aux vitres brisées, l'humidité glacée stagne dans ces chambres non chauffées.

Au matin, point de vêtements propres, et seulement quelques domestiques. Et ce froid qui saisit.

On se rend à la messe, puis on écoute les récits de ceux qui, chaque jour plus nombreux, ont à leur tour quitté Paris où règnent les parlementaires rebelles et la foule des émeutiers.

Ils racontent que les voitures contenant les bagages du roi ont été arrêtées, pillées, que les portes de Paris sont gardées. Et que les troupes de Condé, composées de mercenaires allemands, ont commencé d'encercler la ville, dévastant les champs et les villages.

Il faudra bien que Paris cède.

Mais on n'a pas assez de troupes et plus d'argent. Louis apprend que sa mère est contrainte de mettre en gage les bijoux de la couronne, de vendre ses boucles d'oreilles en diamant.

Est-ce possible?

Il veut qu'on mate ces rebelles qui attentent au pouvoir du roi et ternissent sa gloire.

Alors, si les lansquenets et les reîtres de Condé massacrent et pillent, s'ils jettent dans la Seine glacée leurs prisonniers, s'ils affament Paris dont les rues sont envahies par les eaux et où l'on meurt de faim, peu importe! C'est châtiment nécessaire. Et cela n'empêche pas la compassion pour ces mendiants qui s'agglutinent dans les rues de Saint-Germain, autour de l'église et du château, quémandant de quoi survivre.

Un roi doit punir ses sujets rebelles et tenter de soulager leurs misères.

Paris est affamé, dit-on. Les mercenaires de Condé sont impitoyables, brûlant les récoltes, pillant, violant. Mais n'est-ce pas le sort qui doit être réservé à des rebelles, et même à ces parlementaires qui continuent de s'opposer à l'autorité royale?

Louis voit sa mère pleurer de rage, humiliée et impuissante.

On lui rapporte qu'à Paris, des écrivains à gages l'insultent, prétendent qu'elle est la maîtresse de Mazarin.

> *Peuples n'en doutez pas il est vrai qu'il la fout.*
> *Et que c'est par ce trou que Jules nous canarde.*
> *Elle consent, l'infâme au vice d'Italie.*

Voilà ce qu'on peut lire, ce qu'on entend, et les pamphlets, les libelles, les mazarinades dénoncent cette Éminence, «un tyran, fourbe, fripier, comédien, bateleur et larron italien».

On saccage sa demeure, on vole ses livres précieux, et l'on écrit:

Va rendre compte au Vatican
De tes meubles mis à l'encan
Du vol de nos tapisseries
De celui de nos pierreries
De tes deux cents robes de chambre
De tes excès de musc et d'ambre
De tes habits vieux et nouveaux
Du beau Palais de tes chevaux
D'être cause que tout se perde
De tes caleçons pleins de merde!

Louis s'étonne et s'indigne que Mazarin l'insulté prêche à la reine mère la modération, puis annonce qu'il a entrepris de négocier avec ses ennemis. Elle proteste, elle pleure de colère. Louis se serre contre elle, comme pour lui faire comprendre qu'elle doit refuser de céder aux exigences des parlementaires.

Mazarin s'approche, et pose sa main sur l'épaule de Louis.

Il parle d'une voix sourde. Il a appris que, il y a dix jours, le 9 février, Charles Ier, roi d'Angleterre, a été décapité sur décision du Parlement de Cromwell.

Louis sent sa mère trembler. Les suivantes autour d'elle poussent des cris d'effroi. Il faut prévenir Henriette de France, l'épouse de Charles Ier et la sœur de Louis XIII qui s'est réfugiée en France, avec sa fille Henriette d'Angleterre, et ses deux fils, le prince de Galles et le duc d'York.

— Je pars pour Rueil, rencontrer les parlementaires, murmure Mazarin. Et signer la paix avec eux.

Louis partage la colère et l'humiliation de sa mère. Il faut accepter les conditions des parlementaires, ces rebelles, et combler les Grands d'avantages, leur accorder des titres, de l'argent, des postes de gouverneurs dans les provinces, et montrer sa gratitude envers Condé. Ce sont ses mercenaires allemands qui ont sauvé la monarchie, contraint les parlementaires à accepter de négocier, et la

57

population de Paris assiégée, tenaillée par la faim, à souhaiter que la paix soit rétablie.

On peut enfin, dans la chaleur de ce 19 août 1649, rentrer à Paris. Et Louis regarde en essayant de rester impassible, de ne pas laisser deviner le mépris et en même temps le plaisir qu'il éprouve à voir ce peuple rassemblé tout au long de la route.

On crie « Vive le roi ! », on acclame aussi la reine, et Mazarin, qu'on vouait au gibet, qu'on couvrait d'insultes ordurières, a sa part du triomphe.

On avance au pas tant la foule est dense, entourant les carrosses, manifestant son enthousiasme.

C'est donc cela le peuple ! Menaçant puis adulant, et toujours versatile et dangereux.

On se rend à Notre-Dame pour célébrer un *Te Deum*. Et Louis voit ces visages de femmes, des harengères du marché neuf qui entourent son carrosse, en forcent les portes, tendant leurs mains pour toucher le roi. Elles crient qu'il est beau. Elles hurlent « Vive Louis ! » et arrachent des morceaux de son habit de soie.

Louis subit, s'efforçant de garder l'immobilité d'une statue.

Un roi ne doit rien révéler de ce qu'il ressent : mépris, répulsion, dégoût, peur aussi.

Et certitude qu'il est différent de ces gens qui crient, qui l'acclament après s'être rebellés contre le pouvoir royal.

Un roi ne peut se confier à personne et ne peut faire confiance à quiconque.

Celui qui règne est seul.

Il s'en persuade quand, le 5 septembre 1649, il descend de son carrosse devant l'église Saint-Eustache, où il va accomplir sa première communion. Il semble ne pas voir cette foule qui l'acclame. Il est entouré par les gardes suisses qui battent tambour et l'ont précédé tout au long du trajet.

Il entre dans l'église, indifférent aux acclamations de la foule et aux salutations compassées des parlementaires.

C'est seulement avec Dieu qu'un roi peut communier.

6.

Louis s'agenouille et prie.

Il a besoin de s'adresser matin et soir à Dieu et à Marie, et d'assister chaque jour à la messe.

Il murmure à son confesseur, le père Paulin, les quelques fautes que la reine ou le gouverneur chargé de son éducation, le maréchal de Villeroy, lui ont reprochées, pour lesquelles il a été châtié.

Il s'est battu dans sa chambre avec son frère Philippe. Ils ont échangé des crachats. Ils ont pissé sur leurs lits, puis ils se sont empoignés, et le maréchal a eu de la peine à les séparer.

Le père Paulin lui demande de réciter après lui quelques prières, puis l'absout.

Louis baisse la tête.

Un roi, fût-il le plus grand, doit reconnaître la majesté de Dieu, le Seigneur suprême, et écouter la voix de ceux qui parlent en son nom.

Louis a confiance dans le père Paulin, un jésuite au visage osseux, aux longues mains maigres mais à la voix chaleureuse et grave.

Louis sait que le père Paulin est un fidèle du cardinal Mazarin, et ne s'en cache pas, lui chuchotant même qu'il va dire à Son Éminence combien le roi est un vrai Dieudonné, respectueux de Dieu et de la reine, l'âme la plus sincère qui soit dans l'État.

Puis le père Paulin accompagne Louis hors de la chapelle, s'incline, et Louis rejoint ses maîtres d'études et d'armes, de ballet et de musique.

Il brise des lances, danse, traduit les *Commentaires* de César, déjeune et dîne, soupe de bon appétit, entouré d'une bande de jeunes joueurs de violon qui le divertissent.

Parfois, il chasse aux alentours de Paris, ou bien il joue à attaquer le fort qu'il a fait construire dans les jardins du Palais-Royal.

Il s'applique à chaque chose.

Un roi ne peut agir légèrement. Il doit exiger, même de ses compagnons de jeu, respect et obéissance. Et il faut que tous plient, et d'abord ce frère cadet, Monsieur, qui parfois se rebiffe et qu'il faut punir, pour lui rappeler qu'il n'est que le premier des sujets du roi.

Un roi n'admet qu'un seul maître, Dieu.

Lorsque Louis sort de l'église après avoir assisté à la messe, ou s'être confessé au père Paulin, il se sent plus fort encore, plein d'impatience.

Il voudrait pouvoir affronter dès maintenant, alors qu'il n'a que douze ans, son oncle le duc d'Orléans, ces Grands tels le prince de Condé et son frère le prince de Conti, ou le duc de Longueville qui a épousé la sœur de Condé et de Conti. Louis a appris, en écoutant sa mère et Mazarin, qu'ils complotent.

Le capitaine des gardes, Guitaut, a même, sur l'ordre d'Anne d'Autriche, multiplié les rondes.

Louis a dû quitter les jardins, suivre le capitaine chargé de veiller sur lui. La reine craint qu'on ne songe – qui ? Gaston d'Orléans, Condé, Conti, Longueville ? – à enlever le roi, comme on prépare peut-être l'assassinat de Mazarin et, qui sait, celui de la reine elle-même.

Louis, ce 19 janvier 1650, voit sa mère s'approcher de lui, lui saisir la main, l'entraîner d'un pas rapide, suivie par quelques gardes suisses, jusqu'à son oratoire, au bout de ses appartements.

Louis s'étonne des précautions qu'elle prend, faisant placer les gardes devant la porte, veillant elle-même à ce qu'on la ferme. Puis elle fait agenouiller Louis près d'elle. Elle lui tient la main. Ils sont face à l'autel dans la pénombre.

Elle a pris une grave décision, dit-elle, dont elle veut avertir son fils, le roi.

Louis la regarde. Jamais il ne l'a trouvée si belle. Ses yeux ont des reflets verts. Sa peau est d'une blancheur de satin. Ses mains sont longues et fines. Il l'aime. Il la respecte.

Elle lui murmure qu'elle vient d'ordonner l'arrestation du prince de Condé, du prince de Conti et du duc de Longueville. Elle a aussi demandé qu'on se saisisse de leurs femmes. Il faut briser, dit-elle, ces Grands qui le menacent, lui, le roi qu'ils veulent déposséder de son pouvoir, avant que dans un an et demi il ne soit majeur.

Louis l'admire. Il prie.

Ils sortent de l'oratoire. Le capitaine des gardes attend, rend compte de l'arrestation des deux princes et du duc, que l'on va enfermer au château de Vincennes, puis loin de Paris, sans doute au Havre.

— Voilà un beau coup de filet, murmure Mazarin. On a pris un lion, un singe et un renard. Mais ce sera la guerre dans toutes les provinces.

Il faut la faire.

Louis ne montre pas la joie qu'il éprouve à quitter Paris,

où l'on festoie pourtant après avoir appris l'arrestation des princes, et où l'on crie « Vive la reine ! Vive le roi ! ».

Mais les partisans des princes ont pris les armes et un roi doit faire la guerre pour sa gloire, sa puissance, et pour contraindre à l'obéissance ceux qui se rebellent.

Louis aime chevaucher avec cette petite armée qui escorte les voitures où se trouvent la reine, quelques courtisans, que rejoint parfois Mazarin.

Il découvre cette campagne française, son royaume, ces paysans qui s'inclinent devant lui, son peuple. Il voit leurs haillons, leurs masures, leur misère.

Là c'est la Normandie, où tente de résister la duchesse de Longueville. On entre dans Rouen, sous la pluie fine d'un jour de février 1650. Les maisons sont de pierre grise et ressemblent à des palais qui seraient aussi des forteresses. La foule est là qui l'accueille.

C'est son royaume et l'une de ses grandes villes.

Puis c'est la Champagne, la Bourgogne.

Il regarde. Il est le roi de ces forêts, de ces villages et de ces villes, de ces abbayes.

Il commande à ces soldats qui assiègent la ville de Bellegarde (Seurre). C'est déjà le mois d'avril, mais des pluies d'averse s'abattent sur le camp de l'armée royale. On tire au canon depuis la ville sur le cortège du roi.

Louis ne tressaille pas.

Courtisans, officiers, soldats l'observent. Il est un roi de guerre. Les soldats crient « Vive le roi ! » et, depuis les murs de Bellegarde, on répond par le même cri. Le commandant de la place s'excuse d'avoir fait tirer au canon. Il ignorait que le roi fût présent. Il va lui remettre son épée, et avec ses soldats se rallier au roi.

Louis n'a jamais connu d'émotion et de joie aussi fortes.

C'est bien la guerre qui couronne de gloire un roi. Il l'avait pressenti, jouant dans les jardins du Palais-Royal, passant ses gardes suisses en revue. Maintenant il l'éprouve, chevauchant au milieu de ses soldats, découvrant aussi les blessés et les infirmes qui, souffreteux et malheureux, suivent l'armée.

Il est ému mais il ne doit rien montrer de ses sentiments.

En Guyenne, alors qu'on avance vers Bordeaux, toujours tenu par les rebelles, il côtoie la misère des campagnes, voit ces paysans en guenilles, hâves, n'ayant même plus la force de tendre les mains, tant la faim les épuise.

Il entre le soir, à l'étape, dans des pièces au sol de terre battue, aux murs fissurés. Il couche sur un lit de camp, et parfois sur une botte de paille. Point de luxe, ici, mais l'austérité, la frugalité et la rudesse de la vie telle que la subissent les populations si diverses, mais partout miséreuses, qui peuplent les provinces du royaume.

Et certains se rebellent à nouveau, ou résistent à l'armée royale. Bordeaux s'enferme. Le duc de Bouillon, qui commande la ville, fait pendre un capitaine de l'armée royale, en représailles, aux murs de la ville.

Elle ne capitule pas. Il faut camper sous ses murs, dans la chaleur moite d'août.

Louis contemple cette ville qui le défie. Il ne peut s'empêcher de laisser voir sa colère. Il pleure.

— Je ne serai pas toujours un enfant, dit-il, ces coquins de Bordeaux ne me feront pas longtemps la loi, je les châtierai comme ils le méritent.

Mais il se reproche d'avoir montré son émotion, sa rage, son impuissance aussi. Alors qu'il faut vaincre, car les troupes espagnoles sont entrées dans le royaume et approchent de Reims. Et aussi parce que la misère ronge le royaume comme une peste, semant partout ses ravages.

Les paysans meurent de faim. Les enfants sont squelettiques. Les épidémies se répandent en même temps que la famine. Des révoltes de désespoir jaillissent ici et là, soulevant les croquants et les va-nu-pieds.

Il faut négocier pour en finir au plus vite avec cette Fronde des princes, avant que le pays ne soit exsangue. Mazarin s'y emploie comme il l'a fait avec la Fronde des parlementaires. Bordeaux ouvre ses portes.

Louis regarde la foule qui s'est rassemblée pour le voir débarquer sur l'un des quais qui bordent la Garonne. Elle ne manifeste aucun enthousiasme. Elle est grise comme le ciel de ce 1er octobre 1650.

Point de festivités, ou si mesquines qu'elles sont comme une rebuffade.

Louis a hâte de quitter cette ville, d'en finir avec ces chevauchées d'automne, dans le brouillard ou sous la pluie. Et la misère avec l'humidité et le froid s'en trouve comme aggravée.

On regagne enfin Paris.

Mais les rues de la capitale, pleines de réfugiés chassés des provinces de l'Est par l'avance des troupes espagnoles, sont aussi misérables que les campagnes et leurs affamés.

Et les pièces du Palais-Royal sont glacées. La reine est malade.

Louis s'agenouille et prie, pour elle, pour le royaume, pour lui.

7.

Louis ne veut plus être un enfant.

Il regarde s'approcher, dans la pénombre d'un des salons des appartements de sa mère, Mme de Beauvais, cette dame d'honneur d'Anne d'Autriche, au regard insistant, aux mains qui si souvent l'ont frôlé, aux gestes et aux soupirs équivoques.

Elle avance, l'obscurité voile ses traits, les rides de sa quarantaine. Il oublie qu'elle est borgne, qu'on l'appelle parfois la « Vieille Circé », la magicienne qui transforme les hommes en pourceaux, mais il triomphera d'elle comme Ulysse.

Il ne bouge pas.

Elle est là contre lui, la borgnesse, la boiteuse au déhanchement lascif.

Il est enivré par ses parfums, le froissement des tissus de son ample robe.

Elle le saisit par la taille, elle le presse contre elle. Il enfouit son visage dans cette poitrine palpitante. Elle chuchote qu'elle est son esclave. Celle qui va lui faire découvrir ce que c'est que d'être un homme. Et il sera le plus grand de tous. Les femmes s'agenouilleront devant lui. Elles l'aimeront toutes. Qu'il la laisse le conduire.

Elle glisse ses mains sous son pourpoint de soie.

Il ne sera plus un enfant.

Il a l'impression, quand il regagne l'aile du Palais-Royal

où se trouve sa chambre, que son corps s'est dégagé des liens qui l'entravaient. Il bouscule avec dédain son frère Philippe, et celui-ci, au lieu de se jeter sur lui, comme si souvent il l'a fait, s'écarte, maugrée mais se soumet.

Quelque chose a changé. Et dans quelques mois, en septembre, quand devant le Parlement on célébrera sa majorité, il sera le maître, enfin le roi. Mais il faut que s'écoulent ces premiers mois de l'année 1651, durant lesquels il est encore soumis, s'arrachant jour après jour à cette treizième année qui tente de l'emprisonner.

Quand il aura treize ans, il régnera.

Déjà on le regarde différemment. Tous ceux qui veulent rabaisser le pouvoir royal conspirent, qu'ils soient princes ou parlementaires. Ils unissent leurs forces, leurs frondes. Ils réclament la libération des princes, Condé, Conti, Longueville, toujours emprisonnés. Ils veulent agir vite, avant que le roi ne soit majeur. Et le plus tortueux, le plus ambitieux d'entre eux est Gaston d'Orléans, cet oncle jaloux, qui tour à tour se présente comme le plus fidèle soutien, et quelques heures plus tard change de camp, prend le parti des princes.

Louis est debout, près du lit de sa mère. Elle est plus pâle encore qu'à l'habitude, plus belle aussi. Elle est couchée, ne réussissant pas à s'arracher à cette maladie qui affine et creuse ses traits. Elle doit recevoir le président du Parlement, Molé, qui avec Gaston d'Orléans exige – il ose ce mot – qu'on relâche les princes emprisonnés, parce que, dit-il, les retenir est un déni de justice. Et il souhaite que la reine convoque les états généraux du royaume.

Il évoque la misère des campagnes, les épidémies, les milliers de paysans qui ne se nourrissent plus que d'herbes, et meurent de faim. Louis serre les poings sans que son visage révèle sa colère.

Quand le président Molé est sorti, il murmure à sa mère :

— Madame, si je n'eusse point craint de vous fâcher, j'eusse par trois fois fait taire et sortir le premier président.

Elle lève la main en un geste las. Elle lui sourit. Elle dispose de si peu de troupes, dit-elle. Elle ajoute que tous les ennemis du roi veulent le départ de Son Éminence.

Louis a entendu les cris de la foule :

— Dehors, Mazarin, à mort le larron italien ! Point de Mazarin dans le lit de la reine !

Et Gaston d'Orléans a plusieurs fois demandé le départ du cardinal. Louis s'indigne. Tous ses ennemis et ceux de sa mère haïssent Mazarin. Il faut donc défendre le cardinal, dont Louis admire l'allure, la maîtrise de soi, l'œil et l'esprit vifs, et la douceur du visage.

C'est Mazarin qui lui a lu, de sa voix chantante, la dépêche que l'ambassadeur de Venise a adressée au doge de la République.

Mazarin s'est incliné en souriant. Il a les moyens de connaître tout ce que les ambassadeurs écrivent, confie-t-il. Et celui de Venise est l'observateur le plus aigu et le mieux informé de Paris.

— Voilà ce qu'il dit de Votre Majesté.

Mazarin lit :

« Sa Majesté Louis XIV possède une de ces natures vives et pleines d'agrément qui annoncent les grandes vertus. Il est robuste, ses yeux ont du feu. Il se sait roi et veut qu'on le traite en roi. Lorsque les ambassadeurs s'entretiennent avec la reine ou le duc d'Orléans, il n'écoute point. Mais quand ils s'adressent à lui, il est très attentif et se fait ensuite répéter leurs discours. Il promet de devenir un grand roi. »

Mazarin ajoute :

— L'ambassadeur précise, « s'il vit et qu'on l'éduque bien ».

Louis se détourne. Il sera majeur dans quelques mois. On ne lui fera plus la leçon.

Il sort de ses appartements, croise Gaston d'Orléans qui revient sans doute de l'une de ses visites à la reine, pour lui répéter qu'il faut libérer Condé, Conti et Longueville, et renvoyer le cardinal italien.

Louis le toise.

— Mon bon oncle, lui lance-t-il, il faut que vous me fassiez une déclaration si vous voulez être dans mon parti ou dans celui de M. le prince de Condé.

Qu'il est plaisant de voir Gaston d'Orléans, le puissant, se troubler, se récrier, assurer qu'il est le plus dévoué des alliés de Sa Majesté.

— Mon bon oncle, poursuit Louis, puisque vous voulez demeurer dans mon parti, donnez lieu que je n'en puisse douter.

Il s'éloigne. Il est satisfait.

Le soir même, son premier valet de chambre, La Porte, l'assure qu'on murmure parmi les proches de Gaston d'Orléans que « les actions et le raisonnement du roi sont d'un homme de vingt-cinq ans ! ».

Il n'aura treize ans, âge de sa majorité, que dans six mois.

Il ne peut encore que subir, s'inquiéter, dissimuler sa colère, et paraître fort, en restant impassible.

Mais il lui faut se taire quand l'une après l'autre les délégations de parlementaires viennent réclamer la libération des princes emprisonnés, exiger le renvoi de Mazarin.

Et tout autour du Palais-Royal, les cris redoublent : « À mort le larron italien ! »

Les rues ne sont pas sûres. Louis enrage de ne pouvoir quitter les jardins du Palais-Royal, même sous escorte. Il mesure que Gaston d'Orléans semble être devenu l'homme le plus puissant du royaume, s'appuyant sur les parlementaires, obtenant de la reine la libération de Condé, de Conti et du duc de Longueville, et surtout le départ de Mazarin.

Louis, rageur, conduit sa guerre enfantine dans les jardins en compagnie de ses habituels partenaires de jeux, Brienne, Paul Mancini, le neveu de Mazarin. Il organise l'assaut furieux contre le château fort miniature. Il fait tirer le canon, exploser de la poudre. Puis il rentre au Palais, et écoute sa mère qui se confie à l'une de ses amies, Mme de Motteville.

— Je défends le cardinal, c'est un ministre qu'on m'ôte de force, dit-elle. Il a de très bonnes intentions pour le service du roi et le mien. Il a glorieusement conduit les affaires qu'on lui a laissé faire. Mais il a été trahi par ceux qu'il a obligés.

Elle répète qu'elle doit le défendre, puis tout à coup, d'une voix plus faible, elle ajoute :

— Je voudrais qu'il fût toujours nuit car, quoique je ne puisse dormir, le silence et la solitude me plaisent, parce que dans le jour je ne vois que des gens qui me trahissent.

Louis ne peut supporter la souffrance de sa mère, les humiliations et les trahisons qu'elle doit accepter, parce que le duc Gaston d'Orléans, les princes de Condé et de Conti, le duc de Longueville sont désormais les plus forts. Mazarin est en exil en Allemagne.

Et il faut subir.

Voici le prince de Condé, libéré, hautain, qui se présente en compagnie de Gaston d'Orléans dans la chambre de la reine.

Il faut feindre. Louis s'approche de Condé. N'est-il pas son cousin ? Il l'embrasse, lui parle de ses victoires, qui font de lui le Grand Condé. Et le prince se rengorge.

Quand on ne peut écraser, il faut ruser et duper.

Louis apprend à chaque instant dans ce Palais-Royal dont il est en fait prisonnier.

Une nuit, La Porte le réveille, lui murmure que le capitaine des Souches, qui commande les gardes suisses du duc d'Orléans, va entrer dans la chambre pour s'assurer de la présence du roi au Palais. Il faut faire mine de dormir, conseille-t-il.

Louis ferme les yeux. Il entend les bruits de pas, les chuchotements. Puis on s'éloigne et d'autres pas se rapprochent. C'est la foule qui entoure le Palais-Royal, qui veut elle aussi constater que le roi n'a pas fui Paris.

Louis ne bouge pas. Il garde les yeux clos. Il s'efforce de respirer régulièrement, de maîtriser ce haut-le-cœur qui naît de l'humiliation, de la colère et même de la rage, et aussi de ces odeurs âcres de sueur et de crasse qui ont envahi la chambre.

Il sent sur lui l'haleine de ces gens du peuple qui se penchent pour le dévisager.

Il les imagine, leurs traits émaciés, leur peau noircie.

Il en fait le serment alors que son corps paraît reposer, calme et endormi, jamais, jamais plus, durant toute sa vie à venir, il n'acceptera cela.

Tout, plutôt que l'humiliation et l'abaissement du roi.

Enfin, ces gueux, ces manants, ce peuple et ceux qui se servent de lui ont quitté la chambre, le Palais-Royal. Mais Louis sait qu'il n'oubliera jamais cette nuit, son intimité forcée, l'impuissance à laquelle il a été réduit.

Et les Grands, le duc d'Orléans, les princes, Condé et Conti, et aussi ce prince de Gondi, bientôt cardinal de Retz, sont coupables, plus dangereux encore que le peuple – qu'une compagnie de gardes suisses, un parti de cavaliers peuvent soumettre. Mais les Grands, Condé surtout, ont leurs armées, leurs clientèles. C'est l'orgueil et la puissance de ces Grands, que Mazarin, après son maître Richelieu, a voulu briser. Il devra continuer leur tâche.

Il ne peut s'empêcher d'être submergé par l'émotion quand il prend connaissance de la lettre que Mazarin, depuis son exil, a adressée à la reine.

« Le service du roi et le vôtre demandaient que ma retraite fût suivie de ma sortie hors du royaume, écrit Mazarin à Anne d'Autriche. J'ai souscrit avec grand respect à ces sentiments, à l'avis de Votre Majesté dont les commandements et les lois seront toujours l'unique règle de ma vie...

« J'aimerais mieux contenter la passion de mes ennemis que de rien faire qui puisse préjudicier à l'État et déplaire à Votre Majesté... Je suis inébranlable dans mes sentiments... Je prie Dieu, Madame, que comme ce qui m'est arrivé n'altérera jamais les passions immuables que je conserverai jusqu'à la mort pour la prospérité de Vos Majestés, pour l'agrandissement de l'État, et que je puisse aussi en faire bientôt cesser le désordre... »

Louis réprime un sanglot.

Il voit sa mère s'approcher de lui, caresser sa joue.

— Eh bien, mon fils, si nous ne pouvons pas rappeler sitôt M. le cardinal, qui nous a si bien servis, murmure-t-elle, ne le rappellerez-vous pas quand vous serez majeur ?

Ce mois de septembre de sa majorité lui semble si loin encore. Et chaque jour, il subit les humiliations des Grands, du prince de Condé d'abord, et derrière lui, avançant souvent masqué, de Gaston d'Orléans.

Louis, ce 31 juillet, est dans son carrosse, qui roule au bord de la Seine, sur les pavés du Cours-la-Reine. Il entend une chevauchée. Il voit s'avancer à sa rencontre un carrosse dont les valets ont la livrée du prince de Condé. Celui-ci devrait, selon l'étiquette, s'arrêter, saluer son roi, mais il passe, marquant ainsi son dédain. Et Louis a l'impression que Condé vient de le souffleter publiquement.

Rentré au Palais-Royal, il voudrait, comme il en a l'habitude, et pour oublier aussi l'humiliation subie, faire une promenade à cheval en compagnie de sa cousine, Mademoiselle, la fille de Gaston d'Orléans, et de l'une de ses suivantes Mme de Frontenac, dont la beauté et le piquant juvénile l'attirent.

Mais le maréchal de Villeroy, en s'inclinant, lui annonce que Sa Majesté la reine a interdit ces promenades.

Louis s'emporte. Il est prêt, dit-il, à offrir cent pistoles pour les pauvres, toutes les fois qu'il ira se promener.

La reine refuse encore, sans doute craint-elle qu'il ne succombe au charme de Mme de Frontenac.

Louis entre dans la chambre de sa mère. Il la défie du regard comme il ne l'a jamais fait.

— Quand je serai le maître, martèle-t-il, j'irai où je voudrai et je le serai bientôt.

Elle le regarde effarée, puis commence à pleurer.

Il voudrait rester insensible, mais tout à coup des sanglots l'étouffent. Il s'incline devant sa mère, lui saisit la main, lui demande de le pardonner.

Il ne peut se dresser contre elle, alors que tant d'ennemis l'assaillent, qu'elle est contrainte d'accepter que le Parlement gracie tous ceux qui se sont dressés contre elle et proclame le bannissement à perpétuité de Mazarin.

Et le peuple de Paris approuve. On annonce dans les rues que :

«Pour avoir par ses enchantements et par ses sortilèges suborné l'esprit de la reine;

«Pour avoir violé les coutumes de France et transgressé toutes les lois divines et humaines;

«Pour avoir été reconnu l'auteur des guerres civiles qui ont été depuis deux ans en France;

«Pour avoir fait imposition sur les sujets du roi et extorqué tyranniquement d'eux des sommes immenses;

«Mazarin a été condamné d'être pendu et étranglé par la main du bourreau et pour n'avoir encore pu être saisi et appréhendé au corps son portrait a été attaché à la potence... »

Louis, quelques jours plus tard, voit ce même peuple qui rêve d'écharper Mazarin se presser du Palais-Royal à l'île de la Cité, pour contempler le cortège royal qui se dirige vers le Parlement.

Louis entend ces manants, semblables à ceux qui sont entrés soupçonneux dans sa chambre, crier comme ils ne l'ont jamais fait avec autant d'enthousiasme « Vive le roi ! ». Certains sont grimpés dans les arbres, d'autres s'agglutinent aux fenêtres.

Louis regarde droit devant lui, tenant tendue la bride de son cheval recouvert d'un tissu brodé de lys. Il suit le grand écuyer de France, le comte d'Harcourt, qui porte l'épée royale.

Le soleil de ce 7 septembre 1651 fait briller les armes et les parements des chevau-légers, des écuyers, des gardes suisses, et les livrées des valets. Ce sont plusieurs centaines d'hommes qui avancent ainsi à pas lents, acclamés, vers le Parlement, escortant les princes, les ducs, les gouverneurs de province.

Louis entend ces acclamations, voit cet or, ce bleu, ce noir des velours, ces parures. Il est le roi de France, majeur enfin.

Il entre dans le Parlement.

Le prince de Conti s'approche, pour lui remettre une lettre de son frère le prince de Condé, qui n'assiste pas à la cérémonie.

Ne pas la saisir, mépriser cette absence insolente, lourde d'hostilités à venir, indiquer d'un mouvement du menton qu'on remette la missive au maréchal de Villeroy.

Louis s'avance. Son habit de soie est couvert de broderies.

Il se souvient des précédents lits de justice. Maintenant il peut parler fort, en roi majeur et non comme un enfant qui répète sa leçon.

— Messieurs, dit-il, je suis venu en mon Parlement pour vous dire que suivant la loi de mon État, je veux désormais en prendre moi-même le gouvernement et l'administration. J'espère de la bonté de Dieu que ce sera avec piété et justice. M. le chancelier vous fera plus particulièrement entendre mes intentions.

Il écoute à peine le chancelier Séguier.

Qu'il parle ! Dès demain je composerai le gouvernement à ma guise et je lui retirerai la garde des sceaux.

La reine s'avance vers Louis. Il est ému de l'entendre, mais il doit paraître insensible, et cependant chaque mot qu'elle prononce le touche :

— Voici la neuvième année que, par la volonté du roi défunt, mon très honoré Seigneur, j'ai pris le soin de votre éducation et du gouvernement de votre État. Dieu par sa bonté a donné bénédiction à mon travail et a conservé votre personne, qui m'est si chère et si précieuse, et à tous vos sujets. À présent que la loi du royaume vous appelle au gouvernement de cette monarchie, je vous remets avec grande satisfaction la puissance qui m'avait été donnée pour le gouvernement. J'espère que Dieu vous fera la grâce de vous assister de son esprit de force et prudence, pour rendre votre règne heureux.

Louis se lève. Il craint de ne pouvoir parler tant sa gorge est serrée.

Il dit d'une voix un peu sourde :

— Madame, je vous remercie des soins que vous avez pris de mon éducation et de l'administration de mon royaume. Je vous prie de continuer à me donner de bons avis. Je désire qu'après moi vous soyez le chef dans mon conseil.

Mais il est désormais le roi, maître de tous les pouvoirs, même s'il veut que sa mère continue de présider en fait le gouvernement.

— Je n'ai rien à craindre de son ambition, murmure-t-il.

Il sait qu'il a besoin d'elle, pour faire face à la Fronde – une vraie guerre – que mène le prince de Condé. Les provinces s'insurgent à nouveau. Bordeaux s'enferme dans la rébellion.

Il faut briser cette révolte des princes, car derrière Condé il y a Gaston d'Orléans, ambigu et hypocrite, Conti, le duc de Longueville et le cardinal de Retz, prince de Gondi.

Louis doit montrer qu'il exerce ses pouvoirs de roi contre tous ceux qui le défient, qui ont en sa présence une attitude inconvenante.

Lors d'un bal, son frère Philippe trébuche, gifle la fille de Mme de Beauvais, la « borgnesse », l'initiatrice, qui a osé éclater de rire.

— Qu'on le fouette ! lance Louis.

Peu importe l'étonnement, l'indignation même que provoque cet ordre qu'il répète :

— Qu'on le fouette !

Et il voudrait bien infliger ce châtiment à Condé.

Il fait mettre à prix la tête de ces rebelles et de ceux qui le suivent. Et parmi eux il y a maintenant ouvertement Gaston d'Orléans et de nombreux seigneurs qui lèvent des troupes, s'allient à l'oncle du roi. N'est-il pas lui aussi de sang royal ? Ce n'est plus une Fronde mais une guerre civile.

Louis écoute sa mère.

— À cette heure que nous avons la guerre civile, dit-elle, il n'y a plus rien de pire à craindre. Je le veux faire revenir.

Louis baisse la tête. Il sait que si le cardinal Mazarin revient, c'est lui qui gouvernera.

Mais être roi, c'est accepter ce qui est nécessaire pour sauver le royaume, c'est-à-dire le pouvoir du roi.

Et Louis sait qu'il a besoin de Mazarin.

8.

Louis est ému.

Il ne se doutait pas qu'il éprouverait un sentiment aussi fort en voyant s'avancer vers lui le cardinal Mazarin.

Il a la tentation de s'élancer vers cet homme grand, au visage qui exprime à la fois la douceur et la vivacité. Il retrouve ses émotions et aussi sa soumission d'enfant, quand Mazarin était le maître de son éducation, qu'il régnait aux côtés de la reine. Il était le Grand Turc contre lequel Louis pouvait se dresser, s'emporter, mais à la fin il fallait obéir et éprouver du plaisir à accepter cette tutelle, respectueuse et ferme, et suivre ses conseils, satisfaire ainsi sa mère.

À quelques pas derrière Mazarin, dans cette salle glacée du château de Gien, alors que le brouillard noie les pays de Loire et que cette journée du mois de janvier 1652 hésite entre la pénombre et la nuit, se tient un homme au visage sévère. Il a les yeux enfoncés sous des sourcils épais, le teint pâle.

Louis reconnaît Colbert, cet homme qui a plusieurs fois déjà apporté des missives de Mazarin, la dernière annonçant enfin l'arrivée de Son Éminence, à Poitiers, puis ici à Gien. Louis l'a regardé d'abord avec mépris et méfiance, puis il a eu confiance dans cet homme, déférent mais sans obséquiosité, soumis mais restant digne.

Mazarin d'un geste renvoie Colbert, et Louis fait un pas vers le cardinal. Sa présence le rassure.

Mais il est le roi, le chef de guerre, et plus seulement un adolescent dans sa quatorzième année.

Louis voudrait raconter la charge qu'il a conduite, contre les troupes de Condé, comment aussi il a renvoyé les parlementaires venus lui rappeler que Mazarin est banni à perpétuité du royaume de France.

Ils lui ont rapporté comment les hommes d'affaires du cardinal, Colbert, précisément, et un autre rapace, Fouquet, mettent le royaume à l'encan, remplissent d'or les coffres de Son Éminence, leur maître, vendent des certificats d'anoblissement, prêtent à intérêt, à des taux usuraires, organisent des compagnies commerciales et s'enrichissent au passage.

Mais le pays est épuisé. Des mendiants par milliers ont envahi les rues de Paris. Les paysans pillés par les troupes de Condé et celles de son allié le duc de Lorraine ne peuvent plus cultiver leurs champs. On ne rentre plus les moissons.

Le roi sait-il qu'à Paris, l'on a vu la foule des miséreux attaquer, renverser les carrosses des gens de bien, piller leurs maisons, et les manants ont crié : « Point de roi, point de prince ! Vive la liberté » ?

N'est-ce pas ainsi que la révolution a commencé dans le royaume d'Angleterre, et le roi y a perdu sa tête sous la hache du bourreau ?

Il faut, ont répété les parlementaires, ne pas accueillir Mazarin que le peuple hait et méprise. Il faut, comme l'engagement en a été pris, le bannir.

Mais Louis a interrompu le président du Parlement. Il a lancé, comme on donne un ordre à un valet :

— Retirez-vous, messieurs, retirez-vous.

Il ne fait pas ce récit à Mazarin. Il baisse la tête. Il est heureux que Mazarin lui serre l'épaule. Il sent contre son cou cette main caressante. Il est paralysé par ce contact, cette voix.

Mazarin lui reproche d'avoir exposé sa vie aux mousqueteries des mercenaires de Condé. Certes, son prestige auprès des soldats de Turenne, qui servent le roi, est désormais grand.

Louis frissonne. Il lui semble que ce qu'il a connu là, à la tête de ses troupes, compte parmi les moments les plus forts de sa vie. Les soldats l'ont accueilli en levant leurs armes. Ils ont crié « Vive le roi, bataille, bataille ! ».

Louis voudrait s'abandonner à ce souvenir, évoquer ce qu'il a éprouvé, ce désir de conduire la guerre contre Condé et contre le duc de Lorraine dont les troupes saccagent le pays, torturent, violent, détruisent pour le plaisir.

Mazarin prend Louis aux épaules, lui chuchote qu'un grand roi ne peut mettre sa vie en péril, dans ce qui n'est qu'une rébellion de quelques princes. Il ne doit pas conduire l'armée dans ces batailles de guerre civile. Personne ne doute de son courage, mais il doit mépriser Condé, Conti, le duc de Longueville, et celui de Lorraine, ce cardinal de Retz qui tient Paris, ou bien même Mademoiselle, la cousine germaine de Louis, qui s'est emparée d'Orléans et maintenant est à Paris.

— Cette Fronde des princes sera brisée, murmure Mazarin.

Il faut que le roi soit au-dessus de ces tumultes.

Louis se tait. Il obéira. Il ne conduira plus l'armée, Mazarin va mener la guerre, vaincre par les armes et par d'habiles négociations.

Il faut donc se soumettre encore, et Louis est à la fois heureux de la domination de cet homme qui le fascine, que sa mère ne cesse de louer et d'aimer, et amer, irrité.

Comment pourrait-il encore se contenter de ses jeux de guerre alors qu'il a affronté les boulets et les mousquets ?

Doit-il n'être seulement qu'un danseur gracieux et agile,

roi des ballets que l'on organise dans les châteaux, là où la guerre, des pays de Loire aux alentours de Paris, entraîne la Cour ?

C'est déjà le mois de juillet 1652.

Les troupes de Condé se sont réfugiées dans Paris.

On meurt de faim dans la capitale. Ceux de ses habitants qui réussissent à fuir, à rejoindre le roi, à Saint-Germain, à Pontoise, à Saint-Denis, rapportent que Paris est livré aux pillards, aux gueux, qu'on y massacre les gens de bien, que Condé y règne par la terreur que ses soldats inspirent et les massacres qu'ils commettent.

On attend le roi.

Louis maîtrise sa joie. Mazarin l'invite à se rendre avec lui sur les hauteurs de Charonne. De là on aperçoit les combats que se livrent, faubourg Saint-Antoine, les troupes royales de Turenne et celles de Condé. Les rebelles sont acculés contre les portes fermées de la ville.

Il va suffire d'une charge de la cavalerie royale pour les exterminer. Et, tout à coup, une canonnade tirée depuis la Bastille disperse l'armée royale. Les portes de Paris s'ouvrent et les soldats de Condé peuvent s'engouffrer dans la capitale.

Louis se désole puis il s'indigne. Il vient d'apprendre que c'est sa propre cousine, Mademoiselle, la fille de Gaston d'Orléans, qui s'est emparée de la Bastille, a donné l'ordre d'ouvrir le feu, et sauvé Condé et ses mercenaires. Il s'étonne du calme de Mazarin.

À chaque instant, cet homme qui gouverne, et c'est pour Louis une frustration, lui enseigne comment il faut agir.

D'abord attendre, laisser ainsi les soldats de Condé, les gueux de la capitale, piller et détrousser, massacrer, ainsi le 4 juillet, plusieurs dizaines de personnes rassemblées à l'Hôtel de Ville. Les parlementaires, les bourgeois ne peuvent que se tourner vers le roi.

— Il suffira, explique Mazarin, que j'ôte ainsi tout prétexte à ceux qui s'opposent au roi.

Louis saisit les mains de Mazarin. Il est redevenu l'enfant qui craint de perdre l'homme qui le protège, le tuteur qu'il aime, dont l'intelligence, la maîtrise et la douceur aussi, et ce sourire et ces mains, le rassurent.

Mais quand Mazarin annonce ce 18 août qu'il part, Louis s'abandonne, sanglote. Il avoue ainsi son amour pour cet homme, les liens profonds qui l'attachent à lui depuis l'enfance.

Il est roi pourtant, majeur. Il est homme et il a connu femme et guerre, mais il ne peut échapper au plaisir intense et ambigu de la soumission.

Et Mazarin s'en va. Et les armées des princes se dispersent.

Condé gagne les Flandres où il prend le commandement des troupes espagnoles, laissant Paris affamé, pillé, parcouru de bandes de mendiants, de détrousseurs, Paris espérant dans le retour à l'ordre, qui ne peut venir que du roi.

Le voici entrant dans Paris en cette soirée du 21 octobre 1652.

Louis regarde autour de lui, alors qu'il vient de franchir la porte Saint-Honoré, les porteurs de torches.

Les flammes éclairent les visages de cette foule qui se presse jusqu'au palais du Louvre où Louis a décidé de s'installer.

Ce palais est presque vide de meubles. Il est froid et austère. Le vent souffle dans les couloirs et les grandes pièces comme sur une place ouverte. Mais un large et profond fossé protège le palais des émeutiers. Et il faut toujours se méfier de Paris.

Mais où sont-ils, ces rebelles ?

Louis ne voit que l'enthousiasme et la dévotion sur les visages. Il n'entend que ces cris de «Vive le roi!», les acclamations qui de la porte Saint-Honoré au Louvre accompagnent le cortège royal.

Maintenant il peut régner, convoquer dans la grande galerie du Louvre pour un lit de justice les magistrats, et les voir accepter sans mot dire la condamnation à mort de Condé, l'exil de Gaston d'Orléans et de Mademoiselle sa fille, des parlementaires qui ont dirigé la révolte.

Le roi regarde ces corps enveloppés de rouge et d'hermine s'incliner, s'engager à ne plus connaître des affaires de l'État, et à ne plus s'allier avec les grands.

Et Louis, lentement, lit aux parlementaires la lettre qu'il vient d'envoyer au cardinal Mazarin, pour lui donner l'ordre de regagner Paris, pour servir le roi et donc le royaume.

Ils se taisent. Ils se soumettent.

Louis se retire.

Il veut aller jusqu'au bout de sa vengeance.

Il se souvient de cette nuit de février 1651, quand il a dû accepter d'être vu et dévisagé par cette foule de gueux défilant dans sa chambre, et feindre de dormir.

Et le prince de Gondi, devenu cardinal de Retz, est l'un de ceux qui ont été à l'origine de cette humiliation, et aussi de cette peur. Louis convoque le capitaine des gardes. Il écrit :

« J'ai commandé l'exécution du présent ordre. Se saisir de la personne du cardinal de Retz, l'arrêter mort ou vif, même en cas de résistance de sa part. »

Mais il faut ruser, attendre que Retz se rende au palais du Louvre pour, ce 19 décembre 1652, présenter ses vœux au roi et à la reine mère.

Plaisir de duper cet ennemi.

Louis accueille le cardinal. Il faut bavarder avec lui, lui sourire, endormir sa méfiance, agir comme l'aurait fait le cardinal Mazarin, comme doit le faire un roi.

Louis se sépare enfin de Retz, et il attend en priant dans sa chapelle que le capitaine des gardes vienne lui annoncer que le cardinal de Retz a été arrêté, qu'il n'a opposé aucune résistance, tant la surprise a été grande.

C'en est fini des «agitations terribles», des Frondes.

Louis prie.

Le premier devoir d'un roi est de maintenir l'ordre dans son royaume.

DEUXIÈME PARTIE

1652-1661

9.

Il ne doit pas montrer le mépris qu'il éprouve pour les hommes.

Il les voit entrer déjà courbés dans la chambre de la reine où il se tient debout près du lit de sa mère.

Il reconnaît des conseillers du Parlement, des marquis et des comtes, des pères jésuites et des évêques.

Tous ceux-là avaient exigé que le cardinal Mazarin soit banni à perpétuité. Ils avaient ri en lisant ces vers, qu'ils avaient peut-être écrits :

> *Ha! ha! Je vous tiens Mazarin*
> *L'esprit malin de notre France*
> *Vous avez fait cent mauvais tours*
> *Cardinal à courte prière*
> *Priape est chez vous à tout vent*
> *Vous tranchez des deux bien souvent*
> *Comme un franc couteau de tripière*
> *Et ne laissez point le devant*
> *Sans escamoter le derrière.*

L'un d'eux, un parlementaire, avait lancé : « Mazarin est la plus grande ordure du siècle ! »

Et ce 3 février 1653, cet homme est là, servile. Il était aussi avec ceux qui sont allés accueillir Son Éminence à la porte Saint-Denis. On avait accompagné Mazarin jusqu'au Louvre, et le peuple avait acclamé le cortège.

Et maintenant, on se pressait pour dire au cardinal :

«Votre Éminence, il n'y a personne en France qui ne soit plus attaché que moi aux intérêts du roi et à ceux de Votre Éminence, et il n'y a rien que je ne fasse pour lui en donner des preuves quand il lui plaira de faire la faveur de m'ordonner quelque chose.»

Ainsi sont les hommes, qu'ils soient du peuple, de la Cour, de l'Église ou du Parlement.

Louis ferme à demi les yeux.

On le salue à peine, on ignore presque la reine, mais on s'incline à toucher le parquet devant Son Éminence.

Louis l'observe avec ce sentiment trouble qu'il éprouve chaque fois qu'il le côtoie. Il l'admire. Il l'aime. Il souffre de lui être ainsi soumis, mais il sait qu'il faut accepter cette domination. Mazarin est le plus habile, le plus dévoué à la monarchie.

Il l'entend annoncer qu'il fera payer, dans les jours qui viennent, les rentes dues par le roi, à l'Hôtel de Ville. Et tous ces dos courbés frémissent de plaisir. L'un des édiles de Paris répond que la ville offrira en l'honneur de Son Éminence un grand banquet, où le cardinal pourra mesurer l'attachement du peuple.

Comment s'opposer à un tel ministre?

Louis plie, accepte de se laisser conduire, d'attendre le moment où le destin lui permettra enfin de saisir vraiment les rênes, de guider le char du royaume à sa guise.

Pour l'instant, il faut apprendre. Il voit Mazarin jeter de la fenêtre de l'Hôtel de Ville de l'argent au peuple qui l'acclame. Voilà comment on conquiert les hommes.

Louis se rend chaque jour plusieurs fois auprès du cardinal, et parfois il se mord les lèvres de déception et de colère, en pensant qu'il est à peine mieux traité par le cardinal que l'un de ces quémandeurs, de ces flagorneurs qui attendent d'être reçus.

Puis ce sentiment se dissipe.

Mazarin vient vers lui, toute douceur et tendresse, lui prend les mains, l'invite à s'asseoir à ses côtés, à examiner avec lui les dépêches qui vont être soumises au Conseil étroit, qui sera bientôt le Conseil-d'en-Haut, là où ne siègent que les principaux ministres, en compagnie de la reine et de Mazarin.

Et Louis est assis entre eux. Souvent l'ennui le terrasse. Il se lève alors, entrouvre la porte, sort parfois, retrouve l'un de ses compagnons de chasse ou de danse.

Puis il rentre dans la salle du Conseil. Il ne sera pas l'un de ces rois fainéants qu'il a toujours méprisés. Il veut savoir. Il veut trancher. Il observe et juge ces hommes que Mazarin a promus, ce Le Tellier chargé de la Guerre, et dont on dit qu'il mène durement l'éducation de son troisième fils François-Michel, et surtout ce surintendant des Finances, Nicolas Fouquet, dont l'élégance et l'intelligence s'imposent souvent.

Mazarin le loue. Fouquet trouve l'argent pour le royaume. Et l'on dit qu'il est parfois contraint d'engager les pierreries du cardinal auprès des prêteurs sur gages sans lesquels le Trésor royal serait en faillite.

Louis écoute, observe Mazarin, qui a nommé aux côtés de Nicolas Fouquet un second surintendant, Servien. Parce qu'il faut que les hommes, même les meilleurs, se sentent talonnés par un rival.

Et ces deux surintendants doivent surveiller Colbert, cet homme gris, qui n'assiste pas au Conseil mais que Louis aperçoit toujours à quelques pas de Mazarin. On dit de lui qu'il remplit les coffres de Son Éminence, en jonglant avec l'or, les épices et le sucre, qu'il a constitué une flotte de commerce pour le cardinal, armé des navires corsaires, et qu'il est le grand maître du trafic d'esclaves entre les côtes d'Afrique, Nantes et les Antilles, tissus contre bois d'ébène, chair humaine, et sucre en retour.

Louis a assisté à ce jeu des hommes entre eux, a écouté la lecture des dépêches au Conseil, a ressenti cette tension entre les ministres, ces hommes toujours aux aguets. À saisir les regards langoureux que Mazarin jette sur la reine, et ceux tout aussi tendres de celle-ci sur son ministre, qu'elle reçoit souvent seule à seul, Louis éprouve de l'impatience. Il voudrait être maître du jeu, maintenant. Il lui semble qu'il a compris comment on conduit les hommes.

Il a deviné ce que son confesseur, le père Paulin, chuchotait à Mazarin, s'imaginant n'être ni vu ni entendu.

— Le roi, a murmuré Paulin, croît en sagesse et en dissimulation.

Louis apprécie le jugement de son confesseur.

Face aux hommes tels qu'ils sont, tels qu'il a appris à les connaître durant ces agitations terribles, ces Frondes durant lesquelles les plus proches, les princes de sang royal, ont eux aussi trahi, quel autre comportement serait possible ?

Il faut feindre, être aux aguets, ne rien dévoiler de ses intentions. Être craint.

C'est ainsi qu'on peut être un grand roi.

Louis s'y essaie.

Il passe au milieu des courtisans sans paraître les voir, ni entendre les phrases qu'ils lui adressent.

Il jouit de l'inquiétude que souvent il perçoit dans les yeux de Mazarin quand, par un simple mouvement inattendu, Louis rappelle qu'il peut cesser d'accepter la tutelle du cardinal et de la reine, qu'il est le roi, le centre du pouvoir, sans lequel tout se défait.

Il faut que chacun, du plus humble des sujets du royaume jusqu'au ministre, s'en souvienne.

Louis ne l'oublie jamais. Il doit montrer à tous qu'il est comme le soleil, la source de la lumière qui éclaire tout l'univers.

Il a à peine quinze ans.

10.

Louis s'avance sur la scène.

Le murmure d'admiration puis les acclamations qui accompagnent ses premiers pas de danse le transportent.

Il sait qu'il est le plus beau, qu'autour de lui, les autres danseurs de ce *Ballet royal de la nuit* s'effacent, parce que, après la succession des Nuits et des Heures, les épisodes qui font apparaître les Nains et les Sorcières, les Loups-Garous, qui évoquent la Lune et les Étoiles, des chasseurs, les Bergers et les Bergères, il est celui qui incarne le Soleil.

Il a veillé à chaque détail de ce ballet écrit par Isaac de Benserade. Il a voulu que Lully, ce musicien italien, compose certaines des partitions, et il a décidé de le placer à la tête des vingt-quatre violons du roi, et de le nommer compositeur de la musique instrumentale du roi.

Louis a répété jour après jour les figures de danse qu'il doit interpréter. Il veut apparaître plusieurs fois dans le ballet sous divers déguisements, celui de Protée qui change d'aspect, celui aussi de l'amoureux transi, mais ce ne sont là que rôles secondaires, annonçant la venue du Soleil. Il sera le Soleil.

Il a choisi avec soin chaque pièce de son costume. Il faut que des mèches tressées entourent sa tête comme des rayons. Des collants brodés, la tunique qui s'arrête au-dessous du genou et les chaussures à hauts talons seront serties de pierres précieuses.

Il doit éblouir comme l'astre majeur afin que tous les spectateurs sachent qu'il est ce Roi-Soleil auquel personne ne peut se comparer, et dont même les plus grands ne peuvent masquer la lumière.

Le ballet est une représentation du monde, la danse une imitation du mouvement des astres, et si Dieu est le plus grand maître de ballet, Louis veut que le roi en soit la figure centrale.

La dernière scène du spectacle commence. Toutes les lumières inondent la salle.

Louis voit Philippe, son frère cadet, faire quelques pas de danse. Monsieur est l'Étoile du jour qui annonce l'arrivée de l'astre royal. Il déclame :

> *Dès que ce grand roi s'avance*
> *Les nobles clartés de la Nuit,*
> *Qui triomphaient en son absence,*
> *N'osent soutenir sa présence :*
> *Tous ces volages feux s'en vont évanouis*
> *Le Soleil qui me suit, c'est le jeune Louis.*

Louis aime danser, écouter ces acclamations, voir dans le regard des femmes l'admiration, le désir de lui plaire et de se soumettre. Il jouit de voir ces hommes qui dérobent leur regard en baissant la tête par peur de laisser deviner leurs sentiments, peut-être leur jalousie.

Il est le Soleil roi.

Il veut qu'on ouvre les portes de la salle du Petit-Bourbon, afin que le peuple, lui aussi, puisse le voir. Et il dansera ce ballet quatre fois encore, puisque les spectateurs se pressent, applaudissent et que lui-même ne se lasse pas de danser, d'apparaître, jeune roi éclatant de beauté, souple et élégant, auréolé par les éclats de l'or et des pierres qui constellent son costume.

Lorsqu'il sort de scène, l'une des danseuses, une bergère, s'approche de lui, le frôle.

Il suffit d'effleurer son poignet pour l'attirer contre soi, l'entraîner dans les appartements royaux, que Mazarin a commencé de faire aménager au premier étage du Louvre. Les valets ouvrent les portes, s'effacent, referment.

Louis est seul avec cette jeune femme qui s'offre, pâmée.

Mme de Beauvais, la borgnesse, la boiteuse, l'initiatrice, n'est même plus un souvenir.

Louis prend la bergère, et il pourrait user à sa guise de toutes ces femmes qui l'admirent.

Il est Soleil. Il est César victorieux.

Le 4 juillet 1653, il se rend à l'Hôtel de Ville, là où les gueux, il y a un an, payés par Condé, ont massacré et pillé, et où afin de l'honorer le prévôt des marchands et les échevins ont fait dresser une statue de marbre blanc le représentant en César.

Armé d'un javelot, corseté par une armure, casqué, il écrase de son pied, tel saint Michel, un guerrier vaincu.

Mais il veut être plus que César. Il ne succombera pas à une conjuration. Il régnera en associant la force à l'habileté, en suscitant l'admiration, en subjuguant ses sujets. En les soumettant avec l'aide de Dieu.

Il se rend à Notre-Dame, il y écoute la messe, puis dans la grande salle de l'Hôtel de Ville il assiste à une représentation du *Cid*.

Il est assis seul sur la scène. Il sent qu'on le regarde plus qu'on ne suit le jeu des acteurs. Mais être roi, n'est-ce pas être l'acteur suprême, le maître de tous les spectacles ?

Et il sait qu'il ne peut jamais sortir de scène.

On ne le quitte pas des yeux, quand il parcourt les couloirs du Louvre, ou bien qu'il écoute le père Paulin lui annoncer que le pape Innocent X vient de faire parvenir une bulle contenant condamnation des croyances de certains chrétiens, telles qu'elles s'expriment dans un livre, l'*Augustinus*.

Il ne le lira pas. Il veut l'ordre dans le royaume et la soumission. Et si les propositions contenues dans ce livre sont jugées par le pape hérétiques, impies, blasphématoires, injurieuses, ces chrétiens doivent être condamnés.

Il donne donc l'ordre que la bulle soit diffusée dans tout le royaume, afin que chaque évêque s'en saisisse.

Il a subi la Fronde. Il ne veut plus de rébellion.

Mais il n'est pas encore le maître. Il est Soleil et César, mais l'instigateur, c'est Mazarin. Et Louis continue de subir, fasciné et irrité, soumis mais déterminé à montrer, en dépit de cette obéissance, qu'il est le roi.

Il veut se mettre à la tête de l'armée que Turenne conduit en Picardie pour faire face aux troupes espagnoles commandées par le prince de Condé, qui s'est enfoncé chaque jour davantage dans le reniement de son roi.

Ce traître a obtenu la capitulation de Rocroi.

Louis est là, chevauchant sur le front des troupes. La guerre est aussi un théâtre où il doit apparaître, acteur qui s'expose, ne tremble pas quand éclate une mousqueterie, ou que tombent les boulets.

Louis est au siège de Mouzon, plus tard à celui de Sainte-Menehould. Il obtient la reddition des rebelles. Et en Bourgogne comme en Guyenne, Bellegarde et Bordeaux ouvrent elles aussi leurs portes.

Mais le royaume est exsangue. Les mendiants sont la lèpre des campagnes et des villes. On en compte plus de soixante mille à Paris. Et les coffres du royaume sont vides, malgré les habiletés du surintendant Nicolas Fouquet.

Louis en est sûr : on prêtera au roi, s'il rétablit l'ordre dans le royaume et si ses sujets se rassemblent autour de lui.

Et pour cela il faut être vu, admiré. Être au centre du ballet, Soleil rayonnant, jeune, séduisant et majestueux.

Et il faut aussi châtier.

Le 21 décembre 1653, Louis se rend au Parlement.

Il dit d'une voix forte qu'il veut renouveler solennellement la condamnation à mort contre « Messire Louis de Bourbon, prince de Condé, atteint et convaincu de crimes de lèse-majesté, déchu du nom de Bourbon, de la qualité de premier prince du sang, et de toutes les prérogatives dues à sa naissance ».

Le Soleil brûle ceux qui refusent sa suprématie.

11.

Louis lève les bras devant le miroir.

Il murmure ce poème qu'il a lu au frontispice d'un texte qu'on vient de lui remettre et qui retrace le destin de Clovis et de la France chrétienne.

On verra par tout l'univers
Ce prince répandre sa gloire
Ce que Clovis est dans ces vers
Louis le fera dans l'histoire.

Il fait un pas de côté.

Il veut voir son profil, juger de ces vêtements qu'il portera le jour du sacre, à Reims, le dimanche 7 juin 1654.

Les tailleurs italiens s'empressent autour de lui, l'aident à retirer la robe de toile argentée qui recouvre la tunique de satin rouge et la chemise blanche.

Les mains des tailleurs volettent, légères et rapides. Elles ajustent les galons d'or. Elles fendent les vêtements pour permettre à l'évêque, lors de la cérémonie à la cathédrale, d'oindre sept fois le corps du roi avec l'huile sacrée, celle qui est contenue dans la sainte ampoule qu'une colombe apporta dans l'église Saint-Remi de Reims où, depuis ce jour du sacre de Clovis, elle est conservée.

Louis baisse les bras. Il sera dans quelques semaines, comme Clovis le premier roi de France, l'« oint du Seigneur ».

Il pense à chaque instant à ce moment où il sera uni à Dieu et au royaume, à l'Église et au peuple.

Il s'assied.

Les tailleurs posent sur sa tête la toque de velours noir rehaussée d'une aigrette blanche, enrichie d'une rangée de diamants, qu'il portera avant de recevoir la couronne de Charlemagne et de tenir le sceptre et la main de justice.

Tout à coup il s'impatiente, se lève brusquement. Il lui semble que ce temps n'avance pas.

Il sort de ses appartements, se calme, parcourt d'un pas lent les couloirs. On s'incline, on s'écarte devant lui. Il entre chez sa mère. Il reste près d'elle. Il sait qu'elle attend comme chaque jour le cardinal qui loge sous les combles, mais juste au-dessus, d'où il peut accéder aux appartements d'Anne d'Autriche par un escalier privé.

Et lorsque Louis imagine cela, il ne peut s'empêcher d'en vouloir à cet homme affable, séducteur et puissant, qui décide de tout, qui a fait venir d'Italie cette troupe de nièces et de neveux qu'il loge dans l'aile Lescot du palais du Louvre, non loin de son propre appartement.

Combien sont-ils dans cette famille Mazarin dont on murmure qu'elle s'est jetée sur le royaume avec avidité, comme sur un pactole à se partager sous la houlette du larron ministre et cardinal ?

Louis sait qu'on continue de haïr Mazarin malgré les bonnes mines qu'on lui présente. On ricane et on se moque à la Cour de ses nièces à marier. L'une d'elles, Anne-Marie Martinozzi, a déjà épousé le prince de Conti, le propre frère de Condé ! Une autre est devenue Laure de Mercœur, épouse de duc, et les dernières, Olympe, séduisante, Marie et Hortense Mancini, à peine entrevues, sont, elles aussi, malgré leur jeune âge, en quête d'un époux titré. Il y a le neveu Philippe Mancini, que Louis apprécie.

Il le convie, ainsi que Laure, Olympe ou Anne-Marie, dans ses appartements. On y joue aux cartes, on y danse, on y donne la comédie. On y récite des vers.

Louis se lève, il sera Apollon, dit-il, dans le nouveau ballet, *Les Noces de Pélée et de Thétis*, composé par Lully, écrit par Isaac de Benserade.

Louis déclame :

J'ai vaincu ce python qui désolait le monde
Ce terrible serpent que l'Enfer et la Fronde
D'un venin dangereux avaient assaisonné
La révolte en un mot ne me saurait plus nuire
Et j'ai mieux aimé la détruire
Que de courir après Daphné.

On l'applaudit. Il trouve les nièces de Mazarin à son goût.

Il s'approche de Laure de Mercœur. On dit qu'elle est enceinte déjà, mais elle n'est que plus épanouie, plus séduisante peut-être que sa sœur Olympe.

Il hésite à choisir. Et pourquoi le devrait-il ? Il se sent aussi dévoreur de femmes que de viande, de douceurs, de fruits. Il lui semble que rien ne peut le rassasier. Il veut que la nuit, on tienne prêts plusieurs mets dans sa chambre, pain, brioches, viandes, afin que si la faim le réveille il puisse l'apaiser.

Et il en est de même des femmes.

Il est Apollon. Lumière, gloire et beauté. Il séduit Laure et Olympe, et sa mère s'inquiète, le cardinal condamne. Un roi de France n'épouse pas une Mancini.

Louis s'obstine un peu, puis découvre dans l'entourage de sa mère une nouvelle suivante, Mlle de La Motte d'Argencourt, une jeune fille blonde dont la douceur passive l'attire. Il lui chuchote des confidences, et un jour Mazarin les lui rapporte, avec un sourire satisfait. La demoiselle parlait à sa mère qui courait chez Son Éminence, pour lui dire que le roi était impatient de la tutelle que la reine et son ministre exerçaient sur lui, et qu'il la rejetterait.

— Voyez ce qu'on invente, Majesté, dit Mazarin, pour affaiblir le gouvernement du royaume.

Louis s'éloigne. Il ne reverra plus cette Mlle d'Argencourt qui disparaît, enfouie dans un couvent.

Un roi ne doit jamais se livrer. Il doit faire du silence et du secret ses lois.

12.

Enfin, c'est le dimanche 7 juin 1654, jour du sacre.

Louis marche lentement au centre du cortège qui, du palais archiépiscopal où il a passé la nuit, se dirige vers la cathédrale de Reims.

Il regarde autour de lui les hérauts des provinces de France, les gentilshommes, et devant lui le maréchal d'Estrées qui porte l'épée nue, le bleu des uniformes, l'or des fleurs de lys, l'éclat des cottes de mailles composant un arc-en-ciel de couleurs chatoyantes. Et tambours, cors, violons, trompettes rythment ce ballet dont il est l'acteur majestueux, celui sans qui rien n'existe.

Il s'avance vers la nef, passant entre les deux rangées de gardes suisses.

Il découvre les tapisseries qui la décorent, et le trône couvert d'un dais de velours brodé de lys en fil d'or.

Il va s'agenouiller sur le prie-Dieu placé dans le chœur.

Dans les tribunes il aperçoit sa mère, accompagnée de la veuve de Charles Ier, Henriette de France, et de sa fille Henriette d'Angleterre. Seul sur un banc, placé devant les rangs d'invités, il voit Mazarin, rayonnant comme l'ordonnateur de cette scène, de ce ballet rituel qui doit durer six heures.

Louis s'assoit. Il porte la couronne de Charlemagne. Il embrasse l'épée de l'empereur. L'évêque lui glisse l'anneau au quatrième doigt de la main droite.

Puis Louis se lève, écoute l'évêque lire les textes des serments que le roi doit prêter.

Les phrases en latin résonnent en lui. Il a l'impression qu'en répétant ces mots, il devient autre. Il dit, d'une voix qu'il veut forte mais qui lui semble retenue dans sa gorge :

— Je m'engage à assurer la défense, autant qu'il se peut, le Seigneur aidant, comme le doit un roi en son royaume, pour chaque évêque et le diocèse qui lui est confié.

Il tend la main au-dessus des Évangiles, il promet au peuple du royaume la paix, la justice et la miséricorde, et à ce «peuple de ma souveraineté je promets que ce peuple chrétien conservera en tous temps, sous notre autorité, la vraie paix de l'Église de Dieu... Je m'engage à extirper nommément de mes terres et juridictions toutes les hérésies dénoncées par l'Église».

Il hausse la voix, et elle résonne sous les voûtes de la nef :

— Par serment je confirme tous ces engagements, Dieu me soit en aide et ses saints Évangiles.

On le bénit. Il reçoit les sept onctions de l'huile sacrée issue de la sainte ampoule. Il saisit le sceptre de la main droite et la main de justice de la gauche.

Puis c'est la messe, la confession, la communion. Il a oublié le temps, tout entier pris par l'émotion, cette cérémonie qui fait de lui l'intermédiaire entre le peuple de sa souveraineté et Dieu. Et celui-ci lui donne le pouvoir de juger et de guérir.

Louis marche vers la porte de la cathédrale qu'on ouvre enfin.

Il regarde s'envoler des dizaines d'oiseaux qu'on lâche, et que la foule rassemblée et jusqu'alors tenue à l'écart salue par des cris de joie qui s'amplifient quand enfin elle voit le roi.

Il s'arrête un instant.

Il voit tous ces visages tendus vers lui, ces mains qui s'agitent, ces cris de «Vive le roi!».

Les cloches sonnent à toute volée.

Et c'est Philippe Mancini qui portera la queue de la traîne du manteau royal brodé de flammes d'argent.

Demain, il se rendra à l'église Saint-Remi. Après-demain, il touchera les écrouelles des centaines de malades rassemblés. Il les bénira d'un signe de croix tracé sur le front du malade et dira : «Le roi te touche! Dieu te guérit.»

Il est faiseur de miracles, au-dessus de tous les hommes, mais, comme chacun d'eux, dans la main de Dieu.

Ce ballet sacré s'achève. Il faut quitter Reims, sortir de scène, mais un autre spectacle commence, où il tient aussi le premier rôle.

La Cour s'est installée à Sedan, mais chaque jour il veut chevaucher jusqu'à Stenay, place forte tenue par les troupes espagnoles de Condé. Car ce traître continue sa guerre, et l'argent manque au royaume pour la mener.

Louis écoute Mazarin lui annoncer qu'il a chargé Nicolas Fouquet de faire face aux besoins du royaume, car les caisses sont vides. Il faudra en appeler aux financiers, à leurs «affaires extraordinaires». Il insiste : les dépenses s'accroissent, pour la guerre, les vaisseaux, les galères, l'artillerie, les fortifications, les ambassadeurs, les gardes suisses, les divertissements, les ballets du roi, les travaux d'aménagement et d'embellissement du Louvre, les dépenses en meubles, vaisselle.

Louis tourne la tête. L'argent ne peut manquer. N'est-il pas ce roi qui vient d'être sacré? Que Mazarin et Fouquet trouvent donc de nouvelles ressources «extraordinaires»...

Il s'éloigne de Mazarin, rejoint les troupes, saute en selle. Il sait qu'il peut rester jusqu'à huit heures d'affilée à cheval.

Il l'a fait devant Arras lorsque Turenne a bousculé, chassé les Espagnols de Condé qui assiégeaient la ville.

Victoire à Arras comme à Stenay! Et Louis chevauche, acclamé par les soldats. Les boulets tombent. Des hommes sont tués, blessés. L'un d'eux s'avance, tenant sa main arrachée, la montre au roi, glorieux, heureux, dit-il, de l'avoir perdue au service de son souverain.

— Qu'on offre à ce soldat dix pistoles, murmure Louis.

Puis il s'en va. On doit au roi des sacrifices. Non seulement il est l'incarnation de toute la lignée de ceux qui depuis Clovis ont régné sur la France, mais il est aussi l'homme que Dieu a choisi.

N'a-t-on pas remporté la victoire d'Arras le jour de la Saint-Louis, le 25 août?

N'est-ce pas un signe?

Il regarde avec mépris ceux qui, parce qu'une éclipse de soleil doit se produire, prétendent qu'elle annonce pour 1656 la fin des temps!

Dieu voudrait-il que le règne soit interrompu alors que c'est encore Mazarin qui gouverne et qu'il faut se soumettre à lui, attendre sa mort, pour enfin tenir les rênes?

Tout à coup, c'est la nuit, le silence, le froid. L'éclipse se déroule comme prévu. Louis a un instant de doute, puis la lumière revient presque aussitôt avec la chaleur et les chants d'oiseaux. Il n'a pas eu le temps d'être inquiet. Il se dirige vers ces jeunes femmes qui, dans les couloirs du Louvre, l'attendent pour le saluer.

Qui peut ternir la gloire d'Apollon, du Roi-Soleil?

13.

Il a dix-sept ans.

Il aime à se regarder dans les yeux des femmes.

Il entre dans la chambre de sa mère pour souper. Il surprend les conversations des jeunes suivantes, qui peut-être parlent trop fort pour qu'il entende ce qu'elles disent, qu'il est «fier et agréable avec l'air haut et relevé, mais quelque chose de fort doux et de majestueux dans le visage».

Elles rient. Elles font mine de ne pas l'avoir vu s'approcher. L'une ajoute qu'«il a les plus beaux cheveux du monde en leur couleur et en la manière dont ils sont frisés». Elles approuvent toutes et, dans le froissement de leurs robes, quelqu'une dit :

«Il a les jambes belles, le port haut et bien planté, enfin, à tout prendre, c'est le plus bel homme et le mieux fait du royaume et assurément de tous les autres.» Et une voix frémissante, aiguë, conclut : «Il danse divinement bien.»

Elles s'éloignent puisqu'il va souper en tête à tête avec la reine, mais il sait qu'elles l'attendent dans les salons voisins, et il les retrouve aussitôt qu'il le peut.

Il y a, assises en rond, les nièces de Son Éminence, les jeunes Mancini ou Martinozzi, celles dont on dit, parmi les courtisans :

Les Mancini, les Martinosses
Illustres matières de noces !

Mais peu importe. Certaines d'ailleurs sont déjà mariées,
l'une au prince de Conti, l'autre au duc de Mercœur, mais
qui oserait empêcher le roi de séduire Anne-Marie ou Laure,
de chevaucher avec elles pendant de longues chasses, ou
bien de trouver du piquant à Olympe et de la choisir pour
partenaire, à chaque danse.

Et il sourit aussi aux toutes jeunes filles, Marie Mancini,
Hortense sa sœur, qui viennent à peine d'arriver d'Italie, de
Rome ou de Modène.

Il prend place à côté d'elles. Il aime le frôlement des corps
et des tissus de soie.

D'un geste, il invite les vingt-quatre violons que dirige
Lully, le Florentin, à commencer à jouer.

Il se lève. Il danse, entraînant Olympe, ou bien quelquefois seul, répétant les figures de ce *Ballet des Plaisirs et Délices
de la Ville et de la Campagne*. Il y incarne le génie de la danse.
On y dit :

Place à ce demi-dieu qui triomphe aujourd'hui,
Ses charmes déployés vont être en évidence,
Qu'on ne s'y trompe point : il est bon que celui
Qui ne se sent point juste ait un peu de prudence,
Et malheur à qui ne danse
De cadence avecque lui !

Et Louis ne se lasse pas de danser, d'être applaudi, de sentir dans les regards l'admiration et la soumission. Mais il
accepte aussi qu'Isaac de Benserade ait écrit :

C'est l'ordre que vos jeunes ans
S'attachent aux sujets plaisants
Et qu'ils ne demandent qu'à rire

Mais ne soyez point emporté
Évitez la débauche, Sire
Passe pour la fragilité.

Il n'est ni censeur ni régent
Qui ne soit assez indulgent
Aux vœux d'une jeunesse extrême
Et pour embellir votre cœur
Qui ne trouve excusable même
Que vous ayez un peu d'amour

Mais d'en user comme cela
Et de courir par-ci par-là
Sans vous arrêter à quelqu'une
Que tout vous soit bon tout égal
La blonde autant que la brune
Ha! Sire, c'est un fort grand mal.

Il apprécie cette impertinence, cette liberté de ton qui s'associe à l'admiration, au respect, à la soumission. Mais rien ne pourra lui interdire d'aller d'une blonde à une brune.

Il se rassied dans le cercle des femmes, auprès d'Olympe qui se penche vers lui, laisse voir la naissance de ses seins. Il lui prend la main, mais elle la retire. Voilà des semaines qu'elle se dérobe, refusant d'être seulement une maîtresse, laissant cela à l'une ou l'autre des suivantes.

Louis n'a pas pour habitude de forcer les femmes.

Il s'écarte un peu d'Olympe, demande à ce que l'on commence un sujet de roman. Quelqu'un lance les premières phrases, esquisse une histoire, une aventure que sa voisine continue, et parfois l'une de ces jeunes femmes, qui fréquente le salon de Mlle de Scudéry, dans sa maison de la rue de Beauce, paroisse Saint-Nicolas-des-Champs, emprunte aux romans de Mlle de Scudéry, qu'il s'agisse du *Grand Cyrus* ou de *Clélie*, et l'on se récrie.

Il est près de minuit.

Le roi donne le bonsoir à la reine, puis gagne sa grande chambre.

Les courtisans les plus familiers l'ont attendu.

Il prie, puis se déshabille en parlant familièrement avec eux.

Il entre dans l'alcôve, la partie la plus retirée de la chambre, là où se trouvent le lit et la chaise percée.

Il s'y assied, et continue de converser avec les gentils-hommes autorisés à le suivre jusque dans cette pièce plus sombre.

Enfin un valet noue le bonnet du roi qui va retenir ses longs cheveux. Et Louis se couche. En s'endormant, il entend le murmure des gentilshommes qui se retirent.

Et c'est cette même rumeur qui le réveille dans la chambre de l'alcôve, le lendemain matin.

Il tend la main, saisit son chapelet, récite l'office du Saint-Esprit, et voici qu'entre Hardouin de Beaumont de Péréfixe, son précepteur, qui commence une leçon, le faisant étudier dans la Sainte Écriture ou dans l'histoire de France.

Cela dure. Le sommeil tente de revenir. Il faut se lever. Les deux valets de jour et l'huissier ordinaire pénètrent à ce moment dans l'alcôve.

Louis s'assied sur sa chaise percée et il y reste près d'une demi-heure.

Il entend les bavardages des princes et des grands seigneurs qui l'attendent dans la grande chambre.

Il passe sa robe de chambre. On ouvre les portes de l'alcôve. Il salue les courtisans. On parle de chasse, cependant qu'assis, Louis se lave les mains, la bouche et le visage. On détache son bonnet.

Vient le moment de la prière. Il s'agenouille avec ses aumôniers dans la ruelle du lit et tous l'imitent dans la grande chambre. L'huissier veille au silence.

Louis se rassied.

Il sait qu'on va le peigner, lui donner un petit habit, des chausses et une camisole de Hollande.

Il aime cette répétition quotidienne des mêmes gestes.

Il va passer dans son cabinet, qui est derrière l'antichambre et où il fait son exercice. Il voltige sur un cheval d'arçon, sautant de plus en plus haut, retombant légèrement sur la selle, ne se lassant pas d'éprouver la souplesse de son corps, puis il s'exerce au maniement des armes, de la pique et de l'épée. Enfin, dans sa chambre d'alcôve, il danse.

On l'habille. Il déjeune, fruits, pains, viandes.

Et il sort de la chambre.

Visite chez M. le cardinal de Mazarin.

Il écoute Son Éminence le mettre au courant des affaires du royaume, et parfois un secrétaire d'État vient présenter un rapport sur une question urgente.

Louis est attentif, approuve.

Michel Le Tellier, secrétaire d'État à la Guerre, s'inquiète : l'argent manque pour payer les soldats, dit-il. Comment poursuivre la guerre contre l'Espagne ? Le Tellier d'une voix humble sollicite aussi la survivance de sa charge pour son troisième fils, François-Michel.

Louis guette Mazarin qui suggère que l'on accepte et que, pour l'argent, on taxe les papiers timbrés nécessaires aux actes notariés et aux créations d'office. Ce serait une source importante de revenus.

Comment ne pas retenir les propositions du cardinal ? Même quand il annonce la signature d'un traité avec la république d'Angleterre de Cromwell, ce tueur de roi, et qu'il explique qu'une clause secrète prévoit qu'on chassera hors du royaume Henriette de France – la sœur de Louis XIII –, la veuve du roi d'Angleterre et sa fille, Henriette d'Angleterre, et ses fils, qui s'y sont réfugiés après l'exécution de Charles Ier.

Approuver encore, puisque Mazarin démontre que c'est l'intérêt du royaume dans sa guerre contre l'Espagne, qui a refusé la paix de Westphalie, les traités de Münster, signés il y a sept ans déjà.

Rude et longue leçon quotidienne, apprentissage renouvelé de ce que sont les hommes et les États. Elle dure plus d'une heure et demie et il se sent libéré lorsqu'elle cesse.

Louis quitte l'appartement de Son Éminence, descend à l'étage inférieur, salue la reine, puis s'en va près du Vieux Louvre, à l'hôtel de Bourbon, monter à cheval, jusqu'à ce que la reine y arrive. Il l'accompagne dans la chapelle, suit la messe agenouillé près d'elle.

Il rentre avec elle.

Il aime ainsi la voir plusieurs fois par jour.

Il monte chez lui et dans la grande chambre il change d'habits. Ce sont les vêtements simples et amples, les hautes bottes pour la chasse, ou bien d'autres plus apprêtés, pour le dîner avec la reine, chaque jour, et les audiences qu'après ce repas il accorde aux ambassadeurs.

Il les écoute. Il questionne.

Et c'est déjà la fin de l'après-midi. Il a hâte d'aller se promener au bord de la Seine, menant son cheval au pas sur le Cours pavé. Il aime répondre aux saluts qu'on lui adresse.

Puis il rentre au Louvre, où souvent, plusieurs fois par semaine, se tient le Conseil qu'il préside, avec la reine et Son Éminence.

Après, il y a comédie.

Il se rend dans la salle des gardes, où une scène a été aménagée, des sièges disposés. On y joue une tragédie, *Nicomède*, de ce Corneille, auteur du *Cid*, dont Louis se souvient. Puis, la représentation achevée, le maître de la troupe s'avance.

Il propose de jouer une farce, *Le Docteur amoureux*. Louis accepte et, après les premières répliques, les rires se déchaînent.

On applaudit et le roi, d'un hochement de tête, salue ce comédien, Molière, qui l'a diverti.

Louis s'éloigne en compagnie de sa mère, avec laquelle il va souper.

Mais comme chaque soir, il ira se regarder dans les yeux des femmes.

14.

Il séduit. Il danse. Les jeunes femmes se pâment dans ses bras. Et il se moque de cet Isaac de Benserade qui a rimé :

Quoi faut-il qu'un si grand monarque
Devienne un si grand débauché?

Il sait que tout n'est pas *Plaisirs et Délices,* qu'il faut affronter ces parlementaires qui refusent les édits établissant une taxe sur le papier timbré.

Il a dû entendre Bignon, l'avocat général du Parlement de Paris, menacer à mots à peine couverts Son Éminence Mazarin, en affirmant :

— Celui qui a osé donner l'avis de mettre la main dans le sanctuaire de la Justice, en voulant imposer un droit honteux et inouï sur les actes les plus légitimes et les plus nécessaires à la sûreté publique, est digne du dernier supplice.

Louis sent la colère l'emporter. Serait-ce que ce Parlement veut que renaisse le temps des Frondes?

Et il n'a que mépris pour ce Bignon qui le flatte et a tenté de le séparer de Mazarin en ajoutant :

— La France espérait que Sa Majesté, à l'exemple de son aïeul, ce grand et incomparable monarque Henri IV, prendrait un jour elle-même le soin de ses affaires et apporterait un tempérament si doux et si convenable aux maux de son État que son nom et son règne en seraient à jamais en vénération très particulière dans toute l'étendue de son empire.

Il se sent humilié et blessé par ces propos qui rappellent qu'il ne gouverne pas encore, qu'il est soumis à Mazarin. Ils vont voir s'il ne sait pas agir seul.

Le 13 avril, alors qu'il chasse dans la forêt de Vincennes, il apprend que le Parlement se réunit à nouveau.

Il convoque les capitaines des gardes : qu'ils avertissent les parlementaires qu'il va tenir un lit de justice.

Il s'y rend sans quitter ses vêtements de chasse, grosses bottes, justaucorps rouge, chapeau gris. Il veut imposer l'enregistrement de ces édits sur le papier timbré. Il faut que ce Parlement se soumette.

Avant d'entrer dans la grand-chambre, il va prier à la Sainte-Chapelle, comme c'est la coutume, et il se fait précéder par le grand maître des cérémonies, le chancelier, les princes et les ducs.

Il veut que les parlementaires comprennent que le roi n'est plus un enfant contre lequel ils se sont rebellés, mais un souverain sacré à Reims, incarnant la volonté de Dieu et le royaume.

Il les regarde, méprisant et sévère.

Il s'assoit. Il parle d'une voix forte et dure.

— Messieurs, chacun sait combien vos assemblées ont excité les troubles dans mon État et combien de malheurs elles ont produits. J'ai appris que vous prétendiez encore les continuer, sous prétexte de délibérer sur les édits qui ont été lus et publiés en ma présence. Je suis venu ici exprès pour vous en défendre la continuation. Je veux que les édits soient exécutés. Monsieur le président, je vous défends de souffrir aucune assemblée et à pas un de vous de les demander.

Il éprouve une satisfaction intense. Il a l'impression que son sang est plus chaud, son corps plus nerveux.

Il quitte le Parlement, entre au Louvre.

Il imagine bien que les parlementaires vont résister, et que Mazarin l'habile va négocier avec eux, corrompre certains, peut-être même retirer quelques-uns des édits. Mais il veut faire entendre sa voix, ne pas remettre en cause les privilèges du Parlement, mais sévir si nécessaire, envoyer un conseiller à la Bastille et en exiler quelques autres.

Être roi, c'est ne pas accepter la fronde des sujets, fussent-ils parlementaires, croquants ou princes.

Et s'il faut se battre, faire la guerre, pourquoi pas ?

Il aime les chevauchées militaires.

Il avance avec l'armée dans les Pays-Bas espagnols. Il reste en selle quinze heures durant.

Dans le Hainaut, on met le siège devant la ville de Landrecies, que l'on force à capituler. Puis on bat les Espagnols à Condé-sur-Escaut, la ville du prince félon.

Louis ne quitte pas Turenne, dont il apprécie l'intelligence et le courage. Il se félicite d'avoir signé la lettre qui, il y a quatre ans, a détaché le maréchal des frondeurs.

« J'excuse tout ce que vous avez fait, avait-il approuvé, je le veux oublier pourvu que vous quittiez promptement le parti que vous avez embrassé… Je souhaite vous voir en ma Cour et vous témoigner que je n'ai aucun ressentiment de tout ce que vous avez entrepris contre mon service. »

Il avait appris ce jour-là qu'un roi doit savoir pardonner, s'il doit aussi montrer son dédain et son mépris.

Quand on lui apprend que Condé, le traître, a renvoyé aux troupes royales, au prétexte qu'il est du même sang français, les étendards aux fleurs de lys pris par les Espagnols qu'il commande, Louis répond :

— C'est une chose si rare de voir les Espagnols battre les Français qu'il ne faut pas pour le peu que cela arrive leur enlever le plaisir d'en garder les marques.

Condé doit apprendre à se souvenir qu'on ne dispose pas d'un roi de France.

15.

Il est rentré victorieux et fier de cette guerre contre l'Espagne qui n'en finit pas.

Les femmes dans le salon du Louvre où l'on s'apprête à danser l'entourent. Et il éprouve à sentir leurs regards admiratifs une sorte d'ivresse.

Il doit ne rien laisser paraître, mais Olympe Mancini, mariée désormais, est plus séduisante qu'autrefois. Elle paraît disposée, maintenant qu'elle est l'épouse du comte de Soissons, à ne plus défendre sa vertu.

Et il découvre aussi cette jeune fille maigre, Henriette d'Angleterre, qu'on veut marier à Monsieur. Elle l'attire. Elle ne baisse pas les yeux quand Louis la fixe.

Toutes ces femmes sont prêtes à se donner, et même cette brune, à peine une jeune fille, Marie Mancini, encore une nièce de Son Éminence, qui soutient aussi son regard, qui est comme une invite.

Louis s'assied à la table de Mazarin, où comme chaque soir Son Éminence joue aux cartes. Louis prend les siennes, augmente la mise, et en quelques heures ce sont des centaines de louis d'or et de pistoles qui changent de main. Les dettes des uns se creusent et d'autres échappent à la ruine.

Louis se lève. Il veut encore danser. Il sent en lui une énergie, un désir inépuisables.

Et pourtant, depuis quelques mois, il souffre, la verge souvent brûlante et purulente. Est-ce le legs de la vieille borgnesse, Catherine de Beauvais, l'initiatrice, ou bien de l'une de ces femmes, chevauchée un soir, oubliée comme un cheval qu'on a loué pour une randonnée dans un relais de poste ?

Mais il surmonte la douleur, se laisse soigner, sans un murmure, et cependant ces onguents, loin d'éteindre le feu qui dévore le bout de sa verge, paraissent l'aviver.

Il ne faut pas y prêter attention, continuer de vivre comme si cette souffrance n'existait pas !

Il danse le *Ballet de la galanterie du temps* composé tout entier par Lully et, emporté par le mouvement des violons du Florentin, il oublie sa douleur.

Danser, jouer, chevaucher, être admiré, désiré, aimé, ce sont là les vrais remèdes.

Il faut donc agir, quitter parfois le Louvre pour, sans aucun apparat, se rendre à l'une de ces foires qui bourgeonnent dans Paris, et découvrir cette foule de mendiants, de gredins qui portent épée et chapeau comme s'ils étaient gentilshommes de bonne noblesse.

Ils sont le visage du désordre, il faut qu'un édit les condamne ! Qu'on les enferme. Ils ternissent le royaume. Ils vivent dans le péché, beaucoup de leurs enfants ne sont pas baptisés, ignorent la religion, méprisent les sacrements, et se livrent à toutes sortes de vices. Ils attirent la malédiction de Dieu.

Il approuve les termes de l'édit qui interdira le vagabondage et la mendicité, et vouera à l'enfermement à la Pitié, à la Salpêtrière, à Bicêtre, à la Savonnerie, qui constitueront l'Hôpital général de Paris, les mendiants de la capitale.

Le royaume doit être en ordre en toutes ses parties, et c'est devoir de roi de veiller à ce que ses sujets ne se rebellent pas, ne créent pas de troubles.

Il se souvient des agitations terribles de la Fronde.

Il écoute son confesseur lui parler de cette querelle qui oppose des chrétiens, ceux qui se réclament des œuvres d'un certain Jansénius – « condamné par le pape, Sire, vous le savez » – et qui s'obstinent dans l'hérésie, autour de l'abbaye de Port-Royal des Champs. Ces « jansénistes » troublent l'ordre, critiquent les jésuites, trop complaisants à les entendre. Louis s'irrite. A-t-on besoin de cette querelle ? Il interroge le père Paulin, exige qu'on lui lise l'une de ces lettres, les *Provinciales*, dont tout le monde parle, écrite par un certain Blaise Pascal et qui se moque des jésuites.

Ils sont accusés de tout accepter dès lors que l'intention de l'acte commis – fût-il condamné par l'Église – n'est pas mauvaise.

« Ils contentent le monde en permettant les actions, et ils satisfont l'Évangile en purifiant les intentions. »

Louis n'a pas de goût pour cette querelle. Il se méfie de ces jansénistes, du miracle qui aurait sauvé de la maladie une nièce de Pascal et de l'engouement des princes et des ducs pour cet Arnauld d'Andilly qui réside dans l'abbaye de Port-Royal des Champs devenue une sorte de lieu de pèlerinage.

Il se défie de ce mouvement qui entraîne ceux qui furent presque des frondeurs, et notamment le prince de Conti.

Il voudrait agir, condamner, mais Son Éminence tergiverse, ordonne la fermeture des Petites Écoles créées pour l'instruction des enfants des jansénistes, mais il ne va pas au-delà, alors qu'il faudrait appliquer avec rigueur la bulle pontificale stigmatisant ces hérétiques.

Mais c'est Son Éminence qui gouverne, qui préfère toujours la négociation à l'affrontement, qui voudrait un accord avec l'Espagne, parce que la guerre coûte trop cher, que les caisses sont vides, qu'une défaite succède à une victoire.

Turenne est battu à Valenciennes, vainqueur à Capelle, mais demain?

Louis subit cette leçon de prudence.

Il arrive des Pays-Bas espagnols. Il a chevauché en territoire conquis, heureux d'être à la tête des troupes, de traverser des villages où la population soumise et apeurée fait allégeance au roi de France.

Et il lui faut écouter Nicolas Fouquet, ce surintendant des Finances qui, avec l'élégance d'un grand seigneur, annonce que les financiers se dérobent, refusent de prêter au roi. Il a dû exiger un prêt personnel des membres du Conseil-d'en-Haut.

Louis n'aime pas la superbe de cet homme-là. On lui a rapporté que Nicolas Fouquet comme Colbert, l'homme de Son Éminence, prélèvent au passage, sur les prêts qu'ils obtiennent et les impôts qu'ils collectent, leur part. Nicolas Fouquet a envoyé son frère à Rome, pour que cet abbé achète des sculptures, des tapisseries, des peintures, qui décoreront les résidences du surintendant des Finances à Vaux, Belle-Isle, Saint-Mandé.

Mais comment agir?

Fouquet est aussi l'homme de Mazarin.

Alors jouer, danser, jouir.

Louis s'habille en Romain, torse cuirassé d'or et d'argent, et il se mêle, dans les jardins du Palais-Royal et les rues de Paris, et ce durant plusieurs jours, à la Cavalcade et course des bagues, entouré de tous les jeunes courtisans.

Il a donné pour devise aux cavaliers qui l'accompagnent, et forment dans cette course son équipe, *Ne piu ne par*, « Il n'en est pas de plus grand ni de pareil ».

Il lui semble que c'est ce que lui dit, à sa manière, la reine Christine de Suède, cette fille du grand roi Gustave Adolphe qui a régné dix ans puis a abdiqué, et qui vient d'arriver à Paris, le 8 septembre de cette année 1656.

Louis est surpris. Christine paraît sale avec ses mains douteuses, ses cheveux en désordre, son justaucorps et ses bottines d'homme, ses manières de soldat, posant ses jambes sur les fauteuils, disant :

— Ma foi, je baiserais tous les jours si j'y trouvais du plaisir...

Louis feint de ne pas avoir entendu, mais elle poursuit, lui dit qu'il est « grand, bien fait et beau », mais qu'il est « d'une prudence qui excède son âge ». Timide ? interroge-t-elle. Vaillant elle n'en doute pas et – elle sourit –, « s'il s'applique jamais aux affaires, grand prince assurément ».

Puis elle se penche, murmure :

— Si j'étais à votre place, j'épouserais une femme que j'aimerais.

16.

Il a dix-neuf ans.

Aimer une femme, l'épouser ?

Pourquoi suivrait-il les conseils de Christine de Suède ?

Il va d'un corps à l'autre, au gré du hasard, des habitudes, de sa fantaisie.

Il croise dans un couloir du Louvre une domestique dont la poitrine et la taille, mais aussi le trouble, l'attirent. Il n'a qu'un geste à faire, déjà elle se pâme. Il est le jeune roi. Elle le sait. Il la prend avec douceur, il la comble d'une dernière caresse, d'un cadeau, puis il s'éloigne.

Chaque jour il remercie Dieu de lui avoir donné cette vie pleine de surprises, d'émotions, de pouvoir et de plaisirs.

Il s'assied, ce 5 janvier 1657, dans la nef de l'église des Jésuites, rue Saint-Antoine.

En son honneur, tout autour de l'église on a allumé plus de quatre mille cierges. L'autel est éclairé par des dizaines de chandelles. Des machines et des ressorts font descendre jusqu'à l'évêque qui officie les hosties consacrées. Puis, sous les voûtes, mille voix entonnent, accompagnées par les orgues et les violons du roi, les chants sacrés.

La messe est un spectacle dont il jouit. La vie est une scène, dont il est le principal acteur.

Il se retourne, derrière lui sont assis la reine mère, Son Éminence, les princes et les ducs, et un peu à l'écart son frère Philippe, qui doit se faire pardonner ses frasques. Il va d'un bal à l'autre, en perruque blonde, vêtu en femme, entouré de jeunes nobles oscillant sur leurs chaussures à hauts talons, parfumés comme des catins, minaudant comme des jeunes filles en émoi.

Louis se lève. C'est la fin de la messe. L'évêque le précède dans la nef, avançant d'un pas lent vers ces portes de l'église maintenant ouvertes. La foule rassemblée crie « Vive le roi ! ».

Louis aime cette vie, cette musique et ces chants, ces lumières, ces corps qui de part et d'autre de l'allée s'inclinent.

Il dévisage ces femmes qui tardent à baisser les yeux. Dans le petit groupe que forment les nièces de Son Éminence, il ne peut détacher ses yeux de la plus jeune, Marie Mancini, à laquelle il n'a guère jusqu'alors prêté attention, se contentant de lui faire l'aumône de quelques mots, alors que l'on portait en terre sa mère, Géronima Mancini, la sœur de Mazarin. Le cardinal avait voulu des obsèques royales, vingt carrosses d'apparat suivant le cercueil, placé dans une voiture tirée par six chevaux.

Le visage de cette Marie Mancini l'avait retenu, puis sa silhouette qu'il avait devinée, maigre sous les voiles de deuil, si différente de ces corps aux formes épanouies, à la peau laiteuse. Quelqu'un près de lui avait murmuré que cette jeune nièce de Son Éminence était piquante, qu'elle avait de l'esprit, puis il avait persiflé, disant qu'elle avait l'air d'une cabaretière, mais celles-ci sont distrayantes, n'est-ce pas ?

Louis avait donc dit quelques mots à cette petite brune.

Il la retrouve dans la lumière dorée des cierges et des chandelles, qui lui donne une beauté inattendue.

Il passe, avec la tentation, à laquelle il résiste, de se retourner. Il a le désir de la revoir, et il est surpris par cette sensation de regret et d'impatience qui l'envahit.

Il faut qu'il la revoie.

Il est irrité quand, au Louvre, sa mère puis Son Éminence évoquent le moment, qui ne saurait être différé trop longtemps, où il devra se marier, ce qui quand on est roi de France exige une longue négociation, doit être un acte conçu dans l'intérêt du royaume.

« Si j'étais à votre place j'épouserais une femme que j'aimerais », avait dit Christine de Suède.

Mais que vaut le conseil de cette reine déchue et fantasque, aux manières et aux odeurs d'un soldat, dont chaque mot fait scandale ? On l'accuse même d'avoir fait assassiner – et peut-être l'a-t-elle tué de ses mains – l'intendant de sa maison, le comte Monaldeschi, qu'on a retrouvé, la tête fracassée, dans la chambre qu'elle occupe au château de Fontainebleau.

D'ailleurs, qu'est-ce qu'aimer ?

Il désire le corps d'une femme, il peut être distrait ou captivé par ses propos, enchanté par sa beauté, son élégance, enivré par le parfum de sa peau, mais aimer, est-ce cela ?

Il écoute Son Éminence dresser le portrait de la princesse Marguerite, la fille de la duchesse de Savoie, sœur de Louis XIII. Ce pourrait être pour le royaume de France un mariage fructueux, permettant la réunion à terme de la Savoie au royaume.

Louis ne répond pas, Son Éminence insiste.

Puis c'est au tour de la reine mère de présenter l'infante Marie-Thérèse d'Autriche, la fille de Philippe IV, roi d'Espagne, le frère de la reine. Ce serait le mariage des deux plus grandes dynasties du monde, et la conclusion d'une alliance qui mettrait fin à cette guerre interminable entre le royaume de France et celui d'Espagne.

Mazarin concède qu'il a envoyé à Madrid Hugues de Lionne, pour ouvrir la négociation, mais les Espagnols se dérobent.

Alors, pourquoi pas Marguerite de Savoie?

En attendant, c'est la guerre qui se poursuit.

On la mène avec les Anglais de Cromwell, et Louis perçoit à la Cour les réserves des Grands. Peut-on s'allier avec Cromwell le régicide, l'hérétique, ennemi de l'Église catholique?

On chuchote à Louis qu'il devrait s'opposer à cette politique, imposer à Mazarin de rompre les traités signés avec cette Angleterre républicaine. On lui parle de cette Henriette de France, sa cousine, exilée avec sa mère et ses frères à Paris.

Il hésite. Il est sensible à la beauté d'Henriette mais aussi aux propos de ses confesseurs qui rejettent eux aussi cette alliance anglaise.

Puis, au moment où il s'apprête à interroger Mazarin, celui-ci lui révèle qu'existent par tout le royaume des petits groupes, qui constituent une Compagnie du Saint-Sacrement, un parti dévot, dont plusieurs membres ont été des frondeurs, et qu'il faut se méfier de cette Compagnie-là où l'on retrouve le prince de Conti, et un jeune prédicateur, Bossuet. Et l'on prétend même que Monsieur, frère du roi, a été tenté de la rejoindre. Ce parti dévot étend ses tentacules partout, de l'Hôpital général de Paris au Conseil-d'en-Haut.

Il y a, ajoute Colbert, le dévoué intendant de Mazarin, dans l'entourage de Nicolas Fouquet, des dévots.

Louis se tait. Il ne contestera point l'alliance avec Cromwell. Il n'aime pas ce Nicolas Fouquet, dont on murmure qu'il a entrepris à Vaux-le-Vicomte la construction d'un immense château dont il mène les travaux grand train, employant les meilleurs architectes, jardiniers, peintres, Le Vau, Le Nôtre, Le Brun. On dit même qu'il veut se faire représenter en Apollon ou en Hercule, tel un roi!

Et c'est cet homme-là qui tient les Finances, qui à chaque

Conseil déclare qu'il ne peut plus assurer les dépenses de la guerre, mais qui doit puiser dans toutes les recettes, prélever sa part sur les prêts qu'il négocie, accroître son patrimoine et s'imaginer qu'il peut se comporter comme un souverain !

Ce Fouquet n'est qu'un homme d'argent, un parlementaire, qui finance la guerre et s'en enrichit, sans jamais la faire.

Louis est irrité par cet homme élégant et beau, et qu'on ne voit pas à Péronne ni à Metz quand la Cour quitte Paris pour se rapprocher des lieux de bataille.

Louis abandonne les salons avec joie. Il se rend à Montmédy, la ville tenue par les Espagnols et que les troupes de Turenne assiègent.

Il aime plus que jamais cet air chargé des odeurs piquantes de la poudre, ces soldats qui l'acclament, qui chantent sa bravoure quand, presque chaque jour, il se rend sous le feu ennemi dans les tranchées, malgré les objurgations de son entourage qui craint de le voir frappé par un boulet ou une mousqueterie.

Il veut rester parmi les soldats, en dépit des contre-attaques des assiégés et des pertes qu'ils provoquent à chacune de leurs sorties.

Mais Louis a la certitude qu'il est invulnérable, et il avance dans les tranchées parmi les blessés et les morts, près de quatre mille, dit-on sans émotion.

Il ne quitte Montmédy qu'au lendemain de la prise de la ville le 6 août 1657.

Il chevauche jusqu'à Sedan, où il sait que se trouvent Anne d'Autriche et la Cour.

Il savoure de passer ainsi de la violence de la guerre aux grâces de la politesse courtisane.

Il est encore vêtu comme un roi de guerre, harnaché, crotté. Sa mère, entourée de ses femmes, l'accueille.

— Voici une demoiselle que je vous présente et qui est bien fâchée d'avoir été méchante, commence-t-elle. Elle sera bien sage à l'avenir.

Louis sourit à sa cousine, la Grande Mademoiselle, qui avait fait tirer le canon de la Bastille contre les troupes royales et qui n'est plus qu'une frondeuse repentie.

— Je lui en demande pardon, dit Mademoiselle, je le devrais faire à genoux.

Louis fait un geste pour l'en empêcher.

— Je m'y devrais mettre moi-même de vous entendre parler ainsi, dit-il.

— C'est un effet de mon malheur que mon devoir m'ait obligée à agir d'une manière qui a déplu à Votre Majesté, poursuit Mademoiselle. Je la supplie de l'oublier, et de croire que je ne souhaite rien avec tant de passion que de trouver les occasions de faire autant pour son service que j'ai fait contre.

Il la rassure. Un roi doit pardonner à ceux qui lui font allégeance.

— Je suis persuadé de ce que vous me dites, reprend-il. Il ne faut plus parler du passé.

Puis il se tourne, montre ses gardes du corps.

— Rien n'est plus beau que ces deux escadrons bleus, dit-il. Vous les verrez, ils vous escorteront. Je suis fâché de ne pouvoir vous donner des mousquetaires, ils font garde ici.

Il refuse qu'elle le raccompagne à son carrosse, s'attarde à lui raconter les batailles auxquelles il a déjà pris part.

— Le roi, votre grand-père, n'y a pas été si jeune, dit Mademoiselle.

— Il en a néanmoins plus fait que moi. Jusqu'ici, on ne m'a pas laissé aller si avant que je l'aurais voulu.

Il reste un moment silencieux, puis ajoute :

— À l'avenir, j'espère que je ferai parler de moi.

17.

Louis est encore dans l'ombre.

Les danseurs qu'il a choisis avec Lully virevoltent déjà sur la scène, accompagnés par les violons du roi.

Louis a refusé que paraissent dans ce ballet royal d'*Alcibiade* les Grands, princes et ducs, et même son frère Philippe, qui l'avaient accompagné dans les précédentes chorégraphies.

Il aperçoit, assis au premier rang, son frère, poudré, les cheveux noirs frisés. Philippe se penche à droite, chuchote quelques mots à son amant le comte de Guiche, puis il se tourne vers Mme de Choisy ou Mme de Fiennes, deux intrigantes, qui l'enveloppent de leurs flatteries, lui rapportent toutes les rumeurs.

Il faut se défier de ces bavardes avides.

Louis ne regrette pas d'avoir bousculé son frère qui prétendait se gaver les jours de carême et, lorsque Philippe lui a jeté son «assiette au nez», Louis s'est emporté, le menaçant de le chasser à coups de pied. Philippe a boudé dans sa chambre, comme une femme. La reine et Son Éminence Mazarin l'ont forcé à se réconcilier. Mais Philippe ne dansera plus.

Il faut que sur scène il n'y ait que le roi, qu'on sache ainsi qu'il est le centre du royaume, même s'il ne peut encore gouverner et s'il est contraint de se soumettre au cardinal et à la reine.

Louis frappe du talon. Il s'impatiente. Il veut qu'on le voie seul, au milieu de ces danseurs, qui sont gens de métier qu'on paie et qui ne sont autour du roi que pour, par leurs pirouettes, leurs culbutes et leurs arabesques, faire ressortir sa majesté.

Il s'avance enfin dans la lumière des grands candélabres.

Il aime entendre ce murmure admiratif qui peu à peu se substitue à la musique.

Il a vingt ans.

Il danse. Il gouverne le ballet comme il veut dans l'avenir gouverner le royaume.

Mais il s'interroge.

Les paysans se soulèvent en Normandie, en Saintonge, en Auvergne, en Beauce, en Sologne. Ils sont des milliers, armés de faux et de battes. Les bateliers de la Loire brandissent haches et gaffes. Tous, « sabotiers » de Sologne, mariniers, protestent contre le cours forcé de la monnaie de cuivre, dévaluée. Ils pillent, assurent qu'on les étrangle, qu'on les prive du tiers de leurs revenus.

Et l'on dit que Condé veut leur envoyer un renfort de quatre mille cavaliers. Ce royaume ne connaîtra-t-il donc jamais l'ordre?

Louis écoute le sermon de carême qu'au Louvre un capucin prononce, la voix tremblante d'indignation et d'émotion, comme si tout à coup le prédicateur prenait conscience des accusations qu'il formule. Il continue pourtant.

— C'est une honte, lance-t-il, les peuples se saignent pour le bien des affaires de Votre Majesté, pour sa gloire et le soutien de sa couronne. Ils voient avec des soupirs et des larmes que tout leur avoir et toute leur substance passent en des mains étrangères qui prennent pour elles et pour leurs créatures toutes les finances de votre État.

Louis observe ce Nicolas Fouquet, rayonnant de suffisance, dont on dit qu'il transforme en place forte Belle-Isle qu'il vient d'acheter. Il s'entoure d'une cour de laudateurs, comme ce fabuliste La Fontaine, ce comédien Molière, et cet auteur Pierre Corneille. Et son premier commis Pellisson met sur pied une compagnie de commerce qui vend au royaume rival, l'Espagne, des toiles blanches tissées en Normandie.

Un roi de France peut-il tolérer que naisse une telle puissance, que grandissent la gloire et la richesse d'un homme qui a choisi pour ses armes un écureuil, placé entre les pattes d'un lion, et fait inscrire sous les tableaux d'Apollon ou d'Hercule *Quo non ascendam*, « Jusqu'où ne monterai-je pas » ?

Est-ce là la devise d'un surintendant des Finances, d'un sujet du roi de France ?

Louis s'assombrit. On lui murmure que Colbert s'emploie avec la même avidité que Nicolas Fouquet à entasser une fortune pour son maître le cardinal de Mazarin.

Louis ne quitte pas des yeux Son Éminence, au Conseil, le soir à la table de jeu ou bien conversant avec ses nièces.

Louis s'approche. Il connaît Olympe et Laure. Mais c'est Marie Mancini qui l'attire. Elle a embelli. Elle ne baisse pas les yeux. Son visage aux traits irréguliers est souriant.

Louis aime à l'écouter parler. Elle récite dans un italien velouté de longs passages de *La Divine Comédie*, puis elle traduit, la voix marquée par son accent, attachante, et il découvre ainsi Dante. Elle lui raconte le *Grand Cyrus* de Mlle de Scudéry.

Lorsqu'elle lève la tête vers lui, il est troublé par la masse de ses cheveux de jais. Il a le sentiment d'éprouver pour la première fois, avec une femme, autant et peut-être plus de plaisir à l'écouter qu'à la voir.

Lorsqu'elle s'éloigne, elle lui manque.

Il ne peut s'empêcher de dire à Son Éminence :

— Dieu que votre nièce a de l'esprit !

Le cardinal fait mine d'être étonné, dit qu'il a plusieurs nièces.

Et Louis murmure ce nom, Marie.

Il ne l'oublie pas alors qu'il chevauche en Flandre, entre les dunes et Dunkerque, entre Calais et Mardyck.

Il se sent las. Il s'étonne de ne pas éprouver cette joie vive qu'il a connue sur d'autres champs de bataille, quand il s'élançait à la tête des gardes du corps et des mousquetaires, ou qu'il entrait dans les villes conquises par Turenne.

En apparence pourtant, tout paraît recommencer.

Les Espagnols de Dunkerque capitulent. Louis pénètre dans la ville. Il est accueilli dans l'église par tous les religieux de la cité, auxquels il doit s'adresser. Il lui semble qu'il ne parviendra jamais à parler. Sa tête est serrée par une couronne de souffrance, comme si des épines pénétraient ses tempes, s'enfonçaient dans son front. Il ferme les yeux. Il s'efforce de rester droit. Il réussit à prononcer quelques mots. Puis il a l'impression d'étouffer. Il a la nausée. Il ne répond pas à Turenne qui lui annonce que Dunkerque va être remise, en application des traités d'alliance, aux Anglais.

C'est une déception de plus.

Il a l'impression qu'il va s'effondrer, que la fièvre va le terrasser. Il faut pourtant donner le change, chevaucher sous ce soleil voilé, dans cette brume nauséabonde qui sent le marécage et les chairs putréfiées. Il se penche sur l'encolure de son cheval. Il chancelle. La chaleur l'écrase. La migraine fait éclater sa tête. Il devine qu'on le questionne, qu'on s'inquiète. Il se redresse, fait un geste de dénégation, tend les rênes de son cheval au moment où il doit s'enfoncer dans les marais, avec de l'eau grise jusqu'au poitrail.

On arrive enfin à Mardyck. Et Louis ne peut s'empêcher

de se coucher sur sa monture. Il ne veut pas perdre conscience. Il est le roi de France. Mais un voile noir lui enveloppe la tête. Il n'entend plus que le battement rapide, haletant, brûlant de son cœur, cependant que son corps fiévreux se couvre de sueur glacée.

Combien de temps s'est-il écoulé ?

Il ouvre les yeux. Il voit ces hommes en noir aux bonnets carrés, les médecins penchés autour de lui.

On lui murmure qu'il est à Calais où on l'a transporté, que sa fièvre est forte, qu'on l'a saigné, purgé et qu'on va devoir recommencer. Il reconnaît le médecin de sa mère, Guenaut, et le sien, Vallot. Il devine leurs conciliabules. On le purge et on le saigne de nouveau. Il vomit. Il pisse. Il a l'impression qu'on a jeté son corps sur un bûcher. Les flammes dévorent sa peau, brûlent sa tête et son ventre.

Il distingue des cloques, des plaques rouges sur ses avant-bras, ses cuisses, sa poitrine.

Il ne peut s'empêcher de se contorsionner, de laisser échapper des phrases. Il délire. Il a des convulsions puis il retombe, épuisé.

Il entend les médecins qui disent qu'il a été purgé vingt-deux fois, saigné plus d'une dizaine de fois. Il est victime, disent-ils, d'une fièvre pourprée, et peut-être va-t-il mourir.

Il voit le prêtre s'avancer, portant le saint viatique, murmurant les prières des agonisants. Et il l'entend lui dire qu'on prie dans toutes les églises du royaume, que celles de Paris sont remplies par la foule des sujets du roi qui en appellent à la grâce de Dieu.

Il est calme. Si Dieu le veut, qu'on lui prenne la vie. Il regarde autour de lui. Pas un prince, pas un duc, dans la chambre, tous ont fui son chevet, peut-être par crainte de la maladie, ou parce qu'ils l'imaginent condamné, qu'ils doivent faire leur cour à Monsieur, frère du roi, que chaque accès de fièvre de son aîné rapproche du trône.

Louis lève la main, demande à Son Éminence de s'approcher. Mazarin s'assied près de la tête du lit, se penche.

— Vous êtes un homme de résolution et le meilleur ami que j'aie, murmure Louis. C'est pourquoi je vous prie de m'avertir lorsque je serai à l'extrémité.

Il se sent rassuré quand Mazarin lui serre le poignet, lui répond qu'il va vivre.

Les médecins s'approchent, on lui présente un verre où l'on a mêlé de l'antimoine, une tisane purgative et du vin émétique.

Il boit lentement, soulevé sur les coudes.

Il vomit, par longues saccades qui laissent dans sa bouche et sur ses lèvres une saveur amère.

Les médecins se penchent, examinent ses vomissures, «nature séreuse, verdâtre et un peu jaune», disent-ils.

Il voit sa mère qui écarte les médecins, qui tend la main, lui caresse le front. Elle chuchote qu'il va triompher de la maladie, que dès lors qu'il a vomi, il est sauvé, qu'il va expurger toutes ces humeurs. Il tousse. Il vomit à nouveau, «de la bile jaune, comme du miel, des glaires brunâtres, pourries».

Il a la sensation que tout son corps a été battu, brisé, et qu'il ne sera plus capable de se lever, de marcher, de danser.

On lui murmure que cela fait quinze jours qu'il est ainsi alité, mais qu'il n'est plus au fond de l'abîme.

On le saigne, on le purge de nouveau, mais il peut garder les yeux ouverts, comme si sa couronne de douleurs s'était desserrée. Il peut interroger La Porte et Dubois, ses premiers valets de chambre qui ne l'ont pas quitté.

Ils lui rapportent comment les courtisans se sont empressés autour de Monsieur. Les intrigantes, Mme de Choisy et

Mme de Fiennes, se sont réjouies de la mort annoncée du roi, se présentant déjà comme les favorites du futur souverain, le roi Philippe. Elles ont espéré le décès du roi, rôdé autour de sa chambre. On a même surpris Mme de Fiennes, à la porte, couchée par terre pour tenter de savoir ce qui se passait dans la chambre.

Louis ferme les yeux, mais ce ne sont plus la fatigue et la maladie qui l'incitent à se replier sur lui-même, mais le besoin de se concentrer, de conclure qu'un roi n'a que des rivaux, qu'il faut se défier de tous, même de son frère, ce Philippe, dont les boucles brunes, les yeux faits, la poudre et les parfums, les manières sont ceux d'une femme, mais que l'ambition et la jalousie sans doute dévorent et que son entourage, ses amants et ses maîtresses enivrent avec leurs compliments, leurs propres ambitions.

Il se souviendra d'eux, de ces loups et de ces louves aux aguets, et de cette Marie Mancini dont on lui dit qu'elle s'est «tuée à pleurer», priant pour la guérison de son souverain, restant seule, alors que tous les autres couraient à Compiègne pour faire leur cour à Philippe, Monsieur, le frère du roi.

Il n'oubliera pas.

On peut mourir à vingt ans, même si l'on est roi de France. Mais Dieu a voulu qu'il survive. Peut-être cette maladie, ce frôlement de la mort sont-ils une leçon pour qu'il apprenne que la solitude est la condition des rois, et peut-être aussi que cette guerre contre les Espagnols doit cesser, qu'il est temps de faire la paix.

Louis se lève. Il marche. Ses forces reviennent. Il lui semble même qu'il est plus vigoureux, qu'il a appris à voir dans le cœur des êtres.

Il rencontre son frère, le regarde avec ironie.

— Si vous eussiez été roi, vous auriez été bien embarrassé, lui dit-il.

Il égrène les noms de Mme de Choisy, de Mme de Fiennes, du comte de Guiche. Maîtresses, favorites et amant : qui l'aurait emporté auprès du futur roi ?

Il laisse Philippe se récrier, dire qu'il n'a jamais souhaité la mort du roi.

— Je le crois tout de bon, répond Louis.

Il s'éloigne. Il veut revoir cette Marie Mancini qui a pleuré et prié alors qu'il n'était qu'un homme dont on attendait et espérait la mort.

18.

Il vit.

Louis n'a jamais ressenti une telle joie à chevaucher aux côtés d'une femme, cette Marie Mancini qui, bonne cavalière, galope près de lui alors que les carrosses roulent plus lentement sur ces routes de Bourgogne, puisque la Cour se rend à Lyon afin d'y rencontrer la princesse Marguerite de Savoie et sa mère, et conclure peut-être un mariage entre le roi de France et la princesse.

Il rit. C'est sa manière de répondre à Marie Mancini qui se montre quelques instants jalouse, puis laisse à nouveau son intelligence jaillir.

Le soir, à l'étape, Louis est espiègle. Il irrite la reine mère. Tout lui est plaisir et joie. C'est comme si après la maladie, cette mort côtoyée, il désirait jouir de chaque instant.

— N'est-il pas vrai, dit-il, que ceux de la maison d'Autriche n'étaient que comtes de Habsbourg quand nous étions rois de France ?

Sa mère, Anne d'Autriche, sœur du roi d'Espagne Philippe IV, ne peut que défendre Charles Quint, les Habsbourg, préférer un mariage espagnol avec l'infante Marie-Thérèse, sa nièce, à un mariage savoyard.

— Si nous étions à nous disputer, le roi d'Espagne et moi, je le ferais bien céder, reprend Louis. Que je serais aise s'il se voulait battre contre moi pour terminer la guerre en tête à tête ! Mais il n'aura garde de le faire ! De cette race ils ne se battent jamais. Charles Quint ne le voulut pas contre François Ier qui l'en pressa instamment.

— Ce discours-là ne me plaît pas, répond sa mère.

Louis s'incline, moqueur.

La vie est neuve. Se marier avec la princesse Marguerite de Savoie et continuer de passer des heures en compagnie de Marie Mancini, pourquoi pas ?

Elle se dérobe pourtant chaque fois qu'il l'effleure, mais il aime de plus en plus sa voix, son esprit.

Il danse avec elle, dans ces salles sombres de l'hôtel de ville de Lyon. Elle chante, elle raconte. Elle donne à la vie des couleurs que Louis ne lui connaissait pas.

Il écoute distraitement Mazarin qui lui parle de l'élection du nouvel empereur du Saint Empire romain germanique Léopold Ier, et de la constitution de la ligue du Rhin, composée de princes favorables à la France. Car il faut, poursuit Mazarin, prendre en compte les changements qui se produisent. Cromwell vient de mourir. Quels seront les lendemains en Angleterre ? Il faudrait conclure la paix avec l'Espagne, et pour cela le mariage avec l'infante Marie-Thérèse...

— Marguerite de Savoie ou Marie-Thérèse d'Espagne, murmure Louis.

Il a vingt ans. Il a envie de se marier.

Il chevauche à la rencontre du cortège de la duchesse et de la princesse de Savoie qui se dirige vers Lyon. Il voit d'abord les mules chargées des bagages, puis les gardes à casaque noir et or qui entourent le carrosse de la duchesse de Savoie et de sa fille.

Il veut la voir. Le carrosse s'arrête. Il dévisage la princesse, s'installe près d'elle dans le carrosse, faisant ainsi la route jusqu'à Lyon.

— Elle est petite, confie-t-il le soir même à Anne d'Autriche. Mais elle a la taille la plus aisée du monde. Elle ressemble fort à ses portraits. Elle a le teint un peu basané, mais cela lui sied bien. Elle a de beaux yeux. Elle me plaît et je la trouve à ma fantaisie.

Pourquoi pas Marguerite de Savoie, comme épouse ?

Il danse avec elle, lors du grand bal donné en son honneur. Puis il retrouve Marie Mancini. Ils sont logés de part et d'autre de la place Bellecour. Lui, dans le somptueux palais du financier italien Mascarani. Ils s'y rencontrent, puis ils marchent lentement côte à côte, une partie de la nuit, allant et venant sur la place verglacée.

— N'êtes-vous pas honteux qu'on veuille vous donner une si laide femme ? interroge Marie Mancini.

Elle glisse, s'accroche à son bras. Il est ému, sourit. Marie s'écarte, s'arrête. Dans cette pleine lune de décembre, avec le col de fourrure qui cache le bas du visage de Marie, Louis ne voit que les yeux vifs et les boucles noires qui tombent sur les épaules de la jeune femme.

— Laide, reprend Marie, et bossue.

Elle insiste, répète ce mot. Il serait donc le seul, s'étonne-t-elle, lui le roi de France, le futur époux, à ignorer la difformité de la princesse savoyarde.

Il est tenté de confier à Marie Mancini ce qu'il a appris. L'arrivée à Lyon, déguisé en mendiant, d'un envoyé du roi d'Espagne, son secrétaire d'État aux Affaires extérieures, Antonio Pimentel. Il s'est fait reconnaître par Colbert. Il a rencontré Son Éminence Mazarin. Il vient proposer, au nom de son souverain Philippe IV, un traité de paix entre la France et l'Espagne, après plus de deux décennies de guerre, et il offre au roi de France la main de l'infante d'Espagne, Marie-Thérèse, la nièce d'Anne d'Autriche.

Mais Louis se sépare de Marie Mancini sans ajouter que l'on dispose ainsi une nouvelle fois de son avenir.

Il est irrité à cette idée.

Le matin, il se rend chez Marguerite de Savoie. On veut lui interdire d'entrer dans cette suite de pièces obscures où loge la princesse. Il est hanté par les mots de Marie Mancini, «laide et bossue». Il écarte les domestiques, il aperçoit Marguerite de Savoie en déshabillé. Il voit la difformité. Il s'incline, ressort.

Il en veut à Mazarin, à la reine mère. On agit avec lui comme s'il n'était pas le roi de France.

Il n'épousera pas cette Savoyarde. Quant à l'infante d'Espagne... Et pourquoi pas Marie Mancini ?

Il joue avec cette idée. N'est-il pas le roi de France, le maître ?

Il traverse la place Bellecour. Il entend la voix de Marie Mancini. Elle chante, s'avance vers lui quand elle l'aperçoit. Il aime son sourire et ses élans.

Il l'entraîne. Ils vont galoper toute la matinée. Parfois elle le distance, et il ne se lasse pas de voir sa silhouette dans un justaucorps de velours noir doublé de fourrure, les plumes de son bonnet tombant sur ses épaules. Elle est enjouée, mutine.

Pourquoi pas Marie Mancini ?

Il imagine les arguments d'Anne d'Autriche. Il sait que sa mère est depuis toujours favorable au mariage espagnol. Quant à Mazarin, comment savoir ? C'est un homme qui peut plier, se dérober si on lui résiste.

Louis se souvient de la Fronde.

Il apprend que Mazarin a déjà congédié les Savoyardes, en les comblant de cadeaux et de promesses. C'est donc que le cardinal, comme il l'avait plusieurs fois laissé entendre, choisit la paix avec l'Espagne. Le mariage savoyard n'a été qu'un leurre, pour attirer les Espagnols. Mais c'est moi qu'on veut marier, moi le roi.

Il a vingt ans.

Il voit s'avancer vers lui, dans la salle de bal, Marie Mancini, fière et belle, radieuse, portant rubans et émeraudes. Cette vision l'enchante et le grise.

Qu'importe les pensées et les stratagèmes de la reine mère et de Mazarin? Il est le roi et, ce soir, cette jeune femme qui lui sourit le comble.

Il va vers elle. Il ne pense plus qu'à elle.

— Ma reine, murmure-t-il, cet habit vous sied à ravir.

19.

Il ne quitte plus Marie Mancini.

Il danse, il galope, il rit avec elle. Il ne se lasse pas de l'écouter. C'est donc cela aimer ?

Et l'on voudrait le priver d'elle ?

Il refuse d'obéir à Anne d'Autriche. Sa mère hausse le ton. Il frappe du talon. Je suis le roi. Elle pleure, elle s'emporte. Il voudrait crier *c'est ma vie*, répéter, *ne suis-je pas le roi ?* Mais il n'ose pas. Il lui faudrait tourner le dos, dire qu'il est désormais le seul maître de ses décisions. Mais sa mère pleure. Et il sent qu'il va pleurer lui aussi.

Il se laisse entraîner, loin des suivantes, des dames d'honneur qui assistent à la scène. Il est maintenant en tête à tête avec sa mère, dans ce cabinet de bains. Elle lui répète que le mariage avec l'infante Marie-Thérèse est le seul digne de lui, celui qui va permettre d'établir la paix entre les deux monarchies catholiques, pour le bien de l'une et de l'autre, et la paix du monde.

Louis, Roi Très Chrétien, pourrait-il oublier ses serments du sacre de Reims ? Sait-il que dans tout le royaume on espère ce mariage, on dit qu'il « finira la guerre, et que l'infante d'Espagne sera une reine de paix » ?

Lui, Louis, peut-il ignorer les souhaits de ses sujets, de la sainte Église ?

Elle a reçu ce matin une lettre de ce jeune prédicateur, Bossuet. Il lui écrit : «Madame, les victoires de notre grand roi relèvent l'éclat de votre couronne, et ce qui surpasse toutes les victoires, c'est qu'on ne parle plus, par toute la France, que de cette ardeur toute chrétienne, avec laquelle Votre Majesté travaille à faire descendre la paix sur la terre. »

Tel est l'enjeu, dit-elle.

Il se sent comme écrasé sous un poids immense qui l'étouffe.

Il essaie d'oublier Marie Mancini. Il tente de s'intéresser à cette querelle feutrée, à cette haine même, dont toute la Cour parle à mots couverts et qui oppose le surintendant Nicolas Fouquet, resté seul maître des Finances après la mort du second surintendant Abel Servien, et Colbert, l'homme de Mazarin.

« C'est une chose publique et connue de tout le monde, répète Colbert, que le surintendant a fait de grands établissements, non seulement pour lui, non seulement pour ses frères, non seulement pour ses parents et amis de longue main, non seulement pour tous les commis qui l'ont approché, mais encore pour toutes les personnes de qualité du royaume et autres qu'il a voulu s'acquérir, soit pour se conserver, soit pour s'agrandir. »

Louis écoute. On lui apprend que Fouquet organise dans son château de Vaux-le-Vicomte, dont les travaux viennent de s'achever, de somptueuses réceptions. Molière y donne la comédie. Lui dont la troupe a été accueillie au palais du Petit-Bourbon, et qui vient d'interpréter pour la Cour une pièce fort plaisante, *Les Précieuses ridicules*, n'a pas résisté à l'attrait de la puissance de ce Nicolas Fouquet. Et l'on vante la munificence du surintendant, la beauté de ses jardins, la splendeur d'une fontaine représentant Neptune.

Louis, quelques instants, oublie Marie Mancini, puis tout

à coup il s'emporte, comment pourrait-il être le maître, s'il se laissait imposer une épouse dont il ne veut pas?

C'est sa souveraineté et sa liberté de roi qu'il défend, en s'obstinant à refuser ce mariage espagnol.

Il fait face à Mazarin. Il ne baisse pas les yeux. Il dit qu'il est prêt à se passer de lui, qu'il peut, qu'il doit gouverner à sa guise, et non à celle du Premier ministre – il ajoute, dans un murmure, fût-il dévoué au royaume et eût-il bien servi son souverain.

Mazarin d'une voix calme annonce que les pourparlers avec l'Espagne sont près d'aboutir. Une trêve entre les deux armées a été signée et est respectée.

N'est-ce pas là l'intérêt du royaume?

Les préliminaires du traité sont en cours de rédaction. Le royaume de France y gagnera de nombreuses villes des Flandres. L'Alsace, la Franche-Comté, et même la Lorraine, si elles ne sont pas encore acquises sont dominées, elles vont mûrir comme des fruits qui tomberont inéluctablement dans les mains françaises.

N'est-ce pas à cela que se mesure la gloire d'un roi?

Mazarin se tait un long moment puis ajoute qu'il est prévu que le roi épousera l'infante d'Espagne Marie-Thérèse, et, moyennant le paiement effectif fait à Sa Majesté Très Chrétienne, le roi de France, de cinq cent mille écus d'or, l'infante renoncera à tous ses droits de succession à son père, le roi d'Espagne Philippe IV.

— Et si l'Espagne ne peut payer ce «moyennant»... murmure Mazarin, l'infante, devenue reine de France, héritera.

Puis il précise que les négociations vont se poursuivre, à la frontière entre les deux royaumes, dans l'île des Faisans, au milieu de la Bidassoa. Il doit y rencontrer le Premier ministre espagnol, Luis de Haro, pour y conclure et signer ce traité qui terminera la guerre commencée, Louis le sait-il, en 1635. Et Monsieur le Prince, Condé, devra reconnaître ses fautes et supplier le roi de les oublier.

Ainsi seront éteints les derniers brandons de la Fronde, et le roi de France reconnu comme Louis le Grand.

La Cour, ajoute Mazarin, devra quitter Paris pour rejoindre Bordeaux, Toulouse, et la frontière espagnole, au mois d'août. Le roi visitera ainsi les provinces du Sud, en compagnie de la reine, et il pourra signer le traité et...

Silence de Mazarin, puis à mi-voix :

— ... le contrat de mariage.

Louis ne veut pas se soumettre. Il continue de voir Marie Mancini. Elle est sa liberté. Il lui semble impossible de vivre loin d'elle, et cependant il apprend que Mazarin décide d'éloigner ses nièces de la Cour. Marie s'en va en compagnie de ses sœurs Hortense et Marianne. Elles partent pour Fontainebleau, puis La Rochelle, dont Mazarin est le gouverneur.

Que faire ?

Louis entre chez sa mère, qui l'entraîne à l'écart.

Il entend à nouveau le rappel de ses devoirs de roi. Il la supplie de comprendre. Mais le désespoir le gagne. Il craint de ne pouvoir lui résister.

Il veut voir Marie avant son départ. Il pleure. Il a l'impression qu'il est à nouveau frôlé par la mort, comme durant sa maladie. Et qu'il n'a pas assez de force pour imposer sa volonté. Mais il veut aussi être un grand roi, celui qui apporte territoires et paix à son royaume.

Il prend les mains de Marie Mancini, les serre.

Elle ne pleure pas, mais elle mord ses lèvres. Elle murmure :

— Vous pleurez et vous êtes le maître. Vous êtes roi et je pars !

Il se débat encore. Il écrit lettre sur lettre à Marie qui lui répond par de longues missives. Il ne veut pas renoncer.

Mais Mazarin est déjà dans l'île de la Bidassoa. Et lui aussi écrit.

« Je vous conjure de bien vous appliquer pour vous rendre maître de toutes vos passions, répète Mazarin. Dieu a établi les rois pour veiller au bien, à la sûreté et au repos de leurs sujets et non pas pour sacrifier ce bien à leurs passions particulières. »

Et s'ils le font, la Providence divine les abandonne et les punit.

« Les histoires sont pleines de révolutions et des accablements que ces rois oublieux de leurs devoirs et de leurs serments ont attirés sur leurs personnes et sur leurs États. »

Il cède, pas à pas. Il continue d'écrire à Marie, et on lui transmet les lettres qu'elle lui adresse. Mais il faut quitter Paris avec la reine mère, à la fin août. Il ne veut pas admettre qu'il est déjà vaincu, qu'il a renoncé. Il exige qu'on lui laisse rencontrer Marie.

Anne d'Autriche cède enfin et il se précipite vers le lieu de rencontre, à Saint-Jean-d'Angély.

Lorsque les carrosses des sœurs Mancini apparaissent, il s'avance, entraîne Marie à l'écart, lui serre les mains. Il a le sentiment étrange qu'il échappe à la tristesse et qu'il s'y enfonce, car il sait qu'il continuera vers Bordeaux, Toulouse, la Bidassoa, qu'il signera ce traité, ce contrat de mariage, et il lui semble que Marie le sait aussi, qu'elle n'a plus aucune illusion, qu'elle aussi s'est soumise à la volonté de son oncle.

Elle parle peu. Ils marchent côte à côte en frôlant leurs mains et leurs épaules. La gouvernante de Marie Mancini, Mme de Venelle, qui espionne pour le compte du cardinal, ne les quitte pas des yeux. Et Olympe, l'une des nièces de Son Éminence, qui est devenue comtesse de Soissons et s'est offerte au roi, est là, aussi, comme pour annoncer qu'elle est prête, sans ambition matrimoniale, à se donner de nouveau à Louis lorsque, enfin, il aura renoncé à Marie.

C'est fait.

Il lui faut lire les admonestations de Mazarin.

« Vous avez recommencé à lui écrire et tous les jours, non pas des lettres mais des volumes entiers, lui donnant part des moindres choses qui se passent, morigène Mazarin. Vous pratiquez tous les expédients imaginables pour échauffer votre passion, alors que vous êtes à la veille de vous marier... »

Et il faut lire aussi cette lettre, dont Louis a l'impression qu'elle le salit. Mazarin accable sa nièce.

« Elle a une ambition démesurée, un esprit de travers et emporté, un mépris de tout le monde, nulle retenue en sa conduite et prête à faire toutes sortes d'extravagances. Vous savez enfin comme moi qu'elle a mille défauts et pas une qualité qui la rende digne de l'honneur de votre bienveillance. »

Louis jette la lettre, la reprend.

« Dites-moi, poursuit Mazarin, quel personnage prétend-elle faire après que vous serez marié? A-t-elle oublié son devoir au point de croire que je serais assez malhonnête homme ou pour mieux dire assez infâme pour trouver bon qu'elle fasse un métier qui la déshonore? »

Louis s'emporte. Que Son Éminence abandonne sa charge, crie-t-il.

Mais la missive de Mazarin contient aussi la lettre de démission du cardinal, et les articles du traité et du contrat de mariage.

Louis baisse un instant la tête puis, lèvres serrées, il la redresse.

Ses vingt ans sont passés.

La mort et l'amour se sont éloignés. Que vienne le temps de la puissance et de la gloire.

20.

Il veut être, il sera, il est Louis le Grand.

Il veut qu'on sache qu'il n'admettra plus que l'obéissance.

Il regarde s'avancer vers lui, dans la grande salle de l'hôtel de ville de Toulouse, un homme altier, vêtu de noir, qui marche lentement, comme à regret, semble hésiter, puis enfin s'agenouille.

C'est le pasteur Eustache, le représentant des Églises réformées, dont les députés viennent de se rassembler en synode, ici, à Toulouse. Le pasteur voulait haranguer le Roi Très Chrétien, debout, face à face, comme s'il n'était pas, ne devait pas être d'abord un sujet soumis. Il a finalement dû accepter de s'agenouiller devant le roi.

Louis ne le regarde pas. Il ne veut pas l'écouter alors que le pasteur s'exprime d'une voix étouffée par l'humiliation et le dépit.

Ce pasteur n'est qu'un sujet hérétique.

Il termine sa harangue.

— Je vous maintiendrai dans mes édits, dit Louis d'une voix méprisante.

Il faut que ces « religionnaires », ces « mal-sentants de la foi », sachent qu'il n'y a de place en ce royaume que pour l'obéissance.

Tous doivent l'apprendre. Qu'ils se nomment protestants,

jansénistes ou dévots rassemblés dans la Compagnie du Saint-Sacrement.

Louis va dire aux représentants de l'Église du royaume qu'il faut anéantir ce jansénisme, que trois raisons l'y obligent, « la conscience, l'honneur et le bien du royaume ».

Et que c'en soit fini des réunions sous couvert de piété et de dévotion.

« Unité, concorde, obéissance » : tels sont les principes du royaume de France.

Il pourra pardonner, mais il faudra d'abord que l'on demande grâce.

Il écoute le prince de Condé, venu à Aix-en-Provence, où se trouve la Cour, ce 25 janvier 1660.

Conformément aux termes du traité, dit des Pyrénées, signé entre l'Espagne et le royaume de France, la trahison de Condé et ses fautes sont effacées, mais il doit s'agenouiller devant le roi en présence de la Cour et faire repentance.

Après un long moment de silence, Louis d'un geste invite Condé à se relever.

— Mon cousin, dit Louis, vous avez aussi rendu de grands services à ma couronne, je n'ai garde de me ressouvenir d'un mal qui n'a apporté du dommage qu'à vous-même.

Puis il tourne le dos à Condé.

C'en est bien fini de toutes les frondes.

Alors que la Cour s'apprête à quitter Aix pour continuer son périple dans les provinces du Sud, montrer que le roi fait régner l'ordre de Bordeaux à Montpellier, d'Auch à Beaucaire, de Toulouse à Marseille, un message venu de

Blois annonce que Gaston d'Orléans, l'oncle du roi, le frère de Louis XIII, qui fut lui aussi frondeur, vient de mourir.

Dieu met de l'ordre dans le royaume.

C'est Philippe, le frère de Louis, qui devient duc d'Orléans.

Louis s'approche de la Grande Mademoiselle, sa cousine, elle aussi frondeuse, mais soumise désormais.

Il présente ses condoléances à la fille de Gaston d'Orléans. Et en s'efforçant de parler d'une voix égale, sans laisser paraître aucun sentiment, il dit :

— Vous verrez demain mon frère Philippe, avec le manteau d'Orléans. Je crois qu'il a été ravi de la mort de votre père pour avoir le plaisir de le porter. Je suis bien heureux que votre père ait été plus vieux que moi, sans cela mon frère aurait souhaité ma mort, pour pouvoir mettre ce manteau.

Il se tourne vers Philippe.

— Vous épouserez la princesse d'Angleterre, lui dit-il, parce que personne n'en veut.

Philippe se tait. Philippe est maté.

Et tous les rebelles doivent craindre la punition royale.

Louis apprend qu'à Marseille, on a malmené l'envoyé du roi.

Il donne l'ordre aux troupes d'occuper la ville.

Qu'on abatte une partie de ses murailles ! Il entrera dans la cité, à la tête de ses mousquetaires, en franchissant cette brèche ouverte, pour bien marquer que Marseille est traitée comme une ville ennemie et conquise. Dont on se méfie. Que deux forts royaux, ceux de Saint-Nicolas et de Saint-Jean, construits à cet effet, surveilleront.

Il est devenu le roi qui sait châtier.

Et il sent que le regard que l'on porte sur lui change.

Il est aussi le plus grand roi du monde, celui qui épousera dans quelques semaines l'infante d'Espagne, Marie-Thérèse, l'héritière du roi Philippe IV. Et si la monarchie espagnole ne peut honorer le contrat de mariage, verser les cinq cent mille écus d'or promis, «moyennant» lesquels Marie-Thérèse renoncera à la succession, alors le royaume de France aura des droits sur celui d'Espagne.

Et il est le roi de France.

Il aime chevaucher à la tête de la compagnie de ses trois cents mousquetaires à cheval. Il éperonne les flancs de sa monture, grisé par l'air vif, par le grondement du galop des chevaux. Il fait cabrer son cheval. Il lance des ordres. Il ordonne qu'on forme les escadrons. Il commande les exercices.

Puis il rentre, en sueur mais le corps dispos.

Ses valets de chambre s'affairent autour de lui. On l'apprête.

Il va retrouver Olympe, comtesse de Soissons, l'une des nièces de Mazarin. Il va souper, danser, jouer aux cartes avec elle.

On ne parle pas de Marie Mancini. C'est affaire close.

Il a brûlé les lettres qu'elle lui avait écrites. Et il a demandé à Marie de faire de même avec celles qu'il lui avait adressées.

Il veut oublier, comme s'il s'était agi d'une maladie qui l'a un temps terrassé. Il veut que cette passion qui l'a enfiévré disparaisse.

Et Olympe est une jeune femme joyeuse et complaisante. Il n'a plus besoin, il ne veut plus de *précieuse* comme l'était Marie Mancini, et il rit quand il assiste à la représentation de la troupe de Molière. Est-ce de Marie Mancini qu'on se moque? Était-elle une *précieuse ridicule*? Il a un mouvement d'humeur, comme une braise qui rougeoie, quand il apprend que Marie serait éprise du duc de Lorraine, qu'elle souhaiterait l'épouser vite.

Est-il possible qu'on l'oublie ainsi? Lui?

Mais il ne veut dévoiler à personne ses sentiments. Il ne l'a que trop fait quand la passion pour Marie le tourmentait et l'emportait. On l'a vu pleurer, lui, le roi de France !

Il a observé Son Éminence, écouté les leçons de cet habile. Il faut garder le secret, être capable d'une dissimulation absolue de ses pensées et de ses intentions. Il ne faut pas se plaindre. Il le sait.

Il regarde Mazarin.

L'homme est amaigri, il marche avec difficulté. Il se poudre, il se grime pour cacher les ravages de ces maladies qui dévorent ses poumons, ses reins. Il veut donner le change, agir jusqu'au bout de ses forces, organiser sa succession, jouir de ce triomphe que sont pour lui le traité des Pyrénées et le mariage espagnol. Mais la mort est en lui.

Louis dissimule le dégoût qu'il ressent en s'approchant de Son Éminence tant l'haleine de Mazarin est pestilentielle. Le cardinal suce continuellement des pastilles. Il en offre une à Louis, murmure :

— Voilà ce que c'est l'homme, Sire, j'ai de belles dents et je mange peu, mais mon ventricule est gangrené et voilà la cause de ma mort prochaine.

Louis ressent une forte émotion. Il tressaille. Lorsque Son Éminence disparaîtra, il sera, enfin, le seul maître du royaume. Il faut y songer, mais affecter l'indifférence, dissimuler comme tente de le faire, mais chaque jour plus difficilement, Son Éminence.

Mazarin veut donner l'illusion qu'il va vivre longtemps, tenant les rênes du royaume. Il veut assister au mariage de Marie-Thérèse et de Louis, en ces premiers jours de juin 1660, puis à l'entrée des souverains dans Paris, à la fin du mois d'août.

Louis voudrait que ces semaines soient déjà passées. Il galope le long de la Bidassoa. Les cérémonies du mariage doivent se dérouler à Saint-Jean-de-Luz. Mais avant il faut, dans l'île des Faisans, rencontrer Philippe IV, découvrir ces nobles espagnols, maigres et austères dans leurs pourpoints noirs. Et l'on célèbre d'abord, le 3 juin, un mariage par procuration à Fontarabie.

Louis, comme tous les jeunes gens de la Cour, est habillé de soie vive, de brocart, de rubans, de chapeaux à plumes.

Il est fier d'être ce roi qui chevauche à la tête d'une troupe rutilante. Les uniformes des chevau-légers et des mousquetaires, bleus ou rouges, tranchent sur le noir espagnol.

Il a hâte de découvrir cette Marie-Thérèse dont il n'a vu que des portraits imprécis.

Il la découvre enfin, petite et grasse, aux yeux bleus, aux lèvres un peu grosses mais vermeilles, à la peau laiteuse. Elle a les cheveux d'un blond cendré. Elle paraît douce et son regard est inexpressif. Elle sourit et il voit ses dents noires qui semblent complètement gâtées.

Elle est émue de quitter son père Philippe IV. Elle s'agenouille trois fois devant lui. Louis ne peut la quitter des yeux. Ce sera donc cela son épouse. Le souvenir de Marie Mancini, la brune, la piquante, lui revient. Il s'efforce de le chasser, de paraître satisfait quand sa mère l'interroge sur l'impression que lui a faite Marie-Thérèse, dont elle est la tante.

Ne rien montrer de ses sentiments.

Entrer le mercredi 9 juin dans l'église de Saint-Jean-de-Luz.

Il est le roi le plus puissant d'Europe.

Il marche vers l'autel, le corps serré dans son habit noir, couvert de pierres précieuses et de dentelles, près de lui avance Marie-Thérèse, portant une robe bleue sur laquelle sont brodés des lys d'or.

On s'agenouille devant l'autel.

Il essaie, plus tard, de parler avec Marie-Thérèse. Mais

elle ignore le français, et lui ne peut prononcer que quelques mots d'espagnol.

Il entre dans la chambre, et c'est Anne d'Autriche elle-même qui écarte, avant de se retirer, les rideaux du lit.

Louis s'approche de Marie-Thérèse. Il est celui qui sait.

Il fera son devoir d'homme et de roi.

Le lendemain déjà, il dîne seul.

Et quelques jours plus tard, alors que le cortège royal remonte vers Paris, il le quitte, se dirige vers La Rochelle, puis de là, abandonnant les quelques proches qui l'ont accompagné, il galope dans la lande vers le château de Brouage, isolé, perdu, où réside Marie Mancini.

Il veut la voir, comme un dernier accès de fièvre, l'ultime saignée avant la guérison définitive.

Il ne peut retenir ses larmes dans la chambre où il reste seul avec elle toute la nuit.

Lorsqu'il s'éloigne à l'aube, il sait qu'il n'aura plus pour elle que le regard de l'indifférence.

21.

Il ne peut, il ne veut distinguer aucun visage.

Il ne voit que la foule de ses sujets rassemblés tout au long des rues de Paris par dizaines de milliers, ce 26 août 1660.

Il entre avec la reine dans sa capitale.

Il s'est paré pour ce grand ballet qu'il va offrir au peuple. Il porte l'épée, son habit est de soie et d'argent, couvert de pierreries et d'or. Des diamants retiennent les plumes de son chapeau. Et la reine est elle aussi couverte de rubans, de dentelles, d'or, d'argent et de diamants.

Il s'assied sur le trône doré, situé sur une estrade au centre d'une place hors les murs. La reine est assise près de lui ainsi que le chancelier Séguier. Et avancent, montant lentement les marches de l'estrade, tous ceux qui, par leurs fonctions, leurs titres, forment le corps de son royaume. Ils s'inclinent. Ils font allégeance. Ils prêtent serment d'obéissance. Prêtres, parlementaires, marchands, docteurs en théologie, en droit, en médecine, professeurs et prévôts, commissaires et juges. Ils parlent à genoux. Ils offrent les clés de la ville. Et les sceaux de l'État.

Enfin on peut quitter cette *place du trône* et s'engager dans le faubourg Saint-Antoine, pour gagner le Louvre.

Louis cavalcade sur un cheval bai brun couvert d'argent et de pierreries. Il sait que derrière lui chevauchent les princes du sang, et parmi eux Condé, le repenti, le pardonné.

La reine est installée dans un char découvert que tirent six chevaux. Elle est comme enveloppée d'or et de diamants, de soie et de brocart.

On passe sous les arcs de triomphe de toile et de bois, les façades sont décorées de tapisseries. À chaque fenêtre s'agglutinent les spectateurs. Les troupes contiennent la foule, forment la haie, jusqu'au Louvre.

Quel roi peut, en ce monde, connaître une telle apothéose ?

Il voit, peint sur un portique, un soleil dont la lumière d'or dissipe les nuées.

Il est le Roi-Soleil.

Les cloches et le canon accompagnent son entrée.

On chante des vers de Corneille qui saluent la reine :

> *C'est trop faire languir de si justes désirs*
> *Reine, venez, venez assurer nos plaisirs*
> *Par l'éclat de votre présence*
> *Venez, venez nous rendre heureux*
> *Sous vos augustes lois*
> *Et recevez tous les cœurs de la France*
> *Avec celui du plus grand de nos rois.*

Il lève les yeux. Le soleil l'éblouit. Il ne voit pas, rue Saint-Antoine, aux fenêtres de cet hôtel qui a été donné à Mme de Beauvais, Cateau la Borgnesse, par Anne d'Autriche, peut-être pour la remercier d'avoir été l'initiatrice de Louis, Mazarin, Henriette d'Angleterre et Marie Mancini. Au second étage de l'hôtel, la jeune femme qui se penche se nomme Françoise d'Aubigné, épouse Scarron, un écrivain difforme, paralysé, qui s'est offert une belle compagne mais de basse extraction, pauvre, à laquelle il a procuré gîte et couvert, et entrée dans le monde, comme gouvernante de

154

l'une de ces dames importantes qui ont l'honneur d'être à la Cour.

Le regard de Louis passe sur ces visages.

Il n'est touché que par celui de Son Éminence, émacié, couvert de poudre, maquillé pour tenter de masquer les empreintes profondes de la maladie.

Mazarin veut lui aussi fêter l'entrée du roi et de la reine Marie-Thérèse. Cette paix, ce mariage sont son œuvre.

Il reçoit dans son palais. Il ne peut se lever de son fauteuil où, fardé, il accueille le roi et la reine, les princes et tous ceux qui espèrent obtenir une faveur, une part de son héritage, une fonction.

Louis s'avance. Il se veut impassible et pourtant ce visage gris l'émeut.

C'est l'homme qui l'a guidé, instruit de politique, et qui chaque jour encore passe plusieurs heures avec lui pour le conseiller, lui expliquer l'état des finances, le rôle indispensable de Nicolas Fouquet, de Colbert, de Michel Le Tellier et de son fils, qui brigue le marquisat et portera ainsi le nom de Louvois.

Louis se penche. Mazarin, qui mâchonne des pastilles, lui confie qu'il va le 23 septembre se faire ordonner prêtre. Car la mort s'avance, ajoute-t-il, les yeux fixes.

Louis recule. L'haleine de Mazarin est irrespirable. C'est comme si toutes les chairs malades exhalaient leur pourriture.

Louis quitte le palais de Son Éminence, où s'entassent, autour d'un homme qui agonise, des trésors : tableaux, sculptures, livres précieux.

«Les Italiens viennent ici gueux et maigres pour s'engraisser», chuchote-t-on à la Cour.

155

Pourtant, Louis en est persuadé, même si Mazarin a pillé l'État et est devenu la plus riche fortune d'Europe, dotant tous les siens, il a bien servi le royaume.

Mais la mort s'approche.

Louis le sait.

Il parcourt lentement les salles du Louvre. Il va bientôt être le seul maître du royaume.

Il évite de se rendre dans les appartements de Marie-Thérèse. C'est la meilleure femme du monde, et la plus vertueuse, mais elle le lasse déjà.

Il ne peut plus voir ses vilaines dents noires et gâtées. Elle mange à tout instant, par petits morceaux, comme si elle était un serin. Et il a découvert qu'elle aime le jeu outre mesure, mais qu'elle ne gagne jamais, car elle ne semble pas avoir compris les règles des cartes. Alors il l'honore quand il le faut, puisqu'elle est chargée d'assurer la descendance du roi.

C'est devoir de roi plus que plaisir d'homme.

Il préfère aller voir les comédiens italiens, qui attendent l'achèvement des travaux du théâtre qui doit s'élever aux Tuileries. Ils composent une chorégraphie, qu'ils se proposent de nommer *Ballet royal de l'Impatience*.

Et il est vrai qu'il est impatient de régner seul.

Il se calme en galopant jusqu'à Fontainebleau. Il parcourt les salles du château, regarde peindre Charles Le Brun qui achève un tableau fascinant, qu'il va titrer : *Les Reines de Perse aux pieds d'Alexandre*.

Louis rêve devant ces corps pulpeux et soumis.

22.

Il a vingt-trois ans.

Il aime chaque jour davantage le corps des femmes.

Il aperçoit, sur le bord de la route qui mène de Fontaine-bleau à Paris, une paysanne, bras nus, le col de sa blouse échancré. Il fait arrêter le carrosse. Il descend, s'approche.

Il est le roi.

Toutes elles se soumettent et il les désire toutes : paysannes ou filles de jardinier, femmes de chambre, dames d'honneur de la reine mère ou suivantes de son épouse Marie-Thérèse.

La pieuse infante d'Espagne lui a murmuré qu'elle est déjà enceinte. Et il en est ravi et flatté. Mais la peau blanche de Marie-Thérèse, son long visage, ses joues un peu grosses et ses dents ébréchées et noires ne suffisent pas à le retenir, à lui donner du plaisir.

Il préfère trousser dans une encoignure du Louvre une domestique aux formes plantureuses et qu'il comble, d'une courte étreinte et d'une poignée de pistoles.

Il ne lui déplaît pas que les femmes de la Cour murmurent avec un frisson qu'il «est galant mais que souvent il pousse la galanterie jusqu'à la débauche».

Dieu n'interdit pas à un roi de jouir des femmes qu'il a créées, des jeux qu'il a permis.

Louis se rend salle du Palais-Royal, où vient de s'installer la troupe de Molière. Il est séduit par les comédiennes, effrontées, rieuses et rouées. Il aime la comédie. Il a plus que jamais envie de danser.

Il exige que les travaux qui ont commencé dans la petite galerie du Louvre, afin qu'on puisse y représenter le 9 février de cette année 1661 le *Ballet royal de l'Impatience*, qu'il veut donner en l'honneur de Marie-Thérèse, soient au plus vite terminés. On décore tout le premier étage du palais.

Et tout à coup, dans la nuit du 6 février, il entend des cris. Les valets entrent dans sa chambre. L'incendie ravage la galerie dans laquelle les ouvriers travaillaient jour et nuit, et sans doute ont-ils, par ce froid glacial, allumé un feu pour se réchauffer.

Il se rend sur les lieux.

Les poutres, les parquets et les cloisons sont calcinés.

Dans les lueurs des flammes que les domestiques essaient d'étouffer, il aperçoit Son Éminence et il ressent à le voir une émotion qu'il ne peut maîtriser.

Mazarin a encore maigri. Son teint est terreux.

Malgré ses cheveux frisés au fer, sa fine moustache laquée semble collée sur la peau. Le fond de teint ne parvient à cacher ni les rides ni la pâleur.

Mazarin est un homme que la mort déjà enveloppe, qui avance hagard, qui murmure que cet incendie est le signe qu'il va mourir bientôt.

Les médecins lui ont conseillé de quitter le Louvre, de s'installer au château de Vincennes, près de la forêt. L'air y est pur, il pourra peut-être y survivre deux mois encore, le temps de mettre en ordre les affaires du royaume, de rédiger son testament, de choisir ses héritiers.

Il partira demain pour Vincennes, dit Mazarin. Il s'éloigne en titubant. Il est nu sous sa robe de chambre fourrée et il laisse voir ses jambes squelettiques couvertes de plaques rouges et jaunes, et il répand autour de lui une odeur de putréfaction.

Louis le suit des yeux.

En lui se mêlent la tristesse qui lui fait monter les larmes aux yeux, et une sorte de joie mêlée d'impatience.

Il va enfin régner.

Il ne remplacera pas Mazarin. Il en prend la résolution : il ne veut plus de Premier ministre auprès de lui. Le titre en sera pour jamais aboli en France, rien n'étant plus indigne que de voir d'un côté toutes les fonctions et de l'autre le seul nom de roi.

Il décidera de tout.

Il agira dans l'intérêt du royaume et selon son bon plaisir.

Il donne l'ordre, alors que Mazarin quitte le Louvre, que l'on s'apprête dans une des salles du Louvre que l'incendie n'a pas ravagée à représenter le *Ballet royal de l'Impatience*. Il veut le danser, plusieurs fois.

Son Éminence agonise, mais le roi vit.

Cependant comment oublier que celui qui fut son parrain, son tuteur, plus qu'un père, l'homme qu'il vit si proche de sa mère, se meurt ?

Comment ne pas lui obéir encore quand il prie que le roi se rende à Vincennes en cette fin du mois de février 1661 ?

Louis est surpris par la file de carrosses qui emplissent la cour du château, ont envahi les allées, les terrains alentour. Les couloirs, les salles du château sont pleins de quémandeurs qui espèrent une faveur, une part de l'héritage.

On sait que la fortune de Mazarin est immense, qu'elle se compte en millions de livres, en domaines, en apanages. Il possède des créances sur les princes du sang, et même sur le Trésor du royaume et sur le roi !

Et cet homme richissime, sans doute le plus fortuné d'Europe, n'est plus que ce corps souffrant, pourrissant, avec ces croûtes purulentes qui couvrent ses bras et ses jambes. Il est incapable de se déplacer, il parle avec difficulté.

Il dit qu'il veut léguer au roi toute sa fortune, afin que celui-ci en dispose à sa guise, veille sur les intérêts de la famille du cardinal, dont le roi est si proche.

Louis comprend le sens de cette requête : faire reconnaître par cette proposition habile et d'apparence désintéressée la fortune immense, empêcher qu'au lendemain de sa mort elle ne soit confisquée, contestée, morcelée. Il la donne au roi afin que celui-ci la lui rende, et que par ce simple jeu d'écritures elle devienne légale.

Louis hésite. Il s'enferme au Louvre. Il est tenté de duper Mazarin, d'accepter cet héritage, de se comporter comme s'il croyait à la sincérité de ce don, de prendre ainsi Mazarin à son propre piège.

Mais peut-il oublier ce qu'il doit à cet homme qui l'aimait, qui lui avait appris la manière dont il faut conduire les affaires du royaume ? Et il aimait Mazarin.

Il annonce qu'il renonce au legs universel que lui a consenti le cardinal.

C'est la dernière joie du cardinal. Il partage. Il attribue. Il marie sa nièce Hortense avec Armand de La Porte de Meilleraye, un riche descendant de Richelieu. Mais il ne peut même pas assister à la cérémonie qui se déroule dans la chapelle du palais Mazarin, située près du Louvre. Lors du festin qui suit, Louis aperçoit Marie Mancini que Mazarin a fiancée à un prince Colonna, mais le mariage tarde.

Louis détourne les yeux.

L'émotion le gagne, les souvenirs reviennent.

Il se rend au château de Vincennes.

Il entre dans la chambre de Mazarin et, à la vue de cet

homme dans lequel déjà la mort a planté ses griffes, il ne peut étouffer ses sanglots.

Il fait chaud dans cette chambre où l'atmosphère est nauséabonde. Derrière les portes, il y a la rumeur de cette foule qui se presse. Louis s'efforce de retrouver son impassibilité.

Il s'approche de Mazarin malgré la puanteur qui émane de ce corps.

— Je vous dois tout, Sire, murmure Mazarin, mais je crois m'acquitter de quelque manière en vous donnant Colbert. Il faut se servir de lui, c'est un homme fort fidèle. Il est prêt à tout et capable de régler l'État comme une maison particulière.

Mazarin parle de Le Tellier, et de son fils Louvois, de Nicolas Fouquet qui connaît tout des finances, et d'Hugues de Lionne, chargé des Affaires étrangères.

— Ce sont là serviteurs utiles, achève-t-il.

Puis sa tête retombe. Il ferme les yeux. Il veut voir Claude Joly, le curé de Saint-Nicolas-des-Champs, et le père Bissaro, son confesseur, et rester seul avec eux.

Louis sort de la chambre et, en dépit de la foule qui l'observe, qui l'étouffe, il veut rester contre la porte, regarder par une fente.

Il voit Mazarin se saisir du crucifix que lui tend le père Joly et embrasser le corps du Christ.

Louis se fraye un passage parmi les quémandeurs dont l'avidité et l'impatience sont telles qu'ils tardent à s'écarter. Louis ainsi que sa mère qui l'a rejoint sont bousculés. Il faut que les valets, les mousquetaires protègent le roi et la reine, et repoussent ces rapaces.

Durant les premiers jours de mars, parce que la mort est proche, la foule est encore plus dense dans le château de Vincennes.

Louis a décidé d'y loger.

Il voit le curé Joly qui a apporté le viatique à Mazarin. Son Éminence a murmuré, confie le prêtre, «Parlez-moi toujours de Dieu». Il a, à plusieurs reprises, demandé pardon de ses fautes.

Louis ne peut retenir son émotion. Il demande que l'on fasse réciter, comme pour les princes de sang royal, les prières des quarante jours dans toutes les églises de Paris.

Il voudrait assister à la cérémonie de l'extrême-onction, qui a lieu le 7 mars. Le curé Claude Joly et le confesseur le père Bissaro l'en dissuadent.

Mais il ne peut s'éloigner. Il reste derrière la porte. Il pleure.

Il a été aimé par cet homme et il l'a aimé.

Il est bouleversé quand le 9 mars 1661, à deux heures du matin, on le réveille en lui murmurant que Son Éminence a été rendue à Dieu. Mazarin est mort en disant : «Ah! Sainte Vierge, ayez pitié de moi et recevez mon âme.»

Louis se lève sans bruit. La reine, couchée près de lui, continue de dormir. Louis suit son ancienne nourrice qui vient de le prévenir. Il entre dans la chambre mortuaire.

Il regarde ce visage gris, ce corps raidi. Il devrait ne pas pleurer et cependant les larmes coulent. Il baisse la tête pour les dissimuler aux maréchaux Villeroy, Gramont et Noailles qui se tiennent près de lui, et aux gardes du cardinal qui font la haie dans les couloirs et les salles du château.

Il croise les nièces et le neveu, Hortense, Marie et Philippe.

Il ne veut manifester aucune émotion et n'échanger aucun regard avec Marie. Il est le roi.

Plus tard, on lui rapporte que Philippe Mancini a dit à Marie : *«Pure è crepatu.»* «Enfin il a crevé.»

Louis rentre au Louvre.

Il apprend qu'à l'annonce de la mort de Son Éminence, on a chanté dans les rues :

Ici dessous gît Mazarin
Qui, plus adroit qu'un Tabarin
Par ses ruses dupa la France
Il eût éternisé son sort
Si par finesse ou par finance
Il avait pu duper la mort.
Enfin s'il est vrai ce qu'on dit
L'avarice eut tant de crédit
Dessus ce cœur insatiable
Qu'afin d'acquérir plus de bien
S'il n'eût donné son âme au diable
Il n'aurait jamais donné rien.

D'un geste il ordonne aux gentilshommes qui l'ont suivi de le laisser seul.

Il veut leur cacher l'inquiétude qui tout à coup l'étreint.

Ces chansons de rue, ces « mazarinades », cette haine qui ne respecte même pas la mort lui rappellent les temps terribles de la Fronde. Et celui qui gouverne doit être capable d'affronter la violence, la rébellion, l'ingratitude des hommes.

Et maintenant que Son Éminence a disparu, c'est à lui de gouverner.

Il le désire depuis si longtemps.

Et il faut que, dès demain, tous comprennent qu'il est désormais le maître unique de ce royaume.

Et « en l'état des choses, les hommes étant ce qu'ils sont », un peu de sévérité est la plus grande douceur qu'il puisse avoir pour ses peuples.

« Car aussitôt qu'un roi se relâche sur ce qu'il a commandé, l'autorité périt et la paix avec elle. »

TROISIÈME PARTIE

1661-1666

23.

Louis s'avance.

Il a convoqué pour ce 10 mars 1661, à sept heures au château de Vincennes, un Conseil du roi.

Sa voix n'a pas tremblé quand il a dit à sa mère qu'il ne voulait plus qu'elle siège à ses côtés. Et lorsqu'il a appris qu'elle s'était adressée à un secrétaire d'État, il a lancé d'une voix dure :

— Madame, ne faites plus de choses pareilles sans m'en parler.

Il n'a pas baissé les yeux, quand elle lui a répondu qu'elle était «outrée de douleur».

Il a souhaité qu'elle confie sa déception à ses suivantes, qu'elle pleure, qu'elle dise que son fils, le roi, l'ingrat, l'a humiliée.

Ainsi l'on saura ce qu'il veut.

Il s'arrête devant un officier qui, dans le corridor du château qui mène à la salle du Conseil, a le visage empreint de tristesse et de désarroi.

— Console-toi, dit Louis, et me sers bien, tu as retrouvé un bon maître.

Il regarde autour de lui ces soldats, ces gentilshommes. Il faut que tous sachent.

Il est né roi pour être roi.

Toute la nuit, il a médité ce que cela signifiait.

« Tous les yeux sont attachés au roi, c'est à lui que s'adressent tous les vœux. C'est lui seul qui reçoit les respects, lui seul qui est l'objet de toutes les espérances. On n'attend, on ne fait rien que par lui seul. Tout le reste est rampant, tout le reste est impuissant, tout le reste est stérile. Le roi qui est né pour posséder tout et pour commander à tout ne doit être assujetti qu'à Dieu… La volonté du roi est que quiconque est né sujet obéisse sans discernement. Il n'est point de maxime plus établie par le christianisme que cette humble soumission des sujets envers celui qui leur est préposé. »

Tôt ce matin, il a dicté à son secrétaire ces quelques lignes, puis ce que dans les jours précédant sa mort Son Éminence lui avait répété, lui murmurant qu'il s'agissait là de son testament politique. Il fallait maintenir l'Église et la noblesse dans tous leurs droits, veiller à ceux de la magistrature tout en empêchant les parlementaires et les juges de s'émanciper, enfin soulager le peuple de ses charges souvent trop lourdes.

Il s'est souvent interrompu, ému de ces pensées de Mazarin qui survivaient à la mort.

« Je dois bien prendre garde, dicte-t-il, que chacun soit persuadé que je suis le maître, qu'on ne doit attendre les grâces que de moi seul, et surtout ne les distribuer qu'à ceux qui les méritent par leurs services, par leur capacité et leur attachement à ma seule personne… »

Il entre dans la salle du Conseil.

Il se découvre, regardant l'un après l'autre les huit hommes qui lui font face.

Tous, le chancelier Séguier, le surintendant Fouquet, Hugues de Lionne, Michel Le Tellier, La Vrillière, Duplessis-Guénégaud, Loménie de Brienne et son fils l'observent. Il devine leur curiosité anxieuse.

Il remet son chapeau, et se tient debout devant sa chaise.

— Messieurs, dit-il, je vous ai fait assembler pour vous dire que jusqu'à présent j'ai bien voulu laisser gouverner mes affaires par feu M. le cardinal. Il est temps que je les gouverne moi-même. Vous m'aiderez de vos conseils quand je vous les demanderai.

Il martèle :

— Ne rien sceller, ne rien signer, pas une sauvegarde, pas un passeport sans mon ordre.

Il fixe Fouquet :

— Et vous, monsieur le surintendant, je vous ai expliqué mes volontés, je vous prie de vous servir de Colbert, que feu M. le cardinal m'a recommandé.

Il se tait sans quitter Nicolas Fouquet des yeux.

Celui-là dont le blason est l'écureuil, dont l'ambition est insatiable, qui veut monter toujours plus haut, il faut le contenir, l'affaiblir, le briser. Les armes de Colbert sont d'or à la couleuvre d'azur. Ce serpent doit l'emporter sur l'écureuil.

Il continue à rester silencieux, et il sent avec plaisir monter l'inquiétude de ces hommes.

Ils ne sont pas de haute noblesse. Ils auront besoin de servir le roi, et les peuples comprendront que, avec ceux-là, l'autorité n'est pas partagée, que ces ministres sont des serviteurs, et qu'ils dépendent en tout du roi.

Il n'a pas cessé de fixer Nicolas Fouquet.

Il va demander à Colbert d'établir un état des finances, de faire l'inventaire de la fortune de Mazarin, qu'on estime à trente-deux millions de livres dont huit millions sept cent mille en liquide.

Il jugera Colbert, sa fidélité, sur ces premiers actes. On le surnomme « le Nord » ou « l'Homme de marbre ». Il faut qu'il soit aussi un serpent venimeux, empoisonnant tous ceux qui menacent le roi ou ternissent sa gloire.

— La face du théâtre change, reprend Louis. J'aurai d'autres principes dans le gouvernement de mon État, dans la régie de mes finances et dans les négociations au-dehors que n'avait feu M. le cardinal.

Il fait un pas en arrière.

— Vous savez mes volontés. C'est à vous maintenant, messieurs, à les exécuter.

Ils viennent à lui, soumis déjà.

Voici Nicolas Fouquet, qui reconnaît qu'en effet il y a eu des désordres dans les finances, qu'il a dû souvent ne pas respecter les règles parce qu'il y avait urgence. La guerre contre l'Espagne dévorait l'or.

Louis se tait.

Il se souvient des phrases du rapport que Colbert lui a déjà remis.

« Fouquet a voulu mettre ses créatures dans toutes les charges de la Cour et de la robe, écrit Colbert, et pour cet effet il a donné une partie du prix de toutes celles qui ont été à vendre et qui n'étaient pas remplies de gens à lui. »

Il a des affidés partout. Il est du parti dévot, conspire peut-être avec ceux de la Compagnie du Saint-Sacrement que Mazarin avait dissoute, mais qui survit dans l'ombre. Il paie même les pensions de la reine mère, et de tous ceux qui approchent le roi, femmes ou confesseurs. Il a fortifié Belle-Isle, il y dispose d'une garnison, de quatre cents canons, de navires. Les armes et les munitions sont achetées en Hollande. Et Fouquet cherche à faire nommer l'un de ses proches amiral des galères de la Méditerranée.

Fouquet, en outre, est à la tête du plus grand parti de financiers. Il entretient écrivains, peintres et femmes. Et l'on murmure que, craignant il y a quelques années de tomber en disgrâce, il a préparé contre Mazarin un plan d'action, une fronde, prête à soulever les provinces contre Son Éminence.

Et maintenant il fait repentance, promet de gérer les finances au mieux des intérêts du roi, d'en finir avec les désordres.

Il faut écouter Fouquet, le rassurer.

Fouquet parle de son château de Vaux-le-Vicomte, qu'il met à la disposition du roi. Il souhaite, dans quelques mois, quand tout sera prêt, y accueillir Sa Majesté, dont il sollicite une fois encore le pardon.

Il faut le lui accorder.

Un roi ne frappe que lorsqu'il est sûr de vaincre.

Et ce temps n'est pas encore venu.

Il faut dire à Fouquet qu'il a toute la confiance du roi.

Louis ne doit pas oublier cette leçon que lui a apprise Son Éminence le cardinal de Mazarin : un roi doit toujours dissimuler et ruser.

24.

Louis règne.

Il a le sentiment qu'il lui a suffi de ces quelques jours de mars 1661 pour que chacun comprenne qu'il décide de tout.

Il a toisé l'archevêque de Rouen, président de l'Assemblée du clergé, qui lui demandait à qui il devrait maintenant s'adresser pour régler les questions ecclésiastiques. Louis, en accentuant encore sa mimique dédaigneuse, a répondu :

— À moi, monsieur l'archevêque.

Il sait qu'il ne doit montrer ni faiblesse ni hésitation. Et cependant il connaît son ignorance. Alors il s'enferme dans sa chambre. Il étudie les dossiers que lui remettent Colbert, Le Tellier et Fouquet. Il lit ces ouvrages où l'on évoque *Les Devoirs d'un souverain* ou *L'Art de régner*, ou ce livre de Machiavel que lui a remis Mazarin.

Il doit être le *Prince*.

Il doit surprendre et fasciner, être craint et adulé.

Il doit savoir flatter et humilier, punir et gracier. Et il ne faut jamais oublier que chaque action, chaque parole doit être méditée.

Il dit à son frère Philippe, duc d'Orléans, dont il a voulu le mariage avec Henriette d'Angleterre, la sœur du roi Charles II :

— Mon frère, vous allez épouser tous les os des Saints-Innocents.

Il faut que Monsieur sache qu'il est destiné à obéir, qu'on le domine et ne le craint pas, au point qu'on peut lui dire ce que l'on pense de lui, et manifester le mépris qu'on éprouve à le voir parfumé, enrubanné, couvert de bagues et de colliers, frisé et poudré comme une femme, et oscillant sur ses talons hauts.

On peut se moquer de ses mignons, de son amant, le beau comte de Guiche, et même, au vu de tous, dès les lendemains du mariage de Philippe avec Henriette d'Angleterre, faire la cour à cette dernière.

C'est le printemps.

Louis a voulu que la Cour s'installe au château de Fontainebleau.

Les jours s'allongent. Il fait beau. On chevauche. On se rend au bord de la Seine. On s'y baigne. Les femmes rentrent en carrosse au château.

Louis cavalcade, parfois entouré de ses mousquetaires. Il chasse. On organise des bals champêtres. Il danse au son des violons.

Il bâille à l'idée d'avoir à retrouver Marie-Thérèse, sûrement agenouillée pour réciter ses prières, ou bien partant ou revenant de la messe, à laquelle elle assiste trois fois par jour. Pieuse et sainte épouse, mais ennuyeuse, passive, lourde de sa première grossesse, et grignotant sans fin ce chocolat qu'elle reçoit d'Espagne.

Il y a à la Cour tant de femmes parées, leurs grands chapeaux à plumes, comme la preuve de leur fantaisie, de leur audace et de leur liberté provocante.

Il est surpris, attiré par Madame, la jeune épouse de Philippe.

Comment a-t-il pu jusqu'alors ignorer que cette grande et

osseuse – et même un peu bossue – jeune femme de dix-sept ans a tant de charme ? Henriette est enjouée, rieuse, danseuse et cavalière, se baignant chaque jour dans la Seine, et affichant déjà son dédain, son mépris pour Monsieur, ce Philippe, adepte du « vice italien » et qu'accompagne toujours le comte de Guiche. Pourquoi se soucier de lui ?

Louis danse avec elle, l'accompagne au bord de la Seine, l'invite à se perdre avec lui dans ses chevauchées, ses chasses dans la forêt de Fontainebleau.

Jamais, depuis sa passion pour Marie Mancini, il n'a éprouvé un sentiment aussi vif. Henriette est gaie, pleine d'allant, peut-être coquette, mais c'est un charme de plus. Il éprouve pour elle un attrait joyeux.

Il est surpris quand la reine mère lui apprend que Monsieur se plaint de cette liaison affichée entre sa femme et son frère.

Marie-Thérèse elle-même, longtemps aveugle, a été avertie, et elle aussi est allée geindre, accompagnée de ses confesseurs, auprès d'Anne d'Autriche. Et Bossuet qui commence à prêcher à la Cour condamne ces mœurs dissolues, sacrilèges.

Mais Louis est prêt à imposer ses choix.

Un roi n'a de comptes à rendre qu'à Dieu. Quant à la reine, elle n'est que la première sujette, en cette qualité et en celle d'épouse, elle doit obéir. Il faut certes l'honorer, et il le fait, mais il faut surtout la contraindre. Il continue donc d'inviter Henriette à ces promenades nocturnes d'où on ne rentre qu'à l'aube.

Et Monsieur s'indigne maintenant, fait le siège de sa mère, l'invite à s'adresser à l'ambassadeur d'Angleterre afin qu'il prévienne le roi Charles II, et que celui-ci rappelle à sa sœur Henriette ses devoirs.

Louis hésite.

Il a voulu ce mariage entre Henriette et Philippe pour lier

Charles II à la France, et empêcher les Espagnols d'attacher ce roi à leurs intérêts.

Louis ne peut oublier ces raisons de son choix.

Il suffit de dissimuler, dit Henriette. Elle va choisir parmi ses suivantes une jeune femme que le roi feindra d'aimer, et Philippe et la Cour seront dupés.

C'est un jeu nouveau, excitant, comme une comédie, une intrigue de roman.

Et voici la jeune fille choisie.

Louis voit s'incliner devant lui cette suivante d'Henriette, Louise de La Baulme Le Blanc de La Vallière. Elle a dix-sept ans, elle rougit de timidité comme une nigaude. Elle paraît sans éclat. Elle boite.

Louis la regarde. Le trouble et la naïveté de Louise de La Vallière l'attirent. Il découvre ses yeux clairs, ses cheveux d'un blond cendré, son corps mince, et quand il lui murmure qu'il la trouve à son goût, elle répond avec l'élan de la sincérité qu'elle l'aime depuis qu'elle l'a vu, qu'elle est prête à lui donner toute sa vie.

Il est troublé.

Il ne sait plus s'il joue ou s'il éprouve pour Louise de La Vallière un amour naissant. C'est un sentiment différent de ceux qu'il a ressentis pour Marie Mancini ou Henriette d'Angleterre.

Cette jeune fille est sans artifice. Elle l'émeut. Et l'amour qu'elle lui porte et auquel il commence à répondre la transfigure. Elle est radieuse, belle.

Il veut cacher cet amour naissant, le préserver.

Il entraîne Louise dans des promenades en forêt. La pluie d'orage les surprend, et ils sont contraints de rester longtemps réfugiés sous un arbre, rentrant au château au milieu de la nuit, les vêtements trempés, les cheveux collés à leurs visages.

Ils se cachent encore, mais la Cour bruit déjà de cette nouvelle : le roi a une maîtresse.

Il écoute Louise de La Vallière lui rapporter qu'on s'empresse autour d'elle, que Nicolas Fouquet lui a même fait proposer vingt mille pistoles en signe d'amitié.

Louis s'indigne. Il sait que Fouquet séduit et corrompt. Mais l'heure n'est pas encore venue de le frapper. Il faut s'y préparer, convoquer Colbert, choisir le lieu et le moment où on pourra l'arrêter sans qu'il puisse faire appel à ses partisans. Et pour cela il faudrait l'inciter à abandonner sa charge de procureur général du parlement de Paris. Tant qu'il le demeure, il est protégé par ses pairs.

Il ne faut donc pas éveiller ses soupçons. Que Fouquet croie que le roi ne songe qu'à aimer et à danser.

Louis voit Fouquet au premier rang des courtisans qui applaudissent l'ouverture du *Ballet des Saisons*, qui se donne devant le château.

Louis entre en scène, en compagnie de Louise de La Vallière et d'Henriette qui semble accepter son infortune. Et Monsieur danse au côté du comte de Guiche.

Louis observe Fouquet.

À la joie de danser entre les deux jeunes femmes, à la satisfaction que Louis éprouve à sentir l'admiration de tous ces courtisans rassemblés, s'ajoute le plaisir de dissimuler ses intentions.

Pouvoir jouir de tout cela, c'est être roi.

25.

Un grand roi doit aussi apprendre à jouir de la patience.

Louis voudrait abattre ce Nicolas Fouquet dont la vanité et la prétention non seulement l'irritent mais le scandalisent.

Combien de milliers de livres tournois a-t-il engloutis dans l'embellissement toujours inachevé de son château de Vaux-le-Vicomte ?

Louis sait ce que sa mère a murmuré, et qu'on lui a rapporté.

— Le roi, a-t-elle dit, aime à être riche et n'aime pas ceux qui le sont plus que lui, puisqu'ils entreprennent des choses qu'il ne saurait faire lui-même.

Elle ne comprend pas qu'il ne s'agit pas de richesse mais de la gloire et du pouvoir du roi de France.

Louis convoque Colbert. Cet homme austère et secret a mesuré le défi que Nicolas Fouquet ne cesse de lancer. Il apporte chaque jour de nouvelles preuves de l'impudence du surintendant.

Louis l'écoute.

Il peut lui confier la préparation de l'arrestation de Fouquet. Il faut d'abord, insiste Colbert, que le surintendant des Finances vende sa charge de procureur général au parlement de Paris. Colbert se charge de l'en convaincre.

Au début du mois d'août, c'est fait. Fouquet a même

décidé de remettre au roi la somme qu'il a reçue de l'acheteur de sa charge, Achille de Harlay.

— Tout va bien, murmure Louis, Fouquet s'enferre lui-même.

Que Colbert dresse le plan de l'arrestation.

On préparera, explique Colbert quelques jours plus tard, un carrosse grillagé. Des mousquetaires arrêteront le surintendant, et l'escorteront jusqu'à sa prison. D'autres mettront les scellés sur chacune de ses demeures qui seront fouillées.

Reste à fixer le lieu et le moment.

Sera-ce au château de Vaux, où Fouquet vient de convier toute la Cour et le roi à une grande fête le 17 août?

Il faut accepter, c'est peut-être l'occasion.

Louis quitte le château de Fontainebleau au début de l'après-midi, dans son carrosse tiré par six chevaux blancs. Il regarde les mousquetaires et les gardes du corps qui chevauchent, entourant le carrosse royal et ceux des princes du sang et des courtisans qui forment un long cortège. Louis hésite, puis il confie à sa mère son intention.

Elle le met en garde.

— Ah! mon fils, cette action ne vous fera guère honneur. Ce pauvre homme se ruine pour vous faire bonne chère et vous le feriez arrêter, prisonnier dans sa maison?

Louis a un mouvement d'humeur, puis d'un geste il se rend aux raisons de la reine mère.

Un grand roi doit être patient.

Il est surpris par la munificence de la fête.

Il n'en a jamais donné d'aussi splendide.

Il traverse les jardins, les grandes salles remplies de statues, décorées de tapisseries et de tableaux, au côté de Fouquet, qui murmure qu'il est prêt à offrir le château au roi. Le surintendant a fait disposer sur la cheminée de la salle à manger un portrait du roi par Charles Le Brun. Il a fait préparer un

178

appartement luxueux pour Sa Majesté. Il a demandé à Vatel, le plus grand cuisinier du temps, de concevoir et de servir un banquet somptueux pour les trois mille invités.

Dans le parc, il montre le grand théâtre de verdure, les fontaines, les eaux qui jaillissent des roches qui s'ouvrent tout à coup.

Louis ne peut parler tant la colère lui serre la gorge.

Il s'assied.

Il voit surgir d'une conque, au milieu de jets d'eau, Mlle Béjart de la troupe de Molière. Celui-ci a écrit une comédie-ballet, *Les Fâcheux*, et Mlle Béjart récite :

> *Si Louis l'ordonne*
> *Les arbres parleront mieux que ceux de Dodone*
> *Hôtesses de leurs trônes. Moindres divinités*
> *C'est Louis qui le veut, sortez, nymphes, sortez !*

Des silhouettes, nymphes, faunes, satyres, bondissent hors des bosquets, et dansent sur une musique de Lully.

Mlle Béjart poursuit :

> *Pour voir en ces beaux cieux le plus grand roi du monde*
> *Je viens à vous mortels de ma grotte profonde.*

Elle s'avance vers le roi :

> *Nous l'avons vu*
> *Jeune, victorieux, sage, vaillant, auguste*
> *Régler de ses États et ses propres désirs*
> *Joindre aux nobles travaux les plus nobles plaisirs.*

Louis reste impassible. Il a l'impression que son corps est devenu un bloc de pierre.

Il ne sourit pas à la représentation des *Fâcheux*. On s'y moque des courtisans.

Impudence de ce Fouquet.

Il ne lève pas la tête pour voir le feu d'artifice qui embrase tout le château et les collines alentour.

Il prend congé. Il ne dormira pas au château.

Il monte dans son carrosse. Tout à coup, de la lanterne du dôme du château jaillissent des fusées multicolores.

Il donne le signal du départ.

Il murmure à sa mère :

— Ah ! Madame, est-ce que nous ne ferons pas rendre gorge à tous ces gens-là ?

Il est temps d'agir.

Il ne supporte pas que l'on rapporte partout que, comme l'écrit ce fabuliste, La Fontaine :

Tout combattit à Vaux pour le plaisir du roi
Les musiques, les eaux, les lustres, les étoiles.

Fouquet l'a défié et humilié, lui, Louis le Grand.

Il voit Colbert. On arrêtera Fouquet à Nantes, où se tiennent les états de Bretagne que le roi doit présider.

C'est Charles d'Artagnan, le lieutenant des mousquetaires, un fidèle de Mazarin, qui procédera à l'arrestation. On conduira ensuite Fouquet jusqu'au château d'Angers escorté par une centaine de mousquetaires. L'affaire doit être aisée à conclure. On se saisira des complices de Fouquet et on exigera la reddition de Belle-Isle.

Louis veut que cette arrestation ait lieu le 5 septembre, jour de son anniversaire. Puis la charge de surintendant des Finances sera supprimée et remplacée par un Conseil royal des finances.

Les peuples du royaume comprendront alors que le roi est bien le maître.

Louis vit ces événements dans une sorte d'exaltation intérieure dont il ne laisse rien paraître.

Mais il a besoin de se confier. Il prend la plume, au soir de ce 5 septembre. Il a vingt-trois ans.

«J'avais témoigné que je voulais aller ce matin à la chasse et, sous ce prétexte, j'ai fait préparer mes carrosses et monter à cheval mes mousquetaires.

«Ce matin, le surintendant étant venu travailler avec moi comme à l'accoutumée, je l'ai entretenu tantôt d'une manière, tantôt d'une autre et ai fait semblant de chercher des papiers jusqu'à ce que j'aie aperçu par la fenêtre de mon cabinet d'Artagnan dans la cour du château et alors j'ai laissé aller ce surintendant...»

Il s'interrompt, se remémore cette matinée.

«Vous savez qu'il y a longtemps que je l'avais sur le cœur, poursuit-il. Je leur ai déclaré que je ne voulais plus de surintendant mais travailler moi-même aux finances avec des personnes fidèles qui agissent sous moi... J'ai déjà goûté le plaisir qu'il y a de travailler soi-même aux finances, ayant, dans le peu d'application que j'y donne cet après-dîner, remarqué des choses importantes dans lesquelles je ne voyais goutte et l'on ne doit pas douter que je continue.»

Il pense à la pâleur, à la peur qu'il a vues sur le visage de certains de ses ministres. Il ajoute :

«Il y en eut de bien penauds mais je suis bien aise qu'ils voient que je ne suis pas si dupe qu'ils s'étaient imaginé et que le meilleur parti est de s'attacher à moi.»

26.

Maintenant, il est en tout et partout le roi Louis le Grand. Il regarde les ministres.

Ils sont debout. Il est assis. Il a choisi celui d'entre eux qui va rester auprès de lui, quand la séance du Conseil d'État, ce Conseil-d'en-Haut qui se réunit le mercredi, le jeudi, le dimanche de chaque semaine, et le lundi tous les quinze jours, sera terminée.

Il observe Le Tellier et son fils Louvois, Hugues de Lionne et Colbert. Ils attendent. Ils espèrent. Ils n'osent lever les yeux. Ils savent que celui qui sera choisi peut ne plus l'être durant des semaines. La faveur du roi varie. Il distingue qui bon lui semble.

C'est ainsi qu'il faut gouverner.

Il faut abaisser l'orgueil des grands. Ils doivent comprendre qu'ils ne sont dans la lumière que parce que le rayonnement du roi les éclaire. Et il en va ainsi pour tous ceux qui siègent au Conseil-d'en-Haut ou à celui des Dépêches, au Conseil royal ou au Conseil privé. Et les secrétaires d'État doivent eux aussi être suspendus à la décision du roi.

Il doit la garder secrète jusqu'à ce qu'il l'énonce.

Et il ne peut se permettre de montrer ses hésitations ou ses doutes. Il est au centre de la scène. Sa vie est un spectacle dont il est l'acteur unique, que ses sujets ne quittent pas des yeux.

Les courtisans sont présents alors qu'il s'habille, dans les minutes qui suivent son réveil. Ils assistent à son déjeuner, à son dîner, à son souper, à son coucher. Il les reçoit assis sur sa chaise percée.

Les ministres lui soumettent leurs rapports, les secrétaires d'État les dépêches. La reine et les princes du sang sont à côté de lui durant la messe.

Louis ne souffre pas de la répétition quotidienne des mêmes actes. Il peut la briser à son gré, être seul. Il est le maître des horloges. Il disposera dans les lieux qu'il aura choisis les mêmes hommes toujours prêts à le servir.

Alors, certains jours il quitte le château de Fontainebleau où la Cour continue de résider et il chevauche, à bride abattue, suivi par une compagnie de ses mousquetaires. Il va jusqu'à Vincennes, puis il se rend à Paris et à Saint-Cloud.

Il entre en roi dans le château de Philippe. Monsieur lui offre une grande et splendide chère. Henriette, son épouse, boude un peu. Elle est jalouse de Mlle de La Vallière.

Il reste impassible, malgré ses reproches voilés. Il remonte en selle, rejoignant Versailles, le petit pavillon de chasse d'une vingtaine de chambres et d'un dortoir que son père avait fait construire. Chaque fois que Louis y pénètre, l'émotion le gagne. Il se remémore cet homme, ce roi, son père qu'il a si peu et si mal connu.

Puis, à la nuit tombée, après avoir pour la troisième fois changé de cheval, il rentre à Fontainebleau :

Ayant fait à n'en mentir pas
Plus de cent douze mille pas
À compter trois mille pour lieue
Et c'est ce me semble ma foi
Assez bien courir pour un roi,

écrit un gazetier que Louis lit avec plaisir. Qui est meilleur et plus endurant cavalier que lui?

Louis, le jour suivant, chassera toute la journée dans la forêt de Fontainebleau en compagnie de Louise de La Vallière.

Il apprécie qu'elle soit grande chasseresse, ses cheveux blonds dénoués tombant sur ses épaules.

Souvent, il retourne au pavillon de chasse de Versailles.

La table a été dressée. Les violons jouent, le bal commence. N'y participent que quelques courtisans privilégiés. On a quitté les habits de chasse, on s'est enrubanné, on porte des collerettes de dentelles aux tons pastel, les vêtements sont de satin et de soie.

Les valets attisent le feu dans les cheminées, disposent les grands candélabres.

Louis entend un courtisan qui murmure : « Voici le règne des amours », qui récite quelques lignes d'un roman de Mlle de Scudéry.

Louis entraîne Louise de La Vallière dans l'une des chambres. Elle était vierge, et il a dû la forcer. Il aime qu'elle joue encore les jeunes filles effarouchées. Elle a à peine dix-huit ans. Et elle a pour lui des élans d'adolescente, une spontanéité qui le ravit et des timidités qui l'enchantent.

On rentre au château de Fontainebleau.

Louis s'isole. Il veut étudier certains dossiers, lire les projets de lettres que Colbert lui a préparés.

Il hésite à signer les demandes de prêts adressées à des financiers qui ont aidé Nicolas Fouquet à trouver de l'argent mais aussi à détourner ces fortunes qui ont servi à construire, à décorer le château de Vaux-le-Vicomte.

Louis appelle Colbert. Il veut que tout ce qui appartient

à Fouquet, statues, tapis, meubles, tableaux, soit saisi, et placé dans les châteaux du roi. Quant aux artistes, Le Brun, Le Vau, Le Nôtre, ils seront désormais au service exclusif du roi.

Et naturellement, que l'on s'empare de l'argent liquide, des rentes.

Colbert s'incline. Il s'exécutera. Louis apprécie l'intelligence et la servilité aussi de cette « couleuvre ».

Colbert a donné des gages. Il a remis les millions de livres que Mazarin conservait en liquide et qui ainsi ne sont pas tombés dans l'escarcelle des héritiers du cardinal.

Cet homme-là est dévoué, habile, prudent.

Louis reprend la lettre que Colbert a rédigée. Elle est destinée au financier Hervart :

« Feu M. le cardinal m'ayant assuré les derniers jours de sa vie que je trouverais toujours dans votre bourse une assistance de deux ou trois millions de livres, toutes les fois que le bien de mon service m'obligerait d'apporter quelque changement dans l'administration de mes finances. À présent que j'ai été obligé de faire arrêter le surintendant, j'ai été bien aise de vous écrire ces lignes pour vous dire que vous me ferez le plaisir de me préparer soit par votre moyen, soit par celui de vos amis la plus grande somme que vous pourrez... »

Il signe puis lit la seconde lettre que lui présente Colbert. Elle est adressée à l'un des héritiers de Mazarin :

« J'aurai besoin de deux millions de livres que vous m'avez offert de me prêter. Je vous dépêche ce courrier exprès pour vous mander que vous me feriez plaisir de donner ordre à vos gens d'affaires de fournir cette somme à mesure que je jugerai à propos de m'en servir et suivant ce que je leur ordonnerai... »

Il ne doute pas qu'on lui verse cet argent. Il vient déjà d'obtenir un don de trois millions de livres des états de Bretagne.

Qui peut résister à la volonté d'un roi ?

Il dit à Colbert :

— Le roi se réserve la distribution entière et absolue des finances.

Il veut punir ceux qui ont créé à leur profit des désordres dans l'épargne. Il faut, dit-il, que soit constituée une Chambre de justice, qui jugera d'abord Nicolas Fouquet, puis ce parti des financiers qui l'ont aidé.

Qu'on recherche les coupables d'abus et de malversations, et ce depuis 1635 !

Il charge Colbert de nommer les magistrats qui auront à enquêter, à condamner. Il faudra écarter ceux qui hésitent, qui invoqueront l'absence de preuves.

Les juges doivent dire la vérité au roi.

Et non prendre en compte les arguments de Fouquet ou ceux de ses amis, ce parti des dévots, des lettrés, tels Mme de Sévigné, Mlle de Scudéry, La Fontaine, qui sont restés fidèles à celui qui les a flattés, honorés, payés.

Il faut que passe la justice du roi !

À punir les puissants, les sujets les plus humbles comprennent qu'il faut obéir et se soumettre.

Et le temps est venu de rétablir l'ordre dans le royaume.

Il le dit à Colbert :

— Je jette les yeux sur toutes les diverses parties de l'État, et non pas des yeux indifférents, et je vois que le désordre règne partout.

Là, près de Joigny, les villageois pillent des navires de sel qui remontent la rivière pour fournir la Bourgogne. Dans la région de Montauban, les peuples refusent de payer les tailles et ce rejet de l'impôt se propage en Auvergne, dans le pays d'Aunis.

Il lit les rapports des intendants qui signalent des séditions, à Dieppe, en Picardie, en Roussillon, à Metz, à La Rochelle. Dans cette dernière ville, on a écorché vif un fermier d'impôt. Dans le Boulonnais, on dénombre des rassemblements de six mille hommes, armés, furieux, qui refusent de payer l'impôt.

Il faut envoyer des troupes !

Il veut qu'on lui rende compte de leur action.

Il ne veut rien laisser apparaître de ses sentiments quand on lui rapporte que trente-six compagnies ont dispersé les rebelles, dont plusieurs centaines ont été tués ou blessés, quatre cents, faits prisonniers, ont été envoyés aux galères, et une douzaine pendus ou roués.

C'est le devoir du roi d'agir ainsi. Il est le lieutenant de Dieu sur la terre. Et c'est pour cela que le droit du roi est supérieur à celui de tous les autres.

Parfois, alors qu'il vient de quitter le Conseil et qu'il parcourt les couloirs du château de Fontainebleau, il s'interroge.

Il entre dans le théâtre où la troupe de Molière s'apprête à interpréter la dernière pièce du comédien, dont le titre, *L'École des maris*, fait déjà murmurer et sourire, parce que l'amour et la tromperie des époux sont le grand divertissement de la Cour.

Louis à cet instant pense à ces paysans rebelles, suppliciés ou envoyés aux galères.

Il a été tenté de les gracier, mais il a refoulé cette inclination, au nom de la raison.

Il doit punir pour que l'ordre règne. Il est le roi.

Dieu l'a choisi. Il n'a de comptes à rendre qu'à Lui.

Il rit à cette *École des maris*, qui rend morose Philippe d'Orléans. Monsieur doit avoir appris que son épouse Henriette le trompe avec le comte de Guiche dont il est épris et qui, tout en s'adonnant au vice italien, n'en aime pas moins les femmes et les séduit par sa beauté et son élégance.

Louis se félicite de la liaison de sa belle-sœur. Ainsi elle n'est plus à le guetter comme une femme jalouse, lui reprochant de l'avoir abandonnée pour Louise de La Vallière.

Il ne se lasse pas de cette jeune femme. Il s'impatiente quand les soupers avec la reine se prolongent et retardent le moment où il ira la rejoindre.

Un soir, vers onze heures, il voit s'avancer le comte de Brienne, secrétaire d'État aux Affaires étrangères. Celui-ci s'arrête, le visage grave, hésite à parler, à troubler le souper.

— Qu'y a-t-il de nouveau, Brienne ?

C'est un courrier de l'ambassadeur de France à Londres, M. d'Estrade. Il faut ordonner au secrétaire d'État de ne pas attendre la fin du souper, de raconter ce qui est survenu.

Louis s'emporte quand il apprend que l'ambassadeur d'Espagne, Watteville, a voulu lors de l'audience royale anglaise passer devant le représentant français, dont le carrosse a été immobilisé. Les domestiques de l'Espagnol, des bateliers de la Tamise, et un nombre infini de canailles ont attaqué les Français, imposé la préséance de l'Espagnol.

Louis se lève. Il est si irrité qu'il heurte la table qu'il manque de renverser.

Sa mère tente de le retenir, l'invite à terminer de souper.

— J'ai soupé, Madame, j'aurai raison de cette affaire ou je déclarerai la guerre au roi d'Espagne.

Il entraîne Brienne, sans un regard pour sa mère qui pleure, murmure que le roi d'Espagne est son frère.

— Ne rompez pas la paix qui m'a coûté tant de larmes, dit-elle.

Louis lance :

— Laissez-moi, Madame ! On veut me brouiller avec le roi d'Angleterre. Allez vous remettre à table et qu'on me garde seulement un peu de fruits.

Il ne peut accepter qu'on humilie l'ambassadeur qui le représente. Ceux-là s'abusent lourdement qui s'imaginent que ce ne sont là que des affaires de cérémonie. Les peuples sur lesquels le roi règne, ne pouvant pénétrer le fond des choses, règlent leurs jugements sur ce qu'ils voient et c'est le plus souvent sur les préséances et les rangs qu'ils mesurent leur respect et leur obéissance.

Il doit être Louis le Grand, celui qu'on ne peut ni confondre, ni comparer à d'autres, ni surpasser. Et l'on ne peut sans faire tort à tout le corps de l'État ôter à son chef les moindres marques de la supériorité qui le distingue.

Il veut des excuses solennelles de l'Espagne !

Qu'on rappelle les ambassadeurs de France à Madrid et à Londres et qu'on expulse de Paris celui d'Espagne.

Il a le sentiment que cette colère, ces décisions, et toutes celles que, depuis la mort de Mazarin, il a dû prendre lui ont donné une force et une plénitude qu'il ne connaissait pas.

Il lui semble que seule sa volonté peut limiter son pouvoir qui reste cependant entre les mains de Dieu. Mais il est sûr de la bienveillance divine, et son énergie en est décuplée.

Il n'a jamais eu un tel appétit, il dévore dès le matin des viandes, des poissons, des fruits.

Il chasse et chevauche des heures sans ressentir la fatigue, puis il revêt ses habits de soie enrubannés et il danse, souple et léger.

Il aime tant ce divertissement qu'il décide de créer une Académie royale de danse, et il nomme Lully surintendant de la musique du roi.

Il entraîne Louise de La Vallière dans ses virevoltes, elle est sa partenaire dans les ballets qu'il danse devant la Cour. Il aime son corps jeune qu'il serre entre ses bras, souvent plusieurs fois chaque jour, et il n'est pas insensible à l'attrait de l'une ou l'autre des suivantes de la reine ou de Madame, Henriette, l'épouse de son frère.

Mais le plaisir qu'il se donne ne lui fait jamais négliger de présider les Conseils avec une autorité qui s'impose à tous.

Il étudie seul les rapports, ou bien il reçoit en tête à tête le ministre qui veut lui soumettre une affaire particulière. Il écoute, c'est le roi qui décide. Et chaque jour de Conseil en « liasse » – ces tête-à-tête – il consacre plusieurs heures à son ouvrage de roi, à l'examen de la recette et de la dépense de son État, se faisant rendre compte directement par ceux qu'il met dans les emplois importants, mais veillant à tenir ses affaires secrètes.

À lui de trancher, toujours.

Il est sûr que « nul autre ne peut le faire mieux que lui, car la décision a besoin d'un esprit de maître, et il est sans comparaison plus facile de faire ce que l'on est, que d'imiter ce que l'on n'est pas ».

Il ne s'est jamais senti autant roi de France, Louis le Grand, que lorsque dans la nuit du 1ᵉʳ novembre de cette année 1661, celle de ses vingt-trois ans, les médecins viennent lui annoncer que la reine Marie-Thérèse ressent les premières douleurs.

Il veut que ce soit un fils.

Il reste près de la reine qui hurle, tant les souffrances sont intenses, et l'accouchement long.

Il se rend à la chapelle pour prier et communier.

Et à midi, le dauphin, Louis de France, naît.

Louis éprouve un sentiment de joie et d'orgueil.

La naissance de ce fils, c'est comme une preuve de plus qu'il est roi. Il va se rendre en pèlerinage à Chartres pour célébrer l'union du royaume de France, de son roi et de l'Église de Dieu.

Il est heureux comme il ne l'a jamais été.

Et il va partager son bonheur, cette assurance qui est en lui, avec Louise de La Vallière.

Un roi n'a de comptes à présenter qu'à Dieu.

27.

Louis tout à coup s'inquiète, s'assombrit.

Il relit cette *Requête des pauvres de Paris* qu'on vient de lui adresser.

« Sire, les pauvres de Paris sont en très grand nombre et très grande nécessité. Ils supplient Votre Majesté d'avoir pitié d'eux. Leur misère est parvenue à son comble. Ils ont souffert mille maux avant de recourir à Votre Majesté... Les charités des paroisses, Sire, ne peuvent plus les assister, étant surchargées de malades, d'invalides et d'orphelins. Les hôpitaux sont si pleins qu'ils n'en peuvent plus recevoir... Où iront donc les pauvres de Paris ? Ils sont condamnés à mourir de faim... »

Dans presque tous les rapports qu'envoient les intendants, Louis lit les mêmes mots.

La Touraine, la Normandie, le pays de Blois, le Boulonnais connaissent la famine. La chaleur puis des pluies torrentielles ont dévasté les récoltes. Le prix du blé s'envole. Les paysans se nourrissent d'herbes et disputent aux loups les cadavres d'animaux. Les épidémies accompagnent la faim.

Un médecin écrit : « Je viens d'apprendre qu'on a trouvé à Cheverny un enfant qui s'était mangé les mains. »

Et des paysans affamés refusent de payer l'impôt. La

révolte des «Lustucru» rassemble jusqu'à six mille hommes dans le Boulonnais. On en tue quatre cents. On en pend. On en roue. On en condamne des centaines aux galères.

Louis s'interroge.

Pourquoi ces calamités?

Et si le bonheur qu'il vit, le plaisir qu'il éprouve à danser, à jouir du corps de Louise de La Vallière, Dieu les trouvait trop grands, les condamnait même?

Dieu afflige peut-être le royaume pour avertir son roi, tempérer les biens par les maux, balancer les grandes et heureuses espérances de l'avenir par l'infortune présente?

Et pourtant, Louis ne l'oublie pas, un roi doit considérer le bien de ses sujets, bien plus que le sien propre.

Ses sujets font partie de lui-même. «Je suis la tête d'un corps dont ils sont les membres.»

Si la gangrène, la famine et la misère détruisent les parties du corps, alors la tête sera elle aussi malade.

Il donne l'ordre qu'on achète du blé en Bretagne, en Guyenne, dans ces provinces que les intempéries ont épargnées.

— C'est une chose que j'ai extrêmement à cœur, dit-il. Je veux être obéi sans autre réplique ni délai.

Il demande à Colbert qu'un édit oblige chaque ville et bourg du royaume à créer un hôpital pour les pauvres, les malades et les orphelins.

Mais rien n'y fait, la famine et les maladies s'aggravent.

Colbert, à mi-voix, indique que les pauvres font partout entendre leurs plaintes et leurs murmures, que les épidémies menacent tout l'État et risquent de s'étendre aux personnes de la plus haute qualité.

— Tout cela cause, par toute la France, une désolation qu'il est difficile d'exprimer, conclut Colbert.

Que demande donc Dieu? murmure Louis.

Il regarde monter en chaire, dans la chapelle du palais du

Louvre, Bossuet, ce prédicateur au teint pâle, au regard fiévreux, dont on murmure qu'il est du parti dévot.

Il faut rester impassible, subir la leçon que donne d'une
voix forte et bras tendu l'homme de Dieu.

« Pour éviter les cris de reproche que feront contre vous
les pauvres, écoutez les cris de la misère, Sire... commence
Bossuet. Dieu semblait s'être apaisé en donnant la paix à son
peuple, mais nos péchés ont rallumé sa juste fureur. Il nous
a donné la paix et lui-même nous fait la guerre ! Il a envoyé
contre nous, pour punir notre ingratitude, la maladie, la
mortalité, la disette extrême, une intempérie étonnante, je
ne sais quoi de déréglé dans toute la nature qui semble nous
menacer de quelques suites funestes, si nous n'apaisons pas
sa colère. »

Louis veut avoir la rigidité d'une statue. Il est le roi. Il
connaît le malheur de ses sujets.

« Et dans les provinces éloignées, poursuit Bossuet, et
même dans cette ville, au milieu de tant de plaisirs et de tant
d'excès, une infinité de familles meurent de faim et de désespoir... Ô calamité de nos jours ! Quelle joie pouvons-nous
avoir ? Ne nous semble-t-il pas qu'à chaque moment tant de
cruelles extrémités que nous savons, que nous entendons
de toutes parts nous reprochent devant Dieu et devant les
hommes ce que nous donnons à nos sens, à notre curiosité,
à notre luxe... »

Que veut ce prêtre exalté ? Condamne-t-il ce que je vis ?
Ce qu'un roi a le droit de vivre ?

« Si l'on n'aide le prochain selon son pouvoir, continue
Bossuet, on est coupable de sa mort, on rendra compte à
Dieu de son sang, de son âme, de tous les excès où la fureur
de la faim et du désespoir le précipite... »

Faudrait-il laisser le désordre, la rébellion détruire le
royaume ?

« Sire, c'est tout ce qu'un sujet peut dire à Votre Majesté.
Il faut dire le reste à Dieu... »

28.

Louis ne veut plus entendre de sermon.

Dieu est le seul juge du gouvernement des rois.

À eux d'agir.

Dieu a mis sur leur front et sur leur visage une marque de divinité. Ils sont les dieux de chair et de sang, de terre et de poussière, ils meurent comme des hommes, mais leur autorité ne meurt pas.

Voilà ce qu'il ne doit jamais oublier.

Louis convoque Colbert, donne ses ordres.

Qu'on fasse venir par mer de Dantzig et d'autres pays étrangers le plus de blé qu'il est possible. Qu'on consacre à ces achats mon épargne, et qu'on en distribue la plus grande partie au petit peuple des meilleures villes comme Rouen, Paris, Tours et autres. À la campagne où les distributions de blé ne peuvent se faire promptement, qu'on donne de l'argent.

Il prend la plume. Il veut écrire de sa main aux intendants, aux gouverneurs, aux présidents des parlements des provinces.

Colbert attend les missives, les prend en s'inclinant.

— Je veux, dit Louis, agir comme un véritable père de famille qui fait la provision de sa maison et partage avec équité les aliments à ses enfants et à ses domestiques.

Maintenant il veut rester seul, afin d'étudier les dépêches que Colbert, et d'autres ministres et secrétaires d'État lui ont remises.

Le travail n'épouvante que les âmes faibles. Et dès lors qu'un dessein est avantageux et juste, ne pas l'exécuter est une faiblesse. Il a voulu obtenir réparation de l'injure faite par l'ambassadeur d'Espagne à Londres à l'ambassadeur de France.

C'est fait. Au Louvre, le comte Fuentes s'est incliné, a présenté des excuses devant les ambassadeurs de toute l'Europe.

Louis ressent à se remémorer la scène une satisfaction intense.

«Je ne sais pas si depuis le commencement de la monarchie, pense-t-il, il s'est jamais rien passé de plus glorieux pour elle, car si les rois et les souverains que nos ancêtres ont vus quelquefois à leurs pieds y étaient comme seigneurs de quelques principautés moindres, ici, c'est une espèce d'hommage qui ne laisse plus douter à nos ennemis même que la nôtre ne soit la première de la chrétienté.»

Il lit les dépêches envoyées par le duc de Créqui, ambassadeur de France à Rome.

Il s'indigne. Des Corses de la garde pontificale ont attaqué le siège de l'ambassade, le palais Farnèse, tiré des coups de mousquet sur le carrosse de l'épouse de l'ambassadeur, tué un page français.

Le pape doit s'excuser comme n'importe quel souverain, et s'il s'y refuse qu'on envoie des troupes, qu'on s'empare de la principauté pontificale d'Avignon, qu'on ne laisse en aucune manière cet outrage impuni.

C'est cela être roi.
Décider.

Ce travail, cette fonction que Dieu lui a donnée, exalte Louis.

« J'ai les yeux ouverts sur toute la terre ; j'apprends à toute heure les nouvelles de toutes les provinces et de toutes les nations, le secret de toutes les cours, l'humeur et le faible de tous les princes et de tous les ministres étrangers. Je suis informé d'un nombre infini de choses qu'on croit que j'ignore. Je pénètre parmi mes sujets, je découvre ce qu'ils veulent cacher avec le plus de soin ; je connais les vues les plus éloignées de mes propres courtisans, leurs intérêts les plus obscurs qui viennent à moi par des intérêts contraires. »

Il sait ce qui se cache derrière les masques, dans l'intimité des pensées.

Il l'a dit à Colbert. Il veut que des hommes sûrs écoutent, ouvrent les correspondances, et d'abord celles des courtisans, des Grands, rapportent ce qu'ils ont entendu, lu.

Le roi qui veut être obéi et qui veut bien gouverner doit tout connaître, aucun secret ne doit exister pour lui dans son royaume. Et il faut aussi s'employer à conserver et à faire croître la splendeur du roi.

Que l'on gratifie les artistes, les sculpteurs, les peintres, les musiciens et même les comédiens, français et étrangers, pour qu'ils célèbrent Louis le Grand. Qu'on frappe des médailles, qu'on tisse des tapisseries dans cette Manufacture royale des Gobelins que Colbert vient de créer, qu'on entreprenne des travaux dans le pavillon de chasse de Louis XIII à Versailles.

Rien n'est trop beau quand il s'agit du roi.

Louis s'avance dans cette salle des Tuileries où l'or des colonnes resplendit.

Il a voulu qu'on construise ce théâtre d'opéra, le premier de France.

Et maintenant il y paraît, sur la scène, dansant ce ballet

l'*Ercole amante*, entouré des princes, de Louise de La Vallière et même de la reine Marie-Thérèse. On récite :

> *Est-ce un homme ? Il est sans faiblesse.*
> *Est-ce un Dieu ? Mais il est mortel.*
> *Si c'est trop de l'appeler Dieu,*
> *C'est trop peu de l'appeler homme.*

Il est le roi, Hercule et Apollon.

Et il faut que le peuple le voie.

Il ordonne que les 5 et 6 juin 1662, se tienne dans l'espace qui s'étend du Louvre aux Tuileries, un carrousel – char du soleil. Il fait dresser des tribunes pour plusieurs milliers de spectateurs.

Il dirigera, habillé en empereur romain, le premier quadrille. Les autres seront conduits par les princes du sang, Monsieur, duc d'Orléans.

Il veut que l'on écrive sur son écu sa devise *Nec pluribus impar*, qu'on sache ainsi qu'il se proclame tel le Soleil, *supérieur à tous les autres*, le plus noble des astres, produisant sans cesse de tous côtés la vie, la joie et l'action. Le soleil est la plus belle image d'un grand monarque.

Il est debout, le torse serré dans la cuirasse d'or, d'argent et de rubis, *Imperator* rayonnant.

Il est le Roi-Soleil.

Qui peut résister à son éclat ?

Les courtisans s'inclinent et tremblent devant lui.

Il reçoit ce comte de Brienne qui s'excuse, les larmes aux yeux, de s'être approché de Mlle de La Vallière, de lui avoir proposé de la faire peindre par l'artiste Lefebvre, en Madeleine ou en Diane, puis d'avoir appris qu'elle était aimée du roi, choisie par lui.

— Laissez là son portrait, dit Louis, et vous me ferez plaisir.

— Ah ! mon maître, murmure Brienne, je ne lui parlerai

de ma vie et je suis au désespoir de ce qui s'est passé. Pardonnez-moi cette innocente méprise de mes yeux à laquelle mon cœur n'a point de part et ne vous souvenez jamais de ce que j'ai fait.

Brienne pleure.

Telle est ma puissance, mon emprise.

Il faut pardonner à Brienne.

— N'en parlons plus, dit Louis.

Puis il se rend, alors que la pénombre gagne le palais, dans les combles des Tuileries, où loge encore Louise de La Vallière, toujours suivante d'Henriette et subissant les accès de jalousie de celle-ci, et la curiosité agressive des autres dames.

Il doit l'arracher à cela, la loger dans des appartements qui manifesteront qu'elle est, aux yeux de tous, la maîtresse du roi, et qu'elle occupe ainsi le premier rang.

Il la fait déjà asseoir près de lui, dans la salle du théâtre des Tuileries, où la troupe de Molière donne *L'École des femmes*.

Il ne rit pas. Il n'applaudit pas.

Mais il est là et, comme le Soleil, il éclaire tout autour de lui.

29.

Louis sait qu'il n'existe pas de soleil qui puisse rayonner et durer sans qu'on le nourrisse, comme un brasier, afin que sa lueur soit toujours étincelante.

Il convoque Colbert.

Il veut qu'au Louvre, à Versailles, les architectes et les peintres, Le Vau et Le Brun, les jardiniers, Le Nôtre, se mettent au travail, décorent ici, au Louvre, les galeries, et là transforment le pavillon de chasse de Louis XIII, créent une orangerie.

Il faut que les palais du roi Louis le Grand étonnent, manifestent aux yeux des sujets, des ambassadeurs de tous les pays étrangers, la suprématie, la puissance et la gloire du Roi Très Chrétien.

Il faut que les Grands, les princes du sang, les ducs, les comtes, cette noblesse qui s'imagine encore pouvoir être frondeuse comme au temps des féodaux, sache qu'elle n'existe que dans la lumière royale, et au service du roi.

Louis sent Colbert réticent et cela l'irrite. Il faut que ce ministre obéisse et comprenne que ces travaux, l'embellissement et la construction des palais, ne sont pas destinés seulement au plaisir et au divertissement du roi, mais qu'ils sont les moyens d'accroître sa gloire.

— Quand je demande, dit Louis, il me semble que cela

veut dire je veux, j'aurai, ou au moins il y a si peu de diffé-
rence qu'elle n'est pas connaissable.

Colbert s'incline. Les travaux commencent. Colbert enfin
rend compte et reconnaît que : « Rien ne marque davantage
la grandeur et l'esprit des princes que les bâtiments. La pos-
térité mesure la grandeur à l'une de ces superbes maisons
qu'ils ont élevées durant leur vie. »

Louis se rend à Versailles.

Il parcourt les nouvelles constructions qui, avec les
grandes façades blanches, semblent envelopper le pavillon
de chasse.

Il faut que la Cour se réunisse ici, qu'elle découvre les
premiers éléments de ce nouveau palais.

Louis imagine la nature boisée et parfois marécageuse
transformée en un jardin qui marquera que rien ne peut
résister à la volonté du Roi-Soleil.

Il s'efforce de paraître insensible aux compliments que
lui adressent les courtisans agglutinés dans ce château.

Il fait froid dans les grandes pièces, mais c'est là qu'il veut
danser, avec Louise de La Vallière, le *Ballet des arts*, puis
celui des *Noces de village*, là qu'il assiste à la représentation
de nouvelles pièces que Molière a intitulées *L'Impromptu de
Versailles* ou *La Critique de l'École des femmes*.

Il est satisfait de ces premières fêtes versaillaises, de l'audace de Molière, qui n'hésite pas à fustiger les courtisans, à
se moquer des critiques, à reconnaître la grandeur du roi.

Molière ne doit pas être le seul à louer le monarque.

Louis demande à Colbert de rassembler des écrivains, tels
Charles Perrault et Jean Chapelain, des peintres, des théo-
logiens, des historiens. Ils constitueront une Académie des
inscriptions, destinée à célébrer par ses travaux la grandeur

du roi, sa gloire. Il faut peindre des tableaux, frapper des médailles qui doivent rappeler les actions du roi, les chanter, leur donner l'éclat qu'elles méritent.

Il faut soutenir la gloire, entretenir le feu du Soleil.

Louis reçoit ces académiciens qui se réunissent deux fois par semaine autour de Colbert.

— Vous pouvez, messieurs, dit-il, juger de l'estime que je fais de vous puisque je vous confie la chose du monde qui m'est la plus précieuse, qui est ma gloire.

Il ne veut rien tolérer qui puisse la ternir.

Et ce peut être simplement l'attitude de tel ou tel prince ou princesse de sang qui s'arroge le droit d'agir à sa guise.

Louis ne peut accepter que l'on veuille contester ses ordres ou ne pas se plier à son autorité.

Il demande à sa cousine, la Grande Mademoiselle, pardonnée déjà, bien qu'elle fût frondeuse et ait fait tirer le canon depuis la Bastille sur les troupes royales, de le rejoindre.

Il la regarde s'avancer, avec sa démarche de grande femme, orgueilleuse et sèche, qui a rêvé un temps de l'épouser, de devenir reine de France, alors qu'elle est son aînée de onze ans.

Vieille histoire, mais Mademoiselle prétend refuser le mari que Louis lui destine, le roi du Portugal, Alphonse VI, au prétexte qu'il est chétif et imbécile.

Croit-elle que le roi de France peut se désintéresser des épousailles d'une femme dont la richesse est immense, et dont les terres sont si étendues dans le royaume qu'elles font d'elle une puissance ?

— Je vous marierai où vous serez utile pour mon service, dit Louis en la congédiant et en lui signifiant qu'il l'exile, loin de la Cour, dans son château de Saint-Fargeau.

Ne rien céder, jamais.

Obtenir du pape des excuses officielles pour l'agression

commise contre l'ambassade de France à Rome, et exiger que soit dressée dans cette ville une pyramide, rappelant l'événement et les excuses de la papauté au roi de France.

Acheter Dunkerque aux Anglais et y pénétrer pour marquer la volonté du roi de France d'être maître sur tout son territoire. Et contraindre le duc de Lorraine à céder la ville de Marsal, comme le prévoient les traités. Et faire connaître à tous les sujets du royaume ces victoires, en ordonnant que tableaux, tapisseries, médailles rappellent ces événements glorieux.

Il veut qu'on montre le roi, à Dunkerque, en Lorraine, à la tête de ses troupes, ou recevant debout les excuses de l'ambassadeur d'Espagne puis de l'envoyé du pape, le nonce Chigi.

Cette gloire répandue est le moyen de tenir ensemble, dans l'ordre, ces sujets du royaume qui ici ou là continuent de se rebeller, comme en Chalosse, où ils refusent de payer la gabelle, et il faut que l'intendant réprime leur révolte, tue, condamne aux galères quelques centaines de ces paysans toujours rétifs dès qu'il s'agit de verser l'impôt.

Il approuve Colbert qui veut demander à tous les intendants de réaliser une enquête dans les provinces, afin d'établir exactement ce qu'il en est de l'activité et de la richesse du commerce et des manufactures et d'évaluer ainsi le niveau de l'impôt.

Le royaume et les sujets sont le corps du roi, et quand le corps est malade le roi est souffrant.

Il l'est, contraint de ne pas chevaucher, de renoncer à la chasse, de rester dans ces salles du château de Versailles dont la décoration n'est pas encore achevée.

Il faut accepter ces douleurs du ventre, ces migraines, ces nausées, cette sensation que le corps, habituellement souple et léger, est devenu cette masse dont la lourdeur paralyse.

Louis reste longuement assis sur sa chaise percée, recevant quelques gentilshommes mais soucieux aussi de ne pas montrer qu'il souffre, que la sueur coule sur son front.

Et impatient de recouvrer sa vigueur, pour se rendre auprès de Louise de La Vallière.

Enfin, il peut quitter Versailles où la maladie durant plusieurs semaines l'a retenu prisonnier.

Il a hâte de retrouver Louise dans cette petite maison à un étage située dans le jardin du Palais-Royal. Colbert l'a aménagée, organisant l'installation de la jeune femme, recrutant des domestiques discrets, veillant sur elle, rendant compte chaque jour de l'humeur de Louise.

Elle est, comme toujours, déchirée entre son amour et la crainte du châtiment de Dieu. Elle est la maîtresse, elle trompe la reine, elle a avec le roi cette liaison cachée, dont tous les courtisans connaissent l'existence et qu'il faut cependant dissimuler.

Louis manifeste son amitié et son attention, sa tendresse, il danse avec elle, elle est dans la chorégraphie des ballets, la femme aimée, la souveraine. Mais il impose le silence, il ne retrouve Louise que dans le secret, s'obligeant à partager chaque nuit avec la reine.

Souvent Louise l'a menacé de rompre, de se retirer dans un couvent. Une fois déjà elle a fui la Cour, et il a dû galoper jusqu'au couvent de la Visitation de Chaillot où après avoir chevauché seul il l'a retrouvée, allongée à même le sol de l'oratoire, secouée par les sanglots. Il a dû la rassurer, la serrer contre lui, l'arracher à ses craintes, au couvent.

En cette fin d'année 1663, il est inquiet et ému. Colbert vient de lui annoncer que Louise de La Vallière est enceinte. Louis connaît ce dicton qui vaut pour les princesses et les paysannes : « Femme grosse a un pied dans la fosse. »

Et il faudra cacher cette naissance, parce que les courtisans, les suivantes de la reine, guettent, surveillent Louise de La Vallière.

Colbert a pris toutes les dispositions nécessaires, pour que le nouveau-né soit retiré à sa mère, aussitôt, et confié à un couple d'anciens domestiques du ministre.

Le 18 décembre, Louis est assis au chevet de Louise de La Vallière dont le visage est creusé par l'effort, la souffrance déjà.

Louis voudrait rester près d'elle, mais il doit regagner le palais. Il sait que Louise de La Vallière a décidé, pour écarter tous les soupçons, que, l'accouchement à peine terminé, elle se rendra à la Cour, comme à l'habitude, qu'elle accomplira ses obligations.

Le chirurgien Boucher rassure Louis. Les douleurs ont commencé. L'accouchement aura lieu dans quelques heures.

Et Louis s'en va.

Le lendemain matin, un messager lui apporte la nouvelle. Un garçon est né. Il est fort. La mère est déjà sur pied.

Louis remercie Dieu de lui avoir donné la joie d'avoir un second enfant.

C'est un bâtard, mais il est fils de roi.

30.

Louis a vingt-sept ans.

Il est seul dans ses appartements du Louvre. Devant lui, sur la table, cette feuille où l'un des espions de Colbert a retranscrit les quelques vers ironiques qu'on récite à la Cour.

Il les relit. Il se sent gagné par l'amertume, la colère, qu'il s'efforce de maîtriser. Mais ces mots de méchanceté et de jalousie l'atteignent au moment même où il vient d'apprendre que le fils né de Louise de La Vallière, son bâtard royal, est déjà empoigné par la maladie, et que la mort s'avance vers lui alors qu'il vient à peine de naître.

Et l'on se moque de Louise.

> *Soyez boiteuse, ayez quinze ans*
> *Pas de gorge, fort peu de sens*
> *Des parents, Dieu le sait! Faite-en fille neuve*
> *Dans l'antichambre, vos enfants*
> *Sur ma foi! Vous aurez le premier d'amant*
> *Et La Vallière en est la preuve.*

L'espion a précisé que l'on murmure que l'auteur de cette vilenie se nomme Athénaïs de Montespan. Issue d'une des plus vieilles familles de la noblesse française liée aux Bourbons, les Rochechouart de Mortemart. Mariée à un noble gascon depuis une année, cette jeune femme aux cheveux blonds, danseuse accomplie, interprète quelques figures lors des ballets donnés à Versailles. Elle est l'une de ces suivantes d'Henriette – Madame, l'épouse de Philippe duc d'Orléans – qui composent ce qu'à la Cour on appelle le « jardin », et où l'on va cueillir les plus belles fleurs.

Et Louis ne s'est pas privé de le faire. Mais l'espion ajoute que ce jardin, qui rassemble les plus belles filles de France, est un nid d'intrigues. On ne se contente pas de s'y moquer de Louise de La Vallière.

Le comte de Guiche, l'amant à la fois du duc d'Orléans et de Madame son épouse, aurait fait parvenir à la reine Marie-Thérèse une lettre révélant la liaison entre Louise de La Vallière et Sa Majesté. Heureusement la missive a été interceptée par une domestique de la reine.

La sœur d'Athénaïs de Montespan, Gabrielle de Rochechouart de Mortemart, marquise de Thianges, est une protégée – et peut-être davantage – de Philippe d'Orléans. Le marquis de Vivonne, le frère d'Athénaïs et de la marquise de Thianges, est un familier de la Grande Mademoiselle, la cousine du roi et de son frère Philippe d'Orléans. Olympe, la nièce de Mazarin devenue comtesse de Soissons, est la plus ardente à calomnier celle-ci ou celle-là, comme si elle ne se consolait pas de ne plus être l'une des favorites, maîtresse du roi.

Dans ce milieu où naissent toutes les rumeurs, chacun est aux aguets, craignant des pièges, des cabales et même le poison.

Louis se souvient de l'affolement de Louise de La Vallière lui racontant comment elle avait été réveillée en pleine nuit par le bruit d'une fenêtre que l'on tentait de forcer. Elle avait appelé ses domestiques qui avaient découvert une échelle de corde accrochée le long de la façade. Voulait-on la tuer ?

Aimer le roi et être aimée de lui est périlleux. Louis le sait.

Il demande à Colbert de faire surveiller la maison de Louise. Et il exige des domestiques de goûter la nourriture avant de la servir à leur maîtresse.

Louis se lève, va jusqu'à la fenêtre.

Il est indigné sans être surpris. Il se souvient de la Fronde, des conspirations, des trahisons, des dangers.

Est-ce pour cela qu'il ne sent en lui aucune crainte ? Il s'en remet à la volonté de Dieu.

Mais il a appris qu'il faut imposer sa volonté à tous, agir, combattre, punir, condamner les uns à l'exil, les autres aux galères, et les plus rebelles à la mort.

C'est devoir de roi.

Il ressent comme un défi le verdict prononcé par la Cour de justice après plus de trois ans d'enquête contre Nicolas Fouquet.

Les magistrats, et le premier d'entre eux, Olivier Lefèvre d'Ormesson, ont refusé de punir de mort ce surintendant qui jonglait avec les finances du royaume et qui s'était constitué une place forte à Belle-Isle. Ils ont prétendu qu'ils ne disposaient pas de preuves suffisantes pour choisir la peine capitale. Ils se sont donc contentés de celle du bannissement.

Louis questionne Colbert, plus pâle et plus sombre qu'à l'accoutumée.

Il a nommé Colbert surintendant et ordonnateur général des Bâtiments du roi. Il a confiance dans cette « couleuvre venimeuse », qui sait garder un secret, qui a choisi avec soin les magistrats qui auraient dû condamner Fouquet à mort, qui a placé parmi eux le chancelier Séguier, un courtisan toujours soucieux de plaire, de servir.

Mais ces hommes se sont dérobés, sans doute influencés par le parti dévot, par ce peuple de Paris qui au fur et à

mesure que le temps passait prenait parti pour le surintendant, manière de se rebeller contre le pouvoir royal.

Et pour briser ce mouvement, pour affirmer qu'on ne peut
s'opposer au roi, il faut sévir, exiler certains des magistrats,
leur interdire de transmettre leur charge à leur fils, quant à
Lefèvre d'Ormesson il ne sera ni conseiller d'État ni intendant ! Qu'il se retire sur ses terres et qu'on l'oublie.

On ne peut sans risque défier le roi.

Louis murmure :
— Si Fouquet avait été condamné à mort, je l'aurais laissé
mourir.

Mais maintenant, l'exécution de Fouquet est impossible.
Et cependant il faut aller au-delà de la sentence prononcée.

Être roi, c'est savoir punir, au nom de ce qu'on croit juste
et bon pour le royaume. Et c'est le roi seul qui en est juge.

Qu'on exile les proches de Fouquet, dit Louis.

Après un silence, il ajoute qu'il veut que l'on condamne
Fouquet à la détention à vie dans la forteresse de Pignerol.
Qu'il soit interdit au surintendant de communiquer avec
quiconque, qu'il ne soit autorisé à communier que rarement
car il pourrait influencer son confesseur, en faire un complice, et préparer ainsi une évasion, facilitée par le fait que
Pignerol est situé à proximité du royaume piémontais.

Louis répète :
— Je commue la peine en détention à vie.

Un roi doit tenir fermement son royaume, et chaque jour
il y a ici ou là des sujets qui se rebellent.

Il faut étouffer dans leur commencement ces frondes.

Il le dit à l'archevêque de Paris, Hardouin de Péréfixe,
qui tarde à sévir contre ces catholiques qui se proclament
jansénistes.

— Je suis persuadé, martèle Louis, qu'il y a une nouvelle hérésie qui prend naissance dans le royaume. Il faut y remédier, disperser ces religieuses qui dans leur monastère, à Port-Royal, s'obstinent, rassemblent autour d'elles des personnalités de la Cour. Ne dit-on pas que la sœur de Condé, la duchesse de Longueville, les protège ? Que des parlementaires et même des évêques sont sensibles à ces propositions que le pape a condamnées, que les jésuites combattent ?

Louis insiste. Tout cela a un air de Fronde. Et il ne veut pas connaître à nouveau ce temps des agitations.

Il n'est plus l'enfant sans pouvoir, mais Louis le Grand.

Et qui peut douter encore qu'il est le Roi-Soleil ?

Il lit et relit ce portrait que trace de lui l'ambassadeur de Venise à Paris. Alvise Grimani. Un homme de Colbert s'est procuré une copie de la correspondance du Vénitien.

Louis savoure les phrases, il éprouve un contentement tel qu'il se sent apaisé comme si son âme et son corps étaient envahis par une sensation de plénitude.

«Le roi de France est né dans la guerre, écrit l'ambassadeur. Il a été nourri dans les armes, élevé au milieu des victoires... Il est de complexion vigoureuse, de grande taille, d'aspect majestueux ; son visage est ouvert et imposant à la fois, son abord est courtois et sérieux, il est de tempérament sanguin mais point trop vif... Il traite chacun également selon ses qualités ; il ne témoigne de partialité à l'égard de personne et personne ne peut s'en prévaloir ; il ne permet pas qu'on plaisante avec lui et d'ailleurs ne plaisante pas avec autrui. Il ne parle pas avec prolixité, mais avec juste mesure et il emploie les termes propres... Il ne se laisse pas aller à la colère.»

Louis aime ce portrait. Il a voulu être ainsi. Et il y est parvenu.

«Les inclinations du roi et ses distractions, poursuit l'ambassadeur, ont toujours été les armes, la chasse, la danse et les chevaux. Quant aux affaires il ne s'y est pas effectivement appliqué jusqu'à la mort de feu le cardinal. Mais alors, dès qu'il eut assumé le gouvernement il fit voir à la France et au monde qu'il était très différent qu'on ne le supposait peut-être... »

Cela convient aussi à Louis.

Il pense avec orgueil à ces princes allemands qui s'inquiètent parce que, à la demande de l'électeur de Mayence, la France a envoyé six mille soldats pour mater une rébellion protestante à Erfurt. Et six mille hommes encore pour combattre les Turcs aux côtés des troupes chrétiennes rassemblées par l'empereur Léopold Iᵉʳ, et commandées par le général Montecuccoli. Dans la plaine de Hongrie, à Saint-Gotthard, les Français du comte de Coligny ont décidé de la victoire !

Voilà ce que peut l'armée du roi de France ! Sa flotte bombarde Alger, Tunis, et ses troupes occupent Djidjelli, frappent ainsi les barbaresques jusque dans leurs repaires.

Il faut qu'on le sache.

Que Le Brun, qu'il vient de nommer premier peintre de Sa Majesté, rappelle dans ses toiles les exploits et la gloire du roi.

Et que les écrivains, les savants fassent de même, expriment leur reconnaissance à celui qui les gratifie.

Louis demande à Colbert de les rassembler dans la grande galerie du Louvre. Il veut être présent lorsqu'on donnera à chacun d'eux une bourse de cuir brodée, contenant la pension que leur offre Louis le Grand : quatre mille livres à Eudes de Mezeray, historiographe de France, deux mille livres à Corneille, six cents à Racine, deux mille à Boileau, mille à Molière.

Louis observe Molière.

Il apprécie ce comédien et cet auteur singulier. Il a même accepté d'être le parrain de son fils. Et il sait qu'on s'est étonné à la Cour de cette distinction accordée par le roi à un saltimbanque.

Mais peu importe les murmures. Louis le Grand veut.

Il décide que Molière et sa troupe participeront au divertissement qui durant plusieurs jours, en ce mois de mai 1664, transformera le pavillon de chasse et les jardins de Versailles en un grand lieu de fêtes. On dresse déjà les gradins qui accueilleront six cents invités. Ils assisteront aux *Plaisirs de l'île enchantée*.

Louis veille à chaque détail de ce grand spectacle qui doit enchanter la Cour, étonner les ambassadeurs, prouver à tous que le roi de France est le plus éclatant des monarques.

Et la troupe de Molière y jouera *La Princesse d'Élide*, *Les Fâcheux*, *Le Mariage forcé*, une comédie-ballet que le roi a dansée déjà, et cette pièce étrange que, à la lecture, Louis a trouvé fort divertissante, qui s'intitule *L'Hypocrite*, et que Molière pense appeler *Le Tartuffe*.

Tout le spectacle sera inspiré par l'œuvre de l'Arioste, *Orlando furioso – Roland furieux*.

Le mercredi 7 mai commencent *Les Plaisirs de l'île enchantée*.

Le pavillon de chasse et les jardins conçus par Le Nôtre servent de décor à ces ballets, à ces défilés, à ces tournois, à ces jeux, à ces représentations qui se succèdent.

Le roi paraît, chevauchant, vêtu et armé tel un guerrier grec, un destrier caparaçonné d'or, d'argent et de pierreries.

Quand la nuit tombe après la course à la bague, des milliers de bougies, des centaines de flambeaux éclairent les bâtiments, les parterres de fleurs et les bosquets.

Puis vient le somptueux souper, servi par la foule des valets aux uniformes rutilants.

Louis est le créateur, l'acteur, le spectateur de ce divertissement. Quel roi eût pu le concevoir ?

Et chaque jour c'est un spectacle encore plus étonnant qui se déroule, alternant ballet, défilé de violons, cavalcades, course à la tête, quand, lancé au galop, le cavalier doit enlever avec sa lance une tête de Turc, de Maure ou de Méduse.

C'est le roi qui sort vainqueur de l'épreuve, lui qui porte sur son écu la devise *Nec cesso nec erro*, «Je ne m'arrête ni ne m'égare».

Les grands qui l'accompagnent, qu'ils soient princes du sang, ducs ou comtes, arborent des devises qui rappellent qu'ils sont soumis au roi. L'une dit : «C'est pour un seul astre que je combats». L'autre : «C'est un bonheur d'être brûlé par un tel feu». Et la dernière : «Il tient son éclat de son obéissance».

Louis contemple, jour après jour de fête, ces grands qui reconnaissent qu'il est le Soleil auquel ils doivent leur éclat.

Il est satisfait.

Il veut que la Cour, le royaume soient à l'image de cette fête où il a dansé, le corps léger et agile, où il a dans ses vêtements tissés de fil d'or et d'argent défilé, chevauché, remporté la victoire dans ces tournois et où il a rassemblé autour de lui tout ce que le royaume compte de grands. Et il a vu dans le regard des femmes l'attente. Mais il n'a été le chevalier servant que de Louise de La Vallière, veillant à ne blesser ni sa mère ni son épouse.

Il a pourtant entendu, lors de la représentation du *Tartuffe*, des murmures. La reine mère n'a pas aimé cette pièce, et les dévots sans oser parler ont manifesté par leurs mimiques leur désapprobation. Puis ils se sont précipités à la chapelle.

Louis s'y rendra aussi, mais il ne se confessera pas.

Il est adultère. Il ne veut pas avouer sa faute.

Il n'est pas Tartuffe. Il n'est pas hypocrite.

31.

Louis est assis au premier rang dans la salle du théâtre du Palais-Royal.

Molière s'avance jusqu'au bord de la scène en dom Juan à la voix éraillée. Il lance à son valet Sganarelle :

« L'hypocrisie est un vice à la mode et tous les vices à la mode passent pour vertus... La profession d'hypocrite a de merveilleux avantages... Combien crois-tu que j'en connaisse qui par ce stratagème ont rhabillé adroitement les désordres de leur jeunesse, qui se sont fait un bouclier de leur manteau de la religion et, sous cet habit respecté, ont la permission d'être les plus méchants hommes du monde... »

Louis pourrait citer mille noms, celui du marquis de Vardes, amant de la comtesse de Soissons, cette Olympe Mancini dont on murmure qu'elle se rend masquée, dans le nouveau quartier de Bonne-Nouvelle, chez des magiciennes, des cartomanciennes, des astrologues, peut-être des empoisonneuses, pour faire jeter des mauvais sorts sur Louise de La Vallière, et qui sait se servir des astres, des drogues, afin de reconquérir l'amour du roi.

Louis ne veut pas connaître le détail de ces intrigues. Il a exilé le comte de Guiche, un autre hypocrite, l'amant d'Henriette d'Orléans, et chassé Olympe Mancini, comtesse de Soissons, de la Cour.

Et il défend Molière que les dévots et les bigots accusent d'impiété, d'athéisme même. Louis confirme qu'il veut que Molière soit le chef de la troupe des comédiens du roi. Il aime que cet acteur dénonce les travers des courtisans, se moque des médecins incapables. Et Louis veut que soit dansée cette comédie-ballet *L'Amour médecin*, qui les fustige et les ridiculise.

Mais il ne doit pas donner à croire qu'il approuve dom Juan, qu'il serait prêt à s'attabler pour un « festin de pierre » avec la statue d'un Commandeur.

Un roi doit garder la mesure. Ses actes sont observés par tous ses sujets.

Il doit éviter toute provocation, et c'est pour cela qu'il veille chaque jour, chaque nuit, à rendre hommage à la reine. Il supporte les bouffons, les nains, les fous que Marie-Thérèse appelle « mon cœur », « pauvre garçon », « mon fils » !

Il accepte que des dizaines de petits chiens enrubannés viennent japper, réclamant les reliefs de la table. Ils coûtent quatre mille écus par an !

Après souper, il conduit Marie-Thérèse à sa table de jeu.

Les apparences sont sauves. Ce n'est pas hypocrisie d'un Tartuffe ou d'un dom Juan, mais respect dû à l'épouse.

Mais si Marie-Thérèse boude, si elle veut lui imposer de rompre avec Louise de La Vallière, alors il faut qu'elle sache qu'il l'ignorera, que c'en sera fini entre eux de la courtoisie, des dîners et des soupers. Il ne lui jettera plus un seul regard. Et il sait qu'elle cédera, qu'elle acceptera qu'il aime ailleurs, et elle se contentera de sa déférence et de son attention.

Et il agit de même avec la reine mère qui veut elle aussi qu'il cesse d'aimer Louise de La Vallière.

Ne se souvient-elle pas des rumeurs qui couraient à son

propos, de ses liaisons avec le duc de Buckingham, et même le cardinal de Mazarin ! Alors Anne d'Autriche peut menacer de se retirer au couvent du Val-de-Grâce, il ne renoncera pas.

— En quoi, Madame, doit-on tout croire ce que l'on dit, lui assène-t-il. Je n'imaginais pas que vous prêchiez, vous, cet évangile. Cependant, comme je n'ai pas glosé sur les affaires des autres, il me semble qu'on en devrait user de même pour les miennes.

Louis veut bien redire l'amour qu'il lui porte, fils attentionné. Et d'autant plus que la pâleur du teint d'Anne d'Autriche, ces nouvelles rides qui creusent son visage, les douleurs au sein dont elle se plaint, son humeur sombre, après que son frère le roi Philippe IV d'Espagne est mort, font pressentir à Louis la présence de la maladie.

Anne d'Autriche, apprenant le décès de Philippe, n'a-t-elle pas dit :

— Je le suivrai bientôt.

Louis est ému, mais il ne cède pas à sa mère.

Il voit chaque jour Louise de La Vallière. Elle est enceinte à nouveau et l'accouchement sera difficile. Et Louis ressent durement la mort de l'enfant qui décède encore plus vite que le premier-né.

Les rumeurs, grâce à Colbert qui a veillé sur toute l'affaire, ont été peu nombreuses et se sont vite dissipées, car Louise est revenue à la Cour, le jour même de ses couches, chancelante mais réussissant à danser, à sourire.

Il lui est reconnaissant de cette volonté, de cette fierté, mais il ne peut pas dépendre d'elle.

Il s'écarte d'elle, offre son bras à l'une des filles d'honneur de Marie-Thérèse dont le regard, les soupirs et le sourire disent qu'elle souhaite céder au roi.

Il n'est pas dom Juan, mais au nom de quoi, de qui, refuserait-il ce plaisir qu'on lui offre ?

Il le prend et, durant quelques nuits, il se rend chez cette jeune blonde, Anne-Lucie, qui lui abandonne son corps généreux.

Et puis on l'avertit que la jeune femme, qui lui adresse des lettres enflammées, les fait écrire, et qu'en fait on se sert d'elle pour l'éloigner de Louise de La Vallière.

Il faut toujours qu'il soit sur ses gardes.

Un roi, en abandonnant son cœur, doit demeurer maître absolu de son esprit, confie-t-il.

Et un jour de mars 1665, alors qu'il vient de nommer Colbert surintendant général du Commerce, et qu'il songe à le désigner aussi contrôleur général des Finances parce qu'il apprécie les talents de cet homme capable de créer des compagnies de commerce, des manufactures de fil, de favoriser l'installation en France du Hollandais Van Robais, fabricant de draps, Louis dit à Colbert, aux maréchaux de Villeroy et de Gramont, à Lionne et à Le Tellier :

— Vous êtes mes amis, ceux en qui j'ai le plus de confiance. Les femmes ont bien du pouvoir sur ceux de mon âge. Je vous ordonne, si vous remarquiez qu'une femme, quelle qu'elle puisse être, me gouverne le moins du monde, vous ayez à m'en avertir. Je ne veux que vingt-quatre heures pour m'en débarrasser, et vous donner contentement.

Les affaires du royaume sont affaires d'hommes.

Elles ne peuvent être réglées que par le roi prenant conseil des ministres qui l'entourent.

Il le dit :

— Dès lors que vous donnez la liberté à une femme de vous parler de choses importantes, il est impossible qu'elle ne vous fasse faillir.

Comment pourrait-on se fier à des «précieuses ridicules», dont Molière a eu raison de se moquer?

Que pourraient-elles dire des finances et de l'épargne de l'État dans lesquelles Colbert essaie de mettre de l'ordre en dressant dans un Grand Livre l'«état au vrai» des recettes et des dépenses de l'année précédente?

Et l'ordre, après ces quatre années durant lesquelles il a régné, il sait qu'il faut l'imposer partout. Des provinces, comme l'Auvergne, échappent à la Justice royale. Des seigneurs font régner la terreur à leur profit, volant et violant, terrorisant les paysans.

Louis ordonne que des magistrats parisiens se rendent en Auvergne, et que durant ces «Grands Jours» ils punissent, sans s'arrêter à la qualité nobiliaire ou roturière des coupables.

Il faut purger la montagne d'une infinité de désordres et de crimes atroces, y faire régner la justice et régner par elle dans l'État.

Et il faudra que Paris cesse d'être ce nid de voleurs et d'assassins.

On vient d'y tuer le lieutenant général Tardieu et son épouse pour les dépouiller.

Il est impossible d'y sortir la nuit sans risquer sa vie.

Le jour, on s'enfonce dans la boue car les rues ne sont pas pavées, et les laquais qui s'autorisent à porter l'épée se sont ligués entre eux et font la loi, bousculant, dépouillant, battant et parfois tuant ceux qui leur résistent.

Il faut changer cela. Et il charge Colbert d'étudier les mesures nécessaires.

Louis veut aussi qu'on achève au plus tôt ces agrandissements, ces embellissements du Louvre.

Qu'on fasse appel à ce sculpteur et architecte italien, le Bernin, pour qu'il donne enfin au Louvre la majesté digne du palais du plus grand des rois d'Europe. Et Louis pose pour le Bernin qui sculpte son buste.

Les courtisans se tiennent à distance, formant dans la pièce une couronne chatoyante.

De cette foule qui chuchote un homme se détache. C'est Racine, l'écrivain qui vient au grand dépit de Molière de donner sa dernière pièce, *Alexandre le Grand,* aux comédiens de l'hôtel de Bourgogne et non à la troupe de Molière, au Palais-Royal.

Racine s'incline, commence à lire la dédicace de sa pièce.

« L'histoire, dit-il d'une voix forte, est pleine de jeunes conquérants et il n'est pas extraordinaire de voir l'un d'eux gagner des batailles et même mettre le feu à toute la terre. Mais Votre Majesté me permettra de lui dire que, devant elle, on n'a point vu de roi qui, à l'âge d'Alexandre, ait eu la conduite d'Auguste, et qui sans s'éloigner du centre de son royaume ait répandu sa lumière jusqu'au bout du monde. »

32.

Louis a froid.

En ces premiers jours de janvier 1666, malgré les troncs d'arbres qui brûlent dans les hautes cheminées du palais du Louvre, il ne peut se réchauffer.

La glace est en lui.

Il traverse les salons. Les courtisans s'inclinent, chuchotent un compliment, sollicitent une faveur, tendant un placet qu'ils veulent remettre au roi en mains propres, prononcent d'une voix tremblante une louange.

Il écoute ces murmures.

Il ne s'étonne pas de cette émotion qui saisit des hommes illustres et âgés lorsqu'ils s'adressent à lui, lui répondent : « Sire, j'obéis. »

Mais il sait aussi qu'il ne doit pas oublier que la modestie et l'humilité sont des vertus de roi, et même qu'elles lui sont plus nécessaires qu'au reste des hommes, précisément parce qu'il est leur souverain.

Et qu'il est mortel comme eux.

Il entre dans la chambre de sa mère, où une foule de princes, de duchesses se presse autour du lit de la reine.

Voilà plusieurs jours qu'elle agonise, rongée par cette maladie qui dévore ses seins, ses aisselles, ses épaules. Et les humeurs malignes gonflent ses mains, qu'elle avait si fines, son visage et son cou.

Louis voit son frère Philippe agenouillé, auprès du lit, qui baise les pieds de sa mère et sanglote.

Les prêtres apportent les saintes huiles.

— Levez bien ma cornette, dit Anne d'Autriche, de peur que cette huile n'y touche, car cela sentirait mauvais.

Louis sent qu'il défaille, qu'il tombe.

On le retient. On l'entraîne loin de la ruelle du lit, dans un cabinet. On asperge son visage d'eau froide. On déboutonne son pourpoint.

Il se redresse. Il grelotte. Il voit tous ces gens qui entrent et sortent de la chambre, s'en vont au bord du lit, se penchent jusqu'à toucher le visage de la reine mère.

Il veut s'approcher. On le retient. Le médecin, Seguin, présente une tasse de bouillon à Anne d'Autriche.

Elle boit avec avidité.

Peut-être la mort s'éloigne-t-elle?

— Madame, prenez-le plus doucement, dit Seguin.

— Je le trouve bon, il faut se soutenir tant que l'on peut.

Louis sort de la chambre. Il gagne ses appartements.

Il somnole, ankylosé par le froid.

Il se souvient de ces bals que Philippe d'Orléans a donnés à Saint-Cloud pour fêter le début de l'année. Ils ont duré plusieurs jours et la fête a été somptueuse.

Louis a dansé avec Louise de La Vallière et des suivantes de Marie-Thérèse.

La reine avait refusé de quitter le Louvre, portant le deuil de son frère le roi d'Espagne, exigeant de Louis qu'il choisisse, puisqu'il tenait à participer aux festivités, un vêtement violet pour marquer qu'il s'associait au deuil de son épouse, et qu'il n'oubliait pas sa mère malade.

Louis s'était plié à cette exigence mais il avait demandé à ses valets d'accrocher à ses vêtements de grosses perles et des diamants.

Il avait dansé joyeusement, distingué une nouvelle fois cette Athénaïs de Rochechouart de Mortemart, marquise de Montespan, une blonde flamboyante, aux formes rondes, au regard plein de défi et dont les jeux de mots, les saillies, la beauté faisaient qu'elle avançait entourée d'un groupe d'hommes riant à ses bons mots.

À côté d'elle, Louise de La Vallière était tout à coup apparue à Louis comme une femme réservée, douce et apaisante, mais si terne !

Il en avait ressenti du dépit, détournant les yeux d'Athénaïs de Montespan. Cette femme cherchait à l'attirer. Il serait facile de la conquérir. Il avait même l'impression de la connaître déjà intimement, puisqu'il avait obtenu les faveurs de la sœur d'Athénaïs, Gabrielle de Rochechouart de Mortemart, marquise de Thianges. Et sans doute les deux femmes avaient-elles échangé des confidences. Et qui sait si cette naïve Louise de La Vallière n'avait pas, elle aussi, évoqué ses amours ?

Louis avait eu l'impression qu'Athénaïs de Montespan cherchait à tisser autour de lui une toile dans laquelle il serait prisonnier. Il la rencontrait de plus en plus souvent, suivante de la reine Marie-Thérèse. Il la croisait le soir dans l'antichambre de son épouse.

Mais elle était aussi l'amie de Louise de La Vallière, et il la retrouvait dans l'appartement de sa maîtresse. Et sa sœur, la marquise de Thianges, lui parlait d'elle. Et Athénaïs de Montespan était devenue l'une des familières de Philippe d'Orléans qui certes n'était guère avide de femmes, mais aimait la compagnie de celles qui le divertissaient.

Louis s'était irrité, avait remontré à son frère qu'il voyait trop la marquise de Montespan.

— Elle a de l'esprit, elle m'amuse, avait répondu Philippe.

Le duc d'Orléans s'était étonné des propos du roi, l'avait interrogé, le soupçonnant de vouloir honorer l'exceptionnelle beauté d'Athénaïs de Montespan, qui à l'évidence espérait ce moment.

— Elle fait ce qu'elle peut, mais moi je ne veux pas, a murmuré Louis.

Et cependant la pensée de cette femme, sans doute l'une des plus belles, sinon la plus belle qu'il ait vue, ne l'a pas quitté.

Elle le hante même dans cette nuit du 20 janvier 1666 alors que, seul dans ses appartements, il s'est assoupi.

Le froid le réveille. Il se rend à la chapelle entendre la messe de six heures. Tout à coup, le battement sourd de la grosse cloche de Notre-Dame résonne.

Louis tremble, traverse les salons, s'approche de la chambre de sa mère, voit venir vers lui sa cousine, la Grande Mademoiselle. Elle murmure :

— On croit la reine morte.

Un cri. C'est Philippe qui s'est effondré.

Louis entre dans la chambre.

— Est-elle morte ?

— Oui, Sire.

Comment ne pas pleurer devant le corps noirci, gonflé, de celle qui vous a donné la vie, et que la mort vient d'emporter ?

Les prêtres ont déjà envahi la chambre, en même temps qu'une foule d'officiers qui ont le droit de demeurer auprès des corps de la maison royale.

On accroche dans les couloirs et les salons les tentures noires du deuil.

Louis voudrait rester impassible, mais l'émotion à plusieurs reprises le submerge.

Et cependant il doit ordonner les cérémonies, décider que le cœur de sa mère sera, selon ce qu'elle désirait, porté au Val-de-Grâce, la chapelle qu'elle avait fait construire.

Mademoiselle l'interroge :

— S'il arrive des disputes entre les carrosses des princesses et des duchesses, comment ferai-je ?

— Comme à l'accoutumée.

— Sire, cela n'a jamais été réglé, il serait mieux qu'elles n'en menassent ni les unes ni les autres...

Il accepte.

Il doit voir, parce que le passage est un peu étroit en sortant de la chambre de la reine mère, le cercueil traîné avec des cordes. Puis on charge la bière sur un chariot. Et c'est le cortège dans un froid à fendre pierre.

Les services funèbres, à Notre-Dame, à Saint-Denis, sont interminables. Louis regarde ce cercueil sur lequel Mademoiselle a appuyé sa tête et s'est endormie !

Il doit écouter l'oraison de l'évêque : « Dieu voulait faire deux cœurs incomparables, un cœur de mère, un cœur de fils. Et du côté d'Anne d'Autriche tendresse à nulle autre pareille. Et du côté de Louis respect et amour à nuls autres pareils. »

Louis s'abandonne à l'émotion, à la peine. Sa mère ne lui a jamais failli. Il lui doit d'avoir pu régner, dès le lendemain de la mort du cardinal de Mazarin.

Et la reconnaissance des biens reçus est une des qualités les plus inséparables des âmes bien nées.

Maintenant il est vraiment seul. Il a vingt-sept ans.

Sa mère ne le morigénera plus, l'invitant à rompre avec celle-ci ou celle-là, lui prêchant de ne pas faire la guerre, fidèle à sa lignée espagnole.

Certes, depuis cinq ans, rien ni personne, pas même la reine mère, ne l'a empêché d'agir, d'aimer à sa guise.

Mais le regard qu'Anne d'Autriche portait sur lui, ses soupirs, ses pleurs, ses conseils, ses suppliques, ses menaces de se retirer au couvent ont pesé sur sa conduite.

Et Anne d'Autriche s'est souvent liguée avec son épouse, la reine Marie-Thérèse, la tante et la nièce, toutes deux espagnoles.

C'en est fini.

Marie-Thérèse, sans l'appui d'Anne d'Autriche, ne pèsera plus.

Il imposera à la Cour la maîtresse qu'il aura choisi de montrer.

Et à l'Europe la politique qu'il aura décidé de mener.

Et d'abord il va quitter le Louvre. Il ne peut plus soutenir la vue de ce lieu où sa mère est morte. Il va abandonner Paris.

Il vit quelques jours à Versailles, dans le pavillon de chasse de son père.

Mais les lieux sont inconfortables, les bâtiments trop petits. Il fera entreprendre de nouveaux travaux et, d'ici là, il vivra au château de Saint-Germain, là où il est né.

Une autre époque commence.

QUATRIÈME PARTIE

1666-1678

33.

Louis porte encore les vêtements du deuil.

Mais sur le tissu violet il a demandé qu'on couse des rubans aux couleurs vives et des flots de dentelle. Et il a voulu qu'il y ait encore plus de perles et de diamants, faisant de sa collerette une parure éclatante.

Il avance lentement.

Il a convoqué la Cour au château de Fontainebleau.

Il aperçoit au premier rang Louise de La Vallière. Elle lui semble grise, entourée de toutes ces femmes, ses rivales. Athénaïs de Montespan et sa sœur la marquise de Thianges, blondes et provocantes, mais d'autres dames d'honneur de la reine se pressent autour de Louise, toutes prêtes à s'offrir.

Et la reine est absente. Marie-Thérèse a préféré garder la chambre, grosse qu'elle est d'une prochaine naissance.

D'un signe, Louis demande aux violons du roi, debout sur une estrade, de commencer à jouer.

Dès les premières notes, il sent en lui naître une joie, une énergie, qu'il veut contenir.

Mais le désir est le plus fort. Il tend la main à Louise de La Vallière tout en regardant Athénaïs de Montespan, qui ne baisse pas les yeux. Et il en est troublé et irrité.

S'il cédait à cette pulsion qui l'envahit, il saisirait le bras de cette jeune femme et il l'entraînerait.

Mais c'est avec Louise de La Vallière qu'il ouvre le bal, le premier depuis la mort d'Anne d'Autriche. Et il a décidé que désormais, tout en respectant la reine, il afficherait son penchant pour telle ou telle femme qui aurait ses faveurs.

Et tout en dansant, son regard ne quitte pas Athénaïs de Rochechouart de Mortemart, marquise de Montespan.

À chaque pas de danse, Louise de La Vallière trébuche, comme si sa claudication s'était accentuée.

Louis sent qu'elle se raidit, qu'elle se meut sans grâce et sans joie, qu'elle n'est pas rayonnante, comme elle devrait l'être puisqu'elle a été choisie par le roi. Elle devrait être la plus belle et la plus brillante des femmes, puisqu'elle est la plus proche du Roi-Soleil, qu'il l'éclaire après l'avoir distinguée.

Mais il a l'impression qu'elle obscurcit sa propre gloire au lieu d'en attiser les feux.

Une idée peu à peu le gagne, l'attriste et le réjouit dans un même mouvement.

Louise de La Vallière appartient désormais à ce passé que la mort d'Anne d'Autriche a scellé.

Louis veut qu'on sache qu'il va désormais conduire autrement le royaume.

Il a convoqué Colbert, lui donnant l'ordre de brûler les comptes secrets du cardinal de Mazarin. Voilà pour le passé.

Il ordonne à Hugues de Lionne de faire connaître à l'Angleterre que le royaume de France a décidé d'apporter son soutien à la Hollande, et donc de se joindre à elle dans la guerre qu'elle mène contre Londres. Et il veut que, sans tarder, on envoie six mille hommes de troupe contre les reîtres et les lansquenets que l'évêque de Münster, von Galen, a loués aux Anglais pour attaquer les Provinces-Unies par voie de terre.

Il faut que le roi d'Angleterre, Charles II, comprenne que

Louis le Grand n'est plus entravé dans sa volonté guerrière par les prudences de sa mère.

Et maintenant qu'elle est morte, elle l'Espagnole, il veut être prêt à faire la guerre à l'Espagne qui n'est gouvernée depuis la mort de Philippe IV que par une régente et un enfant de cinq ans.

Or la France a des droits sur la succession d'Espagne, puisque Madrid n'a jamais versé la dot de cinq cent mille écus d'or prévue lors du mariage de Marie-Thérèse et du roi de France.

Louis le répète à Hugues de Lionne, à Colbert, à Louvois qui, avec son père Le Tellier, est en charge de l'armée et donc de la guerre.

Il ne renoncera pas à cet héritage espagnol auquel il peut avoir droit. Et il sait bien qu'à Madrid, on n'est pas disposé à accepter les clauses du traité de mariage. On souhaite que les possessions espagnoles tombent entre les mains de la sœur cadette de Marie-Thérèse, échappant ainsi à la reine de France, et qu'elles passent, par mariage, à l'empereur Léopold Ier.

Inacceptable, martèle Louis.

Il veut qu'on crée de nouveaux régiments, qu'on enrôle des mercenaires suisses, que dans les manufactures on fonde plusieurs centaines de canons, qu'on crée des réserves de munitions, d'armes, d'uniformes.

Il va passer les troupes en revue, les faire manœuvrer.

Il chevauche, entouré de princes et de jeunes femmes, dans les environs de Fontainebleau, et il éprouve à commander, à organiser des simulacres de batailles, un plaisir qui le comble. La guerre est métier de roi.

Il assiège la ville de Moret, afin de montrer à ces dames qui l'accompagnent comment on prend une place.

Il demande à ce que l'on mette à la disposition des troupes des tentes de toutes les couleurs, et il jouit depuis le sommet d'une colline de ce spectacle du camp militaire bariolé.

C'est une sorte de ballet guerrier, la forme la plus martiale et la plus royale d'une chorégraphie dont il veut être le créateur, l'ordonnateur et l'acteur.

Il caracole sur un cheval blanc.

Il se sent porté par l'admiration de ces jeunes femmes qui, bottées, chevauchent à ses côtés.

Que la guerre vienne enfin pour qu'il puisse montrer à tous ses sujets, à tous les souverains, à toutes les femmes, le courage et les vertus guerrières du Roi-Soleil.

Il sera Apollon et Mars.

Il est impatient d'agir, mais il veut préparer cette guerre à laquelle il est déjà résolu, avec méthode. Et il lui semble qu'autour de lui et dans le royaume, les querelles, les esprits rebelles, les rivalités sont des obstacles à la mise en œuvre de sa politique.

Là, ce sont des jansénistes qui se sont réjouis de la mort d'Anne d'Autriche, y voyant un châtiment du ciel. Il faut les embastiller !

Ici, ce sont Colbert et Louvois qui entrent en conflit, jaloux l'un de l'autre.

Et Louis est surpris par la violence des propos de Colbert, qui déclare :

— Sire, à l'égard de l'assemblée des troupes et de leurs marches, je n'ai pas cru qu'une affaire si importante serait confiée à un jeune homme de vingt-quatre ans, sans expérience sur cette matière, fort emporté, et qui croit qu'il est de l'autorité de sa charge de ruiner le royaume, et qui veut le ruiner parce que je veux le sauver.

Louis est irrité de ces conflits qui ne cessent de naître entre ses proches et, en même temps, il veut utiliser cette division, jouer les hommes les uns contre les autres, parce que c'est ainsi qu'on règne.

Lorsque, le 4 juin de cette année 1666, il assiste à la première représentation du *Misanthrope*, il applaudit Molière d'avoir su brosser un tableau précis des relations entre les hommes.

Et alors qu'il a pensé qu'un roi ne pouvait être ni Tartuffe ni dom Juan, il lui paraît qu'il peut devenir, voyant les hommes du haut de sa condition, les observant, serviles et lâches, misanthrope.

Et il y a ces femmes qui cherchent à le séduire, et sont prêtes à tout pour y parvenir, pour se débarrasser de leurs rivales.

On dit qu'elles se rendent chez une empoisonneuse, devineresse et astrologue, nommée Catherine Monvoisin, et qu'on appelle la Voisin. Cette femme, entourée d'un prêtre, de quelques brigands, voleurs et alchimistes, élabore des drogues qui devraient déclencher l'amour, et des poisons pour en finir avec les maris, les gêneurs, les maîtresses.

La Voisin célébrerait des messes sataniques, où l'on sacrifierait des nouveau-nés.

Des espions rapportent ces faits à Louis.

Comment ne pas devenir misanthrope ? Ne pas se méfier de tous ?

Et ne jamais livrer ses sentiments.

Et pourtant il ne peut dissimuler qu'il se sent de moins en moins attiré par Louise de La Vallière, enceinte une nouvelle fois, et dont l'accouchement, le 2 octobre, au château de Vincennes où se trouve la Cour, doit être comme les précédents caché.

Puis, avec toujours le même courage, le même souci de sauver les apparences, Louise de La Vallière, chancelante, quitte sa chambre, rejoint, parée et poudrée, les courtisans et s'efforce de sourire.

Louis n'a pas voulu assister à cette scène qu'il a vu jouer à chaque naissance !

Louise a accouché trois fois : deux enfants sont morts ! La

dernière-née, qu'on a prénommée Marie-Anne, paraît se mieux porter.

Cependant tout cela semble à Louis la répétition de ce passé, dont il veut se dégager.

Il pense à Athénaïs de Montespan, mais maintenant qu'il manifeste son intérêt pour elle elle se dérobe, comme si elle craignait tout à coup l'amour du roi.

On rapporte à Louis les rumeurs qui commencent à naître parmi les courtisans. On murmure qu'il ne se rend plus auprès de Louise de La Vallière que pour y rencontrer Athénaïs de Montespan dont elle est l'amie et qui se trouve toujours auprès d'elle, chaque fois que Louis y paraît.

« Le roi songe un peu à Mme de Montespan, confie le duc d'Enghien, et, pour dire la vérité, elle le mériterait bien car on ne peut avoir plus d'esprit ni plus de beauté qu'elle en a, mais je n'ai pourtant rien remarqué là-dessus. »

Et Athénaïs aurait dit :

— Dieu me garde d'être la maîtresse du roi. Mais si je l'étais, je serais bien honteuse devant la reine !

Louis hésite à croire à la sincérité de ce propos. Mais cette dérobade inattendue, et cette duplicité sans doute, l'attirent.

Il décide de donner au château de Saint-Germain-en-Laye, en ce mois de décembre 1666, au terme d'une année aussi importante pour lui que celle de la mort de Mazarin, il y a cinq ans déjà, de grandes fêtes auxquelles toute la Cour sera conviée.

Il y verra Athénaïs de Montespan, et il y dansera avec toutes les femmes du « jardin », ces suivantes de la reine, le *Ballet des Muses*.

Et le temps sera venu de choisir parmi elles celle qui remplacera Louise de La Vallière.

34.

Louis est devant son miroir.

Il écarte, en levant à peine la main, les valets qui s'affairent autour de lui.

Il avance d'un pas. Il se cambre.

Il lisse du bout des doigts la fine moustache qui désormais ombre sa lèvre et dont il colle les extrémités avec un peu de cire.

Il veut être le plus martial des officiers de cette armée de soixante-douze mille hommes, Français et mercenaires suisses et lorrains, dont il va prendre la tête pour la conduire dans les Pays-Bas espagnols, en Brabant, et peut-être plus tard en Franche-Comté.

Il a fait adresser à tous les monarques et princes d'Europe ce *Traité des droits de la reine sur divers États de la monarchie d'Espagne.*

Il faut qu'on sache qu'il veut prendre sa part de l'héritage du roi d'Espagne, auquel il a droit, en vertu du traité de mariage de Marie-Thérèse avec lui, et d'un *droit de dévolution* qui accorde aux enfants du premier lit la propriété des biens paternels.

Il est temps qu'il cesse d'être seulement ce que les gazettes des Pays-Bas espagnols, du Brabant, des Provinces-Unies, de Franche-Comté, appellent un « roi des revues », et qu'il devienne un « roi de guerre ».

Il est prêt.

Il a vu se présenter à la Cour des gentilshommes venus de tout le royaume, le suppliant de leur permettre de lever à leurs frais des recrues, des compagnies nouvelles ou bien de ranimer les vieux corps de troupe.

À cet instant, il a mesuré combien la guerre était le cœur même de l'activité d'un roi qui veut être grand.

Tout ce qu'il avait entrepris jusqu'alors comptait peu au regard de la renommée qu'allaient lui donner la guerre, la conquête de villes et de provinces par les armes.

Il s'est pourtant soucié de la prospérité du royaume, favorisant la création de compagnies commerciales et de manufactures.

Il a voulu, en visitant celle des Gobelins, montrer l'importance qu'il attachait à leur activité.

Il a protégé le royaume en multipliant par deux les droits d'entrée des marchandises étrangères, et cela a provoqué la colère des Anglais, des Hollandais, dont il vient d'apprendre qu'ils se sont coalisés avec la Suède pour former une triple alliance contre lui.

Il a négligé leurs menaces, approuvé Colbert qui a décidé de mettre sur pied une Compagnie des Indes orientales, créant pour elle le port de Lorient, comme il a ouvert en Méditerranée celui de Sète. Et les travaux d'un grand canal, reliant les deux mers depuis le port jusqu'à Toulouse, ont commencé.

Tout cela était nécessaire pour le bien du royaume et celui des sujets.

Il a eu le souci de voir partout dans le royaume régner justice et sécurité. Il a promulgué un Code Louis rassemblant les principales lois, les règles de procédure. Et il a voulu que les villes cessent d'être des coupe-gorge fangeux.

Il a nommé à Paris un lieutenant général de police,

Gabriel Nicolas de La Reynie, disposant de pouvoirs s'étendant à tous les domaines d'activité, l'ordre public, le nettoiement des rues ou l'impression des libelles, la surveillance et l'espionnage de tous les lieux. À cette fin, La Reynie utilisera des espions des rues, ces « mouches » voletant dans tous les milieux, rapportant ce qu'ils y trouvent, y entendent, et apprenant ainsi que des dames de la Cour se rendent de plus en plus fréquemment chez cette devineresse, la Voisin, et que certaines d'entre elles participent à des messes sataniques, leurs corps dénudés servant d'autel à des prêtres devenus suppôts et adorateurs du diable.

Et Louis a voulu que La Reynie le tienne chaque jour informé de ce qui se trame dans ces bas-fonds ou au parlement de Paris. Et que le lieutenant de police n'hésite pas à arrêter, à demander une lettre de cachet afin que le suspect, le coupable, soit enfermé à la Bastille.

Les criminels, voleurs, assassins, malfaiteurs doivent être roués ou pendus sans délai. Des troupes placées à chaque carrefour afin que l'on puisse circuler dans les rues, toute la nuit, sans crainte d'être dépouillé, égorgé. Et ces rues doivent cesser d'être des ruisseaux drainant les immondices. Elles seront pavées et éclairées. Et le palais du Louvre, avec la colonnade construite par Claude Perrault, doit devenir le joyau majestueux d'une capitale digne du royaume de France et de son roi.

Mais tout cela ne suffit pas à établir la renommée d'un souverain. Or, sans la gloire, il n'est point de grand roi.

Louis le confie à Colbert dont parfois il devine que la guerre qui vient le préoccupe.

— Les princes, dit Louis, doivent avoir pour première vue d'examiner ce qui peut leur donner ou leur ôter l'applaudissement public.

Il poursuit d'une voix plus forte :

— Les rois qui sont nés pour posséder tout et commander à tout ne doivent jamais être honteux de s'assujettir à la renommée : c'est un bien qu'il faut désirer sans cesse avec plus d'avidité et qui seul, en effet, est plus capable que tous les autres de servir au succès de nos desseins. La réputation fait souvent à elle seule plus que les armées les plus puissantes.

Louis passe les troupes en revue une dernière fois avant leur départ vers la frontière des Flandres. Il veut que la Cour l'accompagne, parce que les princes et les dames doivent le voir caracoler, s'exposer au cours des sièges des villes qu'il va falloir conquérir.

Il le sait : « Tous les conquérants ont plus avancé par leur nom que par leur épée. Leur seule présence a mille fois abattu sans effort des remparts capables de résister à toutes leurs forces assemblées. »

Il prend la tête des troupes. Il parcourt les tranchées creusées autour des villes qui refusent de se rendre. Il visite les bivouacs des soldats. Il aime leurs acclamations. Il sait que ces hommes respectent en lui le roi qui s'expose aux boulets et aux mousqueteries ennemis, qui a vu mourir près de lui l'un de ses valets, que les boulets et les éclats ont frôlé, le talon de sa botte ayant été arraché par l'un d'eux, et il n'a pas tremblé.

Il entre en compagnie de la reine à Douai puis à Tournai.

Il encourage les officiers et les soldats lors du siège de Lille. Et lorsqu'on le supplie de ne point rester ainsi sous le feu de l'ennemi, il répond :

— Puisque vous voulez que je me conserve pour vous, je veux aussi que vous vous conserviez pour moi.

Il se tourne vers son frère Philippe d'Orléans qui depuis plusieurs jours participe au siège, vivant dans la tranchée.

Il lui lance :

— Diable, mon frère, je vous conseille de faire sac à terre. Allez vous reposer car vous en avez grand besoin.

La gloire, le danger sont d'abord pour le roi.

Et les villes, Charleroi, Argentières, Courtrai, Tournai, Douai, Audenarde, Lille, capitulent l'une après l'autre.

L'empereur du Saint Empire romain germanique reconnaît le 19 janvier 1668, dans un traité secret, qu'à la mort du roi d'Espagne Charles II, Marie-Thérèse, reine de France, obtiendra les Pays-Bas, la Franche-Comté, la Navarre, Naples et la Sicile, l'empereur se réservant notamment l'Espagne, les Indes et le Milanais.

Le royaume de France s'agrandit, dit Louis.

Peu importe que dans des pamphlets on l'accuse de vouloir la «monarchie universelle», de faire un acte de brigandage, une piraterie, un injuste attentat.

«L'on pourrait dire que le Roi Très Chrétien n'agit pas en cette occasion en qualité de souverain», écrivent ainsi les écrivains à la solde des Provinces-Unies de l'Angleterre et de la Suède, ces puissances hostiles.

— Je ne suis pas d'humeur à me laisser faire la barbe à contre-poil, répond Louis.

Il est entré dans sa trentième année. Il veut la renommée.

Il veut la grandeur du royaume.

Il veut la gloire et son plaisir.

35.

Louis regarde les troupes qui défilent puis ces jeunes femmes aux grandes robes de soie.

Elles se pressent dans les vastes tentes qu'il a fait dresser sur une hauteur dominant le camp où bivouaquent les soldats.

Autour de la reine Marie-Thérèse, au visage joufflu, à la peau trop rouge, aux traits lourds, les suivantes et les dames d'honneur forment une corolle éblouissante.

Il ne quitte pas des yeux Athénaïs de Montespan, au centre d'un cercle de courtisans qui rient à ses mots d'esprit.

Louis s'avance vers elle.

Le plaisir, c'est jouir de la guerre et de l'amour.

Et c'est pour cela qu'il a convoqué la Cour, afin qu'entre deux visites dans les tranchées, après avoir respiré l'odeur de la poudre, il puisse retrouver le parfum des femmes et leur beauté.

Il veut cette femme-là, Athénaïs, qui après l'avoir défié se dérobe. Et cependant, par mille regards, il lui a fait comprendre ses intentions, mesurer son désir.

Elle sait sûrement ce qu'il attend d'elle. Elle ne peut qu'avoir deviné qu'il l'a choisie.

Il a fait de Mlle de La Vallière une duchesse en lui achetant la terre et le château de Vaujours. Puis il a légitimé sa fille, Marie-Anne, devenue Mlle de Blois, et puisque Louise de La Vallière est de nouveau enceinte, si l'enfant à naître survit et si c'est un garçon, il le reconnaîtra aussi, et le fera comte de Vermandois.

Les enfants du roi cessent d'être des bâtards dès lors que le souverain les reconnaît de son sang.

— Il est juste d'assurer à ces enfants l'honneur de leur naissance, dit-il.

Mais il montre ainsi que Louise de La Vallière a cessé d'être la favorite, la maîtresse en titre, et la distinction qu'il lui accorde proclame aux yeux de toute la Cour qu'elle n'est déjà plus qu'un souvenir, une relation qu'on tranche en la cautérisant par un titre de duchesse, et la légitimation des enfants. Il faut qu'elle le comprenne au lieu de tenter de renouer, de séduire, de solliciter un geste d'attention, sinon d'amour.

Et Louis ne le veut pas.

Qu'elle quitte la Cour, qu'elle se marie ou qu'elle se retire dans un couvent, mais qu'il ne la voie plus.

L'égoïsme d'un roi est une nécessité.

Il lui faut être libre pour faire d'Athénaïs de Montespan sa maîtresse en titre.

Il n'invitera donc pas Louise de La Vallière à se joindre à la Cour. Et cependant elle est là, morose, parmi ces femmes qui se tiennent loin d'elle.

Elle n'a pas accepté d'être écartée. Elle a fait atteler son carrosse et a suivi ceux des courtisans, puis, apercevant la tente du roi, elle a quitté le long cortège des voitures, et coupé à travers les champs de blé, ordonnant au cocher de fouetter les chevaux, de galoper, pour arriver la première près de lui, et qui aurait pu s'interposer?

Elle a fait arrêter son carrosse à quelques pas du roi.

Il ne veut pas montrer sa surprise et son ennui. Et la colère qui monte. On lui désobéit. On tente de lui imposer la poursuite d'une relation qui, pour lui, est rompue.

Il se contente de dire, glacial :

— Quoi, Madame, avant la reine?

Puis il se détourne et s'éloigne à pas lents.

Il passe au milieu des femmes, frôlant le bras d'Athénaïs de Montespan.

Il reconnaît Françoise d'Aubigné, la veuve de l'écrivain Scarron, à laquelle il a finalement accordé une pension, puisqu'elle est une amie d'Athénaïs de Montespan et que celle-ci a plaidé à plusieurs reprises pour celle qu'elle appelle son « amie ».

Il a cédé pour plaire à Athénaïs.

Il revient sur ses pas, s'approche de Louise de La Vallière. Elle est duchesse, elle peut s'asseoir à la table royale, monter dans le carrosse de la reine.

Il faut respecter les usages. Et tout en s'irritant de cette situation, il en jouit. Dans la même voiture, il voit son épouse, Marie-Thérèse, sa maîtresse, Louise de La Vallière, et cette Athénaïs de Montespan qu'il va conquérir ce soir, il le veut, quand la Cour aura atteint Avesnes. Athénaïs, comme le roi, doit loger dans la demeure de l'une de ses amies, Julie de Montausier.

Devant chaque chambre, une sentinelle monte la garde.

Il ne veut pas de soldat devant celle d'Athénaïs.

Cette nuit sera celle de sa victoire.

Il revêt la livrée d'un domestique de Mme de Montausier. Il se glisse dans la chambre d'Athénaïs. Elle prend son bain, et il est saisi par la beauté de cette jeune femme enveloppée dans une large serviette.

Il la fixe. Il n'a pas l'attitude d'un domestique mais celle d'un roi.

Elle rit tout à coup, et cette gaieté ironique le ravit.

Il s'avance, elle laisse tomber sa serviette.

Cette nuit-là, il découvre ce qu'est la liberté d'une femme que n'emprisonnent ni les préjugés ni la timidité.

Athénaïs de Montespan aime le plaisir et sait le donner.

36.

Louis regarde Athénaïs de Montespan.

Elle s'avance avec la majestueuse beauté d'une jeune femme de vingt-six ans. Il aime chacun de ses gestes, ses cheveux blonds, son port de tête, et ses rires et ses reparties.

Elle l'enchante. Il n'a jamais éprouvé une telle sensation d'épanouissement, de gaieté aussi.

Il a trente ans, et il lui semble qu'avec Athénaïs il a trouvé une femme digne de lui. Elle est de Rochechouart de Mortemart, marquise de Montespan. Elle prétend qu'elle peut en remontrer par l'ancienneté de sa noblesse aux rois de France.

Louis a le sentiment qu'elle est l'image féminine de sa propre grandeur. Elle lui renvoie la gloire dont il l'éclaire. Elle l'éblouit.

Il ne peut même plus effleurer du regard Louise de La Vallière. Et pourtant, en acceptant qu'elle demeure auprès de lui, elle peut servir de leurre, pour tromper la Cour, ou tout au moins maintenir les apparences.

Il a décidé qu'Athénaïs de Montespan logerait aux côtés de Louise de La Vallière, au château de Saint-Germain, dans l'appartement des dames. Et lorsqu'il se rend chez elle, il traverse les salons et les chambres de Louise de La Vallière.

Elle se plaint. Elle pleure. Elle lui reproche ces humiliations, l'amour qu'il porte à Athénaïs.

Il doit imposer ce qui lui convient.

— Vous ne devez rien exiger de moi, dit-il. Vous devez vous contenter de tout ce que je fais pour vous sans rien désirer davantage parce que je n'aime pas être contraint.

Il se dirige vers l'appartement d'Athénaïs.

— Je désire que vous viviez avec Mme de Montespan, ajoute-t-il. Si vous témoigniez la moindre chose de désobligeant à cette dame, vous m'obligeriez à prendre d'autres mesures.

Il est irrité par les jérémiades de Louise, ses prières, ses soupirs. Ne l'a-t-il pas faite duchesse, n'a-t-il pas légitimé ses enfants, accepté chacune des requêtes qu'elle lui présentait afin de favoriser ses parents et ses amis ?

Elle ne doit pas exiger davantage. Il est le roi, libre de ses amours.

Pourquoi ne se contente-t-elle pas de l'honneur d'être logée près de lui, au château de Saint-Germain, d'être assise à sa gauche, signe qu'elle est toujours la maîtresse en titre ?

Et cette apparence doit lui suffire.

Il est troublé cependant quand, lors de la première représentation de la nouvelle pièce de Racine, *Andromaque*, il entend l'actrice qui incarne Hermione lancer d'une voix déchirante à Pyrrhus, le roi qui l'abandonne :

> *Mais, Seigneur, s'il le faut, si le ciel en colère*
> *Réserve à d'autres yeux la gloire de vous plaire,*
> *Achevez votre hymen, j'y consens. Mais du moins*
> *Ne forcez pas mes yeux d'en être les témoins*
> *Pour la dernière fois je vous parle peut-être,*
> *Différez-le d'un jour, demain vous serez maître.*

C'est cela sans doute que ressent Louise de La Vallière. Mais un roi ne peut être soumis à la loi des passions. Il doit être en effet maître de lui et de ses sentiments. Et ceux qui cèdent à leurs émotions ne sont que gens de rien.

Il décide de faire arrêter puis exiler l'époux d'Athénaïs, le marquis de Montespan, qui s'est présenté au château de Saint-Germain, s'en est pris violemment à Julie de Montausier, l'amie d'Athénaïs, l'interpellant, l'accusant d'avoir favorisé les rencontres entre Athénaïs et le roi lors de la guerre des Flandres, la traitant de «sale entremetteuse, de vile maquerelle».

Et il est revenu, couvrant sa femme d'injures, puis commençant à la battre avec sa canne.

Que ce possédé reste exilé dans sa province! Et peu importe qu'il décrète sa femme morte, organisant ses funérailles et prenant le deuil! Qui s'en souciera à la Cour?

La passion rend fou et Louis ne veut connaître que le plaisir.

Il ne se lasse pas de celui que lui donne Athénaïs de Montespan.

Il s'attarde chez elle tard dans la nuit, ne rejoignant la reine Marie-Thérèse qu'au moment où pointe l'aube.

Mais il veille, malgré le désir qui le saisit de retrouver Athénaïs à toute heure du jour, à ne jamais négliger ses devoirs de roi.

Il ne doit pas se laisser emprisonner entre les bras d'une femme, fût-elle aussi belle qu'Athénaïs. Les femmes sont des parures, elles agrémentent la vie, mais il faut se garder d'elles.

Il a dit à Colbert et à Louvois, avec qui il prépare une campagne militaire qu'il veut foudroyante en Franche-Comté :

— Les femmes sont éloquentes dans leurs expressions, pressantes dans leurs prières, opiniâtres dans leurs sentiments et tout cela n'est souvent fondé que sur une aversion qu'elles auraient pour quelqu'un, sur le dessein d'en devancer un autre ou sur une promesse qu'elles auraient faite légèrement. Le secret ne peut être chez elle aucune sûreté ; car si elles manquent de lumières, elles peuvent par simplicité découvrir ce qu'il fallait le plus cacher ; et si elles ont de l'esprit elles ne manquent jamais d'intrigues et de liaisons secrètes.

Des espions au service de Louvois ne rapportent-ils pas que des dames de la Cour, peut-être Athénaïs de Montespan elle-même, ou l'une de ses suivantes, Mlle des Œillets, sont en relation avec des devineresses, des jeteuses de sort, des astrologues, des magiciennes qui préparent des philtres d'amour, des poisons. Et elles se rendraient chez la Voisin, la plus connue de ces sorcières, afin de se procurer ces drogues.

Louis écoute Louvois, sans paraître l'entendre. Il se sent sûr de lui, de l'amour qu'il inspire à Athénaïs de Montespan, à Louise de La Vallière et à tant d'autres femmes.

Et le temps d'ailleurs n'est pas aux intrigues et aux plaisirs d'alcôve.

Il veut conquérir la Franche-Comté, afin de s'assurer d'un gage territorial et de contraindre l'Espagne à lui abandonner les places fortes des Flandres.

Le 2 février 1668 au matin, après la messe, il quitte le château de Saint-Germain pour rejoindre l'armée qui s'est rassemblée, sous les ordres du prince de Condé, en Bourgogne.

Il fait un temps épouvantable, froid, pluie, grêle, neige. Mais autour de son carrosse, il voit les mousquetaires et, au-delà, ces nobles qui ont quitté la Cour pour le suivre.

Comment les Francs-Comtois pourraient-ils résister à cette armée de près de vingt mille hommes ?

Besançon et Salins tombent sans combat. Louis dirige le siège de Dole, une place fortifiée, garnie de sept grands bastions. Il veut voir par lui-même ces défenses et, durant un jour et demi, il chevauche le long des murailles de la ville, au pied de ces rocs sur lesquels elles sont bâties.

Il lance les premières attaques, et la ville aussitôt capitule.

Les portes s'ouvrent le 14 février 1668. Il pénètre dans Dole, se rend directement à la cathédrale, où l'évêque va célébrer en son honneur un *Te Deum*.

Gray remet ses clés à son tour. Qui peut résister à Louis le Grand ?

Il écoute les compliments des Francs-Comtois, qui s'inclinent devant lui :

> *Dole n'a souffert qu'une attaque*
> *Gray s'est rendu sans qu'on l'attaque*
> *Joux et Saint-Agnès sans canon*
> *Ont cédé : direz-vous que non ?*
> *Les Français nous ont pris sans guerre.*

Il suffit de montrer et de brandir le glaive pour faire plier les nations devant le roi de France.

Louis s'attarde à peine quelques jours sur ces territoires conquis.

Pour les gens de qualité qui l'ont suivi, et afin de tâcher d'adoucir pour eux la rigueur d'une saison fâcheuse, il organise des banquets somptueux, recevant ses officiers et ses courtisans.

Il écoute, sensible à la gratitude de ces hommes qui peuvent, plus facilement que lors des réceptions dans les salons du Louvre ou de Saint-Germain, s'approcher de lui, lui faire leurs compliments et présenter leurs requêtes.

Il est attentif, mais demeure sur ses gardes, veillant à ne rien montrer de ses sentiments. Il est accoutumé déjà à ce qu'il appelle « les malicieux artifices des hommes ».

Avec les courtisans – comme avec les nations –, un roi doit être capable, « pour être habile et bien servi », de se montrer généreux, courtois et capable de négocier, mais sans jamais renoncer à l'usage de l'autorité et de la force.

Louis a voulu qu'on grave sur l'affût des canons la devise *Ultima ratio regium,* « l'ultime argument des rois ».

Mais il ne faut l'employer qu'à bon escient, lorsque du feu de l'artillerie dépendent la conquête et la gloire.

La Franche-Comté est tout entière tombée, sans grandes batailles. Et la gloire du roi s'en est pourtant trouvée accrue.

Le temps est donc venu de la négociation.

Il donne des ordres à Hugues de Lionne, à Le Tellier, à Louvois pour que l'on recherche une paix, provisoire, avec l'Espagne. On lui restituera le gage comtois, contre l'abandon des places fortes de Flandre : Lille, Armentières, Courtrai, Tournai, Douai, Audenarde.

Depuis son départ de Saint-Germain, seulement une vingtaine de jours se sont écoulés, mais il est impatient déjà de retrouver Athénaïs de Montespan.

Il devine cependant que les officiers qui viennent de faire campagne sont déçus de cette paix – signée à Aix-la-Chapelle –, qui les dépossède de Besançon ou de Dole, de ces villes qu'ils ont conquises.

Il faut qu'aux plus importants d'entre eux, aux princes et aux ministres, à Condé, à Louvois, à Colbert, il laisse deviner ses desseins afin que ces hommes n'imaginent pas qu'il ne recherche la paix que pour retrouver plus vite les femmes et les ballets de la Cour.

— Je ne manquerai pas d'occasion de rompre quand je voudrai avec l'Espagne, dit-il. La Franche-Comté que je rends se peut réduire en tel état que j'en serai le maître à toute heure ; mes nouvelles conquêtes bien affermies m'ouvriront une entrée plus sûre dans le reste des Pays-Bas ; la paix me donnera le loisir de me fortifier chaque jour de finances, de vaisseaux, d'intelligences et de tout ce que peuvent ménager les soins d'un prince appliqué dans un État puissant et riche, et qu'enfin dans toute l'Europe je serai plus considéré et plus en pouvoir d'obtenir de chaque État particulier ce qui pourrait aller à mes fins, tant que l'on me verrait sans adversaire, que quand il y aurait un grand parti formé contre moi.

Maintenant, la paix expliquée et signée, il peut danser.

37.

Il veut unir dans un grand divertissement royal le plaisir de la guerre victorieuse et celui de l'amour triomphant.

Il veut à Versailles, où Le Nôtre a étendu l'espace ordonné de ses jardins et de ses labyrinthes, où l'on a élevé des fontaines et créé des plans d'eau, où le relais de chasse du père s'est enfin agrandi pour devenir château, et où les grandes allées permettent des cavalcades et des promenades majestueuses, célébrer la conquête des villes, des places fortes des Flandres, et celle, il y a déjà plus d'un an, d'Athénaïs de Montespan.

Il a voulu que les trois mille invités, toute la Cour, soient en cette journée du 18 juillet 1668 éblouis. Il veut, puisqu'ils ont été privés du carnaval de février à cause de la conquête de la Franche-Comté, les combler.

Il faut que chaque invité, qu'il soit prince ou marquis, soit à ce point séduit que le seul rêve qui l'habite soit d'être à nouveau convié à côtoyer le roi, à participer à l'une de ces fêtes, et que le plus grand malheur qui puisse advenir à un homme de qualité soit d'être rejeté de la Cour, ignoré du roi.

Et Louis veut que les ambassadeurs des autres puissances puissent mesurer à la munificence du divertissement la grandeur unique du Roi-Soleil.

Il faut que chacun d'eux écrive à son souverain :
«Il y a du héros dans toutes les choses que fait Louis le Grand. Et jusqu'aux affaires de plaisir il y fait éclater une grandeur qui passe tout ce qui a été vu jusqu'ici.»

Il fait ouvrir les portes du château, afin que les dames puissent s'y reposer, et chaque invité s'y rafraîchir. Puis quand, vers six heures du soir, le soleil s'étant effacé, la chaleur faiblit, il conduit la promenade, dans les jardins.

Dans l'un des bosquets une collation est servie, somptueuse. Dans trente-six corbeilles se dressent des pyramides d'oranges du Portugal et de toutes sortes de fruits.

Un théâtre aux murs de feuillage, couverts de tapisseries, a été construit pour mille cinq cents spectateurs.

Louis s'assied au premier rang, entre la reine et Louise de La Vallière. Il ne se retourne pas mais il sent qu'Athénaïs de Montespan est placée derrière lui.

Il va bientôt danser avec elle et la retrouver cette nuit. Il reconnaît son rire quand commence la représentation de la comédie de Molière *George Dandin ou le Mari confondu*.

«Ah ! qu'une femme demoiselle est une étrange affaire et que le mariage est une leçon bien parlante...» lance George Dandin au milieu des rires.

Puis la pièce s'interrompt, laissant place aux intermèdes et aux ballets des *Fêtes de l'amour et de Bacchus*, dont la musique est de Lully.

Louis se lève, se dirige vers une grande salle octogonale où le souper est servi à quarante-huit femmes de haut rang, qui ont le privilège de dîner avec le roi.

La reine préside un autre souper, entourée des ambassadeurs.

Et la foule des invités se répand dans les jardins, où les buffets couverts de viandes froides, de fruits confits, ont été dressés. Puis c'est le bal éclairé par des centaines de bougies, avant que le château ne soit tout entier embrasé par un gigantesque feu d'artifice.

Louis se place devant un rocher d'où jaillissent des cascades, puis il se dirige dans une salle du château, où un autre bal est donné dans la lueur dorée tombant des lustres de cristal.

Il saisit enfin la main d'Athénaïs de Montespan, celle dont avec cette fête il célèbre la possession.

Lorsque, le lendemain, il parcourt en carrosse les allées du parc, il entend des cris aigus. Il se penche. Il voit une femme qui se précipite, s'accroche à la portière. Elle a les cheveux gris, le visage grimaçant. Elle gesticule cependant que les valets et les mousquetaires l'arrachent au carrosse. Elle montre un placet qu'elle veut remettre au roi. Puis, tout à coup, elle repousse ceux qui tentent de la retenir.

Le carrosse s'est arrêté.

Louis entend les mots hurlés par cette femme :

— Roi masochiste, tyran, roi putassier.

Est-il possible qu'on l'injurie ainsi, lui, Louis le Grand ?

— Oui, tyran, oui, roi putassier, hurle-t-elle.

On l'empêche enfin de crier.

Il veut savoir qui elle est.

Elle se débat à nouveau, dit que son fils est mort en travaillant aux machines de Versailles.

Cela n'excuse rien. On n'insulte pas son roi.

Qu'on la juge sur-le-champ et qu'elle subisse sa peine.

«Elle fut condamnée à avoir le fouet, dit un témoin, et menée aux Petites Maisons – un hôpital situé à Paris, à l'angle de la rue de la Chaise et de la rue de Sèvres et où sont enfermés les "extravagants". Le fouet lui fut donné par le bourreau de Saint-Germain avec une rigueur extrême, et cette femme ne dit jamais mot, souffrant ce mal comme un martyre et pour l'amour de Dieu.»

38.

Louis, debout face à l'autel, baisse la tête.

Le prêtre officie, élève l'hostie, invoque l'Esprit saint. Et la chapelle du Louvre est envahie par le murmure des prières.

Louis ne bouge pas. Ce n'est que devant Dieu qu'il s'incline ainsi.

Dieu est le souverain de Louis le Grand.

Et Louis l'accepte.

Chaque matin, et souvent une seconde fois dans la journée, il assiste à la messe.

En quittant la chapelle, il dit à Colbert, qui marche près de lui, un peu en retrait :

— Je ne suis que le lieutenant de Dieu. Et je manquerais non seulement de reconnaissance et de justice, mais de prudence et de bon sens si je manquais de vénération pour celui qui gouverne l'univers.

Il s'arrête, dévisage Colbert. Il vient de le nommer secrétaire d'État et des Commandements, des Finances et de la Marine. Il a fait ainsi de ce « Nord », de cette « couleuvre venimeuse » l'homme le plus puissant du Conseil. Et il a su que, dès le lendemain de sa nomination, tous les princes et les ducs, tous les courtisans, les quémandeurs, et les dames les plus titrées, l'ont entouré, félicité, flatté. Ils se sont tous rendus au collège de Clermont où le fils de Colbert était reçu docteur. Et le palais du Louvre a été pour quelques heures abandonné, comme si le secrétaire d'État avait été plus important que le roi.

Louis fixe Colbert, l'oblige à baisser les yeux. Il connaît les qualités de cet homme qui, désormais, dans ses nouvelles fonctions, devient l'organisateur de l'État. Il peut aussi bien créer des manufactures, prendre un édit portant sur la qualité des toiles et des draps, ou bien promulguer les grandes ordonnances sur la justice, celles veillant à préserver les massifs forestiers du royaume, ou l'édit décrétant que tout officier de marine est désormais nommé par le roi.

Il a accordé tous les pouvoirs à Colbert. Mais le secrétaire d'État ne doit jamais oublier qu'il n'est qu'un serviteur, qu'on peut mépriser, punir et renvoyer, s'il n'accomplit pas sa tâche.

— La soumission du roi à Dieu, reprend Louis, est la règle et l'exemple de celle qui nous est due.

Louis s'éloigne mais, lorsqu'il atteint le bout du couloir, il se retourne et aperçoit Colbert toujours le dos courbé, attendant pour se redresser que Louis disparaisse.

C'est bien ainsi.

L'humilité et l'obéissance envers le roi ne sont que la reconnaissance de l'ordre voulu par Dieu, qui impose le respect des hiérarchies.

Louis ordonne ainsi que, dans toutes les provinces du royaume, soient vérifiés les titres de noblesse.

Il ne suffira plus de «vivre noblement» pour être reconnu gentilhomme. Il faudra que tous ceux qui prétendent à la noblesse puissent montrer par des actes juridiques, actes de mariage, de propriété de terre, qu'ils possèdent une noblesse d'au moins quatre degrés. Et les autres seront rejetés dans la roture et seront soumis à l'impôt. Et l'État a besoin de cette extension de la taille pour remplir ses caisses.

Car les dépenses sont énormes.

Louis veut que les travaux entrepris à Versailles soient

accélérés, que les plans de l'architecte Le Vau visant à enve-lopper le pavillon de chasse de Louis XIII par de vastes bâtiments, un château neuf, soient réalisés au plus vite.

Partout du marbre, des colonnes, des sculptures, des fon-taines, que l'on dise en voyant ce château : c'est celui du Roi-Soleil à nul autre pareil. *Nec pluribus impar.*

Et pour cela il faut rassembler plus de trente mille ouvriers et, pour cette année 1669, six cent soixante-seize mille livres, soit deux fois plus que l'année précédente. Colbert, quand on commence à creuser le Grand Canal, annonce que dans les années suivantes il faudra tripler ou quadrupler les dépenses.

Mais la gloire n'admet pas de comptes d'usurier.

Le roi ne peut être un Harpagon, cet avare dont Molière a fait le sujet de sa dernière pièce.

Et Louis n'a pu rester impassible, donnant le signal des rires, devant l'affolement de ce pauvre homme cherchant sa « cassette ».

Louis apprécie ce comédien et sa troupe. Il aime le regard implacable de Molière, qui arrache les masques des hypo-crites, fustige le ridicule des médecins, la prétention des précieuses, et l'austère orgueil du misanthrope.

Et Louis est satisfait du respect, de l'humilité, que Molière manifeste à son égard.

Comme Colbert, Molière baisse les yeux devant le roi, et Louis a assisté plusieurs fois à la représentation d'*Amphi-tryon*, où Molière console un mari trompé par son roi :

> *Un partage avec Jupiter*
> *N'a rien du tout qui déshonore ;*
> *Et sans doute il ne peut être que glorieux*
> *De se voir le rival du souverain des dieux.*

253

Que le marquis de Montespan médite en exil ces quelques vers, et s'assagisse.

Et cependant Louis est préoccupé.

Athénaïs de Montespan est moins gaie, son teint se ternit. Elle est essoufflée. Elle a même maigri, comme si, maintenant que chacun devine, sait, qu'elle est la maîtresse du roi, au lieu d'en tirer gloire, elle en était honteuse.

Louis l'interroge, et tout à coup Athénaïs sanglote. C'est la première fois qu'elle pleure devant lui, elle croise les mains sur son ventre. Elle est grosse d'un enfant du roi.

Louis reste un instant figé. Athénaïs est mariée. Le marquis de Montespan peut en revendiquer la paternité. Et l'Église ne pourra que condamner le double adultère qui à ses yeux est un sacrilège.

Louis tente de se rassurer.

L'Église n'a qu'à se louer de lui.

Il a, dans une déclaration royale en trente-neuf articles, restreint les libertés des huguenots, ces « religionnaires ». Il a, suivant les conseils de l'Église, accepté de libérer de la Bastille des jansénistes et accepté la paix que l'Église voulait conclure avec eux.

Il a envoyé quatre mille hommes et plus de dix vaisseaux, pour essayer de repousser les Turcs qui depuis vingt-trois ans assiègent en Crète la ville de Candie ! Et pour plaire aux dévots, il a accepté d'interdire les représentations du *Tartuffe*.

Cela sera-t-il suffisant pour obtenir l'indulgence de l'Église ?

Louis serre les mains d'Athénaïs de Montespan. Il la rassure.

Aux yeux de la Cour, Louise de La Vallière est toujours la maîtresse en titre. Il suffira de dissimuler la grossesse et la naissance. L'enfant à peine né sera emporté, caché. Athénaïs se calme. Son visage a même repris des couleurs. Elle dit qu'elle confiera l'enfant à son amie Françoise d'Aubigné, veuve Scarron, une femme pieuse, dévouée et discrète, qui sera la gouvernante parfaite des enfants du roi.

Athénaïs ferme les yeux.

— Si d'autres viennent encore, murmure-t-elle.

Elle demande à ce que l'on introduise Françoise Scarron. La jeune veuve salue avec grâce, joint les mains quand Athénaïs lui indique qu'elle sera chargée de veiller sur les enfants du roi. Elle se confond en remerciements, en proclamations de dévouement.

Elle a une voix douce, pénétrante, une retenue, une beauté singulière qui lui vient de ses origines créoles.

Louis se souvient qu'il lui a déjà accordé, à la demande d'Athénaïs de Montespan, une pension de veuve, alors que son défunt mari avait sans doute été, au temps de la Fronde, l'auteur acerbe de mazarinades, et peut-être de pamphlets contre la monarchie, la reine.

Le roi la congédie, la regarde s'éloigner. Il y a de la dignité, presque de la majesté dans la démarche de cette femme.

Il se tourne vers Athénaïs de Montespan, belle, attirante.

Il est prêt pour elle à affronter les rumeurs et les intrigues de la Cour, et même les condamnations de l'Église.

Il faut d'abord à tout prix dissimuler cette grossesse, prévoir le lieu où se déroulera l'accouchement. Une nouvelle fois, il se tourne vers Colbert qui loue une petite maison, rue de l'Échelle, à proximité des Tuileries. Athénaïs s'y rendra dès les premières douleurs. Le chirurgien ne devra pas connaître son identité. Elle sera masquée. Et dès que l'enfant sera venu au monde, une suivante d'Athénaïs, Mlle des Œillets, le portera à Françoise d'Aubigné, veuve Scarron.

D'ici là, il faut qu'Athénaïs de Montespan continue de tenir son rang, afin que personne ne se doute de son état, et n'en avertisse le marquis de Montespan. Louis le fait surveiller, Colbert rapporte les propos du marquis comme ceux des courtisans qu'une foule de valets écoutent, surveillent pour le compte du secrétaire d'État.

Un roi doit tout savoir.

Les quatre gardes du corps qui protègent Athénaïs de Montespan sont aussi des espions. Ils indiquent que la marquise a suscité l'étonnement et l'envie, en apparaissant dans une nouvelle robe qu'elle a elle-même créée, une « robe battante » si large qu'elle dissimule la rondeur du ventre sous des flots de mousseline de soie. Chaque dame de la Cour a voulu l'imiter, et seuls quelques mauvais esprits ont appelé cette robe « l'innocente », suggérant que, précisément, elle était conçue pour dissimuler la preuve de la faute, ce double adultère que personne n'ignore, et que tout le monde tait.

Parce que les apparences sont sauves.

Le chirurgien Clément n'imagine pas que l'homme qui dans la pénombre l'accueille dans cette maison de la rue de l'Échelle où on l'a conduit les yeux bandés, est le roi. Et que c'est Louis le Grand qui lui sert le repas que l'accoucheur a réclamé avant de se mettre au travail. Louis a veillé à ce que son visage soit dissimulé comme celui d'Athénaïs. Et dès la besogne finie, on couvre de nouveau les yeux du chirurgien, et on le guide hors de la maison, le faisant monter en carrosse et le déposant loin de la rue de l'Échelle.

Quant à l'enfant, une fille, Louise-Françoise, Mlle des Œillets comme prévu l'emporte.

Et le lendemain Athénaïs de Montespan apparaît à la Cour.

Elle n'esquisse que quelques pas de danse, alors que Louis, aux Tuileries, participe au *Ballet de Flore*.

Mais il n'éprouve plus cet élan, cette joie qu'il avait ressentis lorsqu'il était en scène l'acteur principal des chorégraphies de Lully.

Il lui semble que, à trente et un ans, sa dignité, la majesté du Roi-Soleil, du roi de guerre, du souverain qui sait qu'il devra bientôt faire rendre gorge à ces Hollandais qui se sont alliés avec l'Angleterre et la Suède, ne lui permettent plus de se couvrir de rubans et de dentelles, et de danser comme un acteur. Il préfère le ballet des troupes sur un champ de bataille, à ceux imaginés par Lully !

Il doit affirmer sa puissance et son rang.

Et tous, même les plus proches, doivent savoir qu'il est le maître.

Il écoute Philippe d'Orléans, son frère, prince du sang, réclamer pour Madame, son épouse, Henriette, le droit de s'asseoir sur une chaise à dossier chez la reine.

Louis refuse. Cela est réservé aux petits-fils et petites-filles de France.

Il faut aussi ne pas accorder à Philippe ce gouvernement du Languedoc qu'il sollicite.

Louis a pour Philippe de l'amitié. Il ne craint pas cet homme qui accroche des boucles à ses oreilles, se colle des mouches, se travestit, s'assied parmi les femmes, et est amoureux fou du chevalier de Lorraine, bâtard de la maison de Guise, bel intrigant, pervers et séducteur.

Mais quelle que soit la trempe du cœur de Philippe, on ne donne pas un gouvernement de province à un prince du sang. Qui peut imaginer quelles ambitions le griseraient ?

Louis le dit à M. de Valence, que Philippe a chargé de présenter au roi la requête.

— Dites à mon frère que les princes du sang ne sont jamais bien en France qu'à la Cour, dit Louis, et qu'à l'égard du gouvernement du Languedoc, je le prie de se souvenir que nous sommes convenus, lui et moi, qu'il n'aurait jamais de gouvernement.

Louis ne veut prêter aucune attention aux bouderies et aux colères de son frère qui quitte la Cour, s'en va dans sa propriété de Villers-Cotterêts, ulcéré d'apprendre que Louis a chargé son épouse, Henriette, d'une mission auprès du roi d'Angleterre, Charles II, son frère, afin de le détacher des Hollandais et des Suédois. Mais il faut sévir quand avec son amant, le chevalier de Lorraine, Philippe commence à ruminer des vengeances, peut-être des complots.

Louis décide d'exiler le chevalier de Lorraine à l'autre extrémité du royaume, à Montpellier.

Il regarde avec mépris et compassion son frère venu en larmes solliciter la grâce du chevalier de Lorraine. Philippe s'agenouille et sanglote.

Louis se penche.

— Reprenez un peu votre sang-froid, mon frère, dit-il. Un roi ne cède pas.

39.

Il rentre de la chasse.

Il est fourbu mais heureux.

Il aime ce moment quand, après plusieurs heures de chevauchée dans les forêts, de l'aube au soleil de midi, il pénètre dans la cour du château de Chambord où les veneurs, les rabatteurs, les valets, les équipages, les meutes de chiens sont déjà rassemblés.

Louis reste encore un instant en selle, contemplant les dépouilles de sangliers et de cerfs alignées devant l'entrée du château.

Il saute à terre, s'approche, marche lentement devant le gibier mort. Il éprouve un sentiment de plénitude.

Tout doit céder devant le roi Louis le Grand. Il impose sa volonté aux bêtes sauvages, aux souverains des autres nations, à ses sujets, aux princes du sang, à la nature elle-même, aux femmes.

D'un signe il écarte les valets. Il gagne ses appartements, puis, sans avoir retiré ses cuissardes maculées de boue, ses vêtements froissés, il passe dans les salons et la chambre de Louise de La Vallière.

Elle est là qui s'avance vers lui, soumise, implorant un regard, un mot.

Elle sait pourtant qu'elle n'est plus qu'un « paravent », un

« prétexte » comme on dit à la Cour, où personne n'ignore qu'elle ne sert plus qu'à préserver les apparences, à dissimuler le double adultère, la liaison du roi avec Athénaïs de Montespan.

Louise soupire, pleure, mais se soumet. Elle est devenue une sorte de suivante d'Athénaïs, la coiffant, l'aidant à choisir ses robes, à s'habiller, semblant retirer un plaisir douloureux de ces épreuves qu'on lui inflige, cherchant peut-être à se punir.

Louis est assis. Il attend que son premier valet lui retire ses bottes. Il va changer de vêtements, se coiffer, se parfumer, puis se diriger vers les appartements d'Athénaïs, en abandonnant parfois à Louise de La Vallière son chien, un épagneul qu'elle doit garder, le temps des amours du roi.

Et parfois Louis se retourne, la regarde avec un mépris mêlé de commisération.

Il ne ressent aucun remords. Ne lui a-t-il pas accordé le titre de duchesse ? Ses enfants n'ont-ils pas été légitimés ? Sa fortune faite ? Et ne continue-t-elle pas de s'asseoir près de lui, lors des fêtes ?

Mais elle est le passé.

Il fait construire pour Athénaïs, à Versailles, un château, où elle disposera d'un appartement de vingt pièces, alors que la reine n'en possédera que onze !

À Clagny – non loin de Versailles –, il ordonne à Hardouin-Mansart d'élever un « hôtel de Vénus », un véritable palais.

Rien ne doit être trop grand, trop beau pour celle dont la vue seule le comble !

Qu'elle roule carrosse à six chevaux, qu'elle ait à son service une foule de domestiques, plus de vingt femmes de chambre, des suivantes. Et il ne veut pas lire les rapports des espions, qui prétendent qu'Athénaïs s'est rendue plusieurs fois chez cette femme (dont le nom revient), la Voisin, devineresse, chiromancienne, jeteuse de sorts. Ou bien même qu'elle s'est livrée à des incantations, à des pratiques sataniques, à des messes noires, se dénudant devant un prêtre impie qui célébrait une messe pour le diable, le corps d'Athénaïs tenant lieu d'autel.

Louis se souvient. L'accusation n'est pas nouvelle ! Mais on la lui répète à mots couverts.

Il refuse de s'y attarder.

Il ne se sent pas en danger. Il ressent même, en imaginant les intrigues, ces jalousies qui se nouent autour de lui, ce grouillement de passions, une jouissance. Ces serpents qui s'entrelacent à ses pieds sont une autre preuve de sa grandeur inaccessible, de son pouvoir que seul Dieu peut atteindre, affaiblir ou briser.

Mais l'heure n'est pas encore venue.

Il se rend à Versailles. Les nouveaux bâtiments sortent de terre.

Il rencontre Charles Perrault qui s'incline, dit :

— Sire, l'ouvrage d'un jour égale le travail de la nature pendant deux ou trois siècles...

Puis Perrault lui tend un placet, sur lequel il a écrit quelques vers :

> *Ce n'est pas un palais, c'est une ville entière*
> *Superbe en sa grandeur, superbe en sa matière*
> *Non c'est plutôt un monde, où du grand univers*
> *Se trouvent rassemblés les miracles divers.*

Il voit Charles Le Brun, l'écoute présenter le plan et les décors des appartements.

Il y aura une succession de sept salons, évoquant la ronde des sept planètes du système solaire. Louis veut des tableaux représentant Jason, Cyrus, César, Ptolémée, Alexandre. Et il faut que l'or et le marbre y rivalisent de beauté et d'éclat.

Il s'impatiente, malgré les dizaines de milliers de terrassiers, de charpentiers, de maçons, de jardiniers, il faudra encore plusieurs années avant que les travaux ne soient achevés.

Il faut que sa détermination à embellir le royaume soit connue de tous. Paris doit être agrandie. Il faut abattre les fortifications pour que la ville n'étouffe plus entre ces murailles. Elle sera ville ouverte, n'en déplaise à Vauban qui craint que l'ennemi un jour ne s'en approche, ne la bombarde. Mais le royaume se défend aux frontières et il donne l'ordre à Vauban de fortifier les villes afin qu'elles deviennent des places fortes.

À Paris, seul le palais des Invalides, pour les soldats blessés ou vieillis, doit rappeler la guerre. Pour le reste, qu'on ouvre des boulevards, des Champs-Élysées, qu'on élargisse les rues. Et que le lieutenant général de police, Gabriel Nicolas de La Reynie, y fasse régner l'ordre et y surveille, y démasque les magiciens, les tireurs d'horoscopes, les empoisonneurs et autres sorciers et alchimistes, prêtres retournés en disciples de Satan, qui prétendent par leurs poudres et mixtures, leurs cérémonies sataniques, leurs messes noires, leurs expériences chimiques, transmuter le vil métal en or, changer un beau seigneur indifférent en amoureux soumis, un rival ou une rivale, un vieux mari en cadavres, et, s'il le faut, on sacrifiera des nouveau-nés, car leur sang peut être indispensable à la réussite de ces projets.

Louis se rend sur le chantier du palais des Invalides et, en attendant que les constructions de Versailles soient achevées, il vit souvent à Chambord, non loin des forêts giboyeuses.

Puis il rentre au Louvre ou bien au château de Saint-Germain.

Il refuse désormais de monter sur scène, d'être Apollon

dans l'un de ces ballets dont il aime toujours la musique et la chorégraphie. Mais il faudrait que dans ce rôle, il atteigne la perfection, ce qui exigerait – il le confie – « une attention et un soin qu'on ne peut avoir qu'en négligeant ce qui vaut beaucoup mieux ».

Il est roi de France. Et comme l'écrit Racine, dans *Britannicus*, il ne peut être un Néron :

> *[Qui] excelle à conduire un char dans la carrière,*
> *À disputer des prix indignes de ses mains,*
> *À se donner lui-même en spectacle aux Romains,*
> *À venir prodiguer sa voix sur un théâtre.*

Il ne sera plus jamais acteur.

Il se contente de louer Molière, de rire de ce *Bourgeois gentilhomme*, Monsieur Jourdain, ridicule, et il apprécie le portrait de l'homme de qualité, ce Dorante, mesuré, qui n'est ni *Misanthrope* ni *Tartuffe*, mais un noble, savant, courtois, digne et conscient de ses devoirs.

Tel doit être un roi soucieux de la grandeur de son royaume, d'en renforcer la marine et l'armée, d'en embellir les villes, de prévoir pour les soldats blessés ce palais des Invalides, de promulguer des ordonnances de justice, de reconnaître le talent de Molière et de Racine, et, malgré les dévots, d'autoriser les représentations du *Tartuffe*.

Mais, quand des rebelles se dressent, comme ces bandes de paysans du Vivarais qui, craignant de nouveaux impôts, saccagent Aubenas, massacrent, il faut punir, envoyer six mille soldats pour briser leur révolte. Et ce seront quelques centaines de paysans qui seront roués vifs ou pendus, et d'autres condamnés aux galères. Des villages seront brûlés, leurs habitants éventrés. Et celui qui avait pris la tête de ces insurgés, un officier, Antoine Du Roure, sera roué, à Aubenas, écartelé, et ses membres exposés aux portes de la ville.

Ainsi doit agir un roi pour le bien du royaume.

Et il pense que la beauté rayonnante d'Athénaïs de Montespan contribue à sa gloire et donc à la gloire du royaume.

Il voit la marquise de Montespan s'avancer, dans cette robe d'«or sur or» où chaque fil est en métal précieux, où même la dentelle est d'or, si bien qu'on n'a jamais vu telle parure, éclatante comme un soleil, rehaussant encore la beauté d'Athénaïs.

Et cette robe d'or, «battante», dissimule sa nouvelle grossesse. Et lorsque l'enfant naît, au château de Saint-Germain où se trouve rassemblée toute la Cour, il faut que le comte de Lauzun, un confident d'Athénaïs et un ami du roi, emporte aussitôt le nouveau-né, traversant les appartements de la reine et le confiant à Françoise, veuve Scarron, qui va veiller sur lui, puisqu'elle est la gouvernante des enfants nés et à venir d'Athénaïs et du roi.

La première-née a succombé, mais celui-ci, que le roi légitime, faisant de lui un duc du Maine, paraît vigoureux.

Et Louis voudrait qu'il vive. Il est attaché à tout enfant qui naît de sa semence. Il a devoir de les reconnaître et de les protéger, de les nantir.

Et d'autant plus qu'Athénaïs lui est chère.

Elle se remet vite de sa grossesse, et Louis décide que, avec la plus grande partie de la Cour, elle doit l'accompagner dans cette Flandre conquise dont il veut inspecter les places fortes. Car un jour, à partir de ces villes, il faudra bien se lancer dans la guerre contre la Hollande, qui s'obstine à s'opposer à la politique française.

Il a choisi pour ce périple, qui doit mener de Landrecies à Lille, d'Arras à Douai et Tournai, du Quesnoy à Audenarde et Courtrai, un grand carrosse, dans lequel il veut que viennent le rejoindre la reine Marie-Thérèse, Louise de La Vallière et Mme de Montespan. Il est assis seul sur la banquette face aux trois femmes. Il ne les regarde pas,

préférant voir, de part et d'autre du carrosse, les mousquetaires qui chevauchent sous une pluie d'averse qui noie
le paysage, transforme les routes et les chemins en torrents.

On ne peut atteindre Landrecies. On patauge, on s'enfonce dans la terre boueuse. On se réfugie dans une maison
rustique où, après un souper sommaire, on s'entasse côte à
côte sur des paillasses. On a oublié l'étiquette, le cérémonial
du coucher. On se serre, parce que le feu dans l'unique cheminée enfume la chambre plutôt qu'il ne la chauffe. La reine
seule dispose d'un lit.

Louis est couché entre Madame – Henriette, l'épouse de
son frère – et la Grande Mademoiselle, sa cousine germaine.
Elle lui chuchote qu'elle aime le comte de Lauzun, qu'elle
voudrait épouser ce séducteur, dont on ne compte plus les
maîtresses. N'a-t-on pas prétendu, à la Cour, qu'il a même
été l'amant d'Athénaïs de Montespan?

La Grande Mademoiselle insiste, voudrait que le roi autorise ce mariage avec Lauzun.

Le roi se fige. Elle, la nièce de Louis XIII, la femme la
plus fortunée de France? Comment admettre cette union?

Il préfère ne pas lui répondre et, se soulevant sur le coude,
à la lumière des quelques bougies qui éclairent la pièce, il
devine les autres femmes, Louise de La Vallière, Athénaïs,
la duchesse de Créqui – belle-sœur de La Vallière – et une
jeune suivante de la reine.

Près de lui, il entend la respiration saccadée d'Henriette.
Autrefois il a été attiré par cette jeune femme, dont la beauté
et l'intelligence l'ont séduit. Elle vient de rentrer de Londres,
réussissant la mission qu'il lui avait confiée, convaincre son
frère, Charles II roi d'Angleterre, de se rapprocher de la
France, de signer un traité qui rompt l'alliance de Londres
avec la Hollande.

Mais ce succès a irrité son mari Philippe d'Orléans, qui
ne cesse de la harceler.

Dans la pénombre, le visage d'Henriette paraît émacié, marqué par la souffrance.

Et Louis se souvient qu'en la voyant, un jour à Versailles, la reine a murmuré : « Madame a l'air d'une morte habillée, à qui on aurait mis du rouge. »

Louis frissonne, s'écarte d'Henriette.

40.

Il est rentré à Versailles.

Il traverse lentement les salons du château où l'or alterne avec le marbre. Les courtisans l'entourent, puis s'installent aux tables de jeu que les valets viennent de dresser.

Il est ébloui par la beauté d'Athénaïs de Montespan qui s'assied à la plus grande des tables, place devant elle des piles de pièces d'or, puis commence à battre les cartes.

Il aperçoit, à quelques pas, la duchesse d'Orléans, debout près de son mari. Philippe, de temps à autre, lance à Henriette un regard méprisant, haineux même, alors qu'elle est l'image de la grâce et de la douceur.

Louis va vers elle.

Il veut lui redire qu'elle s'est acquittée avec talent de sa mission, que le traité de Douvres signé entre l'Angleterre et la France, et qu'elle a négocié, change la donne. La Hollande est affaiblie. L'armée que Louvois rassemble et qui comptera bientôt cent vingt mille hommes pourra, dans quelques mois, infliger à ces Bataves la leçon qu'ils méritent.

Henriette s'incline. Elle est toute dévouée au roi, murmure-t-elle.

Philippe, d'une voix sèche, indique qu'ils vont se retirer, qu'ils partiront demain, 24 juin, pour le château de Saint-Cloud.

Louis s'éloigne.

Il ne peut oublier cette nuit passée près d'Henriette, dans cette maison, dans la plaine boueuse des Flandres noyée par la pluie, et les griffures de la mort striant les joues de cette femme d'à peine vingt-six ans et que Louis avait autrefois désirée, aimée même.

Louis voudrait ne plus se souvenir.

Il chasse. Il passe les troupes en revue.

Il se rend plusieurs fois par jour dans les appartements d'Athénaïs de Montespan. Il rit aux traits qu'elle décoche contre Lauzun, dont elle se dit l'amie pourtant, mais qui habilement a séduit la Grande Mademoiselle et rêve de la fortune immense de la cousine germaine du roi.

Il faut briser les ambitions de ce séducteur rapace, murmure Louis. Il va ordonner son arrestation, son enfermement dans la forteresse de Pignerol. Lauzun pourra y converser avec Nicolas Fouquet qui s'y morfond toujours.

On ne peut s'opposer à la volonté du roi, et la Grande Mademoiselle va l'apprendre à ses dépens, même si c'est Lauzun qui sera châtié.

Mais, quittant la chambre d'Athénaïs, ignorant les soupirs de Louise de La Vallière, Louis reste préoccupé.

Ce dimanche 29 juin 1670, le comte d'Agen, arrivant du château de Saint-Cloud, raconte que la duchesse d'Orléans, après avoir bu un verre d'eau de chicorée, s'est écriée, en serrant sa taille entre ses mains : «Ah! quel point de côté! Ah! quel mal!»

On l'a prise dans les bras, dévêtue, couchée. Mais elle va plus mal, disant qu'elle sera bientôt morte. Elle a voulu qu'on regardât l'eau qu'elle avait bue. C'était du poison, a-t-elle répété. Elle était empoisonnée, elle le sent bien. Elle veut qu'on lui donne sur-le-champ du contrepoison.

Louis exige qu'on lui apporte d'autres nouvelles et, allant et venant d'une pièce à l'autre, il attend les courriers, s'efforçant de ne pas montrer cette angoisse qui l'étreint.

La mort, le poison.

Un courrier arrive, rapporte que Madame s'est écriée :

— Si je n'étais pas chrétienne, je me tuerais tant mes douleurs sont excessives. Il ne faut point souhaiter de mal à personne mais je voudrais bien que quelqu'un pût sentir un moment ce que je souffre pour connaître de quelle nature sont mes douleurs.

Louis veut la voir.

Il quitte Versailles pour Saint-Cloud.

Il interroge les médecins. Ils parlent en même temps, ils caquettent, ils disent qu'elle est sans espérance, que sa froideur et le pouls retiré sont une marque de gangrène, qu'il faut lui faire recevoir Notre-Seigneur. Ces médecins ont perdu la tramontane. Ils se contredisent, sont incapables de trouver des remèdes, d'administrer de l'émétique, de faire vomir la duchesse d'Orléans.

Louis s'approche d'elle.

Le visage est plus blanc que le drap. Les yeux sont cerclés de noir.

Il veut la rassurer. Henriette lève à peine les doigts, murmure que le roi va perdre sa plus dévouée servante. Elle n'a jamais craint la mort mais a peur de perdre les bonnes grâces de son roi.

Il voudrait maîtriser son émotion. Et tout à coup, il pleure, tête baissée, le corps secoué par les sanglots. Elle le prie de ne point pleurer. Il l'attendrit, ajoute-t-elle, et elle a besoin de toute sa résolution.

Elle tente de se soulever un peu, mais elle n'y réussit pas et elle dit que la première nouvelle qu'il aura le lendemain sera celle de sa mort.

Il sait qu'elle dit vrai.

Mais cette mort le trouble autant qu'elle le bouleverse.

La rumeur se répand qu'Henriette a été empoisonnée, que c'est vengeance de son époux, conjuration du cercle de ses mignons, et d'abord du chevalier de Lorraine qui, chassé de la Cour, pense qu'il ne pourra y revenir que si Henriette meurt. Alors il régnera sur le corps et l'âme de Philippe d'Orléans. On cite aussi le nom du chevalier d'Effiat, autre adepte du « vice italien », amant du chevalier de Lorraine, et sans doute aussi du duc d'Orléans.

Il faut tenter de mettre fin à ces rumeurs, apaiser aussi Charles II, le frère d'Henriette, qui, à Londres, convoque l'ambassadeur de France, semble persuadé de l'empoisonnement de sa sœur.

Louis ordonne une autopsie d'Henriette duchesse d'Orléans, et autorise l'ambassadeur d'Angleterre à y assister.

Les médecins ne découvrent aucune trace de poison.

Reste que les soupçons demeurent et que la mort est venue.

Il a le sentiment qu'elle marche vers lui.

Il est assis au premier rang de la basilique de Saint-Denis, et la prédication de Bossuet arrache les oripeaux, laissant voir le corps déchargé au fond d'un abîme où l'on ne reconnaît plus ni prince ni roi.

« Ô nuit désastreuse, ô nuit effroyable où retentit tout à coup comme un éclat de tonnerre cette étonnante nouvelle : "Madame se meurt, Madame est morte", lance Bossuet.

« Qui de nous ne se sentit frappé à ce coup ?

« Le roi pleurera, le prince sera désolé, et les mains tomberont du peuple de douleur et d'étonnement... Madame cependant a passé du matin au soir, ainsi que l'herbe des champs. Le matin elle fleurissait, avec quelles grâces, vous le savez, le soir nous la vîmes séchée. »

Louis regarde vers l'autel, là où se célèbre la puissance du Seigneur. Celui qui commande à la vie et à la mort.

Bossuet reprend.

« Une si illustre princesse, dit-il, ne paraîtra dans ce discours que comme un exemple, le plus grand qu'on se puisse

proposer et le plus capable de persuader aux ambitieux qu'ils
n'ont aucun moyen de se distinguer ni par leur naissance, ni
par leur grandeur, ni par leur esprit...»

Bossuet reprend son souffle. Il se penche.

Louis a l'impression que le prédicateur s'adresse d'abord
à lui, le Roi-Soleil.

«La mort qui égale tout, poursuit Bossuet, domine les
ambitieux de tous côtés, avec tant d'empire, et d'une main
si prompte et si souveraine, elle renverse les têtes les plus
respectées.»

Louis ne baisse pas les yeux.

41.

Louis, avant de quitter la basilique de Saint-Denis, regarde longuement le tombeau d'Henriette.

Il sait que les résultats de l'autopsie de Madame n'ont pas convaincu. Les espions qui écoutent les courtisans, recueillent les rumeurs, ouvrent les lettres, percent le secret des dépêches des ambassadeurs, rapportent que l'on continue d'affirmer qu'Henriette a été empoisonnée.

On prétend même que Louise de La Vallière a été victime des mêmes mixtures.

Louis a cru en effet Louise agonisante, hébétée par une fièvre brutale que rien ne laissait présager.

Les médecins une fois encore ont été impuissants, purgeant, saignant la malade, affirmant soit qu'elle allait vivre, soit que la mort l'emporterait en quelques heures.

Puis Louise s'est assoupie, la fièvre s'est retirée, et Louis l'a entendue prier Notre-Seigneur, dire : « Il faut que je n'oublie jamais le spectacle de mon agonie et de Votre justice. » Elle doit être punie, ajoute-t-elle, pour l'adultère dans lequel elle s'est complu.

Louis se détourne. Quelle était la faute d'Henriette ?

Sa vie était un obstacle aux ambitions et aux intrigues des mignons, ces amants de Philippe d'Orléans qui veulent se servir des penchants de Monsieur, de son vice italien, pour amasser fortune, titres, pouvoir.

Et si Monsieur était l'âme de ce crime ? S'il l'avait ordonné, par jalousie, haine de son épouse ?

Cette question hante Louis.

Il veut savoir.

Il demande qu'on se saisisse du premier maître d'hôtel de Madame, Claude Bonneau de Purnon. Il veut l'interroger.

Il le voit s'avancer, pâle, tremblant. Il va l'écraser de son autorité, lui faire craindre le supplice de la roue, et en même temps lui promettre la grâce s'il avoue.

— Madame n'a-t-elle pas été empoisonnée ? demande-t-il.

L'homme balbutie :

— Oui, Sire.

— Et qui l'a empoisonnée et comment l'a-t-on fait ?

L'homme hésite, puis indique que le chevalier de Lorraine a envoyé le poison, que le chevalier d'Effiat l'a placé dans la tasse de Madame.

— Et mon frère, demande Louis, le savait-il ?

— Non, Sire, aucun de nous trois n'était assez fou pour le lui dire. Il n'a point de secrets. Il nous aurait perdus.

Louis se tourne, murmure :

— Voilà tout ce que je voulais savoir.

Il lui était intolérable de penser que son propre frère fût capable de désirer, d'organiser l'empoisonnement de sa femme.

Il ne punira pas le premier maître d'hôtel. Il faut que la dalle du silence recouvre tout cela.

Il peut dès lors, puisque Philippe n'est pas responsable de cette mort, envisager de remarier son frère, dans l'intérêt du royaume.

Il se dirige vers sa cousine, la Grande Mademoiselle. Elle n'est pas belle. Elle a treize ans de plus que Monsieur, elle continue de rêver à Lauzun, mais elle est immensément riche.

— Ma cousine, dit-il, voilà une place vacante, la voulez-vous ?

Il voit la Grande Mademoiselle pâlir, trembler, murmurer :

— Sire, vous êtes le maître, je n'aurai jamais d'autre volonté que la vôtre.

Mais le lendemain elle a quitté la Cour pour prendre les eaux à Forges. Et Louis apprend que les mignons de Philippe seraient heureux de ce mariage qui leur permettrait de puiser dans la fortune de la Grande Mademoiselle.

Il vaut donc mieux renoncer, songer à un autre parti, peut-être à cette Charlotte de Bavière qu'on nomme Liselotte à la Cour de son père, l'électeur palatin.

Pourquoi pas ? Un habile contrat de mariage réserverait des droits à la succession de l'électeur palatin, et permettrait au roi de France – comme il le fait avec l'Espagne – de revendiquer l'héritage si la dot prévue n'était pas payée.

Louis donne l'ordre au nouveau secrétaire d'État aux Affaires étrangères, Pomponne, de commencer les négociations avec l'électeur palatin. Il faudra que sa fille se convertisse à la religion catholique.

Louis regarde le portrait de la Palatine.

C'est une jeune femme de dix-neuf ans, déjà forte, à la grande bouche, au visage large, qui semble avoir le bout du nez et les joues rongés par la petite vérole. Elle est laide, mais après tout Philippe va-t-il même le remarquer ?

Il n'est préoccupé que de satisfaire ce vice italien qui le dévore.

À part cela « petit homme ventru, monté sur des échasses tant ses souliers sont hauts, toujours paré comme une femme, plein de bagues, de bracelets, de pierreries partout, avec une longue perruque toute étalée en devant, noire et poudrée, et des rubans partout où il en peut mettre, plein de toutes sortes de parfums. On l'accuse même de mettre imperceptiblement du rouge. Le nez fort long, la bouche et les yeux beaux, le visage plein mais fort long ».

Pourquoi ne pas unir pour le bien du royaume ce frère à Liselotte la Palatine ?

Louis ne doute pas que le duc d'Orléans accepte ce mariage. Qui ose résister à Louis le Grand ?

Louis a le sentiment que les êtres et les choses ne peuvent que céder devant sa volonté.

Il voit surgir de terre à Versailles cette ville neuve qu'il a voulue et qui viendra compléter le château dont il suit jour après jour la transformation. La construction du grand escalier, dit des Ambassadeurs, est commencée.

Le labyrinthe qui serpente dans les jardins conçus par Le Nôtre est déjà si étendu qu'on peut y errer longuement sans en trouver l'une des sorties. Et là, c'est le Grand Canal qu'on achève.

Louis voudrait déjà pouvoir vivre en permanence dans ce château de Versailles dont l'ordonnancement, la grandeur, les matériaux sont à l'image de la souveraineté solaire qu'il veut représenter.

Mais il faut encore séjourner aux Tuileries, à Saint-Germain ou à Chambord. Et chaque fois qu'il quitte ainsi Versailles, il sent l'impatience le gagner, comme si, loin de son château de prédilection, il n'était plus à son aise.

Il faut des fêtes, des représentations et des ballets pour le distraire. Il aime celui de Lully, *Psyché*, auquel il assiste le 17 janvier 1671, dans la salle des machines du palais des Tuileries. Il n'a rien vu jusqu'alors de mieux exécuté, de plus magnifique, le décor changeant sans cesse, les trois cents musiciens accompagnant les danseurs. La dernière scène l'étonne et le ravit, avec plus de trois cents personnes suspendues dans les airs cependant que théorbes, luths, clavecins, hautbois, flûtes, trompettes et cymbales composent une symphonie majestueuse.

Il quitte le palais des Tuileries avec ce sentiment de plénitude qu'il éprouve chaque fois que le monde lui renvoie l'image de sa puissance et de sa gloire.

Mais il s'irrite quand, quelques jours plus tard, pour le bal du mardi gras, en ces mêmes Tuileries, personne ne danse, parce qu'on attend, en vain, Louise de La Vallière et la marquise Athénaïs de Montespan.

Il apprend que Louise s'est enfuie, qu'elle a gagné le couvent de Sainte-Marie, à Chaillot, qu'elle a décidé de s'y retirer, pour en finir avec le dédain du roi, et les humiliations qu'avec Athénaïs de Montespan ils lui imposent.

Louis quitte les Tuileries. Il se rend à Versailles en compagnie de la Grande Mademoiselle et d'Athénaïs.

Si Louise de La Vallière veut se retirer du monde, qu'elle le fasse ! Et tout à coup, dans ce carrosse face à ces deux femmes, il ne peut retenir ses larmes.

Il se sent comme un enfant auquel on a retiré l'un de ses jouets. Il ne peut pas accepter que, contre son désir, Louise de La Vallière vive loin de lui et lui inflige cette douleur, ce dépit.

Athénaïs et la Grande Mademoiselle pleurent elles aussi.

Arrivé à Versailles, Louis ordonne que des messagers se rendent au couvent de Sainte-Marie, qu'ils transmettent à Louise le désir du roi.

Ils partent à bride abattue, reviennent après s'être heurtés au refus et aux larmes de Louise.

Louis ne peut accepter de perdre.

Il convoque Colbert. Lui doit réussir. Et il ne répond pas à Colbert qui murmure qu'il sera peut-être contraint d'employer la force.

Voici enfin Louise de retour, elle a cédé à Colbert. Louis est si bouleversé qu'il ne songe même pas à dissimuler son émotion aux courtisans qui les observent, s'interrogent sur ce qu'ils croient être un regain d'amour du roi pour son ancienne maîtresse. Ils s'imaginent qu'elle va l'emporter sur

Athénaïs de Montespan. Louis regarde ces deux femmes. Elles sont son bien. Il ne veut perdre ni l'une ni l'autre.

Louise est une part de son passé, Athénaïs l'enchantement de ses sens et le plaisir de ses yeux.

Pourquoi faudrait-il qu'il se prive de cette jouissance, de la présence de la reine, et même de telle ou telle jeune suivante d'Athénaïs ou de Marie-Thérèse, qu'il honore parfois, quand Athénaïs est en couches ?

Il est le roi.

Brusquement des cris, des sanglots, la reine s'avance, le visage en larmes. Leur fils, le duc d'Anjou, âgé d'à peine trois ans, vient de mourir.

Louis sent que son corps se couvre d'une sueur froide. Il tremble. Il se souvient de la prédiction à Saint-Denis : « La mort qui égale tout », avait dit Bossuet.

Elle est là à nouveau, toute proche.

Et le nain, bouffon de la reine, s'est précipité dans la chambre de la Grande Mademoiselle et a crié d'une voix aiguë :

— Vous mourrez, vous autres Grands, comme les autres, votre neveu, le petit duc, est mort.

Louis gagne seul ses appartements.

Les rapports révèlent que dans le peuple on juge que cette mort est un juste châtiment de l'inconduite du roi, et de la débauche d'or et de plaisir dans laquelle se vautrent les Grands du royaume.

Louis ferme les yeux. Est-il possible que Dieu le punisse ?

42.

Louis prie.

Il songe à tous ses enfants, ceux de Marie-Thérèse, et ceux nés de Louise de La Vallière ou d'Athénaïs de Montespan, qui ont à peine vécu quelques jours ou quelques mois, et, qu'ils fussent légitimes ou bâtards, il les a tous aimés, et il a souffert de leur mort.

Et maintenant le duc d'Anjou.

Il s'agenouille dans la chapelle des Tuileries. Il demande au Seigneur de protéger le dauphin, le premier-né, celui qu'on appelle Monseigneur et qui vient d'entrer dans sa dixième année.

C'est Monseigneur, si Dieu le laisse en vie, qui recevra l'héritage de la monarchie.

Depuis plusieurs années déjà, Louis, chaque semaine, écrit, dicte des *Mémoires pour l'instruction du Dauphin*. Et il veut maintenant que ce texte soit présenté à l'Académie, que l'écrivain Pellisson, qui a contribué à sa rédaction, explique que le roi a voulu « transmettre les secrets de la royauté et les leçons éternelles qu'il faut éviter ou suivre ».

Ainsi ces *Mémoires pour l'instruction du Dauphin* deviendront-ils un monument du patrimoine royal, un château de mots et de pensées, que tout souverain pourra s'approprier, embellir, comme Louis l'a fait, avec ce pavillon de chasse de son père, et qui maintenant est comme le cœur d'un joyau autour duquel se sont, à Versailles, agrégés d'autres diamants, plus gros, plus brillants.

Il convoque Monseigneur. Ce fils de dix ans lui ressemble. Il est accompagné de son gouverneur, le duc de Montausier, qui fut protestant et qui a le tranchant d'un misanthrope. Certains ont même assuré que Molière a pensé à lui en composant le personnage d'Alceste.

Louis tend à Monseigneur le volume des *Mémoires*.

— Mon fils, dit-il, beaucoup de raisons, et toutes fort importantes, m'ont fait résoudre à vous laisser, avec assez de travail pour moi parmi mes occupations les plus grandes, les *Mémoires* de mon règne et de mes principales actions.

Il a, depuis l'année 1661 et jusqu'en 1668, tenu le journal de ses décisions et, dégageant sa pensée des circonstances, il a voulu préciser les principes qui l'ont guidé.

— Je n'ai jamais cru que les rois, reprend-il, sentant comme ils font en eux toutes les tendresses paternelles, fussent dispensés de l'obligation commune des pères qui est d'instruire leurs enfants par l'exemple et par le conseil. Au contraire, il m'a semblé qu'en ce haut rang où nous sommes vous et moi, un devoir public se joignait au devoir particulier.

Maintenant, Monseigneur a dix ans. Louis veut qu'il lise ces *Mémoires*. Et il l'a dit à Bossuet qu'il vient de désigner comme précepteur du Dauphin, et celui-ci s'est engagé à commencer aussitôt l'étude des *Mémoires pour l'instruction du Dauphin*, et à éclairer ainsi par l'exemple du roi cette *Histoire universelle*, cette *Politique tirée des propres paroles de l'Écriture sainte* qu'il veut enseigner à Monseigneur.

Louis écoute Bossuet, se souvient qu'il a écrit dans ses *Mémoires*, pour l'année 1668 : «On sait bien que nous ne pouvons pas faire tout, mais nous devons donner ordre que tout soit bien fait et cet ordre dépend principalement du choix de ceux que nous employons... et le souverain pour être habile et bien servi est obligé de connaître tous ceux qui peuvent être à la portée de sa vue... »

Il s'approche de son fils.

— Je sais bien, mon fils, dit-il, que ces observations sont un peu scrupuleuses... Mais si vous avez un jour comme je l'espère la noble ambition de vous signaler, si vous voulez éviter la honte non seulement d'être gouverné mais seulement d'en être soupçonné, vous ne sauriez observer avec trop d'exactitude les principes que je vous donne ici et que vous trouverez continuellement dans la suite de cet ouvrage...

Il a le sentiment d'avoir accompli peut-être la plus grande de ses tâches.

« Il y a peu de souverains qui se donnent la peine de laisser ainsi à leur fils une réflexion sur la manière de gouverner. Mais aussi s'en trouve-t-il bien peu qui s'acquittent pleinement de leur devoir. »

Il l'a dit à son fils : « Si vous ne voulez vivre qu'en prince du commun content de vous conduire ou plutôt de vous laisser conduire comme les autres, vous n'avez pas besoin de ces leçons. »

Mais le fils de Louis le Grand ne peut être un prince du commun.

Puisqu'il a rempli ce devoir essentiel pour ses sujets, et qu'il a préparé ainsi leur avenir, peu lui importe de paraître entouré de son épouse la reine, et de ses femmes, Louise de La Vallière et Athénaïs de Montespan.

Jamais l'une d'elles n'a influé sur ses décisions de roi en charge du royaume.

Il a le sentiment que désormais, il peut proclamer que c'est ainsi qu'il vit.

Il prend le bras d'Athénaïs de Montespan, et se rend avec elle au château de Chantilly où le prince de Condé les reçoit, et lui présente les plats extraordinaires créés par Vatel, le maître cuisinier le plus talentueux du monde.

On cherche Vatel afin que le roi le félicite. Il a disparu, puis on apprend que dans sa chambre, par trois fois, Vatel s'est jeté contre son épée afin de mourir, parce que la marée n'était pas arrivée à temps pour le souper du roi.

Louis s'éloigne. À tout instant, même au cœur de la fête, tapie dans la tête et le corps, la mort guette et frappe.

C'est pour cela qu'il faut se hâter d'agir.

Il exige que le mariage entre Monsieur et Liselotte la Palatine soit conclu au plus tôt, car c'est un élément de plus dans l'encerclement de cette Hollande qu'il faudra étrangler bientôt.

Dès que le mariage est célébré, il se rend au château de Villers-Cotterêts, où les époux sont réunis.

Il découvre cette Liselotte, pleine de vie, peut-être comme elle le dit elle-même « aussi carrée qu'un cube », ajoutant « j'ai toujours été laide, j'ai la bouche grande, les dents gâtées », mais elle est pleine d'esprit, l'œil vif, maîtrisant la langue française, alors que la reine ne la parle qu'en l'abâtardissant avec de l'espagnol. Et puis Liselotte danse bien.

Il veut l'aider à « prendre l'air de France ». Il l'accueille au château de Saint-Germain, lui murmure en la conduisant vers la reine :

— N'en ayez pas peur, Madame, elle aura plus de peur de vous que vous d'elle.

Plus tard, durant les présentations des courtisans, il s'assied près de Liselotte et, d'un léger coup de coude, il lui indique qu'elle doit se lever lorsqu'un prince ou un duc entre dans la pièce.

Il la voit chaque jour, durant une semaine de festivités qui fait se succéder chaque soir un nouveau ballet.

Il l'observe. Cette jeune femme au lourd profil, aux joues

et au nez grêlés lui plaît. Elle ne cherche pas, sans doute parce qu'elle ne le peut pas, à séduire par les armes de la beauté. Elle n'a que son intelligence, sa spontanéité, sa franchise. Il lui offre trois cassettes contenant trente mille pistoles, soit trois cent trente mille livres qui équivalent à la moitié des revenus annuels de l'impôt au Palatinat. Puis il lui accorde une rente annuelle de deux cent cinquante-deux mille livres.

Elle s'incline devant lui dans une révérence un peu maladroite. Il veut parler avec elle. Elle doit déjà connaître la rumeur de l'empoisonnement d'Henriette, la première épouse de Monsieur.

Il l'assure que Monsieur n'est en rien mêlé à cette affaire. Et que lui-même est trop honnête pour lui faire épouser son frère si ce dernier avait été capable d'un tel crime. Puis il conclut qu'il ne faut plus parler de tout cela, ni même y penser.

Quant aux coupables, les mignons de Monsieur, le plus beau et le plus pervers, mais aussi le plus habile, le chevalier de Lorraine, vient de faire savoir que, s'il est rappelé d'exil, il se mettra au service du roi, ce qui veut dire qu'il surveillera Monsieur, dont parfois Louis craint quelque désir d'indépendance. Or cela ne se peut. Ce frère doit être soumis. Et le chevalier de Lorraine peut être un allié.

Louis reçoit son frère. Le mariage ne l'a point changé. Il est toujours vêtu avec la fantaisie d'une femme, et il oscille sur ses chaussures hautes comme des échasses. Il est poudré, les lèvres peintes, du rouge sur ses joues et des pierreries constellant son habit de soie.

Il pleurniche. Il évoque le sort de ce malheureux, le chevalier de Lorraine, toujours en exil.

— Mais y songez-vous encore à ce chevalier de Lorraine ?

demande Louis. Vous en souciez-vous ? Aimeriez-vous bien quelqu'un qui vous le rendrait ?

Monsieur balbutie.

— Ce serait le plus sensible plaisir que je puisse recevoir en ma vie, dit-il.

Le roi se penche.

— Eh bien, je veux vous faire ce présent ! Il y a deux jours que le courrier est parti. Il reviendra, je vous le redonne et veux que vous m'ayez toute votre vie cette obligation, et que vous l'aimiez pour l'amour de moi. Je fais plus, car je le fais maréchal de camp de mon armée.

Philippe se jette aux pieds du roi, lui embrasse les genoux, lui baise la main, remercie la voix entrecoupée de sanglots.

Louis lui touche l'épaule.

— Mon frère, dit-il, ce n'est pas ainsi que des frères se doivent embrasser.

Philippe se redresse. Louis lui donne l'accolade.

Il est le maître.

43.

Louis est assis sur un trône doré placé au centre d'une estrade dressée dans le plus grand des salons du Louvre.

Philippe d'Orléans et son épouse, Liselotte la Palatine, sont au premier rang de la foule des courtisans qui se pressent, cherchent à saisir son regard, à faire entendre le murmure de leurs louanges.

Au fond de la pièce, dans la pénombre, il distingue les membres de l'Académie française qui viennent d'exprimer leur gratitude au roi, protecteur de l'Académie, et qui va accueillir leurs collections, leurs réunions dans le palais du Louvre. Et Lully, auquel il accorde le privilège de diriger l'Académie royale de musique, s'est déjà incliné devant lui, humble, soumis.

Est-ce cela la gloire?

Louis sent son corps s'alourdir. L'ennui pèse sur ses épaules, mais il ne peut se lever. Il va devoir écouter les édiles de Paris, qui vont le remercier de l'ordre qui règne dans la ville, de la construction de la porte Saint-Denis, des travaux qui font en chaque quartier surgir des fontaines et l'eau vive, ce bienfait de Louis le Grand.

N'est-ce que cela la gloire?

Louis scrute les visages.

Il connaît les vices de chacun de ces hommes et de ces

284

femmes, et même leurs pensées. Les espions lui rapportent leurs propos, le contenu de leurs lettres. Il sait ce que l'on chante à Paris, en s'adressant à lui sur un air moqueur :

Les jeunes gens de votre Cour
De leurs corps font folie
Et se régalent tout à tour
Des plaisirs d'Italie
Autrefois pareille action
Eût mérité la braise
Mais ils ont un trop bon patron
Dans le père de La Chaise.

Louis apprécie ce jésuite, son confesseur. Mais que faire contre ce «vice italien» si répandu ?

Louis se souvient de Mazarin dont Scarron, le mari défunt de cette Françoise d'Aubigné devenue gouvernante pensionnée des enfants d'Athénaïs de Montespan, écrivait :

Sergent à verge de Sodome
Exploitant partout le royaume
Bougre bougrant, bougre bougré
Et bougre au suprême degré
Bougre à chèvre, bougre à garçons
Bougre de toutes les façons.

Et Louis a retrouvé, après le décès de sa mère, dans une cassette placée à la tête du lit d'Anne d'Autriche, une lettre qu'il a lue avec un sentiment de gêne et d'émotion, refoulant ses souvenirs.

Son valet Pierre de La Porte écrivait à Anne d'Autriche :

«Je donnai avis à Votre Majesté à Melun, en 1652, que le jour de la Saint-Jean, le roi dînant chez M. le cardinal me commanda de lui faire apprêter son bain sur les six heures dans la rivière, ce que je fis. Et le roi en y arrivant me parut plus triste et plus chagrin qu'à son ordinaire et comme nous le déshabillions, l'attentat qu'on venait de commettre sur sa personne parut visiblement. »

Il ne veut pas se soucier de ce qu'il a subi.

C'était il y a vingt ans.

Il est dans sa trente-quatrième année. Il est temps qu'il échappe à ces palais, à ces souvenirs, que sa gloire ne fasse pas seulement courber le dos des courtisans, et celui de son frère, prince du sang.

Il revoit Philippe, acteur, danseur, chantant près de lui sur scène, il y a dix ans :

> J'étais un fort joli garçon
> Et j'avais toute la façon
> Qu'on voit aux royales personnes
> Qui touchent de près les couronnes
> Quant à force m'attacher
> Au beau sexe qui m'est si cher
> En m'habillant comme il s'habille
> Je suis enfin devenu fille.

Louis se lève.

Il n'est pas de la race des filles mais de celle des rois.

Il aime les femmes et non les mignons, les beaux amants.

Il veut la soumission non seulement des courtisans et des sujets mais des nations impertinentes.

Car l'honneur est dû aux rois, et ils font ce qui leur plaît.

Et il veut que cette année 1672, celle de ses trente-quatre ans, soit marquée par la victoire des armes.

La guerre seule est la source de la plus grande gloire d'un roi.

44.

Il connaît l'ennemi, ces « marchands de fromages », ces « pêcheurs de harengs », ces Hollandais qui vivent en république et prétendent se gouverner eux-mêmes. Ils sont hérétiques et impriment les pamphlets, les libelles satiriques qui se moquent du roi de France. Et leurs toiles, leurs draps, les épices de leurs Indes, le blé et l'orge qu'ils achètent dans les pays des rives de la Baltique, et le charbon en Pologne, et leurs navires marchands font concurrence aux manufactures, aux compagnies de commerce, à la flotte créées par Colbert.

Et dix fois, Louis a entendu le contrôleur général des Finances répéter qu'il fallait livrer à cette république des Provinces-Unies, la plus puissante qui ait jamais été après la romaine, une guerre des tarifs, afin de protéger les marchandises et le commerce du royaume de France.

Il fallait aussi engager une « guerre d'argent contre tous les États d'Europe soumis à la tutelle des banquiers et des marchands hollandais ».

Il écoute Louvois, qu'il vient de nommer ministre d'État, membre du Conseil-d'en-Haut, et qui assure pouvoir rassembler plus de cent vingt mille hommes et cinquante vaisseaux, et cette armée, la plus puissante jamais réunie par une nation, pourra en quelques jours vaincre les Provinces-Unies.

Pomponne, le secrétaire d'État aux Affaires étrangères,

estime que l'on peut compter sur l'alliance anglaise, et les évêques catholiques allemands de Cologne et de Munster souhaitent, comme le pape, voir cette république protestante vaincue, convertie.

Louis approuve les ministres. Il désire cette guerre, pour toutes ces raisons, mais d'abord parce que les Hollandais veulent ternir sa gloire, refusent de reconnaître sa puissance, son autorité.

Il a vu l'ambassadeur Van Beuningen ne pas se découvrir devant lui, il l'a entendu lui répondre avec dédain et ironie.

— Vous me parlez bien fièrement, monsieur l'ambassadeur, a dit Louis. Un roi moins modéré que je ne suis vous aurait fait jeter par les fenêtres du Louvre.

Van Beuningen n'a pas changé d'attitude, affichant sa morgue.

— Ce brasseur de bière est bien insolent, a murmuré Louis à Brienne.

— J'ai eu envie de lui jeter son chapeau à vos pieds, Sire.

— Vous auriez mal fait mais il me le paiera tôt ou tard, et ses maîtres aussi.

Comment tolérer leur manque de respect?

Louis tourne et retourne entre ses doigts cette pièce d'or hollandaise sur laquelle est gravée la devise *Stat sol*, et la silhouette d'un Hollandais dont le visage ressemble à celui de Van Beuningen, et qui tel Josué arrête la course du soleil.

Il faut châtier ce peuple hérétique et présomptueux, briser cette nation concurrente.

Son choix est fait.

Il repousse avec dédain les démarches du grand pensionnaire hollandais, Jean de Witt, qui s'inquiète des préparatifs militaires dans les places fortes françaises des Flandres.

« Nous sommes prêts à faire tout ce que nous pourrons pour persuader Votre Majesté de la parfaite inclination que nous avons à lui rendre l'honneur et la déférence qui sont dus à sa personne ainsi qu'à sa haute dignité », écrit de Witt.

Qu'imaginent-ils, ces marchands hérétiques, qu'il suffit de quelques phrases pour qu'il renonce à laver l'honneur, qu'il oublie les intérêts du royaume ?

— Je ferai de mes troupes l'usage que demande ma dignité dont je ne dois compte à personne, dit Louis.

Lorsqu'il apprend que Charles II, l'allié anglais, a fait attaquer par sa flotte des vaisseaux marchands hollandais, chargés de produits d'Orient, il est irrité d'avoir laissé ainsi le roi d'Angleterre prendre l'initiative.

Cette guerre est sienne.

Il convoque aussitôt Colbert et Louvois, et il ordonne que le 6 avril 1672 les hostilités soient ouvertes, que le crieur du roi, Charles Canto, « à coups de trompe et cri public » annonce que « Sa Majesté a arrêté et résolu de faire la guerre auxdits États généraux des Provinces-Unies, tant par mer que par terre, ordonne par conséquent Sa Majesté, à tous ses sujets de courir sus aux Hollandais »...

Et à la fin du mois d'avril, il quitte le château de Saint-Germain, afin de prendre la tête des troupes.

Il chevauche et, lorsqu'il se retourne et qu'il aperçoit cette immense troupe de plusieurs dizaines de milliers d'hommes, il éprouve une telle joie, un sentiment de si grande puissance, qu'il doit se raidir pour ne pas s'élancer au galop, comme s'il était à la chasse traquant un cerf ou un sanglier.

Il est enfin ce roi de guerre qui dicte ses ordres au prince de Condé, à Turenne, au maréchal de Luxembourg.

— J'ai estimé plus avantageux à mes desseins, leur dit-il, de ne pas me contenter de l'attaque de Maëstricht. Il est moins commun pour ma gloire d'attaquer tout à la fois quatre places sur le Rhin. J'ai choisi Orsoy, Rheinberg, Wesel, Buderick.

Les villes et les provinces tombent, les soldats hollandais se rendent. Qu'importe si la flotte des Provinces-Unies, commandée par Ruyter, remporte une victoire sur celle de Duquesne et du comte d'Estrées. Les seules batailles qui comptent sont celles auxquelles participe le roi.

Et il veut que partout dans le royaume les cloches des *Te Deum* célèbrent les victoires du roi. Il faut que les tableaux, les tapisseries, les gravures, les libelles rendent hommage au roi, qu'on le montre, entouré des chefs de ses armées, commandant le passage par l'armée de ce bras du Rhin, au gué de Tolhuys.

Il faut qu'on chante :

> *Nous avons traversé le Rhin*
> *Avec M. de Turenne.*

Il faut que l'Académie de sculpture et de peinture fasse de cet épisode glorieux le sujet de ses concours.

Louis a l'impression d'être le créateur d'une immense mise en scène, qui lui rappelle les moments où, avec Lully, les comédiens de Molière, les danseurs, les peintres, il préparait une grande fête à Versailles ou à Saint-Germain.

Mais la vraie représentation royale, ce sont la guerre et la victoire.

Il est satisfait de lire un poème de Boileau qui célèbre le passage du Rhin :

> *Ils marchent droit au fleuve où Louis en personne*
> *Déjà prêt à passer, instruit, dispose, ordonne*
> *Par son ordre Gramont, le premier dans les flots*
> *S'avance soutenu des regards du héros*
> *Son coursier écumant sous son maître intrépide*
> *Nage tout orgueilleux de la main qui le guide...*

Il renvoie avec mépris ces échevins qui viennent piteusement lui remettre les clés d'Arnheim, de Nimègue et d'Utrecht.

Il entre dans cette ville, et il veut qu'on y célèbre un *Te Deum* après y avoir purifié l'église des relents d'hérésie. On brûle la chaire et les bancs. Un évêque nommé par le pape arrive et les prêtres et les moines qui l'accompagnent peuvent enfin dire la messe.

C'est le Roi Très Chrétien qui triomphe d'un pays hérétique, mécréant jusque dans son principe politique.

Le roi de France venge tous les rois.

Il va quitter Utrecht, en ce mois de juillet 1672.

Il a le sentiment que la guerre est gagnée, qu'elle va se terminer dans quelques semaines.

Impatient déjà de rejoindre la Cour et Mme de Montespan, il écoute distraitement

Turenne, Luxembourg, Condé, les espions qui lui rapportent que, à Muyden, les Hollandais ont ouvert les écluses du Zuyderzee, qu'Amsterdam, la grande ville de deux cent cinquante mille habitants, la plus riche, est devenue une sorte d'île autour de laquelle croisent les navires hollandais.

Et le grand pensionnaire Jean de Witt et son frère Cornelis, accusés de trahison, ont été massacrés par la foule, leurs membres dispersés dans une furie populaire. Guillaume d'Orange a été désigné stathouder, capitaine général et amiral général à vie de la République. En outre, Frédéric-Guillaume de Hohenzollern, électeur de Brandebourg, s'est allié aux Provinces-Unies, et plusieurs milliers de soldats allemands sont entrés dans le pays.

Louis dévisage les chefs de ses armées : cela peut-il changer le sort de la guerre ?

Tous se récrient. Le maréchal de Luxembourg s'avance, dit qu'il se fait fort de remporter la victoire avant l'hiver.

Louis l'exige. Puis, en hâte, il rejoint Versailles et se rend au château de Genitoy où, depuis quelques semaines, vivent, surveillés par Françoise d'Aubigné, veuve Scarron, les enfants de ses amours avec Athénaïs de Montespan.

Et c'est elle qu'il va retrouver avec l'avidité d'un vainqueur. C'est à son bras qu'il traverse les salons du château de Saint-Germain. Les courtisans le louent pour sa victoire. On récite des vers de Pierre Corneille, « À la gloire de Louis le Grand Conquérant de la Hollande ».

Il est heureux.

Mais avec l'automne et l'hiver, l'inquiétude le gagne.

Au Conseil-d'en-Haut il devine l'hostilité qui oppose les Le Tellier – le père et son fils Louvois – au contrôleur général des Finances Colbert, qui soutient son frère Charles Colbert, marquis de Croissy, qui pourrait entrer au Conseil pour remplacer le secrétaire d'État aux Affaires étrangères.

Louis écoute les uns et les autres. Il se nourrit de la controverse, mais il veut simplement que ces rivalités n'entravent pas l'exercice du pouvoir. Ou bien qu'elles ne donnent pas naissance à des rumeurs.

N'a-t-on pas prétendu que l'ancien secrétaire d'État Hugues de Lionne avait été empoisonné ?

Il interroge Louvois puis Colbert sur la situation en Hollande.

Il apprend que les soldats du maréchal de Luxembourg ne peuvent avancer dans les provinces envahies par les eaux, qu'ils vivent sur le pays, que les Hollandais résistent, qu'un moment de gel a permis aux soldats du roi de progresser, mais la glace a rapidement fondu, et ils se sont noyés par centaines.

Louis apprend par les espions de Colbert ce que ne dit pas Louvois.

Les soldats du maréchal de Luxembourg brûlent les villages, pillent et violent. Ils ont massacré les habitants des bourgs de Swammerdam et de Bodegrave. Ces tueries, ces vols font naître la haine, l'inquiétude dans toutes les nations d'Europe. On craint le roi de France, on se ligue contre lui.

Colbert ajoute que les finances du royaume sont lourdement grevées par cette guerre, à laquelle il faudrait mettre fin, et à tout le moins ordonner que les consignes de Louvois d'avoir à ne pas se soucier du sort des Hollandais, de leur «bonne ou mauvaise humeur», soient tempérées.

Louis convoque Louvois. Il veut que de nouvelles instructions soient données au maréchal de Luxembourg.

Il les dicte, les relit.

«Le roi a été bien surpris de voir que le pays est encore au pillage et exposé à toutes les violences des soldats. Vous savez aussi bien que qui que ce soit que c'est un moyen de ruiner les troupes et le pays. Sa Majesté m'a commandé de vous faire savoir qu'Elle désire que vous y remédiez par quelque voie que ce soit, en sorte que les paysans de la campagne soient dans un aussi grand repos en payant leurs taxes qu'ils l'étaient du temps des Hollandais.»

Louis est inquiet.

Pomponne, d'une voix hésitante, lui apprend que l'Espagne et l'empereur du Saint Empire romain germanique, Léopold Ier, se sont alliés à Guillaume d'Orange, que les troupes de celui-ci viennent de s'emparer de Charleroi, qu'elles s'enfoncent en France et espèrent se réunir aux soldats de Frédéric-Guillaume de Hohenzollern, l'électeur de Brandebourg.

Louis s'emporte. Il n'acceptera jamais la défaite. Il prend la tête des troupes qu'il peut rassembler et se dirige vers Saint-Quentin et Compiègne, assiégés par les soldats de Guillaume d'Orange.

C'est l'hiver, il fait froid, le soleil ne brille plus.

45.

Il n'aime pas cette saison grise et pluvieuse.

Il va d'un palais à l'autre, de Saint-Germain à Versailles, du Louvre à Chambord. La Cour le suit. Athénaïs de Montespan s'offre à lui chaque nuit, et il est toujours ébloui par sa beauté dorée, ce corps épanoui où son désir s'épuise et renaît.

Et cependant il ressent, dans ces premiers mois de 1673, une «furieuse inquiétude».

Certes, les troupes de Guillaume d'Orange ont dû lever le siège de Saint-Quentin et de Compiègne. Et, en Westphalie, Turenne a fait reculer les troupes de l'électeur de Brandebourg, Frédéric-Guillaume de Hohenzollern, et celles de l'empereur germanique. Frédéric-Guillaume a même envoyé des messagers pour ouvrir des négociations de paix. Si on lui verse quelques centaines de milliers de livres, il est prêt à se retirer de la guerre.

Mais Louis a le sentiment que la guerre s'enlise. La gloire se dérobe.

Colbert parle finances. Les caisses sont vides. Dans les provinces, l'argent a disparu. On ne paie plus, on échange, le troc a remplacé le commerce. Les recettes du royaume sont insuffisantes à couvrir les dépenses de guerre, les soldes à verser, les canons à acheter. Et de nouveaux ennemis apparaissent : la régente d'Espagne, le duc de Lorraine rejoignent

294

les Hollandais et les Impériaux. Et l'Angleterre songe à rompre son alliance avec la France.

Hiver glacé. Louis a l'impression que la mort rôde dans les pièces des palais que les grands feux de cheminée ne réussissent pas à chauffer.

Il reçoit cette jeune comédienne, Armande Béjart, qu'il a vue sur scène aux côtés de Molière.

Elle s'agenouille, elle supplie. Molière est mort, murmure-t-elle. Le sang a rempli sa bouche, lors de la dernière scène du *Malade imaginaire*, au Palais-Royal. Les prêtres de l'église Saint-Eustache ont refusé de lui accorder les derniers sacrements. Et on interdit un enterrement religieux.

— Sire, votre Molière, murmure-t-elle.

Il hésite, puis il promet qu'il appuiera la requête auprès de monseigneur l'archevêque de Paris.

Quelques jours plus tard, il apprend qu'on a enterré Molière de nuit, en présence de quelques centaines de personnes, éclairées par des flambeaux.

Il ne veut pas que sa pensée s'arrête à ces images de mort. Et cependant, elles surgissent de toutes parts.

Les soldats massacrent en Hollande et en Westphalie. Le maréchal de Luxembourg se félicite de voir brûler les villages, les châteaux, et les gens qui s'y cachent.

Les espions rapportent que dans toute l'Europe, les pamphlets et les gravures dénonçant le roi de France, cet ogre, se multiplient. La haine se répand plus vite que les incendies et les massacres perpétrés par les troupes.

Louis découvre que dans une lettre à Louvois, Vauban écrit : « Le roy devrait un peu songer à faire son pré carré. »

Faudrait-il cesser de songer à agrandir le royaume, et s'enfermer derrière des villes fortifiées ?

Il ne peut, il ne veut pas s'y résoudre. Il faut châtier ceux qui l'ont défié, qui n'ont pas voulu reconnaître sa prééminence.

Que vienne le printemps, et il prendra à nouveau la tête des troupes, et il retrouvera le chemin des victoires éclatantes.

Mais l'hiver s'éternise. L'argent manque de plus en plus. Il faut que les impôts rentrent.

Il se présente devant le Parlement, l'épée nue à la main, entouré de ses gardes du corps. Il exige de l'Église qu'elle lui verse les impôts des évêchés vacants.

Besoin d'argent, pour préparer les offensives de printemps, pour continuer les travaux à Versailles ! On a englouti en canalisations pour alimenter les fontaines plus de sept millions de livres !

Mais qu'importe, on ne mesure pas la gloire aux coûts de la guerre et des bâtiments.

S'il faut à Versailles cinquante chevaux pour élever l'eau afin qu'un jet jaillisse sur un terre-plein, devant l'appartement du roi, qu'on les trouve !

Il ne veut pas avoir à connaître ces détails, l'envers du décor.

Et cependant, il doit recevoir le lieutenant général de police, Gabriel Nicolas de La Reynie, l'homme qui sait ce qui se trame derrière les façades respectables et nobles, et qui a parcouru les chemins tortueux et secrets qui mènent des palais aux bas-fonds.

— Il est des modes de crimes comme d'habits, commence La Reynie.

Il souligne que les prêtres qui reçoivent les dames de la Cour en confession font savoir, sans révéler l'identité de leurs fidèles, que nombre d'entre elles s'accusent de désirer empoisonner un mari, un amant, un père, une rivale. Et certaines auraient perpétré ces crimes à l'aide d'arsenic et de vitriol, qui détruisent les organes, ulcèrent le foie, les intestins, sans qu'on puisse avoir la preuve de l'empoisonnement.

Ces dames commencent par consulter des astrologues, des cartomanciennes. N'est-ce pas La Fontaine qui le dit :

> *Perdait-on un chiffon, avait-on un amant*
> *Un mari vivant trop au gré de son épouse*
> *Une mère fâcheuse, une femme jalouse*
> *Chez la devineuse on courait*
> *Se faire annoncer ce que l'on désirait.*

Et souvent on demande des philtres, des poudres, des préparations alchimiques, des poisons faits de crapauds, de serpents écrasés, d'arsenic, d'opium, de ciguë, d'ivraie.

Louis écoute.

Il se souvient des rumeurs qui ont accompagné l'agonie d'Henriette d'Orléans, puis des soupçons au moment de la mort d'Hugues de Lionne, son épouse accusée de l'avoir empoisonné. Il y a quelques semaines, c'est le comte de Soissons qui disparaissait brutalement, et c'est encore une fois son épouse qu'on a soupçonnée.

Mais ce n'étaient que rumeurs, hypothèses démenties par des autopsies. Or le lieutenant général de police apporte des preuves. Ainsi, la marquise de Brinvilliers, née Marie-Madeleine d'Aubray, a empoisonné ses deux frères, l'un lieutenant civil, l'autre conseiller au Parlement, et elle a aussi tué son père, conseiller d'État. Son complice, les jambes brisées par les brodequins de la torture, est passé aux aveux, et on l'a roué vif. Quant à la marquise, condamnée à mort par contumace, elle a réussi à fuir en Angleterre, peut-être aux Pays-Bas.

Louis se détourne. Il ne veut plus entendre Gabriel Nicolas de La Reynie.

Que le vent de la guerre et la gloire des armes dissipent les miasmes empoisonnés !

46.

Enfin, il est parmi les soldats.

Il aime leurs acclamations quand il visite les tranchées, monte sur les parapets sans se soucier des feux des mousquets, des tirs de canon que, depuis les fortifications de Maëstricht, les Hollandais déclenchent dès qu'ils aperçoivent son cortège de mousquetaires, de gardes du corps, des maréchaux de camp, Turenne, Condé, Luxembourg. Et ce Vauban, avec qui il aime s'entretenir et que la passion de la guerre de siège habite.

Et la forteresse de Maëstricht, avec ses trois rangées de bastions, ses remparts, ses redoutes, paraît imprenable.

Mais, précisément parce que depuis le XVIe siècle cette enclave hollandaise, comme un éperon enfoncé entre le pays de Liège et de Juliers, n'a jamais été conquise, il faut qu'elle tombe aux mains de Louis le Grand.

De l'aube à la nuit, Louis parcourt les tranchées, ordonne les attaques et souvent les conduit, malgré les réticences des maréchaux. Un roi de France ne doit pas s'exposer de telle manière, disent-ils.

Il ne répond pas, il s'élance. Il veut que tous le voient.

Il se tourne pour s'assurer que Charles Le Brun, le peintre qu'il a demandé à Colbert de lui adjoindre, est bien là, à quelques pas, crayonnant sur ses carnets.

Le temps de ce mois de mai est radieux. Les explosions des mines, qui font s'ébouler des pans de rempart, couronnent les forteresses de petits nuages blancs que le vent dissipe, laissant place au ciel immaculé d'un printemps glorieux.

Il veut cette victoire, quel qu'en soit le prix. Les sept mille assiégés résistent, mais que peuvent-ils contre plus de cinquante canons qui tirent sans discontinuer, et contre trente mille hommes, commandés par le plus grand des rois ? Car désormais, c'est lui qui décide.

Il a choisi Maëstricht, car sa chute étonnera toutes les nations d'Europe. Il écoute Vauban, mais il commande. Il est comptable des morts. Et il salue la dépouille du chef de ses mousquetaires, d'Artagnan, en qui il avait toute confiance et qu'un boulet hollandais a tué.

Mort pour la gloire de son roi.

Louis déclenche aussitôt une nouvelle attaque.

Il y aura quelque chose de beau à voir, dit-il au peintre Charles Le Brun.

En effet, après treize jours, alors que Vauban n'a pu encore creuser toutes les mines afin de faire exploser les fortifications, Maëstricht capitule.

Louis entre dans la ville, alors que sonnent déjà les cloches d'un *Te Deum* et que s'y mêlent les roulements de tambour et les notes aigres des fifres.

Il veut que dans toutes les églises du royaume, on célèbre sa victoire. Que les graveurs, les poètes, les peintres retracent les épisodes du siège et montrent le roi, à cheval, au premier rang de ses troupes, valeureux et glorieux.

Maintenant il peut quitter Maëstricht, retrouver à Tournai la Cour et ses dames qui l'y attendent.

Elles sont là, Athénaïs de Montespan, Louise de La Vallière et la reine Marie-Thérèse. Elles ont fait le voyage dans le même carrosse. Et il l'a voulu ainsi.

Il apprend qu'Athénaïs de Montespan a accouché, dans la forteresse de Tournai, le 1ᵉʳ juin, d'une petite fille, Louise-Françoise, qu'il a l'intention de légitimer, comme tous les enfants nés de sa semence, et qui se nommera Mlle de Nantes.

Elle a déjà été confiée à Françoise d'Aubigné, veuve Scarron, dont l'attitude le trouble et l'irrite.

Françoise le regarde avec une sorte d'admiration apitoyée, comme si elle voulait le séduire, comme n'importe quelle femme, et le mettre en garde comme le ferait un confesseur, et ce mélange, ce défi qu'elle lui lance, cette réserve et cette provocation l'attirent.

Mais elle est aimée, adorée même, des enfants dont elle a la charge. Il est touché par l'affection qu'elle semble porter au duc du Maine, le premier fils qu'il a eu avec Athénaïs de Montespan.

Il l'observe, devine qu'elle veut lui faire comprendre qu'elle est plus qu'une gouvernante, mieux qu'une mère, que cette Athénaïs de Montespan – qu'elle sert, à laquelle elle est fidèle – se désintéresse des enfants du roi, ne suit pas ses conseils avisés.

Peut-être a-t-elle raison ?

Il décide que Françoise d'Aubigné et les enfants – duc du Maine, Mlle de Nantes, bâtards légitimés – logeront avec elle, au château de Saint-Germain.

Il pense à ce retour, aux fêtes qu'il va organiser pour célébrer les victoires, mais il faut d'abord faire face à cette grande alliance de La Haye, que les Hollandais ont nouée avec les Espagnols, le duc de Lorraine, l'empereur germanique.

Il chevauche à la tête des régiments qui entrent en Alsace.

Il l'écrit à Colbert :

« Je crois que vous ne serez pas fâché d'apprendre que Colmar et Sélestat ont reçu mes troupes, et qu'on commencera demain à voiturer le canon à Brisach et à les raser. »

Il veut en effet démanteler les fortifications de ces villes, punir ces populations, dont certaines, comme à Colmar, ont manifesté contre les troupes françaises.

Il faut soumettre l'Alsace et penser qu'un jour, on pourra peut-être l'annexer, agrandir le royaume jusqu'à Strasbourg.

En même temps, il pense à ce plaisir qu'il éprouvera en retrouvant ses châteaux, ceux de Versailles et de Saint-Germain, ses jardins où il veut que jaillissent de nouveaux jets d'eau.

Lorsqu'il reçoit une lettre de Colbert dressant l'état des travaux, il répond aussitôt :

«Tout ce que vous me mandez dans votre lettre de Versailles et Saint-Germain me fait plaisir. Faites bien apprêter toutes choses afin que rien ne manque surtout aux pompes quand j'arriverai. Je crois que cela ne sera pas sitôt mais il ne faut pas laisser d'y songer de bonne heure... Si la nouvelle pompe jette cent vingt pouces d'eau, cela sera admirable!»

Il imagine les promenades dans les jardins avec Athénaïs, les bals et les feux d'artifice.

Et les intrigues aussi.

À Tournai, il a dû subir les soupirs de la reine qui s'étonnait de ne le voir rejoindre le lit conjugal qu'à l'aube. Il a répondu par le silence. Pouvait-il lui dire qu'il rendait visite à Athénaïs de Montespan dans sa chambre de la forteresse?

Il a dû, aussi, faire face à Louise de La Vallière, annonçant une fois de plus qu'elle voulait se retirer du monde définitivement et s'enfermer dans un couvent de carmélites.

Et pourquoi pas?

Mais elle veut organiser son départ, veiller à léguer aux uns ou aux autres et aux membres de sa famille ses biens, présenter quelques dernières requêtes, afin de favoriser l'un de ses proches. Il songe à tout cela.

À la façon dont il va vivre à Saint-Germain et bientôt, le plus tôt possible, à Versailles.

« Il faudra, écrit-il à Colbert, faire percer la porte qui va de mon petit appartement, où loge Mme de Montespan, dans la salle des gardes du grand appartement et la mettre en état qu'on y puisse passer.

« Il faudra aussi faire ouvrir la porte qui va de mon petit à mon grand appartement, qui est dans le cabinet où je vais quelquefois pendant les Conseils... »

Il veut être auréolé de la gloire des armes, exercer le gouvernement du royaume et jouir du plaisir que donnent la beauté des châteaux, les fêtes et les femmes.

Il veut tout.

47.

Il est assis seul, le buste droit, les mains posées à plat sur la table de marbre, de part et d'autre de ces feuillets que Louvois vient de lui remettre.

Louis les fait glisser du bout des doigts.

Il lit une phrase de l'une ou l'autre de ces copies de lettres.

Il doit tout connaître de ses sujets et d'abord de ceux qui, par leur rang et leur fortune, peuvent prendre la tête d'une fronde.

Chaque fois qu'il croise l'un de ces Grands qui s'inclinent devant lui, il se souvient que tel ou tel avait pris les armes contre l'armée du roi, guerroyait contre le cardinal de Mazarin et la reine Anne d'Autriche, et rêvait de mettre le roi sous tutelle.

Comment oublier cela?

Il faut étouffer les conspirations avant qu'elles ne s'étendent. Et c'est pour cela qu'il a autorisé Louvois à faire saisir les correspondances, à briser les sceaux si nécessaire, même quand il s'agit des dépêches d'ambassadeurs.

Il sait que les hommes du secrétaire d'État à la Guerre, parfois déguisés en brigands, attaquent les voitures postales, s'emparent des sacs de courrier et, les lettres déchiffrées, recopiées, reconstituent les sceaux et expédient les missives.

Peu importe que chacun sache à la Cour que ce qu'il écrit

peut être lu par les hommes du « cabinet noir » et transmis au roi. L'envie de se confier est la plus forte. Et une fois qu'on a commencé à écrire, on oublie toute prudence.

Louis lit souvent avec gourmandise les lettres d'Élisabeth-Charlotte qui, chaque jour, envoie plusieurs pages aux différents membres de sa famille.

Il a de l'affection pour cette grosse Liselotte, qui s'accommode de son époux, bien que Philippe d'Orléans soit « tout entiché du péché philosophique », entouré de mignons, adeptes comme lui du « vice italien ». Il a cependant engrossé Liselotte, et elle a accouché d'un garçon, Alexandre Louis, duc de Valois. Et Louis a tenu à assister au baptême, puis il s'est rendu à toutes les fêtes pour célébrer l'événement. Il partage avec cette Palatine le goût du théâtre, des mascarades, des feux d'artifice, de l'opéra. Et il aime sa saine gaieté, son endurance physique. Elle peut chevaucher toute une journée, emportée elle aussi par le goût et le plaisir de la chasse.

Et Louis se délecte à la lire, surpris par ce que ses lettres lui révèlent, qu'il côtoie pourtant et dont elle lui fait découvrir l'ampleur.

« Celui qui voudrait détester tous ceux qui aiment les garçons ne pourrait pas aimer ici, à la Cour, six personnes, écrit la Palatine. Il y en a de tous les genres. Il y en a qui haïssent les femmes comme la mort et ne peuvent aimer que les hommes. D'autres aiment les hommes et les femmes. D'autres aiment seulement les enfants de dix ou onze ans, d'autres des jeunes gens de dix-sept à vingt-cinq ans et ce sont les plus nombreux. Il y a d'autres débauchés qui n'aiment ni les hommes ni les femmes et qui se divertissent tout seuls, mais ils sont moins nombreux que les autres. Il y en a aussi qui pratiquent la débauche avec tout ce qui leur tombe sous la main, animaux et hommes... »

Il éprouve un sentiment de mépris mêlé de dégoût pour ces sujets de Sodome parmi lesquels il y a son propre frère, dont il doit bien reconnaître qu'il s'est montré hardi, courageux à la guerre, s'élançant le premier, son bâton de commandement à la main, à la tête de sa compagnie de gendarmes et s'emparant de la ville hollandaise de Zutphen.

Philippe a une bravoure naturelle. Il semble ignorer ce que c'est que la mort, et pourtant il a l'air d'une femme, et Louis le surprend toujours en train de se farder!

Mais comment et pourquoi empêcher cela?

Il faut simplement sévir quand ce vice italien corrompt les hommes au point de les détourner de leur tâche.

Louis apprend ainsi que Lully, le surintendant de la musique, qui doit composer la partition des livrets écrits par Quinault, un auteur prolixe, abandonne sa tâche, fou qu'il est d'un mignon nommé Brunet qui se joue de lui.

Qu'on enlève ce Brunet! Qu'on l'enferme à Saint-Lazare et que les pères le fouettent deux fois par jour!

Et Louis, dans les rapports des espions de Louvois, apprend que l'on se moque à Paris du surintendant de la musique :

Monsieur Lully est affligé
De voir son Brunet fustigé
Il est jaloux qu'un père
Eh bien
Visite son derrière
Vous m'entendez bien...

Mais peu importe les rimailleurs. Lully s'est remis au travail, et la composition de cet opéra-ballet, *Alceste*, avance, et Louis veut qu'il soit représenté lorsqu'il rentrera victorieux de la guerre.

Elle a repris, dans un nouvel hiver pluvieux et venteux. Louis s'emporte. Les princes allemands, et même les évêques de Cologne et de Munster, tous ceux qui furent ses alliés, rompent avec lui, et la diète de Ratisbonne lance le Saint Empire romain germanique dans la guerre contre la France.

Louis éprouve à la fois un sentiment de colère et d'orgueil. Tous les royaumes, celui d'Angleterre et celui d'Espagne, la république des Provinces-Unies et le Saint Empire, et à nouveau l'électeur de Brandebourg, Frédéric-Guillaume de Hohenzollern, sont contre lui. Parce qu'il est le Roi Très Chrétien, celui qu'on jalouse et qu'on craint. Louis le Grand, le Roi-Soleil, le souverain du plus grand des royaumes.

Il donne ses ordres. Il ne veut conserver que quelques-unes des villes de Flandre, dont Nimègue et Maëstricht. Qu'on abandonne les autres et même Utrecht. Il veut porter la guerre dans la Franche-Comté espagnole.

Et, au mois de mai, il quitte le château de Saint-Germain, suivi par toute la Cour.

Il veut que les dames soient là, pour l'accueillir le soir et souper sous la grande tente, au son des violons.

Il partage ses nuits avec Athénaïs de Montespan et à l'aube il entre dans la tente de la reine Marie-Thérèse.

Mais il est tout le jour roi de guerre. En compagnie de Vauban, il se dirige, entouré de ses mousquetaires, vers Besançon, vers Dole, que ses troupes assiègent. Ces villes se rendent, la première le 15 mai 1674, l'autre le 7 juin. Victoire aisée, même si les morts se comptent déjà par centaines et si les dames de la Cour, auxquelles il veut montrer les fortifications de Besançon et de Dole, et raconter le siège, détournent la tête, effrayées devant le spectacle des blessés dont personne ne paraît se soucier.

Mais le soir les violons jouent sous la tente du roi, accompagnant le souper, ne s'interrompant que pour la lecture d'une lettre de Colbert, resté à Paris.

« Dans le moment Sire, où nous tremblions ici pour l'attaque de la citadelle de Besançon, nous avons reçu l'heureuse et agréable nouvelle de sa prise. César prit la ville aussi et s'en glorifie dans ses ouvrages. La puissance de toute la maison d'Autriche s'est appliquée pendant sept années à la rendre imprenable et Votre Majesté prend cette ville.

« Il faut, Sire, se taire, admirer, remercier Dieu tous les jours de nous avoir fait naître sous le règne d'un roi tel que Votre Majesté. »

Il faut, par des fêtes inoubliables, célébrer cette victoire.

Il s'installe à Versailles, en ce mois de juillet 1674.

Il veut que la cour de Marbre se transforme en une scène de théâtre et que, sur le canal enfin achevé, des gondoles offertes par la république de Venise naviguent dans la nuit et la lueur des lanternes, dans l'éclat des feux d'artifice et des centaines de bougies placées sur une colonne dressée dans la cour de Marbre.

Il veut six journées de divertissement, qui se tiendront entre le 4 juillet et le 31 août.

Le 4 juillet, il est assis entre la reine et Athénaïs de Montespan, dans cette cour de Marbre, alors que se succèdent les actes d'*Alceste*, et que d'un regard il félicite Lully et Quinault pour cet opéra-ballet.

Il apprécie qu'on l'ait représenté, au fil du spectacle, en Neptune, Mars, Apollon, Pluton, Hercule, roi triomphant qu'accompagnent les chœurs et les danseurs.

Les tambours et les trompettes, les marches militaires rappellent que c'est en l'honneur de la conquête rapide et glorieuse de la Franche-Comté que ces divertissements ont lieu.

Louis est présent à chacune des journées, riant au *Malade imaginaire* écrit par Molière qui n'est plus. Et au souvenir de l'acteur qu'il avait protégé il regarde autour de lui. Personne n'échappera à la mort ? Quand le saisira-t-elle ?

Il chasse cette pensée. Il assiste à la représentation d'*Iphi-*

génie donnée dans l'Orangerie, et il félicite Racine pour son œuvre.

Mais à ces jeux de scène, il préfère la transformation, par les lanternes, les bougies et les feux d'artifice, des jardins et des palais en un spectacle qui enveloppe la nature et la change en féerie.

Le 31 août, il embarque sur l'un des vaisseaux qui vont remonter le canal dans la nuit illuminée. Tout est devenu décor. Les gondoles suivent le vaisseau royal, naviguent de concert avec l'embarcation sur laquelle ont pris place les violons du roi.

Louis est assis sur un trône placé à la poupe de son vaisseau.

Il regarde les toiles qui, de place en place, décorent les rives du canal et sur lesquelles on a peint les dieux de l'Olympe.

Versailles est son Olympe.

Mais le temps des fêtes s'achève déjà. Louis quitte le château encore inachevé. Il regagne Saint-Germain et souvent il se rend au Louvre. Il y reçoit les dépêches de Condé et de Turenne.

L'un vient d'affronter les troupes de Guillaume d'Orange, près de Charleroi, à Seneffe, et la bataille a été si meurtrière qu'aucune des deux armées, la française de quarante-cinq mille hommes, la hollandaise de soixante mille, n'a occupé le terrain, l'une et l'autre comme effrayées par le massacre de milliers de soldats. Et chaque camp peut ainsi déclarer qu'il a remporté la victoire.

Il faut la proclamer, la célébrer par un *Te Deum*, féliciter Condé qui a eu trois chevaux tués sous lui en conduisant les charges.

Il faut aussi féliciter Turenne qui en Alsace réussit à repousser les Impériaux, et envahit le Palatinat.

Louis devine, en voyant le visage assombri d'Élisabeth-Charlotte, que celle-ci a appris que son pays est saccagé, que Turenne, pour se venger des paysans qui ont attaqué et tué des soldats isolés, a donné l'ordre de brûler vingt-deux villages, d'en massacrer les habitants et de détruire les récoltes.

Mais l'électeur palatin, le père d'Élisabeth-Charlotte, a eu une attitude ambiguë. Il est attiré par l'alliance avec les princes allemands contre la France, donc contre sa fille.

Alors, que Liselotte soit attristée, mécontente, qu'elle en veuille à Louvois, à Turenne, ne doit pas être pris en compte par le roi de France.

Il ne doit avoir pour seule préoccupation que l'intérêt de sa gloire et du royaume.

Et celui-ci peut toujours être à la merci d'une conspiration.

Louis regarde les papiers que Louvois vient de déposer sur la table de marbre.

Ils mettent en cause le descendant de l'une des plus nobles familles de France, les Rohan. Et Louis se souvient de ce jeune chevalier de Rohan, auquel il avait accordé de succéder à ses aïeux dans la charge de grand veneur.

Mais Rohan l'avait irrité. On disait à la Cour qu'il était «l'homme le mieux fait de son temps et de la plus grande mise».

N'était-ce pas le roi qui aurait dû éclipser tous les autres ?

Et le chevalier avait séduit toutes les plus belles femmes de la Cour, et même la marquise de Thianges, la propre sœur d'Athénaïs de Montespan. Et celle-ci, en riant, avait laissé entendre que Rohan s'était montré fort empressé envers elle, mais qu'elle avait bien sûr résisté et qu'elle ne s'était pas, malgré son siège, rendue.

Comment oublier une telle impertinence ?

309

Et voici qu'en cette fin d'année 1674, son nom est là, aco-quiné à celui d'un Flamand, Van den Enden, et d'un officier, Gilles de Latréaumont. Et c'est ce dernier qui a mis sur pied cette conjuration. On soulèvera la Normandie, la Bretagne et la Guyenne, provinces accablées d'impôts. On enlèvera Monseigneur, le Grand Dauphin, qui s'aventure souvent dans les forêts de Normandie pour chasser en compagnie d'un seul piqueur. Et plus tard, on pourra peut-être même enlever le roi.

Par Van den Enden on a pris contact avec les Hollandais, qui ont promis de faire croiser un vaisseau au large de la Normandie et même de débarquer des troupes afin d'aider les conspirateurs. Lorsque le Grand Dauphin sera enlevé, on le transportera à bord du navire hollandais.

Un témoin de hasard a découvert la conspiration et en a averti Louvois. Latréaumont est mort lors de son arresta-tion. Van den Enden et Rohan attendent leur exécution.

Louis feuillette les papiers que lui a remis Louvois. Les conspirateurs envisageaient non seulement de soulever des provinces, mais d'établir une république où la noblesse défendrait les intérêts des plus pauvres des sujets.

Folie ! Crime de lèse-majesté.

Van den Enden doit être pendu, mais faut-il gracier Rohan ?

Louis hésite. Le chevalier incarne la plus pure noblesse française. Mais il n'a pas craint de préparer la guerre civile, d'envisager de porter la main sur le Dauphin et le roi.

Louis attend. Il espère que quelqu'un osera lui demander la grâce de Rohan.

Mais tous les proches du chevalier se taisent.

Et seul Louvois répète : « Il faut faire un exemple, Sire. »

Alors Louis laisse dresser l'échafaud devant la Bastille. Et c'est le père Bourdaloue, prédicateur à la Cour, qui accom-pagnera le chevalier de Rohan jusqu'au billot.

Et le 27 novembre, la hache du bourreau tranche le cou de Rohan.

Il veut oublier.

Il se rend auprès de ses enfants. Il y rencontre Françoise d'Aubigné. La veuve Scarron, comme à son habitude, vante le duc du Maine, celui des enfants qu'elle préfère, et fait aussi l'éloge de Mlle de Nantes. Les enfants paraissent l'aimer, et à rester près d'eux, en compagnie de cette femme douce, Louis s'apaise.

Il est même déçu quand Athénaïs de Montespan le rejoint. La vivacité de sa maîtresse, son esprit, ses railleries, sa beauté même lui apparaissent tout à coup comme une boisson trop forte qui trouble les sens et l'âme. Et il a aussi besoin de tranquillité. Lorsque Athénaïs de Montespan le laisse à nouveau seul avec Françoise Scarron et les enfants, il éprouve une sensation de repos.

Il s'approche de Françoise Scarron, il aimerait frôler ses épaules et ses cheveux. Il lui propose de partager *médianoche* avec lui, il serait heureux de l'avoir à sa table, pour ce repas gras, pris à minuit après les jours maigres. Elle accepte en baissant les yeux, mais dit aussi qu'elle consultera l'abbé Gobelin, son directeur de conscience.

Cette femme l'attire, avec ses prudences, sa mesure, son obstination aussi à cet art de dire sans excès ce qu'elle veut, cette manière de se flatter, de se présenter sous le meilleur jour. Il devine tout cela. Ce n'est peut-être qu'une rouée mais il éprouve près d'elle la paix. Et lorsque Athénaïs de Montespan plaide pour Françoise, disant qu'il faudrait à son amie une terre, un titre, pour qu'elle se sente enfin protégée, arrachée à son passé, il est aussitôt décidé à faire un don de cent mille livres à Françoise Scarron, même s'il fait mine un temps de refuser, pour éviter qu'Athénaïs de Montespan, dont il connaît la jalousie, ne devine qu'il trouve Françoise attirante et aimable.

Enfin il accorde ce don à Françoise Scarron, et il est heureux d'apprendre qu'elle a aussitôt acheté une belle terre, noble, qui vaut dix à onze mille livres de rentes. Il s'agit du marquisat de Maintenon.

Voici donc Françoise d'Aubigné, veuve Scarron, marquise de Maintenon. Et lorsqu'il la rencontre à nouveau, à la fin du mois de décembre 1674, il peut la nommer Mme de Maintenon.

Et il la voit, rougissant de plaisir, faire une révérence pleine de reconnaissance.

48.

Il quitte à regret Mme de Maintenon.

Il se retourne. Il voit qu'elle ouvre les bras, se penche, enveloppe les épaules des enfants dans un geste lent et doux. Et le duc du Maine et Mlle de Nantes sourient et se pressent contre elle.

Louis s'éloigne, sort des appartements réservés, dans le château de Saint-Germain, aux enfants et à leur gouvernante.

Cette femme le rassure et le touche. Elle est pour les enfants meilleure, plus attentive que leur mère, la marquise de Montespan.

Athénaïs est d'abord une femme de fête, d'esprit et de plaisir dont la beauté rayonne.

Parfois elle le lasse, mais il ne songe pas à se séparer d'elle.

Il voudrait d'ailleurs garder autour de lui toutes celles qui l'ont aimé. Et il ne comprend pas, il s'étonne de leur dépit, de leur jalousie, bien qu'il les ait comblées.

Il a ainsi été ému aux larmes quand Louise de La Vallière est venue lui dire adieu, puisque, comme elle le désire depuis longtemps, elle se retire dans le couvent des carmélites de l'Incarnation, rue Saint-Jacques, et elle se nommera Louise de la Miséricorde.

Elle a voulu solliciter le pardon de la reine. Et Marie-Thérèse l'a serrée contre elle.

Elle a soupé chez Athénaïs de Montespan, assisté à une dernière messe, avec toute la Cour, dans la chapelle du château de Versailles, puis elle a gagné son carrosse.

Et Louis n'a pu retenir ses larmes.

C'est une part de sa vie qui tombe.

Or il veut ajouter et non pas soustraire.

Il peut faire l'amour avec la marquise de Thianges, la propre sœur d'Athénaïs de Montespan.

Il sait que bientôt, quand il le voudra, Mme de Maintenon se laissera enlacer, et il est très tenté de l'embrasser, d'entendre ses soupirs, ses remords, sa respiration haletante.

Il séduit telle ou telle jeune suivante de la reine ou d'Athénaïs. Et parfois il a l'impression que celle-ci les choisit belles et désirables pour les lui offrir. Et il lui en sait gré.

Il veut la couvrir de cadeaux, parce qu'elle n'est jamais si avenante, si empressée, si dévouée à le satisfaire, que lorsqu'elle a reçu une cassette de bijoux, ou bien qu'elle a obtenu pour le château qu'il lui a offert à Clagny de nouveaux aménagements, des tableaux, des statues, une orangeraie, et même une ferme, au fond de l'immense jardin, parce qu'Athénaïs aime à jouer quelquefois à la bergère, et même à la paysanne.

Il a lu dans l'une des lettres soustraites et recopiées par les hommes du « cabinet noir » qu'à la Cour, on nomme Athénaïs *Quanto*. Et c'est la marquise de Sévigné qui la désigne ainsi, dans ses innombrables missives.

Il a hésité à comprendre qu'il s'agissait d'Athénaïs, Mme « Combien ». Il a souri : *Quanto* ! Et il est vrai qu'elle aime jouer au jeu de cartes italien la *quantova* et que, presque chaque soir, il lui ouvre sa bourse afin qu'elle rembourse ses dettes.

Elle a obtenu pour son frère, le duc de Vivonne, le titre et les avantages de capitaine général des galères. Le marquis de Thianges a été, lui, élevé au grade de lieutenant dans la cavalerie royale, pour le remercier de sa complaisance. Et ce soir-là, la marquise de Thianges a été on ne peut plus douce.

La dernière des sœurs de Rochechouart de Mortemart, Marie-Madeleine, peut-être la plus belle des trois, est abbesse de Fontevrault.

Un grand roi doit être généreux avec celles et ceux qui le servent. Et la famille de Rochechouart de Mortemart lui est dévouée. Alors il faut satisfaire Athénaïs de Montespan.

Il écrit à Colbert de préparer pour elle un coffret contenant des bijoux qu'elle pourrait utiliser à sa guise.

« Il y aura dans cette cassette un collier de perles que je veux qui soit beau, deux paires de pendants d'oreilles, l'une de diamants que je veux qui soient beaux et une de toutes pierres ; une boîte et des attaches de diamants, une boîte et des attaches de toutes pierres dont les pierres se pourront lever à toutes deux ; il faut avoir des pierres de toutes couleurs pour en pouvoir changer ; il faut aussi une paire de pendants d'oreilles et de perles. Il faut aussi quatre douzaines de boutons dont on changera les pierres du milieu ; le tout étant de petits diamants, tout ira bien dessus... »

Il sait qu'Athénaïs aime les bijoux, et il veut être précis afin de la satisfaire.

Il se rend plusieurs fois avec elle à Clagny, pour surveiller les travaux d'un jeune architecte, Hardouin-Mansart, qui embellit le château d'Athénaïs. Le jardin sera dessiné par Le Nôtre.

Louis dit à Colbert :

— Mme de Montespan a grande envie que le jardin soit en état d'être planté cet automne. Faites tout ce qui sera nécessaire pour qu'elle ait cette satisfaction.

Il veut voir lui-même le bois d'orangers dans de grandes caisses, les roses, les jasmins, les œillets, et le petit bois sombre, laissé par Le Nôtre, comme un peu de mystère dans un ordonnancement réglé.

Il se rend à la ferme qui a coûté deux mille écus, et il se

réjouit de l'enthousiasme d'Athénaïs, qui admire tourterelles et truies grasses et propres, vaches pleines et moutons enrubannés !

Tout cela est fort cher il est vrai : 23 738 livres pour les arbres fruitiers.

— La dépense est excessive, dit-il à Colbert, et je vois là que pour me plaire, rien ne vous est impossible.

Et il faut aussi que Colbert trouve des ressources « extraordinaires » pour financer la guerre qui continue. Il faut armer les régiments de Turenne qui en Alsace poursuit les troupes impériales et remporte la victoire de Turckheim, puis franchit le Rhin.

Grande gloire, mais qui ne s'obtient que si les coffres sont pleins.

Il approuve Colbert qui rétablit des taxes sur le papier timbré et rend plus rigoureux le paiement de tous les impôts.

Les seigneurs font de même parce que le prix des denrées augmente, que leurs dépenses s'accroissent, qu'ils lèvent des compagnies pour participer à la guerre du roi, veulent paraître à la Cour, et, dans les châteaux, eux aussi désirent offrir des fêtes comme à Saint-Germain ou à Versailles.

Et Louis sur la table de marbre voit s'entasser les requêtes :

« Tout le peuple, pressé par la misère et par la nécessité, supplie Sa Majesté de le regarder d'un œil de compassion et de le soulager. »

Il lit une lettre que Bossuet lui adresse, et qui évoque :

« [...] Henri IV, votre aïeul qui par sa bonté ingénieuse et persévérante a cherché les remèdes aux maux de l'État, a trouvé le moyen de rendre les peuples plus heureux et de leur faire sentir et avouer leur bonheur. »

Tout cela est bel et bon, mais d'abord l'ordre !

Et par milliers les paysans bretons, les « bonnets rouges », saccagent et brûlent les châteaux, refusent d'obéir au gouverneur de Bretagne, le duc de Chaulnes.

Ils forment une armée de plus de vingt mille hommes guidés par un notaire, Sébastien le Balp.

Ils brandissent des faux, des fourches et des lames manchées. Ils pillent.

Des émeutiers parcourent même les rues de Rennes, s'en prennent à Mme la duchesse de Chaulnes.

Et parmi les rapports des espions de Louvois, Louis lit ceux qui indiquent qu'en Allemagne et dans les Provinces-Unies on se félicite de la révolte bretonne. On songe à envoyer des troupes soutenir les « bonnets rouges ». Une flotte hollandaise doit même débarquer des envoyés de Guillaume d'Orange à Quimperlé, à charge pour eux de proposer des armes, une alliance aux paysans révoltés.

Il n'y a qu'un seul choix, celui que propose Louvois et que Louis martèle, dicte :

— C'est dans le sang qu'il faut noyer l'émeute.

Les troupes entrent dans Rennes, les mèches de leurs fusils allumées.

On arrête. On massacre. On viole. On condamne à la roue, à la corde, aux galères. Les paysans s'agenouillent, répètent « *mea culpa* », implorent la pitié, la grâce.

Des soldats logent chez l'habitant, défenestrent ceux qui s'opposent à eux, volent, souillent, brisent, violent, frappent et tuent.

Les rebelles qui criaient dans les villes et les campagnes bretonnes « *Torr e benn* », « Casse-lui la tête », se soumettent. Et ce sont les crânes de ces « torreben » qu'on fracasse.

« Ils sont maintenant souples comme un gant car on en a pendu et roué une quantité », lit Louis dans un des rapports. Et le duc de Chaulnes ajoute :

« Je ne puis vous exprimer, Sire, quels ravages font les troupes. Cette province est traitée comme un pays ennemi.

Les arbres commencent à se pencher sur les grands chemins, du côté de Quimperlé, du poids qu'on leur donne. »

Et les oiseaux picorent les yeux des pendus.

Mais les sujets auront appris à obéir, et ne rédigeront plus des «codes paysans» supprimant les impôts, ordonnant de pourchasser la «gabelle et ses enfants», et de tirer sur elle comme sur un chien enragé !

C'est au roi, et à ses ministres, de décider ce qui est nécessaire au royaume.

Et puisque les paysans demandent grâce, que des centaines ont été roués, et qu'une grande «penderie» a eu lieu en toute la Bretagne, le temps de la clémence est venu.

Louis décide d'amnistier les rebelles, à l'exception des meneurs.

Mais que partout l'impôt soit levé, et qu'on punisse avec la rigueur de la roue, de la potence et de la chiourme ceux qui tentent de s'y dérober.

L'impôt est dû au roi et qui s'y oppose commet le crime de lèse-majesté.

49.

Il est assis dans la chapelle du château de Saint-Germain.

Il écoute le prédicateur. Ce prêtre est-il vraiment l'interprète de la volonté de Dieu?

Sait-il, cet homme d'Église, qu'il paraît donner raison aux «bonnets rouges» de Bretagne, lorsqu'il dit:

«Riches, portez le fardeau du pauvre, soulagez sa nécessité, aidez-le à soutenir les afflictions sous le poids desquelles il gémit»?

Ce prélat, ce Bossuet, ignore-t-il que des curés marchaient aux côtés des paysans révoltés? Que des évêchés et des couvents ont été envahis! Et que peut-être ce sont des curés et quelques notaires qui ont rédigé ces «codes paysans», qui condamnaient, comme Bossuet le fait, cette «étrange inégalité».

Louis, immobile, les yeux levés vers le prédicateur, s'interroge.

Bossuet lance:

— Pourquoi cet homme si fortuné vivra-t-il dans une telle abondance et pourra-t-il contenter jusqu'aux désirs les plus inutiles d'une curiosité étudiée pendant que ce misérable, homme toutefois aussi bien que lui, ne pourra soutenir sa pauvre famille, ni soulager la faim qui le presse?

Ne sont-ce pas là paroles empoisonnées, ferments de rébellion ?

Mais ce sont pourtant mots d'Église, pensées des hommes de Dieu, que confirment les lettres déchiffrées dans le cabinet noir et qui disent :

« Il y a dix ou douze mille hommes de guerre en Bretagne, qui vivent comme s'ils étaient encore au-delà du Rhin. Nous sommes tous ruinés. »

Et c'est la marquise de Sévigné qui l'écrit !

Louis sent le doute le gagner.

Il a l'impression d'être harcelé, assiégé par ces prêtres, ces confesseurs, ces prédicateurs, ces directeurs de conscience, ces dévots.

L'un, le père Mascaron, au lieu de remercier Dieu pour les victoires de Turenne en Alsace et sur le Rhin, ou de louer le Seigneur d'avoir protégé et conduit les armées du roi à la victoire, en Flandre, à Dinan, à Huy et à Limbourg, s'est écrié :

« Un héros n'est qu'un voleur qui fait à la tête d'une armée ce que les larrons font tout seuls. »

Il semble à Louis que de tels propos annoncent, attirent le malheur.

Voici le premier.

Un boulet fauche, à Salzbach, sur la rive droite du Rhin, M. de Turenne.

Punition de Dieu ?

« Nous avons perdu le père de la patrie », dit Louis en entrant dans le salon du château de Versailles, où l'on dresse les tables pour le souper.

Il veut, dit-il, que Turenne soit enseveli, comme l'avait été le connétable du Guesclin, dans la basilique de Saint-Denis, aux côtés des rois que l'un et l'autre ont servi.

Il est au premier rang lors des funérailles majestueuses. Les tambours voilés de crêpe battent et les soldats, le fusil renversé, pleurent. Le cénotaphe est une tour, au centre de laquelle est placé le cercueil de Turenne. Et veillent sur lui les statues qui représentent les qualités et les actions du héros, la piété, la fidélité au roi et la bravoure militaire.

Louis s'incline devant le cercueil de cet homme qui l'a si bien servi et a illuminé sa gloire.

Mais alors, pourquoi ces paroles des prédicateurs, ces condamnations des actes du roi, qu'on loue par ailleurs?

Il a parfois envie de s'écrier comme Suréna, ce général romain auquel Corneille prête sa voix : « Mon vrai crime est ma gloire ! »

Il lui semble qu'on cherche à le contraindre, à le réduire, à le faire renoncer à ses désirs, à ses plaisirs, à sa gloire.

Il voit s'avancer, furie aux bras levés, à la voix aiguë, Athénaïs de Montespan qui s'indigne, raconte que le curé de Versailles, le père Lécuyer, a refusé après la confession de lui donner l'absolution, lançant :

« Est-ce cette Mme de Montespan qui scandalise toute la France ? »

L'homme d'église a ajouté, avant de quitter le confessionnal :

— Allez, madame, cessez donc vos scandales et vous viendrez vous jeter aux pieds des ministres de Jésus-Christ !

Cela est-il possible ? Cela est-il conforme aux règles de l'Église ?

Refuser l'absolution, même à une pécheresse, est-ce admissible ?

Louis tente de calmer, de rassurer Athénaïs. Mais il se sent lui-même inquiet, ébranlé.

Il interroge Bossuet.

Le prélat, il le sait, est du parti dévot, un ami de Mme de Maintenon. Mais c'est un homme de foi vibrante, et il dit ce qu'il croit être la loi de Dieu.

Et voici qu'il prononce un sermon sur l'adultère, condamnant ce commerce impie des chairs.

Louis s'efforce de paraître impassible, mais chaque mot prononcé par Bossuet l'inquiète, le blesse.

— Je ne vous demande pas, Sire, ajoute Bossuet, que vous éteigniez en un instant une flamme si violente, ce serait vous demander l'impossible, mais, Sire, essayez petit à petit de la faire diminuer, prenez garde à ne pas l'entretenir.

Faudrait-il qu'un jour il renonce à Athénaïs ? Il en tremble d'émotion. Il apprend qu'Athénaïs, après des cris et des larmes, des affrontements avec Bossuet, a quitté Versailles et s'est réfugiée dans son château de Clagny.

Il découvre dans les lettres saisies par les hommes de Louvois qu'avec avidité les courtisans spectateurs de ces scènes les décrivent, les commentent :

« Le roi et Mme de Montespan s'aimant plus que la vie se sont quittés purement par principe de religion. On dit que la marquise retournera à la Cour sans être logée au château, et sans voir jamais le roi que chez la reine. »

Mais Louis veut la voir.

Il se rend au château de Clagny. Il entre dans ce cabinet vitré, sous l'œil des courtisans les plus pieux qui doivent surveiller la rencontre, veiller à ce que les mains, les corps ne se frôlent pas.

Louis est ému aux larmes, tendu.

Il doit partir pour prendre la tête des troupes en Flandre, et il souffre de ne pouvoir, comme il l'avait toujours fait, demander aux dames de l'accompagner.

Il a consulté Bossuet.

Il comprend que celui-ci veut écarter définitivement Athénaïs.

— Songez, Sire, dit Bossuet, que vous ne pouvez être véritablement converti si vous ne travaillez pas à ôter de votre cœur non seulement le péché mais la cause qui y porte.

Louis ne répond pas. Il ne veut pas se séparer d'Athénaïs.

Mais si Dieu punissait le royaume pour les écarts du roi? insiste Bossuet.

— La haute profession que Votre Majesté a faite de vouloir changer sa vie, reprend Bossuet, a rempli ses peuples d'espoir et de consolation. Elle les persuade que Votre Majesté se donnant à Dieu se rendra plus que jamais attentive à l'étroite obligation qu'il vous impose de veiller à leur misère, et c'est de là qu'ils espèrent le soulagement dont ils ont besoin extrême.

Pour terrasser l'ennemi hollandais, pour assurer la prospérité des sujets du royaume, faut-il qu'il se prive d'Athénaïs de Montespan?

Depuis qu'il est séparé d'elle, elle lui manque davantage.

La guerre elle-même, le siège des villes hollandaises, les chevauchées périlleuses sous leurs murailles ne le distraient pas de ces questions.

Il veut qu'un courrier, chaque jour, lui apporte des nouvelles de Versailles, et surtout du château de Clagny.

Il apprend que la reine et toutes les dames de la Cour se sont rendues au château d'Athénaïs de Montespan. Que tous ceux qui l'ont vue ne l'ont jamais trouvée aussi épanouie, aussi sûre d'elle-même, aussi belle.

On répète que puisque les deux amants se sont séparés et ont décidé de ne plus pécher, pourquoi faudrait-il qu'ils ne se voient plus? Pourquoi Athénaïs de Montespan devrait-elle être exclue de la Cour?

« Par sa naissance, et par sa charge, elle doit y être, elle y peut vivre aussi chrétiennement qu'ailleurs », affirment des courtisans.

Il est impatient de la revoir.

Il pense à respecter ses vœux et il dit à son confesseur, le père de La Chaise, qu'il « ne fera que ce qui est juste ».

Mais ce qui est juste pour un roi, n'est-ce pas son bon vouloir?

50.

Il tente encore de résister à ce besoin qu'il a de revoir Athénaïs de Montespan.

Il veut se convaincre que Bossuet et les dévots ont raison de le mettre en garde contre ce désir adultère qui attire sur le royaume les foudres de Dieu.

Il est sensible aux confidences de Mme de Maintenon.

Elle chuchote, elle dit qu'elle doit quitter la Cour, parce que le duc du Maine, «le fils de Votre Majesté, cet enfant chéri» est malade, qu'elle veut le conduire à Barèges, dans les Pyrénées, afin qu'il se rétablisse. Elle invoque Dieu Tout-Puissant. Puis, au moment de se retirer, comme une confession qui s'impose, elle ajoute :

— Mme de Montespan et moi avons eu aujourd'hui une contestation fort vive et comme je suis la parfaite souffrante, j'ai beaucoup pleuré... Je vous avoue, Sire, que j'ai bien de la peine à demeurer dans un état où j'aurais tous les jours de ces aventures-là et qu'il me serait bien doux de me mettre en liberté. J'ai eu mille fois envie de me faire religieuse... Je ne saurais comprendre que la volonté de Dieu soit que je souffre de Mme de Montespan. Elle est incapable d'amitié et je ne puis m'en passer; elle ne saurait trouver en moi les oppositions qu'elle y trouve sans me haïr.

Il écoute.

Elle ne veut que le bien des enfants du roi, le duc du Maine et Mlle de Nantes, et que deviendraient-ils si elle les abandonnait et si Dieu leur retirait sa protection, puisqu'ils sont les preuves vivantes du double adultère ?

Il craint cela.

Il rassure Mme de Maintenon. Il empêchera Mme de Montespan de lui nuire, de la persécuter.

Mais il suffit de quelques jours pour qu'il découvre que la situation s'est renversée, et qu'après le retour de Mme de Maintenon de Barèges, avec le duc du Maine, guéri, resplendissant de santé, on se persuade à la Cour qu'elle l'a emporté sur Mme de Montespan.

Il lit, dans ces missives subtilisées qui lui dévoilent l'âme des courtisans, que l'on assure que « Mme de Maintenon a triomphé de la *Quanto*. Tout est comme soumis à son empire. Toutes les femmes de chambre de sa voisine sont à elle. L'une lui tient le pot à pâte à genoux devant elle, l'autre lui apporte ses gants, l'autre l'endort. Elle ne salue personne et je crois que, dans son cœur, elle rit bien de cette servitude ».

Il n'a pas voulu cela. Et tous ces murmures le poussent à renouer avec Athénaïs.

Mais il a peur de la vengeance de Dieu.

Il s'est rendu à la basilique de Saint-Denis, aux funérailles du duc de Valois, le fils de Philippe d'Orléans et de Mme la Palatine.

Autant Monsieur paraît indifférent, fardé comme à l'accoutumée, autant Élisabeth-Charlotte est affectée.

Il s'approche d'elle :

— Je ne crois pas, murmure-t-elle, qu'on puisse mourir d'un chagrin excessif car si c'était le cas je ne serais plus là. Ce que j'ai souffert ne se peut décrire. Si Dieu tout-puissant n'accorde pas sa protection spéciale à l'enfant dont je suis à présent enceinte, j'aurai une bien mauvaise opinion de sa vie et de sa santé, car il est impossible qu'il n'ait pas ressenti lui aussi quelque chose de ma souffrance interne.

On porte les entrailles du duc de Valois aux Grands-Augustins, et son cœur au Val-de-Grâce.

Comment ne pas craindre Dieu?

Et comment ne pas céder au désir?

Louis va d'une suivante à l'autre, amours rapides qui le laissent insatisfait.

Et ce vide, cette frustration qu'il ressent, il tente de les combler en engloutissant les mets les plus divers, comme s'il voulait étouffer ses désirs sous les victuailles.

Mais il mange sans jamais pouvoir calmer son appétit.

Il veut que l'on place dans sa chambre un « en-cas de nuit » composé de trois miches de pain, de trois plats de viande froide, de deux bouteilles de vin et d'une carafe d'eau.

Il se lève souvent, dévore, exige qu'on lui apporte de nouveaux plats, ou bien il trempe des biscuits dans ce vin de Bourgogne qu'il préfère à tous les autres.

Il jette des morceaux de viande à ses sept ou huit chiens de chasse, qui couchent dans ses appartements et qu'il aime nourrir.

Il attend avec impatience, après avoir souvent chevauché toute une partie de la matinée, le moment où il va s'attabler pour le dîner. Il avale quatre assiettes de soupe. Il prend à pleins doigts la chair du faisan, de la perdrix, du mouton à l'ail, il déguste le jambon, accompagné de salade et d'œufs durs, puis viennent les pâtisseries et les fruits. Il espère le souper aussi copieux, suivi souvent de médianoche, où l'on célèbre en mangeant gras la fin des repas des jours maigres.

Il éprouve à plonger ses doigts dans les plats, à dévorer cette nourriture avec avidité un plaisir de tout le corps et un apaisement de l'âme, une sorte d'engourdissement.

Il se lève de table alourdi, fait quelques pas dans les jardins de Saint-Germain ou de Versailles, s'en va jusqu'à la serre, là où poussent les arbres fruitiers exotiques, ou bien il admire les chapons, et parfois il en désigne quelques-uns pour le souper.

Puis il rentre lentement, pressé par le besoin de vider son ventre. Et il s'y essaie plusieurs fois par jour, souvent en vain, et il se sent pesant, encombré, restant assis plus d'une heure sur sa chaise percée.

Il veut pouvoir jouir de ces plaisirs de bouche en Flandre, quand il met le siège devant Condé, et qu'il chevauche sur le parapet des tranchées entouré de la Compagnie des grenadiers à cheval dont il vient de décider la création, et qui est constituée des meilleurs soldats de chaque régiment.

Il s'irrite de la présence à ses côtés de son frère.

Philippe d'Orléans a souvent chargé, avec une indifférence au danger qui lui a valu les acclamations de la troupe. Il a pris la ville de Bouchain, et on a crié : « Vive le roi et Monsieur qui a gagné la bataille ! »

Louis a l'impression que son frère lui arrache, lui vole la gloire qui n'appartient qu'au roi.

Que Philippe rentre à Saint-Cloud ! Qu'il soit auprès de son épouse, puisque la Palatine est grosse, et qu'elle doit accoucher bientôt.

La guerre et la victoire sont les affaires exclusives du roi.

Louis doit prendre conseil des maréchaux et de Louvois, mais c'est lui qui décide et lui seul qu'on couronne des lauriers de la gloire.

Elle semble là, cette couronne, à portée de main.

L'armée de Guillaume d'Orange, inférieure en nombre, est au bout de la plaine d'Heurtebise. Faut-il l'attaquer frontalement, ou au contraire éviter la bataille ?

Louis est à cheval. Il caracole, entouré de ses maréchaux, de Louvois, des officiers, tous à cheval.

— Messieurs, j'attends vos avis, que devons-nous faire ?

Louvois tire sur les rênes de son cheval qui se cabre.

— Pas de bataille, Sire, dit-il.

Tous les maréchaux aussitôt l'approuvent, à l'exception du neveu de Turenne, le maréchal de Lorges.

— Il faut la livrer, répète Lorges. Guillaume d'Orange sera à merci.

Louis dévisage les uns et les autres.

La voix de Lorges est la seule qui fasse écho à ce qu'il pense.

Il fait tourner son cheval qui piaffe puis revient vers ses maréchaux.

— Je fais le sacrifice de mes désirs à ce qui est à l'avantage de l'État, dit-il.

Il maugrée.

Être roi, ce n'est pas renoncer à ce que l'on désire. Mais choisir entre ses plaisirs.

Il quitte l'armée, rentre au château de Saint-Germain. On lui a dit qu'Athénaïs était plus rayonnante et plus belle que jamais, plus jeune même, comme si d'avoir vécu loin de la Cour, privée de l'amour, lui avait rendu la grâce de la virginité. Enfin elle apparaît, à l'entrée du grand salon du château où est rassemblée toute la Cour, et tout à coup il s'élance, courant presque vers elle, prêt à la serrer contre lui, y renonçant au dernier instant, parce qu'un roi doit être capable de se maîtriser. Mais il dit, d'une voix forte, pour que chacun l'entende, qu'il se rendra avec Mme la marquise de Montespan à Versailles, puis qu'il visitera avec elle son château de Clagny.

Et que les dévots se lamentent ! Qu'ils demandent à des saintes dames de veiller à Versailles et à Clagny à ce que le roi et Mme de Montespan n'aient que des entrevues de pure amitié.

Peu lui importe !

Il ne veut plus se contenter de ce vis-à-vis courtois.

À Clagny, les larmes lui viennent aux yeux quand il est en face d'Athénaïs de Montespan.

Elle pleure aussi.

Et il murmure qu'il est fou, qu'il l'aime.

Il lui prend la main. Et tous deux, après une révérence aux saintes chaperonnes, se retirent dans les appartements d'Athénaïs.

Enfin ce corps qui s'abandonne, la joie qui revient. L'énergie qui l'envahit.

Il a le sentiment que la contrainte, la pénitence, le renoncement au plaisir que les dévots lui ont conseillés, qu'il a acceptés, l'affaiblissaient.

Comment Dieu pourrait-il souhaiter que le Roi Très Chrétien ne soit plus aussi grand qu'il peut, qu'il doit l'être ?

Un roi doit être un homme satisfait s'il veut bien gouverner son royaume.

51.

Il est épanoui, comme il ne l'a jamais été.

Il parcourt auprès d'Athénaïs de Montespan les pièces du château de Versailles qui peu à peu s'étend, puis il gagne les appartements d'Athénaïs au château de Clagny.

Trois fois par semaine, il réunit les courtisans, à l'occasion de ce qu'on appelle à la Cour l'« appartement ».

À partir de trois heures de l'après-midi, les courtisans déambulent dans les sept grandes pièces des appartements du roi.

Il a l'impression que la Cour est au diapason de son humeur joyeuse. Il voit Mme de Maintenon converser aimablement avec Mme de Thianges, puis sourire aux jeux d'esprit d'Athénaïs de Montespan.

Il passe entre les tables de jeu que l'on a dressées.

Il aperçoit la reine, passionnée par les cartes comme à son habitude et perdant de grosses sommes puisqu'elle ne connaît même pas les règles de la partie. À une autre table, c'est Athénaïs qui joue, sans plus de succès.

La reine puisera dans sa cassette. Mais c'est lui qui paiera les dettes de celle qu'on appelle la maîtresse régnante.

Parfois il s'absente, se retire dans l'antichambre, y lit quelques lettres déposées sur la table de marbre, dicte des réponses.

Il est favorable à ce que l'on continue les pourparlers engagés à Nimègue et qui, peut-être, aboutiront à la paix avec les Provinces-Unies, l'Espagne et les électeurs allemands.

Il reçoit une longue missive de l'amiral Duquesne qui raconte les batailles qu'il a livrées victorieusement au large de la Sicile contre les Espagnols et les Hollandais.

« Cette mer est désormais la vôtre, Sire », écrit-il.

Louis a un sentiment de plénitude. Dieu veille sur lui et sur le royaume. Et les dévots se trompent sur les intentions du Tout-Puissant.

Louis retourne dans le grand salon.

On y joue toujours un jeu d'enfer. Mais il invite Athénaïs à le rejoindre, à monter à ses côtés en calèche, en compagnie de Monsieur le duc d'Orléans et de Mme de Thianges. Toute la Cour suit, les voitures formant un long cortège qui parcourt les jardins de Versailles jusqu'au canal.

On embarque sur des gondoles et des vaisseaux, les violons agrémentent la promenade, puis on rentre au château. On joue ou l'on assiste à une représentation, avant de s'attabler, pour médianoche.

Ensuite Louis gagne ses appartements et de là ceux d'Athénaïs.

Plus tard il ira s'allonger au côté de la reine.

Il lui semble qu'il n'y a pas de limites à son désir, comme il n'y a pas de fin à son appétit.

Il dévore les mets et les femmes.

Il sait par les lettres saisies qu'à la Cour on dit que « l'on sent la chair fraîche dans le pays de *Quanto* ». Et il est vrai qu'Athénaïs de Montespan, maintenant qu'elle règne à nouveau, est entourée de jeunes femmes, Marie Élisabeth de Ludres, Mlle des Œillets, Mlle de Grancey, la princesse de Soubise, et la princesse Catherine Charlotte de Monaco, surintendante de la Maison de Madame et qui a proposé à celle-ci de l'initier aux plaisirs de Lesbos, mais la Palatine a refusé.

Comment ne pas être tenté, quand il suffit d'un signe pour que ces jeunes beautés se livrent?

Et Louis les prend et les dévore, même s'il se méfie de leurs confidences qu'on lui rapporte.

L'une, la princesse de Monaco, a dit que «sa puissance est grande mais son sceptre tout petit».

L'autre – la princesse de Soubise –, selon les propos d'Athénaïs, est «une belle pomme gâtée en dedans».

Il entend Athénaïs. Elle parle d'une voix badine, mais elle détruit toutes ses rivales. Elle se moque de Mme de Ludres, dont le corps se serait couvert de dartres.

Il mesure la jalousie, les craintes de sa maîtresse régnante. Et cela ne lui déplaît point. La gloire d'un roi tient aussi à la beauté, à la noblesse, à l'esprit de la jeunesse et à la jalousie des femmes qu'il conquiert.

N'est-il pas, à l'égal d'Apollon, le Roi-Soleil?

Et il n'est pas mécontent quand il apprend par les espions du lieutenant général de police que l'on colporte, à Paris, ce poème :

> La Vallière était du commun
> La Montespan était la noblesse
> La Ludres était chanoinesse
> Toutes trois ne sont que pour un
> C'est le plus grand des potentats
> Qui veut rassembler les États.

Mais quand il voit s'avancer Athénaïs de Montespan, dans l'un de ces déshabillés, ou des transparents ornés de falbalas de dentelles, ces modes qu'elle a lancées, il est flatté par sa prestance. Et quand elle revêt sa robe tout entière cousue d'or, elle l'éblouit.

Athénaïs de Montespan est la plus solaire, la plus glorieuse des femmes du royaume.

52.

Et si Athénaïs de Montespan était aussi une menace ?

Seul, accoudé à la table de marbre, il veut chasser cette pensée. Mais elle revient et le tourmente.

Athénaïs dans sa robe d'or resplendit tel un joyau enchâssé dans une étoffe divine.

Mais il ne veut pas être aveuglé, entraîné dans les querelles qui opposent Athénaïs à Mme de Maintenon.

L'une souvent accable l'autre. Mme de Maintenon laisse entendre qu'elle songe à quitter la Cour pour échapper à la vindicte d'Athénaïs, jalouse des attentions du roi pour la gouvernante de ses enfants.

Louis soupire. Il feuillette ces lettres, ces rapports, que Louvois, Colbert ou le lieutenant général de police La Reynie lui remettent pour qu'il en prenne connaissance.

Il y a cette missive de l'abbé Gobelin, le confesseur de Mme de Maintenon, qui lui conseille de demeurer à la Cour, auprès du roi :

« Soyez indifférente à ce qui peut vous contrarier, écrit l'abbé, oubliez ce qui trouble votre repos, cherchez Dieu dans tout ce que vous faites mais au nom de Dieu ne partez sous aucun prétexte. Accrochez-vous. »

Louis relit.

Il a le sentiment qu'on veut une nouvelle fois l'entraver,

et que Mme de Maintenon, la bonne, la douce, est l'instrument des dévots, scandalisés, comme ils disent, que le roi prenne toutes les femmes, pourvu qu'elles se donnent et fassent mine d'être amoureuses de lui !

Louis se sent las.

Il doit aussi subir les sautes d'humeur d'Athénaïs, tout à coup violente et criarde, jalouse de telle ou telle de ces jeunes femmes que pourtant elle lui présente et lui offre. Puis elle s'en repent, elle s'enferme, craignant d'être supplantée, annonçant qu'elle est une nouvelle fois enceinte, dévoilant la violence de son caractère, grimaçant, cessant d'être cette femme souriante et souveraine.

Ces scènes lassent Louis.

Il se détourne et s'éloigne. Il sent monter en lui un mépris mêlé d'indifférence. Il devine qu'un jour il n'aimera plus Athénaïs de Montespan, et cela le rassure et l'attriste.

À cet instant Athénaïs, comme si elle percevait ce qu'il ressent, cesse aussitôt de récriminer. Elle redevient séductrice, rayonnante, provocante et soumise.

Elle est prête à lui faire découvrir la beauté de telle ou telle de ses suivantes, ou bien l'incite à céder aux roueries de cette gracile rousse, la princesse de Soubise.

Naturellement il succombe.

Un corps jeune et nouveau, cela ne se refuse pas. Mais quand il retrouve Athénaïs de Montespan, elle lui semble un fruit savoureux mais un peu blet déjà, et il est amusé et irrité quand il apprend qu'on fait des chansons, à Paris, sur Louise de La Vallière et sur Athénaïs, se moquant de

> *L'une boite et marche en cane*
> *L'autre forte et rubicane*
> *L'une est maigre au dernier point*
> *L'autre crève d'embonpoint.*

334

Mais La Vallière est devenue carmélite et n'est plus que Louise de la Miséricorde.

Il n'imagine pas Athénaïs de Montespan quittant la Cour sans livrer bataille. Elle n'a aucune des faiblesses de Louise de La Vallière. C'est une Rochechouart de Mortemart.

Serait-elle capable, dans un moment où se mêleraient en elle la colère et le désespoir, la vanité blessée et la déception, de lui administrer des philtres, des mixtures, des poisons dont on murmure que les dames de qualité usent avec leurs amants quand elles veulent les retenir ou rompre avec eux?

Il se refuse à concevoir cela.

Et cependant il commence à lire, avec une curiosité inquiète, les dizaines de feuillets retenus ensemble par un cordon noir.

Il se souvient de cette marquise de Brinvilliers que l'on avait reconnue coupable de l'empoisonnement de ses frères et de son père, et qui, condamnée à mort, avait réussi à fuir, il y a trois ans, en Angleterre puis aux Pays-Bas.

Mais des hommes de Louvois ont réussi, à l'occasion des opérations militaires qui se déroulaient à proximité de Liège, à pénétrer dans la ville, à se saisir de Mme de Brinvilliers dans le couvent où elle se terrait et à l'enfourner dans une voiture qui, bien gardée, l'a conduite à Paris, où on l'a enfermée à la prison du Châtelet.

Elle a durant le trajet tenté de se suicider, cherchant à s'empaler, à avaler des épingles ou des morceaux de verre. Puis, prisonnière, elle s'est refusée à avouer ses crimes, et ce n'est qu'un homme de Dieu, le père Edmond Pirot, qui a réussi à lui faire reconnaître sa culpabilité.

Louis lit, fasciné, cette confession.

La marquise de Brinvilliers admet les meurtres de son père et de ses frères, sa tentative pour empoisonner aussi sa sœur. Elle livre ses complices, décrit les poisons qu'ils préparaient et dont elle usa.

Ils avaient composé des mixtures dans lesquelles ils mêlaient arsenic, vitriol et venins de serpent et de crapaud.

Elle a déclaré, après être ainsi passée aux aveux :

— La moitié des gens de condition en ont aussi. Et je les perdrais si je voulais parler.

Louis, après ces mots, interrompt un long moment sa lecture.

Il se souvient des rumeurs d'empoisonnement qui ont, à plusieurs reprises, fait bruire toute la Cour.

À chaque mort, à chaque maladie, on a prétendu que la victime avait été empoisonnée. Et quand les autopsies ont conclu à l'absence de trace, on a rétorqué que ces poisons brûlent les chairs comme des maladies sans qu'on puisse relever des preuves de leur présence.

Ainsi serait morte Henriette, première épouse de Monsieur, assassinée sans doute par les mignons du duc d'Orléans.

On a murmuré que les plus illustres des dames se rendent auprès des devineresses, de ces femmes diaboliques associées à des alchimistes. Qu'elles s'y font lire l'avenir, ou bien qu'elles assistent à des messes noires, et passent commande de philtres pour susciter l'amour d'un homme qu'elles souhaitent séduire, ou bien se font préparer des boissons pour se débarrasser de gêneurs ou de rivales.

Louis recommence à lire.

Les aveux de Mme de Brinvilliers accréditent ces rumeurs auxquelles il n'avait pas prêté foi.

Et s'il était, lui aussi, soumis aux manœuvres des femmes ?

Peut-être l'une d'elles a-t-elle cherché à le rendre aimant ? À le retenir ? En même temps il lui semble que Dieu le protège et ne pourrait laisser s'accomplir un crime contre lui. Il est le roi. Et les empoisonneuses sont arrêtées, châtiées.

La marquise de Brinvilliers a subi le supplice de l'eau, puis, pieds nus, vêtue d'une simple chemise de toile, les cheveux dénoués, la corde au cou, portant une lourde torche, elle a été conduite en tombereau jusqu'au parvis de Notre-Dame.

Elle s'y est agenouillée, demandant pardon à Dieu et au roi. Puis elle a été menée en place de Grève. La foule s'y pressait. Le bourreau a levé sa hache et lui a tranché la tête.

Dans une lettre de Mme de Sévigné, saisie, recopiée et jointe aux feuillets, Louis lit :

«Enfin c'en est fait, la Brinvilliers est en l'air : son pauvre petit corps a été jeté, après l'exécution, en un fort grand feu et les cendres au vent; de sorte que nous la respirerons et, par la communication des petits esprits, il nous prendra quelque humeur empoisonnante dont nous serons tous étonnés. »

Louis frissonne.

Il lui revient que dans l'une de ses lettres, Élisabeth-Charlotte, cette Palatine dont il apprécie la sincérité brutale, a écrit :

«La marquise de Montespan est le diable incarné.»

53.

Il se redresse.

Il repousse d'un mouvement brusque les copies des lettres et les rapports de police.

Il appelle ses chiens.

Il va chasser, chevaucher, courir le cerf et le sanglier.

Il veut oublier les cendres répandues de la marquise de Brinvilliers, et ces rumeurs qui font des dames de la Cour des empoisonneuses et d'Athénaïs de Montespan une menace.

Il n'est pas un quelconque mortel qu'un philtre d'amour suffit à retenir auprès d'une femme.

Laquelle oserait user avec lui de sortilèges, de messes noires, de drogues ou de poisons?

Il n'est pas un quelconque mortel mais le Roi Très Chrétien du royaume de France, que tous respectent, craignent et admirent, dont les flottes et les armées remportent partout la victoire.

Les navires hollandais brûlent au large de la Sicile ou de l'île de Tabago. Les places de Valenciennes, de Cambrai et de Saint-Omer ont été conquises.

Il se souvient de la foule qui l'accueillit, respectueuse et effrayée, lorsque, entouré de ses maréchaux, escorté de ses mousquetaires et de ses grenadiers, il est entré dans Cambrai. L'évêque de la ville l'attendait sur le parvis de la cathédrale, puis il a célébré en son honneur un *Te Deum* de victoire.

Et au mont Cassel, son armée a défait celle de Guillaume d'Orange. Et c'est son propre frère qui a mené les charges successives, pleines de bravoure et de réussite. Et une nouvelle fois on a crié : « Vive le roi et Monsieur qui a gagné la bataille ! »

Une fois de trop. Et il a renvoyé son frère auprès de ses mignons et d'Élisabeth-Charlotte, la Palatine.

Tous doivent s'en souvenir : il ne peut y avoir dans le royaume de plus grande gloire que celle du roi.

Il se rend à Versailles. Il veut que là, sa gloire, sa primauté s'inscrivent dans les bâtiments, les tableaux, les sculptures, la nature, telle que les jardins la soumettent à l'ordre royal.

Il faut que du lever au coucher du soleil, du bassin d'Apollon à la grotte de Thétis, tout rappelle, illustre, magnifie la journée, la grandeur du roi.

Il faut qu'on chante ses victoires, que les auteurs deviennent, ainsi Boileau et Racine, les historiographes du roi. Que tous, Charles Perrault, Le Brun, proclament que : « Louis XIV l'Auguste a effacé le siècle. »

Il est satisfait de lire dans le *Panégyrique du roi sur la campagne de Flandre de l'année 1677* qu'il est à peine fait mention de Monsieur, et que toute la gloire est accordée au roi qui « doit être mis au-dessus des plus grands héros de l'Antiquité »... « Louis est grand parce qu'il possède seul ce que les autres n'ont que tous ensemble. Louis ressemble à tous les Grands, toutefois aucun de ces Grands ne lui ressemble, parce qu'il est seul semblable à lui-même. »

Il parcourt les chantiers de Versailles, veut que l'on réunisse plus encore d'ouvriers, qu'ils soient plus de trente mille. Il faut qu'on assèche les marais, qu'on dompte cette nature hostile.

Il fixe à l'architecte Hardouin-Mansart les travaux à

conduire en premier. Il indique à Charles Perrault ce qu'il attend des peintres, et le poète résume ces instructions en s'adressant à Le Brun :

Alors sans remonter au siècle d'Alexandre
Pour donner à ta main l'essor qu'elle aime à prendre
Les exploits de Louis sans qu'en rien tu les changes
Et tels que je les vois par le sort arrêtés
Fourniront plus encore d'étonnantes beautés.

Il veut que Versailles devienne le lieu le plus admiré de tous les peuples.

« Comme cette Maison est aujourd'hui les délices du plus grand roi de la terre, qu'elle est tous les jours visitée de tout ce qu'il y a de personnes en France, et que les étrangers et ceux qui ne peuvent avoir le plaisir de la voir seront bien aise d'en ouïr raconter les merveilles... Il faut en faire une description qui, bien que brève et sommaire, ne laissera pas de donner quelque idée de cet agréable séjour à ceux qui en sont éloignés. »

Il veut y résider toute cette année 1677, même si les travaux ne sont pas achevés, si l'installation de toute la Cour dans les bâtiments ne peut encore avoir lieu et s'il faudra, il le sait, plusieurs années avant que Versailles ne devienne son unique lieu de séjour.

Et puis le château d'Athénaïs de Montespan, à Clagny, n'est pas éloigné de Versailles, et il peut la rejoindre, la découvrir dans l'opulence de ses robes lamées d'or, et la majesté de son corps qu'une dernière grossesse vient encore d'épanouir.

Et il aime cette générosité des chairs, cette plénitude des formes, où son désir s'apaise après qu'il l'a avivé en conquérant les corps nerveux des jeunes femmes, qu'elles se nomment princesse de Soubise ou Mme de Ludres.

Il a usé de Mme de Ludres quand, les derniers jours de

sa grossesse, Athénaïs de Montespan s'était retirée dans le château de Maintenon, chez la marquise.

Il avait apprécié cette réconciliation.

Voilà ce qu'il voulait ! Que se rassemblent autour de lui la reine son épouse, sa maîtresse régnante, et aux rangs qu'elles devaient occuper, debout ou assises sur les tabourets, les femmes qu'il avait possédées, quelques nuits. Et ses bâtards devaient aussi pouvoir prendre place auprès de lui, à leur rang aussi, derrière les enfants légitimes, mais non pas rejetés dans l'oubli ou la honte.

Ils sont tous enfants du roi.

Il avait appris que, au château de Maintenon, Athénaïs avait accouché d'une fille, Mlle de Blois. Mais Mme de Maintenon avait refusé de s'occuper d'elle, et c'est Mme Colbert qui, en compagnie de Mme de Jussac, s'est chargée de l'enfant, et de ceux qui ne manqueraient pas de naître, si Athénaïs de Montespan restait la maîtresse régnante.

Il est heureux qu'elle soit revenue à Versailles.

Il est déjà las de cette Mme de Ludres qui a cru, parce qu'il l'avait possédée à quelques reprises, qu'elle allait prendre la place d'Athénaïs de Montespan.

Elle n'avait pas imaginé que pouvaient se liguer contre elle les deux marquises, Montespan et Maintenon, rivales l'une de l'autre, mais alliées pour écarter Mme de Ludres.

Il n'a pas aimé que cette femme tente de s'imposer, et qu'à son égard, toutes les autres dames marquent déjà la déférence qu'elles devaient à celle que, imaginaient-elles, le roi avait choisie.

Louis les a vues se lever dès que Mme de Ludres entrait, et même si la reine était présente, ne s'asseyant qu'à son ordre. Que croyait-elle, cette prétentieuse ? Que l'on pouvait forcer la main du roi ? S'imposer à lui ?

Dès qu'il aperçoit Athénaïs de Montespan il se dirige vers elle, lui prend les mains.

Il veut que par ce seul geste chacun comprenne qu'elle a conservé toute sa place et que Mme de Ludres n'est donc plus rien.

Il passe devant elle sans lui accorder un regard. Et il sait qu'autour de la jeune femme, aussitôt le vide se creuse, qu'elle n'existe plus puisque le roi l'a rejetée, et qu'il ne lui reste qu'à subir les humiliations qu'Athénaïs de Montespan ne va pas manquer de lui ménager.

Il n'est pas étonné lorsqu'il reçoit quelques semaines plus tard l'avis que Mme de Ludres a quitté le service d'Élisabeth-Charlotte, qu'elle avait repris. Elle n'est donc plus surintendante de la cour de Madame.

Quelques autres semaines s'écoulent et il lit la requête de Mme de Ludres, qui sollicite l'autorisation de se retirer au couvent des visitandines du faubourg Saint-Germain.

— Comment, s'exclame-t-il, n'y est-elle pas déjà ?

Et il rend la requête, en l'acceptant d'une inclination dédaigneuse de la tête.

Que pourrait-il craindre des femmes ?

Qui oserait d'ailleurs, dans ce royaume, se dresser ou rivaliser avec lui ?

Le temps des grands frondeurs, ou celui de Nicolas Fouquet, est révolu.

Il le sait mais il s'en assure, lorsqu'il parcourt en carrosse les routes qui mènent au château de Sceaux, la demeure où vit Colbert, son contrôleur général des Finances.

Il se souvient que lorsque, en 1661, Fouquet le prédécesseur de Colbert l'avait invité au château de Vaux, les chemins étaient encombrés de voitures venues de toutes les provinces de France et même d'Europe. Il avait ressenti la magnificence et le rayonnement de Fouquet comme une insolence et un défi.

Rien de cela en ce mois de juillet 1677.

Il découvre, de part et d'autre des grilles du château, deux groupes de sculptures de Coysevox qui représentent les vertus de Colbert : une licorne transperce la chimère et incarne la pureté ; un dogue égorgeant un loup symbolise la fidélité. Au-dessus des grilles, une couleuvre tient une branche d'olivier, et est surmontée par la devise *Perite et Recte*, « Habilement et Bien ».

Il aime la réserve de Colbert qui s'incline quand le roi le félicite pour la propreté de ses appartements. Puis on se rend à l'Orangerie, où est donnée une représentation de la dernière pièce de Racine, *Phèdre*.

Louis se sent chez lui.

Au souper, il invite la reine à s'asseoir près de lui et d'un geste il choisit d'installer à sa gauche Mme Colbert et ses trois filles, et en face de lui Mme de Montespan et leur fille, Mlle de Blois.

Ici, il fait ce qui lui plaît.

Il ne se sent en rien défié ou menacé par Colbert. Il n'y aura plus jamais dans ce royaume de Nicolas Fouquet.

Quand il se lève, le feu d'artifice illumine le ciel, cependant que de tous les villages alentour sont tirées des fusées.

Et tout à coup, sous les arbres éclairés, la foule des paysans convoqués par Colbert l'acclame, et commence à danser.

Louis se tourne vers Colbert.

Le ministre le remercie d'avoir bien voulu par sa présence honorer cette fête et lui donner son éclat.

Louis reste impassible.

C'est cela l'ordre des choses. La gloire du roi éclaire les êtres et leurs actions.

Et le premier des ministres n'est qu'un serviteur que le roi peut congédier à sa guise.

Il en va des ministres comme des maîtresses du roi.

54.

Il lit.

Et il a l'impression que ce roman raconte ce qu'il vit.

Dès les premières pages son attention a été retenue, et cependant il n'avait pas eu l'intention de feuilleter ce livre, un roman au titre féminin, *La Princesse de Clèves*.

Louis le Grand peut-il s'attarder à de pareilles préciosités ?

Une note de Gabriel Nicolas de La Reynie l'a intrigué.

Il a confiance dans le lieutenant général de police, dont les espions sillonnent sans trêve tous les milieux de Paris, des bas-fonds au Parlement, des salons aux boutiques.

La Reynie indique que l'auteur du roman est sans doute une dame de qualité, qui reçoit dans son salon de la rue de Vaugirard de beaux esprits, Mme de Sévigné, le duc de La Rochefoucauld. Elle est née Marie-Madeleine Pioche de la Vergne, est l'épouse du comte de La Fayette. Elle a été l'amie de la première dame, Henriette d'Angleterre. C'est l'une de ces femmes savantes qui ont fait rire toute la Cour quand Molière les mettait en scène.

Louis a poussé ce livre de Mme de La Fayette puis, d'un geste nonchalant, indifférent, il l'a cependant ouvert. Et il a lu :

« Il parut alors à la Cour une beauté qui attira les yeux de tout le monde et l'on doit croire que c'était une beauté parfaite puisqu'elle donna de l'admiration où l'on était si accoutumé de voir de si belles personnes. »

Il pense à ce qu'il a ressenti, une attirance fulgurante, comme une renaissance d'un désir juvénile qu'il n'éprouve plus que rarement. C'est une jeune femme, une vierge rousse, dont Madame la Palatine a fait l'une de ses dames d'honneur, qui a en lui ravivé le feu.

Et il sait qu'Élisabeth-Charlotte, comme Athénaïs de Montespan, est assez rouée pour attirer le roi près d'elle par un appât de chair nouvelle, de beauté inconnue.

Il a interrogé la Palatine qui a ri, a murmuré que cette Marie-Angélique de Fontanges est une naïve, peut-être même est-elle stupide comme un petit animal, mais jolie comme un ange.

— Imaginez-vous, Sire, qu'elle a rêvé qu'elle se trouvait seule sur une montagne, et tout à coup entourée d'une lumière éclatante, puis brusquement enveloppée d'impénétrables ténèbres. Elle s'est alors réveillée en sursaut. Elle a consulté son confesseur. «Prenez garde à vous, lui a-t-il dit, cette montagne est la Cour, où il vous arrivera un grand éclat. Cet éclat sera fort bref et, si vous abandonnez Dieu, il vous abandonnera et vous tomberez dans d'éternelles ténèbres... »

Louis n'a plus détaché les yeux de cette beauté rousse.

Il l'a revue à la chasse, où la Palatine l'a conviée. Et ce ne peut être par hasard. À moins que ce ne soit le duc de La Rochefoucauld, ce grand veneur, qui l'ait choisie pour l'offrir au roi comme un gibier de choix.

Louis est chasseur. La Palatine dit qu'il a des «yeux de renard». Il quitte, une nuit, le château de Saint-Germain où il réside à nouveau en compagnie de la Cour.

Il n'a rendu visite ni à Athénaïs ni à la reine. Il chasse une autre proie, gracile et neuve.

Il chevauche à bride abattue, entouré de quelques gendarmes et de mousquetaires. Il saute de selle devant le Palais-Royal, la demeure de son frère et de la Palatine. Une dame d'honneur a été avertie. Elle ouvre une porte, guide le roi jusqu'à la chambre de Marie-Angélique de Fontanges.

Louis n'a qu'à s'avancer. Il devine qu'on espère depuis toujours ce moment.

On s'offre à lui.

Lorsqu'il repart à l'aube, il se sent rajeuni, fougueux comme lors de ses premières chasses.

Mais il veut garder le secret, pour ne pas affronter la jalousie et les colères de *Quanto*. Mme de Montespan peut avoir les fureurs d'une louve.

Il est prêt cependant à prendre ce risque, car les rumeurs se répandent vite.

L'ambition et la galanterie sont l'âme de la Cour. Elles occupent également les hommes et les femmes. Il y a tant d'intérêts et de cabales différents, et les dames y ont tant de part, que l'amour y est toujours mêlé aux affaires et les affaires à l'amour. Personne n'y est tranquille ni indifférent. On songe à s'élever, à servir ou à nuire. Les différentes cabales s'opposent les unes aux autres. L'envie, l'émulation les dévorent.

Il ne faut pas se fier aux apparences, ce qui paraît n'est presque jamais la vérité.

Qui est dupe?

Il lit les quelques pages écrites par cet Italien, Primi Visconti, familier de la Cour, peut-être espion pour les princes de Milan auxquels il se dit apparenté.

Louvois et Gabriel Nicolas de La Reynie le font surveiller bien qu'il soit l'ami de toutes les personnes de qualité.

Ce Primi Visconti sait observer. Et le lisant, Louis hésite entre la colère, le désir de faire arrêter et enfermer à la Bastille cet homme aux aguets, ou celui de lui accorder une pension, tant sa description est exacte, et qu'après lui tout ceux qui voudront connaître la vie à la Cour devront lire ce mémorialiste qui œuvre ainsi à la gloire du roi.

«Le roi vivait avec ses favorites, écrit Primi Visconti, chacune de son côté comme dans une famille légitime. La reine recevait leur visite ainsi que celle des enfants naturels comme si c'était pour elle un devoir à accomplir, car tout doit marcher suivant la qualité de chacun et la volonté du roi.

«Lorsqu'elles assistaient à la messe à Saint-Germain, la marquise de Montespan et Mlle de Fontanges se plaçaient devant les yeux du roi. Mme de Montespan avec ses enfants sur la tribune de gauche, vis-à-vis de tout le monde, et l'autre à droite, tandis qu'à Versailles, Mme de Montespan était du côté de l'Évangile et Mme de Fontanges sur des gradins élevés du côté de l'Épître.

«Elles priaient, le chapelet ou leur livre de messe à la main, levant les yeux en extase comme des saintes.

«Enfin, la Cour est la plus belle comédie du monde.»

55.

Louis aime cette comédie qu'est la Cour.

Les acteurs sont à ses ordres et c'est lui qui les dirige, qui conçoit le ballet réglé de l'étiquette et le décor.

Et il veut, quand il quitte au début du mois de janvier 1678 le château de Saint-Germain, pour prendre la tête des armées afin de conduire la rituelle campagne des Flandres, que la Cour, la reine et ses maîtresses donc, l'accompagnent.

C'est à nouveau l'hiver, et il faut que ce soit la dernière campagne. Il veut la victoire, pour imposer aux Provinces-Unies, à l'Espagne, aux princes allemands, la paix à laquelle depuis plusieurs années les diplomates, sous l'autorité du nonce apostolique, travaillent à Nimègue. Il faut conclure vite, avant que ne se noue une alliance belliqueuse et anti-française entre la Hollande et l'Angleterre, puisque ce Guillaume d'Orange, ce petit seigneur de Breda, cet adepte du vice italien, a réussi à épouser Mary la fille aînée du duc d'York, qui peut si Charles II reste sans héritier devenir reine d'Angleterre.

Louis veut s'emparer de Gand et d'Ypres, obtenir des succès tels que les Provinces-Unies soient contraintes de signer cette paix qu'on prépare à Nimègue.

Il veut avant de commencer le siège de ces places fortes passer les troupes en revue.

Il regarde Athénaïs de Montespan. Il la trouve resplendissante. Il faut que les soldats la voient et il l'invite à se joindre à lui.

Les mercenaires allemands acclament la marquise, crient : « *Koenig Hure* ! C'est la putain du roi ! »

La guerre est un théâtre.

— Cette revue, madame ? interroge-t-il au dîner.

Athénaïs laisse aller sa tête en arrière, ses formes gonflant sa robe.

— Parfaitement belle, Sire. Je trouve seulement les Allemands trop naïfs d'appeler toutes choses par leur nom.

Il rit. C'est l'esprit Mortemart, et c'est aussi l'une des séductions d'Athénaïs, qu'aucune des femmes qu'il a connues ne possède, et surtout pas cette Marie-Angélique de Fontanges, dont il sait qu'à la Cour on dit qu'elle est sotte comme un panier.

Il n'imagine pas remplacer l'une par l'autre. Mais il continue de dissimuler sa liaison avec Mlle de Fontanges, sûr pourtant que le secret est percé, comme le feuillet de Primi Visconti l'a confirmé.

Et d'ailleurs, Athénaïs de Montespan est avertie.

Elle crie avant de jouer l'indifférente, puis la colère l'emporte à nouveau. Elle a dû apprendre que Marie-Angélique de Fontanges loge dans un appartement isolé du château de Saint-Germain.

Il l'interrompt.

— Vous me tracassez trop et j'en suis las.

Sous les murs de Gand, Athénaïs semble s'être calmée. La guerre, avec ses fracas, ses morts et la gloire, repousse au loin les rumeurs.

Louis entre dans la ville, exige que les soldats vaincus défilent devant lui. Puis c'est Ypres qui tombe, et d'autres places fortes.

Guillaume d'Orange livre une dernière bataille à Mons alors que les diplomates ont déjà conclu à Nimègue cette paix tant attendue.

Louis rend Maëstricht et Gand, et les places de Courtrai, Audenarde et Charleroi. Mais il garde la Franche-Comté, et des places des Flandres qui forment une ligne continue plus facile à défendre. Valenciennes et Cambrai, Maubeuge, Saint-Omer et Ypres deviennent françaises.

Les peintres Van der Meulen et Charles Le Brun, dont il a voulu qu'ils suivent la Cour et l'armée, lui présentent leurs premières esquisses. Les tableaux qui en naîtront illustreront la voûte de la galerie des Glaces à Versailles.

Il faut que tous les visiteurs du château et tous les sujets du royaume sachent que Louis le Grand a triomphé, qu'il est le maître de l'Europe et qu'il peut choisir de l'asservir ou de lui donner la paix.

Que dans chaque paroisse on célèbre des *Te Deum*! Que les académiciens et les historiographes exaltent le roi.

« Tout a cédé, tout s'est rendu à ses armes invincibles. Il semble que le ciel n'ait permis l'union de tant de puissances contre la sienne que pour lui préparer des matières de triomphe dans toutes les parties de l'univers. »

Voilà une harangue – celle de l'académicien François Charpentier – qui lui convient.

Il regarde Colbert.

Le contrôleur général des Finances est encore plus sombre qu'à l'habitude. Il doit additionner les sommes dépensées, regretter l'abandon, au traité de Nimègue, des tarifs douaniers qui protégeaient les manufactures royales de la concurrence hollandaise.

Il doit craindre que les compagnies de commerce, et même celle qui organise la traite des esclaves du Sénégal aux

Antilles, ne puissent se développer, confrontées à la puissance de l'Angleterre et de la Hollande désormais associées.

Colbert fait grise mine.

Louis d'un geste lui interdit de s'exprimer.

Il ne veut pas entendre les lamentations d'un ministre. Il les devine. Les caisses sont vides. Les impôts deviennent trop lourds. Des paysans, des boutiquiers harcelés, ne pouvant payer ce qu'ils doivent, préfèrent parfois se pendre après avoir tué leurs proches!

Louis a lu cela dans les rapports des espions qu'on lui remet.

Mais on peut espérer apporter la prospérité à ses sujets et savoir que la gloire d'un roi ne se mesure pas comme une pièce de drap, ne s'évalue pas comme un setier de grains!

Un roi doit vouloir que le royaume de France soit le plus puissant d'Europe. Et il l'est devenu, et il s'agit maintenant de le protéger.

Louis nomme Vauban commissaire aux fortifications. Il donne son accord pour que tout au long des frontières, sur les arêtes rocheuses des Pyrénées et des Alpes, dans les îles et les ports, s'élèvent des forteresses qui rendront le «pré carré» inviolable.

Il se fait présenter le plan de ces places fortes qui constitueront autour du royaume une «ceinture de fer».

Et certaines d'entre elles porteront son nom : Fort-Louis ou Mont-Louis.

Même le premier des militaires ne peut imaginer ce qu'un roi éprouve quand la gloire le soulève au-dessus du commun des souverains!

Un ministre, et même Colbert, et même Louvois, n'est que le régisseur d'un domaine qui ne lui appartient pas.

Qu'il obéisse et donne au roi les moyens de la gloire.

Louis sait qu'il faut veiller sur elle comme sur le bien le plus précieux que possède un souverain.

Il a, lors de cette dernière campagne, interdit à son frère de conduire des assauts. Il a voulu que Philippe d'Orléans ne soit qu'un spectateur et maintenant, sous une pluie battante, le 12 octobre 1678, Louis visite avec le cœur piqué par une pointe de jalousie le nouveau château de Philippe, à Saint-Cloud.

Il ne peut que reconnaître la grâce des peintures de Pierre Mignard. Il admire la succession des pièces, le salon de Mars, la galerie d'Apollon, le salon de Diane, décorés par ce peintre.

Il se tourne vers Élisabeth-Charlotte.

— Je souhaite fort, madame, dit-il, que les peintures de ma galerie de Versailles répondent à la beauté de celles-ci.

Il ne veut pas laisser à Philippe le monopole de ce peintre. Et il invite Mignard à venir à Versailles, afin d'y décorer l'appartement du Dauphin.

Et il reproche à Colbert d'avoir écarté Mignard des travaux de Versailles. Un roi ne doit jamais abandonner ou partager une parcelle de ce qui fait la gloire.

Et c'est pour cela que Louis veut rassembler autour de lui, dans ses châteaux, tous ceux qui pourraient, parce qu'ils sont d'illustre lignée, briller en leur demeure.

Ils doivent être là, dans ces derniers jours de l'année 1678, assis autour des tables de jeu dans les salons du château de Saint-Germain, et bientôt dans ceux de Versailles.

S'ils sont ici, à jeter sur les tables des dizaines de milliers de livres, à se ruiner – et même Philippe doit mettre en gage ses pierreries, après avoir tout perdu en quelques tournées de cartes –, ils sont soumis.

Louis reste un instant debout près de la table où joue Mme de Montespan.

Elle est toujours majestueuse, mais ses formes, après une dernière grossesse, et la naissance d'un fils, légitimé sous le nom de comte de Toulouse, deviennent lourdes. Le visage s'empâte. Elle a perdu de sa grâce.

Elle cède souvent à la colère. Elle est impérieuse, acerbe, peu respectueuse de la reine. Et il a dû lui rappeler à plusieurs reprises qu'elle doit honorer Marie-Thérèse.

— Souvenez-vous madame, qu'elle est votre maîtresse.

Mais Athénaïs de Montespan est une de Rochechouart de Mortemart, qu'aucune noblesse ne peut impressionner.

Il la regarde. Elle perd en trois passes sept cent mille livres. Elle se tourne vers lui, le défiant du regard, sachant bien qu'il paiera ses dettes. Elle veut tenter de combler ses pertes par une mise de cinquante mille livres. Et elle regagne les sommes perdues. Elle se lève, si lourde qu'elle en chancelle.

Elle va s'asseoir pour le souper, engloutir avec excès viandes et sucreries.

Il éprouve pour la première fois, à l'observer, un sentiment de lassitude, presque de répulsion.

Il s'éloigne. Marie-Angélique de Fontanges doit l'attendre dans ses appartements reculés du château.

Il s'y rend d'un pas lent.

En cette année 1678 qui s'achève, il vient d'avoir quarante ans. Même pour un roi, la vie passe.

CINQUIÈME PARTIE

1678-1682

56.

Il a donc plus de quarante ans.

Il s'efforce à ne pas penser à cette frontière de sa vie qu'il vient de franchir.

Et cependant l'impatience le gagne, comme s'il sentait que le temps peut lui manquer.

Il parcourt, suivi par Colbert, les architectes et quelques courtisans, les chantiers du château de Versailles.

Il veut qu'on y entreprenne aussitôt la construction des grandes et petites écuries. Dans quelques mois, dit-il, il veut s'installer à demeure à Versailles, avec toute la Cour. Tout doit donc être prêt pour accueillir dans les salons, lors des fêtes et des réceptions, plusieurs milliers d'invités, dont une grande partie vivra en permanence au château ou dans ses alentours.

Il entraîne l'architecte Hardouin-Mansart, lui montre, à deux lieues de Versailles, une petite hauteur, entourée de forêts. Il veut qu'ici s'élève, en ce lieu dit Marly, un château, où il pourra séjourner, avec des proches et des courtisans qu'il aura distingués, à l'écart de la foule qui se pressera à Versailles.

Quarante ans, pour un homme tel que lui, sur lequel veille le Seigneur, ce n'est que le plein midi de la vie, et non le commencement du crépuscule.

Il s'en assure chaque jour.

Il chasse le cerf, le sanglier et les femmes avec une énergie qu'il ne sent pas diminuée.

Et chaque nuit, il entre dans la chambre de Marie-Angélique de Fontanges. Il s'approche d'elle avec un désir inassouvi, et il la chevauche avec la fougue des premières nuits.

Et pourtant, parfois, avec une sorte d'étonnement, il constate qu'après l'amour, une fatigue qu'il n'avait jamais connue l'écrase, pèse sur ses épaules et sur sa nuque.

Il baisse la tête, ferme les yeux, somnole dans le fauteuil placé devant la cheminée. Il entend Marie-Angélique de Fontanges chantonner alors qu'il a du mal à respirer, qu'il soupire, oppressé, las, le visage tout à coup empourpré par une bouffée de chaleur.

Il reste ainsi, laissant l'aube venir, incapable de retrouver l'énergie pour se redresser, quitter cette chambre, regagner ses appartements ou rejoindre la reine.

Enfin il se lève.

Il ne rend plus visite à Athénaïs de Montespan.

Elle a d'ailleurs dans un mouvement de colère quitté le château de Saint-Germain pour Paris, afin de marquer son indignation, contre le « grand péché commis par le roi » qui l'a trahie et l'humilie avec cette vulgaire Fontanges, qui n'est qu'un petit animal de basse-cour.

Peut-être Athénaïs espérait-elle qu'il viendrait la supplier de revenir au château, d'être le fleuron le plus brillant de la Cour.

Mais il ne fait aucune démarche auprès d'elle. Ce corps alourdi ne l'attire plus. Il ne la rejette pas. Elle a sa place au premier rang, dans la chapelle, à sa table, dans son carrosse, mais elle devra accepter la reine, Marie-Angélique de Fontanges, et aussi Mme de Maintenon.

Il veut qu'Athénaïs comprenne que, s'il ne la désire plus – ou si peu –, il veut encore lui manifester sa considération.

Il dicte à Colbert la décision qu'il vient de prendre.

«Le roi voulant donner des marques particulières de la considération et de l'estime qu'il fait de la personne de Mme de Montespan en lui accordant un rang qui la distingue des autres dames de la Cour, Sa Majesté veut qu'elle jouisse pendant sa vie des mêmes honneurs, rangs, prérogatives, préséances et autres avantages dont les duchesses jouissent.»

Il est amer quand, au lieu de lui exprimer sa gratitude pour ce signe éclatant qu'il lui offre, aux yeux de tous, il doit affronter la colère d'Athénaïs, son dépit, sa violence même.

Elle n'aura pas le titre de duchesse, crie-t-elle. Marie-Angélique de Fontanges l'obtiendra, comme Louise de La Vallière l'avait eu! Elle, une Rochechouart de Mortemart, n'a-t-elle pas donné six enfants au roi?

Elle est mariée, lui fait-il répondre par Colbert. Fallait-il que Montespan devînt duc et fît un nouvel esclandre?

Elle proteste à nouveau auprès de lui.

Il déteste ces criailleries. Il dit :

— Le roi n'aime pas ce qui fait du bruit.

Puis il ajoute :

— Je vous l'ai dit déjà, madame, je ne veux pas être gêné.

Il a tant d'affaires à conduire en ses Conseils, qu'il ne veut point que ces querelles de femmes obscurcissent son esprit, comme les nuages le font d'un ciel serein.

Il doit réunir Louvois et Colbert, qui veulent chacun réduire l'influence de l'autre.

Parfois ils se liguent pour écarter du Conseil tel ou tel qui n'appartient pas à leurs coteries rivales.

Il a accédé à la requête de Louvois qui demandait que l'on retire à Pomponne le secrétariat d'État aux Affaires étrangères. Mais il a nommé en lieu et place le propre frère de Colbert, Colbert de Croissy, et ainsi il a contenu l'influence de Louvois.

Gouverner en roi, c'est équilibrer tous les autres pouvoirs, ceux des ministres, ceux des Grands, et ceux des sujets qui veulent se regrouper.

— Le roi, dit-il, ne veut point de ralliement.

Qu'il s'agisse de protestants ou de jansénistes, il refuse que les pasteurs ou ces messieurs de Port-Royal rassemblent autour d'eux des affidés.

L'autorité royale doit empêcher ces réunions de croyants, hérétiques ou aux marges de l'Église.

Elle doit aussi interdire aux gentilshommes de s'affronter en duel. Car la seule querelle qui vaille est celle que le roi décide d'engager.

Et précisément, il a besoin de gentilshommes pour parcourir, sur les frontières du Nord et de l'Est, les « dépendances », des villes annexées par le royaume, en vertu du traité de Nimègue.

Il faut que ces agents du roi, dans les villages, les châteaux, découvrent des chartes prouvant que ces lieux sont rattachés à ces villes, que ce sont des « dépendances » et qu'en conséquence ils doivent être « réunis » aux villes acquises.

Voilà une grande affaire, qui doit permettre, à partir de Dole, de Besançon, de Brisach, de Metz, Toul et Verdun, une « politique de réunion », qui, sans guerre, permettra au royaume de s'agrandir encore, de conquérir, par le jeu des droits, la Lorraine, l'Alsace, qu'aussitôt Vauban fortifiera.

Il pense à cela en somnolant dans la chambre de Marie-Angélique de Fontanges dont la jeunesse bruyante l'agace. Elle n'est qu'une femme de lit.

Il préfère la quitter, rejoindre la tranquille Mme de Maintenon.

Il s'assoit à ses côtés. Elle respecte son silence. Il s'assoupit, apaisé. Il peut laisser son corps se relâcher, las, fatigué, épuisé même. Lorsqu'il rouvre les yeux, Mme de Maintenon lui parle des enfants du roi qu'elle a élevés. Elle invoque Dieu. Elle chuchote.

Elle est si calme qu'il a l'impression d'être enveloppé dans une tiède douceur.

Elle murmure, complice, qu'elle a conseillé à Mme de Montespan – «que Dieu lui pardonne le double adultère qu'elle a commis» – de se tourner vers le Seigneur Tout-Puissant, de confesser ses fautes. Femme mariée devant Dieu, elle a été sacrilège.

Louis écoute.

Il a constaté qu'Athénaïs de Montespan semble s'être calmée.

Marie-Angélique de Fontanges lui a confié avec une joie naïve que Mme de Montespan l'avait prise en amitié, qu'elle lui prodiguait des conseils et l'aidait à choisir ses toilettes.

Et Marie-Angélique veut manifester sa reconnaissance à cette grande dame, son aînée, lui offrir ces bijoux qu'elle aime tant.

Louis ouvre sa cassette. Il ne souhaite entre ces femmes que la meilleure entente possible. Il veut pouvoir obtenir de chacune d'elles ce qu'elles possèdent et qu'il apprécie.

De Mlle de Fontanges, sa juvénile ardeur rousse. D'Athénaïs de Montespan, le jaillissement de son esprit et cette majesté d'allure qui continue d'impressionner.

De la reine? Elle est la reine et cela suffit.

Quant à Mme de Maintenon, elle incarne la modestie pieuse, la présence rassurante, l'indulgence bienveillante d'un directeur de conscience, qui est aussi une femme, au corps mûr et replet, dont il a aimé les soupirs et les abandons.

Il ne repousse aucune d'entre elles.

Mais elles ne peuvent rien exiger de lui.

Le roi ne donne que ce qu'il veut.

57.

Louis murmure :

— Ces femmes, est-ce possible ?

Mais le lieutenant général de police, Gabriel Nicolas de La Reynie paraît ne pas avoir entendu.

Il est debout, à quelques pas, de l'autre côté de la table de marbre derrière laquelle Louis se tient assis.

À chaque mot que prononce La Reynie, Louis a l'impression qu'un carcan le garrotte, qu'il respire avec peine, qu'on écrase sa nuque et ses épaules.

Il répète, plus bas encore :

— Ces femmes, est-ce possible ?

Il pense à Athénaïs de Montespan et à l'une de ses suivantes, Mlle des Œillets, dont il se souvient qu'elle avait prétendu porter une fille de lui, qu'il avait refusé de reconnaître.

Gabriel Nicolas de La Reynie n'a pas prononcé leurs noms, mais au moment de la mort de Madame, Henriette d'Angleterre, on avait parlé de poison, accusé les mignons de Monsieur, et assuré qu'Athénaïs de Montespan et Mlle des Œillets avaient rendu visite à cette ancienne accoucheuse, à cette cartomancienne, à cette astrologue, à cette alchimiste, Catherine Deshayes, épouse Monvoisin, dite la Voisin, qui habitait dans ces quartiers situés autour de

Notre-Dame de Bonne-Nouvelle, avec des complices, des abbés retournés en suppôts du démon, des empoisonneurs qui fabriquaient leurs drogues dans des caves, des masures, des baraques situées au fond des jardins. Et on avait affirmé que dans leurs cérémonies, ils se servaient du sang de fœtus ou de nouveau-nés, dépecés, brûlés, leurs restes enterrés dans des enclos secrets.

Il avait déjà été stupéfait que la marquise de Brinvilliers ait prétendu que des dames de qualité usaient comme elle de poisons, mais qu'elle ne livrerait pas leurs noms.

Mais le lieutenant général de police dit que la duchesse de Foix, et la duchesse de Bouillon, nièce de Mazarin, et la comtesse de Soissons...

Louis lève la main, interrompt La Reynie, fait répéter ce nom, car c'est celui d'Olympe Mancini, surintendante de la Maison de la Reine. Il l'a bien mieux connue et plus longtemps que Mlle des Œillets. Il baisse la tête, demande à La Reynie de poursuivre :

— ... le maréchal de Luxembourg lui-même serait compromis comme ces dames dans une affaire de poison.

Est-ce possible ?

La Reynie précise que parmi les gens de qualité, habitués de la Cour et proches du roi, on fait commerce de philtres d'amour, de drogues miraculeuses qui rendent leur vigueur aux barbons, qui attachent un homme à sa maîtresse, un jeune amant à une femme qu'il comptait délaisser.

— La vie d'un homme est pratiquement en commerce, dit La Reynie. On se sert du poison dans les embarras de famille, pour ne pas partager un héritage ou le laisser dilapider.

Il a fait arrêter la Voisin ainsi que ses complices, un certain Le Sage, des prêtres, des abbés, Guibourg, Cotton et Marielle, adeptes de messes noires, que l'on célèbre sur le corps dénudé des dames qui le souhaitent pour voir réaliser leur désir.

La Voisin a cité d'autres noms, celui de la veuve d'un président au Parlement, dont le décès, dès lors, devient suspect.

Louis se tait, n'écoute plus. Il a l'impression que ce cercle maléfique l'étreint.

On a tué de nombreux rois dans ce royaume à coups de poignard, et si le temps était venu du poison?

Il se lève.

— Que toute la lumière soit faite, dit-il, et que la justice punisse tous les coupables, quels qu'ils soient.

Il veut, ajoute-t-il, qu'on constitue pour juger ces criminels une cour extraordinaire de justice. Elle siégera à l'Arsenal. Un magistrat, Louis Boucherat, la présidera, La Reynie sera chargé, en même temps qu'un conseiller d'État, de l'instruction des affaires.

— Que rien ne vous arrête, dit-il.

Lorsqu'il reçoit peu après le maréchal de Luxembourg qui vient crier son innocence, il l'interrompt, dit d'une voix sèche :

— Si vous êtes innocent, vous n'avez qu'à aller vous mettre en prison. J'ai nommé les meilleurs juges pour examiner ces sortes d'affaires et je leur en laisse toute la conduite.

Il reçoit peu après Louvois qui accable le maréchal, accusé d'avoir demandé aux empoisonneurs la mort de sa femme, celle du maréchal de Créqui, et sollicité des sortilèges, peut-être des messes noires, pour obtenir le mariage de sa fille avec le fils de Louvois! Le maréchal aurait signé un pacte avec Satan.

Et La Reynie ajoute qu'on suspecte Racine d'avoir empoisonné Mlle Du Parc, qu'il avait arrachée à Molière et qui était devenue sa maîtresse.

Louis s'en remet à la justice, à cette cour extraordinaire, qui en quelques semaines a fait emprisonner près de deux cents personnes, et qu'on surnomme la « Chambre ardente ».

— Nul ne doit être épargné, dit Louis.

Mais comment faire arrêter, condamner, Olympe Mancini, comtesse de Soissons, qui lui fut si proche ?

D'autant plus qu'il soupçonne Louvois de profiter de ces accusations pour se débarrasser de ses ennemis ou de ses rivaux.

Et c'est le cas du maréchal de Luxembourg, soldat victorieux, dont la gloire fait ombrage à Louvois. Et il en est de même pour Olympe, comtesse de Soissons, qui a refusé de marier sa fille au fils de Louvois.

Il est las. L'air est empoisonné. Il respire mal. Il faut se décider.

Il fait dire à Olympe qu'elle doit quitter le royaume, sous peine d'être arrêtée. Il lui achète même sa charge de surintendante de la reine. Et il l'attribuera à Athénaïs de Montespan, qui peut-être ainsi s'apaisera.

Après tout, la Voisin et ses complices, même les jambes brisées par les brodequins, n'ont jamais livré son nom.

Et il apprend que la culpabilité du maréchal de Luxembourg n'a pu être prouvée. Et peut-être cette affaire n'a-t-elle été grossie que par l'ambition, l'esprit de vengeance et de rancune de Louvois ?

Et cependant, il y a des coupables, cette femme, la Voisin, ses complices, ces prêtres dévoyés, ces avorteuses, ces tireurs de cartes et fabricants de poison, cette centaine de personnes que la Chambre ardente condamne, dont trente-six à mort.

Et parmi elles, la Voisin, qu'on mène le 22 février 1680 en place de Grève, où elle sera brûlée vive comme une sorcière qui refuse un confesseur et repousse le crucifix.

Louis frissonne.

Que cachent les perruques frisées des courtisans qui s'inclinent devant lui ?

Quelles passions battent dans les poitrines des femmes qui s'offrent ?

Quand Racine lui-même, maître de la tragédie, historiographe du roi, est soupçonné d'être un empoisonneur, que ne peut-on imaginer ?

Quel royaume, derrière les façades de Versailles ?

Quelles forêts obscures et cruelles, au-delà des jardins réglés de Le Nôtre ?

58.

Il voit s'avancer Gabriel Nicolas de La Reynie, et aussitôt sa gorge se serre, un poids écrase ses épaules, comprime sa poitrine.

Ce n'est donc pas fini.

Les cendres dispersées de la Voisin, comme celles il y a quatre ans, en 1676, de la marquise de Brinvilliers continuent d'empoisonner l'air dans ce château de Saint-Germain, où il reçoit le lieutenant général de police.

Celui-ci paraît hésitant, puis commence à parler, tête baissée, comme un animal apeuré qui ne voit pas d'autre issue que d'avancer, même s'il devine qu'il va s'engouffrer dans une nasse.

La Reynie dit que la Voisin a une fille, Marie-Marguerite, détenue, et qui, apprenant l'exécution de sa mère, a commencé à parler. Et les complices de la Voisin, l'abbé Guibourg, l'abbé Marielle et une autre empoisonneuse, la sorcière Françoise Filastre, ont confirmé ses dires.

La Reynie s'interrompt, lève la tête.

— Je veux tout connaître, dit Louis.

La Reynie reprend, d'une voix monocorde, parfois haletante. Il parle d'abord de Mlle des Œillets.

— Tous l'ont citée, dit-il. Elle était au service de Mme de Montespan.

Il hésite.

— Tous l'ont reconnue quand le ministre Louvois et moi l'avons fait comparaître devant eux.

Il s'interrompt encore puis poursuit :

— Ils ont dit qu'ils ont vu souvent Mlle des Œillets chez la Voisin. Elle venait chercher des poudres blanches et noires pour sa maîtresse. Mais Mlle des Œillets a juré qu'ils mentaient tous et qu'ils ne l'avaient jamais vue.

Qui croire ?

Peut-être veulent-ils, en nommant ces dames de l'entourage du roi, prolonger leur vie.

Louis est tenté de renvoyer La Reynie, de ne pas en savoir davantage, et cependant il veut aussi tout connaître.

— Qu'ont-ils dit ?

— Mme de Montespan voulait des poudres d'amour, murmure La Reynie. Puis elle a songé à faire remettre à Sa Majesté, par la Voisin, un placet imbibé de poison. Mais l'empoisonneuse qui s'est présentée dans la galerie du château de Saint-Germain n'a pas réussi. Les gardes l'ont écartée. Alors Mme de Montespan a voulu empoisonner Mlle de Fontanges avec des gants et des étoffes enduits de poison.

La Reynie se tait.

Louis renonce à l'interroger.

Athénaïs a-t-elle pu vouloir le tuer de cette manière hasardeuse alors qu'il a passé tant de nuits auprès d'elle, et qu'il eût suffi qu'elle versât le poison dans l'une des boissons qu'elle lui servait ?

Pourquoi cette machination incertaine du placet présenté au roi par une inconnue, la Voisin, qui avait si peu de chances dans la foule rassemblée dans la galerie du château de parvenir à ses fins ?

Il doute. Peut-être est-ce une manœuvre de Louvois pour écarter Athénaïs.

— Quoi encore ?... dit Louis d'une voix sourde.

— L'abbé Guibourg prétend...

Il faut écouter. Imaginer Athénaïs de Montespan, voilée, mais son corps dénudé sert d'autel au prêtre satanique. Et il faut savoir que la sorcière Françoise Filastre, égorgeuse d'enfants, a assisté à ses messes et servi Mme de Montespan.

— Tout est transcrit, murmure La Reynie.

Louis se souvient des moments de lassitude, des langueurs, des troubles de vision qu'il éprouvait parfois, après avoir aimé Athénaïs de Montespan.

Peut-être était-ce là l'effet de ces «poudres d'amour» qu'elle utilisait pour aviver son désir?

Que faire?

La Chambre ardente va être saisie.

Elle prendra connaissance et débattra de ces témoignages, qui ne sont peut-être que des mensonges. La vérité surgira-t-elle du scandale de ces délibérations?

Il doit trancher.

Il veut connaître les avis de Colbert, de Louvois, de La Reynie, de Louis Boucherat.

Il écoute Louvois le premier jour. Puis les trois jours suivants, les autres participants de ce comité qui discutent chaque fois quatre heures.

Louvois est partisan de poursuivre l'enquête. La Reynie et Boucherat parlent peu. Colbert est sceptique. Ces accusations contre Mme de Montespan, dit-il, ne résistent pas à l'examen. La marquise avait tant d'occasions d'empoisonner le roi! Et comment imaginer une femme si pieuse livrant son corps dans une messe noire?

La Reynie propose que l'on retire du dossier tout ce qui concerne Mme de Montespan, et que la Chambre ardente juge les accusés coupables par ailleurs des crimes avérés.

Quant aux accusateurs de la marquise de Montespan, des lettres de cachet feraient d'eux des prisonniers oubliés dans les cachots les plus obscurs de lointaines forteresses.

Louis approuve.

Il exige le secret.

Et lui-même décide de s'y plier.

Mais il détourne le regard quand il croise Athénaïs de Montespan.

59.

Il regarde Mme de Montespan s'éloigner.

Elle vient, d'une voix furieuse et indignée, de lui reprocher d'avoir cru à toutes ces calomnies que ceux qui la jalousent et rêvent de l'éloigner du roi ont répandues contre elle.

Il l'a écoutée, debout en face d'elle dans cet appartement où ils s'étaient si souvent aimés.

Elle a crié.

Comment a-t-il pu, a-t-elle répété, au lieu de rejeter ces soupçons, ces aveux fabriqués, les lire, les entendre ? Pourquoi n'a-t-il pas dénoncé les manœuvres de Louvois, son ennemi ?

Il n'a pas répondu à Athénaïs de Montespan. Il n'a pas eu le geste qu'elle attendait, se rapprochant de lui.

Et il s'est écarté d'elle comme s'il avait craint qu'elle ne se jette sur lui et ne le poignarde.

Elle a deviné les raisons de ce pas en arrière.

Elle a eu un sourire méprisant. Puis elle a tourné le dos et elle a quitté la chambre.

Il l'a suivie des yeux.

Malgré son ample robe, elle ne pouvait dissimuler qu'elle avait, comme le murmurait Mme de Maintenon, « grossi d'un pied ». Elle n'était plus qu'une silhouette lourde, encore capable de faire illusion, de danser avec grâce comme elle l'avait fait lors de la réception de Marie Anne Charlotte de Bavière, qui allait devenir l'épouse du Dauphin. Mais ce n'avait été là qu'un fugitif moment de légèreté, comme le souvenir de ce qu'elle avait été.

Il la voyait comme une femme enlaidie, que neuf grossesses avaient déformée, dont Primi Visconti avait écrit – et quelle humiliation de lire cette lettre – qu'il avait vu la jambe de Mme de Montespan et qu'elle était plus grosse que son torse à lui.

«Je dois dire pour être juste que j'ai beaucoup maigri», avait ajouté Primi Visconti, comme pour souligner d'un trait d'humour l'énormité de ce qu'il avait vu et décrit.

Louis ne veut plus la regarder.

Il ne peut oublier les accusations dont on a accablé Athénaïs. Et de découvrir chaque jour un peu plus, sous le fard, les falbalas, la soie et les tissus lamés d'or, un corps qui s'affaisse et une peau qui se flétrit le blesse.

C'est comme si Athénaïs de Montespan lui renvoyait ce qu'il craint pour lui-même.

Car il sent bien que ses muscles se relâchent. Son ventre s'est encore gonflé. Et lorsqu'il voit, au souper, Athénaïs de Montespan engloutir viandes et fruits confits, boire et exiger que son verre soit toujours rempli de vin, il tente de résister à cette faim et à cette soif qui le saisissent.

Il réussit à éviter l'ivresse. Mais la faim le tenaille. Il mange sans cesse. On a découvert dans ses selles un immense ver, vivant, et dont les parties, sans doute, continuent de se lover dans ses entrailles, et c'est donc ce ver qui lui donne, aux dires des médecins, cet appétit jamais assouvi.

Il essaie, quand on l'ausculte, le sonde, d'oublier son corps, de n'être qu'une masse de chair insensible, un roi ne doit pas montrer la douleur.

Mais elle est là pourtant, qui ronge son ventre, son anus,

quand, parfois plus de dix fois par jour, il s'assied sur sa chaise percée.

Et la douleur s'accroche, aussi lancinante, à ses mâchoires.

Les dents se brisent. Et les chirurgiens plongent leurs instruments de fer dans sa bouche, arrachent des racines, les chicots, entaillent les gencives.

Il ne crie pas.

Tel doit être le roi.

Mais il a, pour la première fois de sa vie, le sentiment que son énergie, sa force s'effritent, que le temps a commencé de le ronger.

C'est sans doute cela avoir plus de quarante ans, le moment où l'on marie son fils, Monseigneur le Dauphin, à cette jeune Marie Anne Charlotte de Bavière, disgracieuse, mais qu'il faut honorer comme la future reine de France.

Les réceptions se succèdent, à Villers-Cotterêts, où la Cour accueille Marie Anne ; à Chalons, où Monseigneur l'épouse ; au château de Saint-Germain, à celui de Saint-Cloud, où le roi, puis Monsieur et Madame – Philippe d'Orléans et la Palatine – la reçoivent.

Louis, les yeux mi-clos, immobile, observe le ballet de la Cour autour de la dauphine.

Il effleure du regard Athénaïs de Montespan qui s'efforce de paraître légère, désinvolte et joyeuse.

Mais elle n'est plus qu'une ombre du passé qui s'efface.

Il voit Marie-Angélique de Fontanges, qui avance d'un pas hésitant, le visage marbré de taches rouges, les traits affaissés.

Qu'est devenue la jeune femme qui, il y a quelques mois, le faisait s'écrier : « Vive Dieu, quelle belle créature ! » Elle qui portait ses cheveux dénoués tombant en boucles sur ses épaules, et toute la Cour avait voulu se coiffer « à la Fontanges » !

Il avait éprouvé avec elle un regain de désir, et n'avait pas hésité à avaler ces poudres blanches que lui avait procurées son valet, et dont il avait en effet constaté qu'elles lui rendaient la vigueur de la jeunesse.

Il avait été heureux que La Fontaine, ce poète qui avait refusé d'être un courtisan, qui avait été fidèle à Fouquet, ait écrit, séduit par Marie-Angélique :

> *Charmant objet digne présent des Cieux*
> *Votre beauté vient de la main des Dieux.*

Mais que restait-il de ce charme divin ?

Marie-Angélique de Fontanges a le visage enflé, déformé, tacheté.

Elle est victime d'hémorragies consécutives à une grossesse, mais l'enfant est mort-né. Et elle ne se remet pas, fiévreuse, hagarde, cherchant à défendre sa place.

Il ne peut plus, il ne veut plus la voir.

Ce visage, ce corps qu'il a connus si beaux l'angoissent désormais. Il a fait ce qu'il a dit : Marie-Angélique est duchesse avec une pension de quatre-vingt mille livres. Sa sœur a obtenu d'être abbesse de Chelles.

Il ne peut donner davantage.

Et il est heureux d'apprendre que Marie-Angélique de Fontanges va se retirer dans l'abbaye de Chelles, auprès de sa sœur. Qu'elle ne suivra pas la Cour, qu'il veut conduire en Flandre, afin de visiter, durant les jours d'été, du 13 juillet au 31 août 1680, les places fortes, françaises depuis le traité de Nimègue.

On va, en courtes étapes, de Calais à Dunkerque, de Lille à Valenciennes, de Cambrai à Maubeuge.

Le soir, souper, dans la demeure la plus vaste de la ville visitée. Il s'assied souvent auprès de Mme de Maintenon.

Il est rassuré par le maintien réservé de cette dame au corps replet. Mais elle a la peau rose d'une femme mûre en bonne santé et cela l'apaise, alors que les corps de Mme de Montespan et de Marie-Angélique de Fontanges l'inquiètent.

Il a fait nommer – et il a mesuré la surprise de la Cour – Mme de Maintenon seconde dame d'atour de la dauphine.

Il a voulu marquer ainsi qu'elle n'était plus une dame parmi d'autres, mais, comme l'ont dit aussitôt les courtisans, « Mme de Maintenant ».

À Saint-Germain, il a pris prétexte d'une visite quotidienne qu'il a décidé de rendre à la dauphine pour passer plusieurs heures avec sa seconde dame d'atour, logée près de l'épouse de Monseigneur.

Mme de Maintenon parle avec calme et douceur. Elle n'a aucun des éclats, des traits, des saillies provocants d'Athénaïs de Montespan, ni les sots propos de Marie-Angélique de Fontanges.

Il a l'impression de découvrir avec elle le commerce de l'amitié, et de la conversation sans contrainte ni chicane.

Et il lui semble que cette relation s'accorde à la période de la vie dans laquelle il est entré. Il sait qu'à la Cour on entoure déjà Mme de Maintenon de prévenances.

On s'incline devant elle. On la sollicite.

Il l'observe. Elle conserve un port modeste. Elle ne cherche ni à étonner, ni à briller, ni à séduire. Elle ne s'assied pas le soir aux tables de jeu. Elle ne boit pas comme Athénaïs de Montespan.

Elle inspire le respect. On n'aura jamais pour elle la cruauté qu'on exerce à l'égard de Marie-Angélique de Fontanges, dont on dit qu'elle « a été blessée dans le service, et qu'elle est désormais impotente » et que c'est pour cela qu'on l'a renvoyée comme une servante.

Il ne tolérera pas qu'on agresse ou qu'on brocarde Mme de Maintenon. Elle est digne et on doit l'être avec elle. Elle n'a d'ailleurs aucune des insolences, parfois sacrilèges, d'Athénaïs de Montespan, qui a osé dire du confesseur du roi : « Ce père de La Chaise est une chaise de commodité. »

Comment Athénaïs ne comprend-elle pas que, quand la souffrance commence à mordiller le corps et parfois à le lacérer, on désire se rapprocher de la religion ? Et Mme de Maintenon parle des devoirs que l'on doit à Dieu, du respect que l'on doit à ses prêtres.

Elle invite à la prière et à la confession.

Même le roi, quand il a franchi le mitan de sa vie, a besoin d'entendre cela.

60.

Il pense que le temps est venu de se confesser, de communier.

Il ne veut plus se contenter de faire ses pâques, en négligeant, tout au long de l'année, de respecter les règles de l'Église de Dieu.

Il admire la piété, la soumission à Dieu de Mme de Maintenon. Et avec elle, il lui arrive de dire des chapelets ou même de se mêler aux croyants qui adorent le saint sacrement.

Il perçoit l'étonnement de son entourage quand il dit qu'il veut montrer au pape, Innocent XI, qu'il est le Roi Très Chrétien, le souverain de la fille aînée de l'Église, le royaume de saint Martin, de Clovis et de Saint Louis.

Il souffre de ne pas être parvenu à extirper du royaume les hérétiques de la religion prétendument réformée. Et ces protestants continuent de se rassembler autour de leurs pasteurs !

Il écoute Le Tellier et Louvois qui affirment que les conversions sont nombreuses, que ces huguenots, lorsqu'ils sont contraints d'héberger des dragons, préfèrent abandonner leur fausse religion, attirés aussi par l'exonération des impôts accordée aux convertis.

Louis veut aller plus loin.

Il faut, dit-il, interdire les mariages entre catholiques et protestants. Et il s'étonne des silences du pape. Comme si Innocent XI ne mesurait pas l'esprit de croisade qui anime le roi de France, et continuait de lui reprocher d'appliquer la « régale », qui permet au souverain d'encaisser les bénéfices des évêchés vacants, de désigner les évêques ou les abbesses, de défendre ces pouvoirs temporels du roi.

Il ne cédera pas sur ce point.

Il a posé sur sa table de marbre une nouvelle lettre de Colbert, respectueuse mais irritante, revenant sur les dépenses, la difficulté de faire naître des recettes par des « affaires extraordinaires ». Et après tout la régale en est une, et Innocent XI devrait comprendre qu'un Roi Très Chrétien, s'il veut conduire son royaume sur la juste voie, a besoin d'argent et qu'il est autorisé à le prendre là où il se trouve, et même dans les évêchés vacants !

Il poursuit la lecture de la lettre du contrôleur général des Finances.

« À l'égard de la finance, quoique cela ne me regarde en rien, écrit Colbert, je supplie seulement Votre Majesté de me permettre de lui dire qu'en guerre et en paix, elle n'a jamais consulté ses finances pour résoudre ses dépenses, ce qui est si extraordinaire qu'assurément il n'y a point d'exemple. »

Louis pose la lettre.

Comment Colbert ose-t-il le comparer à d'autres souverains ?

Il est Louis le Grand, l'extraordinaire, et sa manière de gouverner est donc extraordinaire !

« Les dépenses ont excédé de beaucoup les recettes, continue Colbert, et peut-être que cela convierait Votre Majesté à modérer et retrancher les dépenses excessives et mettre un peu de proportion entre les recettes et les dépenses. »

Colbert imagine-t-il seulement ce que sont les besoins, les obligations et les devoirs d'un roi de France, du Roi-Soleil ?

«Je sais bien, Sire, que le personnage que je fais en cela n'est pas agréable, conclut Colbert, mais dans le service de Votre Majesté les fonctions sont différentes; les unes n'ont jamais que des agréments dont les dépenses sont les fondements; celle dont Votre Majesté m'honore a ce malheur qu'elle puisse produire rien d'agréable...»

Colbert vise Louvois, à n'en pas douter.

Il faut lui répondre.

«Vous faites très bien de travailler à établir le crédit, j'espère que vous en viendrez à bout en peu de temps...»

C'est le rôle du contrôleur des Finances! Et que Colbert n'oublie pas quel a été le sort de Fouquet qui vient de mourir dans la forteresse de Pignerol. Que Colbert établisse un règlement général sur les gabelles, mais qu'il ne sorte pas de ce dont il est chargé.

Or Louis a le sentiment que Colbert ne cesse d'émettre des réserves, non seulement sur l'ampleur des dépenses mais aussi sur les mesures prises contre les protestants. Il prétend que les huguenots sont artisans drapiers, tapissiers habiles, qu'ils sont industrieux dans la banque, les manufactures, les compagnies de commerce, et que l'intérêt du royaume est non de les pourchasser, mais de les tolérer.

Comment ne voit-il pas qu'il est insupportable que des sujets, quelles que soient les fonctions qu'ils occupent et la richesse qu'ils produisent, récusent la religion de leur souverain, le Roi Très Chrétien?

Pourquoi s'oppose-t-il ainsi à son roi, à Louvois, à Le Tellier? Et pourquoi, selon les rapports de Louvois, est-il de ceux, de moins en moins nombreux, qui soutiennent Mme de Montespan, la protègent, plaident en sa faveur?

Qu'il se souvienne du sort de Nicolas Fouquet!

Un ministre, contrôleur général des Finances, doit seulement trouver de l'argent pour son roi, et n'est qu'un serviteur.

Il s'emporte contre Colbert, quand il apprend que le fils

du contrôleur général des Finances, le chevalier Colbert, a, en compagnie d'autres jeunes gens, le duc de La Ferté, le marquis de Biran, dans un bordel de la rue aux Ours, tenté de sodomiser un misérable mais bel adolescent vendeur de gaufres et, comme celui-ci se refusait à subir ce qu'on voulait lui imposer, ils lui ont tranché les couilles d'un coup d'épée, le laissant ensanglanté !

Il convoque Louvois pour le charger de dire de sa part toutes les remontrances que mérite une telle action ! Que des jeunes gens bien nés, débauchés et ivres, abandonnent un homme qu'ils ont blessé, après avoir voulu le prendre comme une fille, est inacceptable.

Louis hésite.

Ces jeunes gens méritent la mort. Puis il écoute les supplications des pères.

Il décide : qu'on chasse le chevalier Colbert, le marquis de Biran et le duc de La Ferté de la Cour.

Quelques jours plus tard, il apprend que Colbert a battu son fils à grands coups de pelle !

Voilà qui est bien !

Mais le mal est plus profond qu'il n'imaginait.

Il lit avec dégoût les rapports de Louvois.

« Les jeunes gens ont poussé leurs débauches dans des excès horribles et la Cour est devenue une petite Sodome ! »

Ils ont constitué entre eux une confrérie d'adeptes du vice italien.

Ils portent entre la chemise et le justaucorps une croix où l'on voit un homme fouler aux pieds une femme, comme saint Michel foulant le démon.

Ils organisent dans les bordels parisiens des parties de débauche où l'on sodomise et l'on soumet les filles à toutes sortes de violences et de perversions !

Louis est horrifié quand il apprend que le duc de Vermandois, le fils de quatorze ans né de ses amours avec Mlle de La Vallière, est entré dans la confrérie, et qu'il a subi l'initiation, la sodomisation, par l'un des grands maîtres de la confrérie.

Son fils !

Il éprouve du dégoût, comme si remontaient en lui les souvenirs fangeux et incertains de son enfance. S'était-il trouvé seul, proie sans défense dans la chambre du cardinal Mazarin, son parrain, et avait-il senti contre son corps celui de cet homme qu'il admirait et aimait ? Avait-il été souillé et était-ce pour cela qu'il avait, toute sa vie durant, méprisé ceux qui, comme son propre frère Philippe, s'étaient adonnés à ce vice italien ?

Et c'était maintenant son fils qui choisissait la débauche, et peut-être avait-il été perverti par les mignons de Philippe d'Orléans.

Il ne veut plus rien savoir de ce fils, de ce bâtard. Mais d'abord il veut lui exprimer son mépris, sa colère, sa fureur même.

Le comte de Vermandois est devant lui. Il avoue. Il sollicite le pardon. Qu'on le rosse ! Qu'on le chasse ! Qu'il ne paraisse plus jamais à la Cour !

Plus tard, quand on lui apprend que le comte de Vermandois est mort à seize ans, misérable, alcoolique, il ne tressaille pas.

On lui rapporte que dans son couvent des carmélites, Louise de La Vallière, devenue sœur Louise de la Miséricorde, a pleuré quelques instants, puis a murmuré : « C'est trop pleurer la mort d'un fils dont je n'ai pas encore assez pleuré la naissance ! »

Il prie. Il égrène son chapelet.

Peut-être ont-ils raison, ceux qui disent que la comète qui vient d'apparaître dans le ciel annonce la fin du monde, le temps des châtiments.

61.

Est-ce la peur de déplaire à Dieu ?

Mais, en ce début d'année 1681, il n'a plus envie de danser.

Il a même été tenté de rester auprès de Mme de Maintenon qui a refusé d'assister au ballet du *Triomphe de l'amour*, qui, à l'occasion de carnaval, est représenté dans la plus grande des salles du château de Saint-Germain.

Elle a baissé la tête, comme pour se faire pardonner ce refus, puis elle a murmuré qu'elle resterait dans sa chambre toute seule, puisque tout le monde sera au ballet, qu'elle y goûtera ce qu'elle préfère, le repos, et qu'elle pourra ainsi prier Dieu.

Louis doit être présent. Et cependant il se sent las.

Avec ennui, il regarde s'avancer sur la scène son fils, Monseigneur le Dauphin, et sa jeune épouse Marie Anne Charlotte de Bavière.

Il se souvient de la joie qu'il éprouvait jadis à virevolter parmi les danseurs, à être à la fois Apollon et Jupiter. Il a vécu cela. Mais son fils est trop maladroit pour être Bacchus. Il n'est qu'un courtisan du dieu !

Louis n'est ému qu'au moment où entre en scène, entourée par les danseuses et les danseurs, sa fille, Mlle de Nantes, qui incarne avec la spontanéité de ses sept ans la jeunesse.

Il se tourne et ses yeux croisent ceux d'Athénaïs de Montespan. Elle lui sourit, fière d'être la mère de cette enfant qui danse avec grâce, exécute une révérence, et que toute la Cour applaudit.

Il dérobe son regard. Il ne veut pas qu'Athénaïs puisse imaginer que va renaître entre eux cette union qui fut heureuse.

Il ne l'aime plus. Et il ne veut pas danser avec elle, le soir, lors du bal masqué qui clôture le carnaval.

Il est inquiet, comme si ces fêtes somptueuses n'étaient plus accordées aux temps qui viennent et à son humeur.

Et cependant, en raison, il sait que jamais sa gloire n'a été aussi rayonnante.

Le royaume s'agrandit de toutes ces « réunions » qui annexent villes et territoires.

Il vient de donner l'ordre à Louvois de mettre en marche les trente mille hommes qui vont encercler Strasbourg, ville libre, qu'il veut « réunir » à la Lorraine et à l'Alsace. On va acheter le consentement des édiles, les menacer de livrer leur ville aux soldats si elle n'ouvre pas ses portes et n'accueille pas le roi, pour un *Te Deum* qui rétablira Strasbourg dans la vraie religion, alors qu'elle a sombré dans la huguenoterie, celle de Luther, qui ne vaut pas mieux que celle de Calvin.

Voilà pour le Rhin.

Et il donne aussi l'ordre qu'on « réunisse » au royaume la place forte de Casal qui commande la vallée du Pô. Et on paiera le duc de Mantoue à qui elle appartient. Que Louvois négocie, et que ce comte Mattioli, qui représente le duc de Mantoue et qui tente de se jouer du roi de France, de nouer des liens avec l'Espagne, soit enlevé, à Mantoue, et enfermé, condamné à la prison à vie pour avoir joué double jeu contre Louis le Grand. Que personne ne connaisse l'identité de ce prisonnier au masque de velours et qu'il croupisse dans la forteresse des îles de Lérins, puis à la Bastille.

Voilà ce qu'il en coûte de s'opposer au roi de France qui dicte sa loi à toute l'Europe, du Rhin au Pô.

« Et que ces événements servent d'exemple et de raison à toute l'Europe, qui saura qu'elle doit se soumettre dès les premières semonces à ce que Sa Majesté, le Roi-Soleil, désirera ! »

Il écoute ces louanges.

Il veut cette gloire et cette puissance, mais c'est comme si, de son corps si souvent douloureux, la joie d'être qui l'a si longtemps habité, qui lui a fait désirer toutes les femmes, et les posséder presque toutes, s'était écoulée, ne laissant en lui que l'obstination de persévérer et la nécessité de vivre.

Il a même le sentiment que la mort, comme une eau noire et menaçante, avance vers lui.

Il avait été ému par la grâce de Mlle de Nantes. Il est durement touché par la mort de Mlle de Tours, de quelques mois plus âgée que sa sœur.

Athénaïs de Montespan, qu'il avait vue si radieuse lorsqu'elle assistait aux entrechats de Mlle de Nantes, est accablée, femme lourde et vieillie, mère frappée par la mort de l'une de ses filles.

Il l'entend qui dit d'une voix brisée, qu'il ne lui connaît pas, qu'elle va entreprendre un voyage, quitter la Cour pour quelques semaines « dans l'espérance que la dissipation me diminuera un peu les vapeurs qui ne me quittent point devant la perte que nous avons faite ».

Il l'écoute. Il la dévisage en s'efforçant de rester impassible.

Il ne réussit pas à effacer les soupçons qui pèsent sur elle. Il est persuadé qu'elle lui a fait prendre à son insu des poudres d'amour pour exciter son désir et le raviver. Mais elle n'a pas voulu le tuer, il ne peut même pas le concevoir. Elle a porté neuf enfants de lui, et il a légitimé tous ceux qui ont survécu.

Il baisse la tête.

Que peut penser Dieu de ces fruits d'un double adultère?

Et il y a ces quatre bâtards nés de Louise de La Vallière. Et un autre enfant porté par Mlle des Œillets, la suivante d'Athénaïs de Montespan, si compromise avec la Voisin!

Marie-Angélique de Fontanges a elle aussi été grosse d'un enfant de lui.

Et maintenant, elle agonise. Et il ne veut pas la voir dans cette abbaye de Port-Royal où son beau corps n'est plus, lui dit-on, qu'une chair meurtrie et purulente.

Il veut que trois fois par semaine, les ducs de Noailles et de La Feuillade prennent de ses nouvelles.

Et lorsqu'ils lui annoncent qu'elle n'a plus que quelques heures à vivre, il se rend auprès d'elle. Et il ne peut s'empêcher de pleurer devant cette jeune femme qui n'est plus que souffrance, et dont la bouche s'emplit de pus. Il s'éloigne bouleversé.

Et il est stupéfait lorsqu'il apprend qu'on murmure à la Cour et à Paris que Marie-Angélique de Fontanges a été empoisonnée par Athénaïs de Montespan qui, jalouse, aurait soudoyé un laquais afin qu'il verse la mixture mortelle dans le lait de Marie-Angélique.

Louis ne peut le croire, et cependant ces calomnies se répandent, le troublent.

Il lit les récits que l'on fait « *Des secrets des amours de la duchesse de Fontanges, et des particularités de son empoisonnement et de sa mort* ».

Il exige qu'on pratique l'autopsie du corps de Marie-Angélique.

Il veut être le premier à lire le rapport des médecins. Il y découvre que « la cause de la mort de la dame doit être uniquement attribuée à la pourriture totale des lobes droits du poumon qui s'est faite en suite de l'altération chaude et sèche de son foie qui, ayant fait une grande quantité de sang bilieux et âcre, lui aurait causé les pertes qui avaient précédé».

Les médecins n'évoquent à aucun moment la présence de poison, alors que les rumeurs prétendent qu'il avait corrodé chacun des organes !

On peut maintenant inhumer le corps de Marie-Angélique de Fontanges dans l'abbaye de Port-Royal. Louis n'assiste pas à ces obsèques, à l'ensevelissement du cœur de Marie-Angélique dans l'abbaye de Chelles, dont sa sœur Catherine est l'abbesse.

Il sait que dans un bref sermon, le prêtre de Saint-Séverin a dit :

— Ce cœur était à Dieu dans les commencements, le monde l'avait gagné. Dieu a repris enfin ce qui était à lui, et ce qu'il avait fait pour lui, mais ça n'a pas été sans peine qu'il s'est rendu.

La sécheresse et la brièveté de ce sermon le choquent.

Il est plus sensible à ces petits poèmes que l'on chantonne et répète à Paris :

> *Autrefois à la Cour on me vit égale*
> *Maîtresse de mon roi, je défis une rivale*
> *Jamais un temps si court ne fit un sort si beau*
> *Jamais fortune aussi soudaine ne fut aussitôt détruite*
> *Ah ! que la distance est petite*
> *Du comble des grandeurs à l'honneur du tombeau.*

62.

Il ne cesse de penser à ces tombeaux où tant de corps jeunes, ceux de ses enfants parfois à peine nés, celui de Marie-Angélique de Fontanges, ont été ensevelis.

Il sait, parce que son corps le fait davantage souffrir, parce qu'il se sent lourd, qu'il est temps pour lui de penser à sauver son âme.

Il écoute les prières de Mme de Maintenon, les recommandations de Bossuet qu'il vient de désigner pour occuper l'évêché de Meaux. Bossuet évoque, avec ferveur, l'unité de l'Église, la providence.

— C'est ainsi que Dieu règne sur tous les peuples... dit-il. Ceux qui gouvernent doivent savoir qu'ils sont assujettis à une force majeure. Dieu tient du plus haut des cieux les rênes de tous les royaumes...

Que faire pour le servir, sinon rassembler tous les sujets au sein de l'Église ?

Et donc, convertir les huguenots qui s'obstinent. Écouter Louvois qui évoque les mesures prises par l'intendant du Poitou, René de Marillac, qui dispense les convertis d'avoir à héberger les dragons, et ceux-ci s'installent au contraire chez les protestants obstinés.

Ces « missions armées » incitent des milliers de huguenots à se convertir.

Louis approuve Louvois qui propose que l'on étende à l'ensemble des provinces les missions armées, étant entendu que l'assassinat et le viol seront sévèrement punis.

Louvois se récrie. Les dragons peuvent être rudes, dit-il, mais ils sont justes. Ils sont les missionnaires armés de la juste foi.

Mme de Maintenon s'inquiète des enfants huguenots que leurs parents retiennent dans la fausse religion. N'est-ce pas le devoir du roi de les arracher à l'erreur, au péché, au blasphème, à l'hérésie ?

C'est œuvre pie.

Le 17 juin 1681, il édicte dans une déclaration royale que les enfants de protestants de sept ans et plus ne pourront quitter le royaume et qu'ils pourront librement se convertir, dès cet âge de sept ans, sans l'autorisation de leurs parents.

C'est son devoir de Roi Très Chrétien d'agir ainsi.

Il faut que les huguenots sentent que le sol se dérobe sous leurs pieds, qu'ils n'auront la paix que s'ils se convertissent. Sinon, ils devront souffrir les dragons ou quitter le royaume.

Louvois propose que l'on ferme l'académie de Sedan, dans laquelle enseignent Pierre Bayle et Jurieu, deux lettrés protestants qui se piquent de théologie et de philosophie.

Peu importe que l'un et l'autre gagnent Rotterdam, que Bayle y donne peu de temps après son arrivée des leçons de philosophie.

Le royaume est plus fort d'être ainsi épuré des mal-sentants de la foi !

Il ne veut plus écouter Colbert, tiède en religion, et répétant sans fin que les huguenots sont faiseurs de richesses.

Dieu comme tout souverain ne compte pas à la manière d'un contrôleur général des Finances.

Mais Colbert insiste pour que le roi reçoive à la Cour Henri de Massué, marquis de Ruvigny, député général des Églises réformées.

Louis hésite puis, Colbert évoquant ces grands serviteurs huguenots de la monarchie qui restèrent à l'écart de la Fronde, ou bien qui, comme Turenne ou l'amiral Duquesne, l'un converti, l'autre pas, furent des soldats exemplaires, il accueille le marquis de Ruvigny avec courtoisie.

Le gentilhomme est vieux. Il fait part de l'émotion des protestants qui se voient enlever leurs enfants afin de les convertir, de briser ainsi des familles, peut-être hérétiques, mais respectables, peut-être aveuglées, mais chrétiennes.

Tout à coup, la voix du marquis de Ruvigny se met à trembler. Ruvigny évoque les vols, les viols, les crimes, les destructions, les brimades, les humiliations commis par les dragons dans leurs «missions armées». Les soldats ne respectent ni les vieux, ni les enfants, ni les femmes, ni les biens. Louis écoute.

Louvois avait prétendu que les dragons se conduisaient en hommes justes.

Il dévisage le marquis de Ruvigny. Il croit à son témoignage. Il fera cesser ces exactions. Il retirera les dragons du Poitou, et remplacera l'intendant René de Marillac.

Le marquis de Ruvigny remercie, mais, dit-il, si la persécution se poursuivait, ou renaissait, qui pourrait éviter le retour des guerres de Religion, ou l'exode des huguenots qui serait pour le royaume de France, auquel tous les protestants sont attachés, une véritable et mortelle saignée?

Louis toise Ruvigny.

— J'obéis à un devoir sacré, en faisant tout pour convertir ces sujets égarés et extirper l'hérésie d'au milieu d'eux, dit-il.

Il s'interrompt, lève le bras, reprend :

— S'il fallait pour y parvenir que ma main droite coupât ma main gauche, je le ferais sans balancer.

Le visage du marquis de Ruvigny pâlit. Et le vieil homme s'éloigne à reculons, la tête baissée.

Louis reste un moment incertain, puis il se souvient de ce propos de Mme de Maintenon, qu'on lui a rapporté.

— Si Dieu conserve le roi, il n'y aura pas un huguenot dans vingt ans.

Que peut-il espérer comme plus grande gloire?

63.

Il s'interroge et s'étonne.

Et s'il n'était plus sensible qu'à la gloire ?

Il regarde avec indifférence cette jeune femme assise en face de lui. Depuis le début de ce souper de médianoche, dans l'intimité de ses appartements, il s'ennuie.

Et pourtant cette Mlle d'Oré devrait l'attirer. Elle a des formes épanouies, et la spontanéité, la naïveté d'une vierge. Mais elle est fardée, apprêtée comme une rouée, et tout dans son attitude, dans ses silences, ses timidités, ses sourires, lui révèle qu'elle est prête, qu'elle attend.

Il suffirait qu'il se lève, s'approche, pour qu'elle se pâme, se donne.

Mais il ne bouge pas, inquiet de cette lassitude qui le gagne alors qu'il devrait prendre cette fille, comme il a possédé avant elle toutes les femmes dès lors qu'elles étaient belles ou faisaient mine de l'aimer.

Mais il ne ressent rien, sinon une sorte de dégoût.

Rien n'est inattendu dans cette soirée. C'est Athénaïs de Montespan qui, en perverse et habile entremetteuse, a suscité ce souper.

Depuis qu'il s'est éloigné d'elle, elle ne peut plus utiliser pour raviver son intérêt des philtres d'amour ! Alors elle rabat des proies vers lui. Elle lui a présenté il y a peu sa propre nièce, la duchesse de Nevers, âgée d'à peine seize ans.

Et il s'est souvenu qu'il a autrefois aimé la mère de cette biche, la marquise de Thianges, la propre sœur d'Athénaïs.

Il a détourné les yeux, s'éloignant de la duchesse de Nevers, parée pourtant pour le sacrifice.

Athénaïs de Montespan n'a pas renoncé. Elle lui a parlé d'une voix mielleuse de l'une de ses nouvelles suivantes, Mlle d'Oré, qui ne vivait, avait-elle dit, que dans l'espoir d'être remarquée, désirée par le roi.

— Vierge et femme déjà accomplie, avait-elle murmuré.

Il s'est laissé tenter.

Il a accepté ce souper de médianoche, par habitude, par fidélité à lui-même, à son passé de conquérant, et il ne ressent, alors que Mlle d'Oré, la bouche entrouverte, ne le quitte pas des yeux, qu'une grise fatigue qui enveloppe tout son corps.

Il se souvient, il y a moins de deux ans, il s'est embrasé pour Marie-Angélique de Fontanges, qu'on lui avait aussi offerte. Et il avait ressenti, comme en ses plus jeunes années, la vivacité du désir, le plaisir du chasseur qui veut son trophée.

Mais Marie-Angélique de Fontanges est morte, flétrie, la bouche pleine de pus !

Est-ce cela qui l'a fait changer, ou bien les soupirs et les prières de Mme de Maintenon ?

Elle lui a dit, sur un ton distant :

— Il est vrai que vous connaissez déjà, Sire, Mlle d'Oré. Vous avez fait médianoche avec elle. On dit qu'elle a une sœur plus belle qu'elle. Mais ce ne sont pas là mes affaires.

Il sent que Mme de Maintenon ne se laisse jamais emporter par la colère. Elle parle comme un directeur de conscience, et elle l'attire de plus en plus.

Peu importe le cercle de dévotes qui l'entoure, chacune

apportant son aumône, que la marquise de Maintenon remet chaque mois aux pauvres.

Elle rassure.

Elle n'est pas l'une de ces jeunes femmes, pucelles ou feignant de l'être, qui se fanent en quelques semaines et meurent, suscitant jalousie et peut-être succombant aux poisons des rivales.

Il lui faut aujourd'hui une femme apaisée, des prêtres, des religieuses et des dames de charité plutôt que des putains de Cour. Peut-être, les feux ardents de la jeunesse éteints, ne reste-t-il plus à un roi que la gloire, la grandeur, la piété, l'ordre et la vertu.

Il a quarante-quatre ans en cette année 1682, et c'est cela qu'il recherche.

Il veut désormais exercer ainsi son métier de roi.

Et d'abord défendre sa souveraineté, même contre le pouvoir du pape.

Un roi est le sujet de Dieu, non du pape.

Il réunit une Assemblée extraordinaire du clergé.

Il charge Bossuet de rédiger une déclaration en quatre articles.

« Les rois et souverains ne sont soumis à aucune puissance ecclésiastique, par l'ordre de Dieu, dans les choses temporelles. » Il n'y a pas d'infaillibilité pontificale, le concile est supérieur au pape.

Le procureur général de Paris qui enregistre la déclaration ajoute : « L'Église n'a aucun pouvoir direct ni indirect sur le temporel des princes. »

Louis est satisfait.

Les évêques français sont d'abord des sujets :

« L'Église gallicane se gouverne par ses propres lois ; elle en garde inviolablement l'usage. »

Et tout ce qui est du royaume doit plier devant la volonté du roi.

Point de ces errants qui parcourent les routes, font gîte où bon leur semble !

Il dicte :

« Enjoignons à nos baillis, sénéchaux, leurs lieutenants comme aussi nos prévôts des maréchaux, d'arrêter et faire arrêter tous ceux qui s'appellent Bohèmes ou Égyptiens, leurs femmes, enfants et autres de leur suite, de faire attacher les hommes à la chaîne des forçats pour être conduits dans nos galères et y servir à perpétuité ; et à l'égard de leurs femmes et filles ordonnons de les faire raser les premières fois qu'elles auront été trouvées menant la vie de Bohémienne, et faire conduire dans les hôpitaux les plus prochains des lieux les enfants qui ne seront pas en état de servir dans nos galères, pour y être nourris et élevés comme les autres enfants qui y sont enfermés. »

Il faut nettoyer le royaume, et faire que chaque sujet soit tenu au serment de fidélité au roi.

Et donc continuer de réduire cette hérésie huguenote, qui est une rébellion.

Il interdit aux protestants de se réunir ailleurs que dans leurs temples et en présence de leurs pasteurs.

Il faut que les « missions armées » continuent. Qu'aucune issue autre que la conversion ne soit offerte aux huguenots. Il faudra désormais une autorisation royale pour quitter le royaume.

Les huguenots sont des empoisonneurs de l'âme, qu'il faut pourchasser comme doivent l'être les devins, les magiciens, les enchanteurs, les alchimistes et autres corrupteurs des corps.

Il a la certitude qu'il prépare ainsi une nouvelle période de son règne, quand la gloire et la grandeur doivent naître de la vertu.

Fini, le temps des poisons et de la débauche !

Que les jeunes seigneurs, les mignons de Monsieur, ceux qui ont corrompu le pauvre comte de Vermandois, ne se pavanent plus insolemment à la Cour.

Il sait bien que Philippe d'Orléans continuera de pratiquer le vice italien, mais il faut dissoudre ces « confréries » qui capturent et séduisent les plus beaux et les plus titrés des jeunes gens.

Ne murmure-t-on pas que le Dauphin lui-même se serait laissé pervertir ?

Louis observe son fils.

Il a voulu que Monseigneur, qui régnera sur le royaume, apprenne à gouverner. Et il a écrit pour lui ces *Mémoires* pour lui enseigner cet art difficile.

Mais ce Dauphin au corps lourd, obèse, semble ne se soucier que de chasse au loup, de conquête facile et de bonne chère.

Ce fils légitime le déçoit. Il apprécie au contraire le duc du Maine, son bâtard, le fils qu'il a eu avec Mme de Montespan et sur lequel a veillé Mme de Maintenon.

Il l'a légitimé. Il voudrait en faire un homme fortuné.

Il suffirait pour cela que la Grande Mademoiselle lui lègue une partie de ses domaines, de son immense fortune. Et puisqu'elle est amoureuse du comte de Lauzun, toujours emprisonné, on lui promettra de libérer ce vieil impertinent, ce séducteur, si elle renonce à une partie de sa fortune en faveur du duc du Maine.

Il met ainsi de l'ordre dans le royaume et autour de lui.

Il lui reste à rejeter ces châteaux, ces palais, Saint-Germain, Fontainebleau, les Tuileries, le Louvre, qui sont comme les habits de pierre de la première partie de son règne.

Il y a festoyé ! Il y a gouverné, dansé et séduit. Il allait de l'un à l'autre dans ces cortèges de carrosses enrubannés.

C'en est fini.

Versailles, qu'il a créé, est encore en travaux. Marly et le Grand Commun viennent à peine d'être entrepris. Partout des gravats, des décorations inachevées. Mais c'est là que, désormais, il veut vivre, y rassemblant la Cour pour les nouveaux temps.

Cela fait plus de dix ans qu'il y songe. Mais le moment est enfin venu. Ce château sera le trône de sa gloire, de sa grandeur, le château de l'ordre et de la vertu.

Il s'installe le mercredi 6 mai 1682 dans son carrosse rouge tiré par six chevaux bais. Derrière lui roule le carrosse de la reine Marie-Thérèse mené par six chevaux blancs. La voiture de Mme de Maintenon et de Mme de Montespan, puis celles des courtisans, suivent.

Il regarde les mousquetaires et les gendarmes qui chevauchent autour de son carrosse.

À Versailles, les gardes-françaises et suisses présentent leurs armes, cependant que les roulements des tambours et les sons aigres des fifres résonnent dans la cour.

· Les ouvriers, la domesticité, la foule venue de Versailles, et plus loin les milliers d'ouvriers des chantiers du château, l'acclament.

Il descend du carrosse.

Il regarde les bâtiments majestueux.

Voilà son palais, le cœur du royaume.

Il ne se lasse pas de parcourir les galeries où les ouvriers s'affairent.

Il s'arrête devant les statues et les fontaines, se promène dans les jardins, s'attarde dans l'Orangerie.

Ce château encore inachevé le rassure. C'est comme s'il avait devant lui, autour de lui, ce que les siècles retiendront de son règne. On saura ce qu'il a été.

Et quand le 5 août 1682, dans une chaleur torride, la dauphine Marie Anne Charlotte de Bavière est prise par les douleurs de l'enfantement, que les courtisans et la foule se rassemblent, attendant la venue du premier enfant qui prouve que le Dauphin a bonne semence et que la dynastie se prolonge, la joie le saisit.

Après trente heures de douleurs, voici le nouveau-né, un fils, qui sera duc de Bourgogne.

C'est Louis qui d'une voix forte annonce la naissance de l'héritier mâle du Grand Dauphin de France.

C'est la liesse. La foule se précipite vers les appartements du roi. On oublie l'étiquette.

On lui saisit la main. On l'embrasse.

On arrache le parquet de la galerie des Glaces pour en faire des feux.

On jette dans les flammes des chaises à porteurs, des vêtements, des lambris.

— Qu'on les laisse faire, nous aurons d'autres parquets, dit-il en riant.

Il entre dans la chambre de la dauphine.

Il y suffoque, au milieu des ambassadeurs qui ont, selon la règle, assisté à la naissance royale.

La dauphine est couchée sur la peau d'un mouton que l'on vient d'écorcher. Il se penche vers la jeune mère.

Il ne voit pas ses dents gâtées, son nez énorme, ses taches qui marbrent ses joues, ses mains de servante.

Il a eu raison d'apprécier cette jeune femme, d'oublier sa laideur.

Il se tourne, la foule s'écarte. Il s'approche du berceau où dort son petit-fils.

Puis, levant la tête, il aperçoit les feux de joie, dont les flammes crépitent et autour desquels la foule danse.

On lui saisit de nouveau la main, on l'embrasse.

Il rit.

Il est le roi qui ne meurt pas.

L'Hiver du grand roi

« Messieurs, je m'en vais ; mais l'État demeu-
rera toujours. »

Louis XIV, 26 août 1715

« Ci-gît au milieu de l'Église
Celui qui nous mit en chemise
Et s'il eût plus longtemps vécu
Il nous eût fait montrer le cul.
Ci-gît Louis le Petit
Ce dont tout le peuple est ravi... »

Anonyme, 1715

« Pourquoi donc, insensés, par les traits les plus
 lâches
Jusque dans le tombeau troublez-vous son
 sommeil ?
Il avait des défauts, le soleil a ses taches
Mais il est toujours le soleil. »

Père de la Rue,
Panégyrique de Louis XIV, 1715

PREMIÈRE PARTIE

1683-1686

1.

Il a quarante-cinq ans.

Il est allongé, les mains croisées sur la poitrine, dans la nuit dense et pesante de son lit à baldaquin.

Il a entendu les craquements du parquet.

Il sait que son premier valet de chambre Bontemps, qui couche par terre, au pied de la balustrade qui clôture le lit, comme si celui-ci était l'autel consacré à Dieu, vient de se lever.

Mais Louis ne bouge pas, n'ouvre pas les yeux.

Il doit attendre.

Il est le roi, et comme le Soleil il est l'horloge du monde.

Il imagine les courtisans qui se rassemblent en frissonnant.

Car ce premier hiver à Versailles est vif. Les pièces, les galeries, les escaliers sont parcourus par des courants d'air glacés.

En ce mois de janvier 1683, les eaux des trente-neuf fontaines du labyrinthe des jardins ont gelé, comme le vin dans les carafes et les sauces dans les plats.

Les dames tentent de réchauffer leurs épaules et leurs poitrines avec des foulards de soie. Elles grelottent. Mais quand on attise les feux, dans les mille deux cent cinquante-deux pièces qui disposent d'une cheminée, la fumée se répand, si épaisse que les yeux pleurent, qu'on ne distingue plus que des silhouettes. Et dans les huit cents pièces qui ne comportent pas de cheminée, le froid paralyse.

Mais qui choisirait de quitter Versailles ? De s'éloigner du Soleil ?

Il ne chauffe pas mais il éclaire et, sans sa lumière, on n'est rien.

Le parquet craque de nouveau.

Bontemps doit se rapprocher de la tête du lit.

Il va dire, comme chaque jour, à sept heures et demie :
— Sire, voilà l'heure !

Puis il ira ouvrir les portes de la chambre, et rentreront le premier chirurgien et le premier médecin, et cette vieille femme, voûtée, la nourrice.

Bontemps dira de nouveau, d'une voix un peu plus forte :
— Sire, voilà l'heure !

Il tirera les rideaux. Il présentera la chemise qui doit remplacer celle de la nuit, puis la coupe en vermeil contenant de l'eau bénite.

Louis se redresse.

Il effleure de son regard les visages de ces hommes et de cette femme qui n'osent le scruter, mais qui essaient de le dévisager à la dérobée.

Tous font ainsi, cherchant à deviner son humeur, ses pensées. Et il doit demeurer impassible, impénétrable, sachant que tous le guettent et qu'ils vont, du «petit lever» – les «grandes entrées» – où ne sont admis que quelques dizaines de gentilshommes aux «entrées de la chambre» où des centaines de personnes se pressent, essayer d'attirer son attention, d'obtenir un regard, un mot.

Il doit, comme le Soleil et comme Dieu, être inaccessible et mystérieux.

Il est celui qui possède le pouvoir de changer les vies, en nommant à telle ou telle fonction, en décidant d'éloigner de

Versailles, de faire enfermer à la Bastille ou dans une forteresse de province, ou bien en attribuant une pension, une charge fructueuse.

Tous ici savent qu'ils dépendent de lui.

Voici que s'avancent, après que le barbier – un jour sur deux – l'a rasé, les «secondes entrées».

Louis s'installe sur sa chaise percée. Il écoute les lecteurs de la chambre lire les nouvelles, les rapports.

Puis c'est le moment du «grand lever», une centaine de gentilshommes, d'ambassadeurs, de cardinaux qui se pressent dans la chambre, cependant qu'on l'habille.

Il lève lentement les bras pour que le grand maître des cérémonies lui passe sa veste et le justaucorps.

Après, il s'agenouillera, puis, avant la messe de neuf heures, il prendra le repas du matin, le dîner ayant lieu à une heure après midi.

Il conviera à la chasse, ou bien à une visite des jardins ou des travaux encore inachevés, quelques courtisans qui rougiront de plaisir, s'inclineront jusqu'à terre, et marcheront, en retrait, près de lui.

Et ce seront, se succédant au cours de la journée, les réceptions d'ambassadeurs, les conseils, les jeux, le souper, le coucher. La chambre, étape par étape, selon un rituel, se vidant peu à peu, et Bontemps à la fin restant seul dans la pièce, tirant les rideaux, se couchant, au pied du lit, contre la balustrade.

Louis, dans la nuit et le silence revenus, garde les yeux ouverts. Il croise les mains sur la poitrine.

Il pense aux gisants, ces souverains qui l'ont précédé.

Il a voulu que le château de Versailles soit sa basilique, mais pour le culte d'un roi vivant et non d'un prince mort.

Il y est parvenu.

Il éprouve chaque nuit, depuis qu'il loge à Versailles, au moment de s'engloutir dans le sommeil, un moment d'intense satisfaction.

Il a voulu ce château.

Il en a surveillé tous les travaux, ceux des jardiniers et des charpentiers, des tapissiers et des peintres.

Il a guidé la main des architectes.

Il a voulu que se croisent les deux axes, allant d'un point cardinal à l'autre.

À l'est, l'espace des jardins, avec ces trente-neuf fontaines placées dans le labyrinthe, ces statues, cette nature réglée, dont il est le maître et possesseur.

À l'ouest, c'est le côté de la ville, les bureaux des secrétaires et des commis.

Et dans tout ce qui est visible, l'or doit briller, comme le trône de vermeil surmonté d'un dais pourpre dans lequel il s'installe, pour dominer cette foule de plusieurs milliers de courtisans.

Il contemple ce grouillement où les aigrefins, les voleurs, les débauchés côtoient les princes. Mais comment extirper le vice ?

Il chasse de la Cour quelques illustres sodomites. Il ordonne même que certains soient condamnés au bûcher. Mais il ne peut éradiquer ce mal. Et il est contraint d'avouer à Mme de Maintenon qui l'y invite :

— Il faudrait que je commence par mon frère !

Et c'est impossible. On ne touche pas à Philippe d'Orléans et on ne peut châtier sévèrement ses mignons ! Alors, les pervertis et les tricheurs s'abandonnent à leurs vices, corrompent, ruinent les princes aux jeux de la bassette, du lansquenet, du hoca.

Louis voudrait que la Cour se voue à Dieu. Et il constate

qu'à la chapelle, les dames, hier si licencieuses, s'agenouillent, prient, font comme si chaque dimanche était Pâques.

Mais il n'est pas dupe. Il se souvient de Tartuffe. Les courtisans font mine d'être dévots pour lui plaire, séduire Mme de Maintenon, mais les espions qui sillonnent la Cour, à l'affût des rumeurs, rapportent qu'on se moque de la bigoterie de la nouvelle favorite, qui transforme le roi en dévot. Il le sait : entre eux et lui, c'est une épreuve de force. Et c'est pour cela aussi qu'il laisse les courtisans continuer à jouer, à se ruiner, à se livrer aux usuriers, aux prêteurs, et à devenir ainsi plus serviles encore, tous quémandeurs d'un don, d'une charge.

Et il veut qu'ils soient soumis et qu'ils soient tous là sous son regard, espérant un geste, une pension.

Et celui qui abandonne la Cour doit savoir qu'il n'obtiendra rien.

— C'est quelqu'un de peu car il ne vient jamais à la Cour, dit-il d'une voix forte.

Il faut que chacun entende et que chacun comprenne qu'on doit paraître et même se ruiner pour rester à Versailles.

Et Louis répète, pour que la leçon ne soit pas oubliée :

— C'est un homme que je ne vois jamais.

Alors ils sont tous là, dans les galeries, les salons, les antichambres, se pressant autour des tables de jeu, pour le «souper au grand couvert».

Ils sont prêts à tout accepter, le froid, la promiscuité, la saleté qui après quelques jours envahit les galeries.

Les femmes et les hommes pissent là où ils peuvent, contre les lambris, sur les parquets.

On marche sur des étrons.

On vole les couverts et même les franges en fil d'or des rideaux.

On s'entasse pour dormir sous les combles, si l'on n'a pas obtenu l'un des cent quatre-vingt-deux logements, ou l'une des mille deux cent cinquante-deux pièces avec cheminée !

On espère être distingué, être invité à faire partie du petit nombre de courtisans admis à se rendre au château de Marly.

On supplie pour y être convié : « Sire, Marly. »

Et pendant ce temps, une partie des sept mille domestiques nettoiera le château de ces immondices.

L'or, le marbre, les boiseries, les parquets brilleront à nouveau. On aura lustré les consoles, les commodes et, dans leurs cadres dorés et leurs moulures, les peintures de Poussin, de Le Brun, de Mignard resplendiront.

Louis ferme les yeux.

Il a imaginé le château de Versailles. Il a voulu cette scène, ce décor. Il a composé les figures de ce ballet, choisi les acteurs, précisé l'ordre de succession des tableaux et des actes.

Il veut qu'« avec un almanach et une montre on soit capable à trois cents lieues d'ici de dire ce qu'il y fait ».

Il faut que chaque sujet connaisse la course du Soleil et qu'il en soit ébloui.

Il faut qu'en chaque point du royaume et dans toutes les nations on regarde vers ce château, vers le roi qui l'a fait surgir dans une nature ingrate, elle aussi domestiquée.

Et chacun doit se persuader qu'en ce château, cœur du royaume et cœur du monde, le roi est comme le Soleil capable d'éclairer d'autres empires : *Nec pluribus impar.*

Il faut qu'on n'oublie jamais que « le roi seul reçoit tous les respects, que lui seul est l'objet de toutes les espérances, qu'on ne poursuit, qu'on n'attend, qu'on ne fait rien que par lui seul ».

Et que « tout le reste est rampant, tout le reste est impuissant, tous le reste est stérile ».

2.

Il se penche vers la reine.

Marie-Thérèse a déjà prononcé quelques mots, mais d'une voix si faible qu'il ne les a pas entendus, à moins qu'il n'ait pas voulu les comprendre.

Elle se soulève un peu, le visage couvert de sueur, elle murmure :

— Monsieur, je me meurs.

Il se redresse. Il ne peut pas répondre, la rassurer et la contredire. Il sait qu'elle dit vrai.

Il a soumis les Grands. Il les a contraints à suivre méticuleusement l'étiquette qu'il a fixée. Sur la scène de Versailles, ils sont les acteurs de cette machine qu'il a conçue pour qu'ils ne soient plus que les rouages du pouvoir dont il est l'incarnation et le principe.

Et il a fait s'agenouiller tous les sujets du royaume, ces paysans si souvent en révolte et qui maintenant en Anjou tendent la main, pour recevoir l'aide royale. Et il a écrit à Colbert :

« La misère me fait grand peine, et il faudra faire tout ce que l'on pourra pour soulager les peuples. Je souhaite de le pouvoir bientôt. »

Quant aux huguenots, têtus et hérétiques, il a approuvé Louvois de multiplier les dragonnades dans le Vivarais, au Poitou, en Languedoc, au Béarn, et selon le ministre les conversions se font chaque jour plus nombreuses.

Et les souverains des autres nations, même ligués entre eux, ont dû reconnaître sa puissance.

Il a voulu parcourir avec la Cour les terres de Franche-Comté et d'Alsace. Il a visité les villes conquises, annexées, réunies : Besançon, Belfort, Colmar. Il a fait manœuvrer dix-huit mille cavaliers au camp de Bellegarde, et vingt-huit bataillons d'infanterie dans celui de Bouquenon.

Qui peut lui résister ?

Il le sait : la mort.

C'est la grande invincible frondeuse

Il l'a vue, tout au long de ce voyage de plus d'un mois, faire le siège de la reine, emporter une à une ses résistances, obligeant Marie-Thérèse à ne pas chevaucher aux côtés des autres dames pour assister aux parades et aux manœuvres.

Il a dû écrire à Colbert :

« Pressez tous les ouvrages de Versailles car je pourrais bien abréger le voyage de quelques jours. »

Et dès le retour au château, Marie-Thérèse s'est couchée, épuisée, un abcès douloureux sous l'aisselle.

Il lui a rendu souvent visite, comme il a pris l'habitude de le faire depuis qu'il s'est installé à Versailles et qu'il n'a plus près de lui l'une de ces maîtresses régnantes dont le corps l'enflammait.

Mme de Maintenon au contraire, de sa voix posée, l'invite à se rendre chaque soir auprès de Marie-Thérèse.

Et il lui sait gré de l'inciter ainsi à rendre hommage à la reine qui pour la première fois l'émeut.

Et voici la mort qui s'avance. La fièvre brûle le corps de Marie-Thérèse. Les médecins s'opposent, impuissants à la

412

combattre. L'un, Guy Fagon, veut qu'on fasse une saignée au pied. L'autre, le chirurgien Gervais – le médecin de la reine –, refuse d'abord, puis pleure.

— Vous voulez donc que ce soit moi qui tue la reine ?

Mais il s'exécute.

Fagon ordonne alors qu'on fasse boire à la reine du vin émétique qui épuise la malade.

Mais que peuvent les médecins contre la mort ?

Le 30 juillet 1683, Marie-Thérèse murmure :

— De toute ma vie, depuis que je suis reine, je n'ai eu qu'un seul jour de véritable contentement.

Puis elle meurt.

— Voilà le premier chagrin qu'elle m'ait donné, dit Louis.

Il entend Élisabeth Charlotte, la Palatine, murmurer :

— On peut bien dire que tout le bonheur de la France est mort avec elle.

Il voit s'avancer Mme de Montespan. Qui pleure-t-elle ? Marie-Thérèse, ou la fonction de surintendante de la Maison de la reine qui lui assurait, en dépit de son rejet par le roi, une fonction éminente à la Cour ?

Il ne veut pas répondre à cette question qu'il se pose pourtant.

Il sait gré à Mme de Maintenon de lui avoir conseillé de se rendre souvent chez la reine et il est touché par la peine qu'elle semble éprouver, enveloppée dans les voiles du deuil.

Puis elle s'agenouille et prie.

Et il songe déjà qu'elle pourra occuper les appartements de la reine.

Car il veut rester dans la vie, même si la mort, insatiable, est encore aux aguets.

Colbert va mal. La fièvre le terrasse à son tour.

Il faut charger son fils Seignelay d'organiser les cérémonies de l'enterrement de la reine.

« J'envoie à Votre Majesté, écrit Seignelay, la liste des corps qui sont dans le caveau de Saint-Denis. Il n'y a plus de place et il est nécessaire d'en mettre quelqu'un dans le caveau des Valois qui est le plus proche... »

Il faut aussi se préoccuper des dettes de la reine.

Il dit à Seignelay :

— Essayez donc de savoir le détail des dettes du jeu sans être trompé.

Il connaît les prêteurs, examine les billets écrits de la main de la reine, grande et maladroite joueuse. Ils se montent à cent treize mille livres, qu'il faudra payer.

La mort saisit le vif et laisse les dettes.

Et puis il faut se rendre à Saint-Denis, entendre les éclats de voix et même les rires des courtisans dans les carrosses, voir les mousquetaires quitter le cortège pour aller dans la campagne chasser le lapin !

Il écoute Bossuet qui, dans son oraison, exalte l'« incomparable piété de Marie-Thérèse ».

Mais il lui semble que l'évêque est moins éloquent qu'autrefois, quand il prononçait l'oraison funèbre d'Henriette d'Angleterre, première épouse de Monsieur, et qu'il disait :

« Qu'attendons-nous pour nous convertir ? Commencez aujourd'hui à mépriser les faveurs du monde ! Attendons-nous que Dieu ressuscite les morts pour nous instruire... »

Il se tourne vers Mme de Maintenon. Elle est agenouillée sur son prie-Dieu, le front posé sur ses mains croisées.

Il lui est reconnaissant, au moment où il entrait dans cette nouvelle période de la vie – quarante-cinq ans déjà ! –, de lui avoir rappelé ses devoirs envers Dieu, cette présence de la mort qu'aucun pouvoir, fût-il celui du Roi-Soleil, ne peut faire disparaître.

Elle est toujours là, cette mort avide.

Elle emporte Colbert le 6 septembre 1683.

Elle a pris la forme, selon les médecins, d'«une grosse pierre dans l'un des urètres et d'autres moindres dans la vésicule du fiel».

Il se sent affligé.

«Madame Colbert, écrit-il, je compatis à votre douleur d'autant plus que je sens par moi-même le sujet de votre affliction, puisque, si vous avez perdu un mari qui vous était cher, je regrette un fidèle ministre dont j'étais pleinement satisfait. Sa mémoire me sera toujours une forte recommandation, non seulement pour votre personne que votre vertu recommande assez mais aussi pour tous les siens...»

Seignelay restera au Conseil, chargé de la Marine et de la Maison du roi.

Mais c'est un parent de Michel Le Tellier et de son fils Louvois, Claude Le Peletier, ancien prévôt des marchands, qui se voit attribuer le contrôle des Finances. Et c'est Louvois qui occupe la fonction de surintendant des Bâtiments, Arts et Manufactures.

Il s'interroge.

A-t-il trop cédé au clan Louvois? Il avait jusqu'alors veillé à ce que, dans les Conseils, l'équilibre soit maintenu, et il avait joué de la rivalité entre les Le Tellier et les Colbert.

Il sait que certains à la Cour, ou au Parlement de Paris, craignent que «le lézard n'ait écorché la couleuvre et que la peau ne soit chez Le Peletier».

La couleuvre Colbert, il ne l'oublie pas, l'avait bien servi contre l'écureuil Nicolas Fouquet.

Qui va contenir les lézards Le Tellier et Louvois?

Il convoque Louvois, l'écoute. L'homme est à la fois orgueilleux et servile. Il n'a pas le tempérament «mélancolique et bilieux» de Colbert. Il ne contestera pas la dépense. Et les rumeurs de la Cour rapportent qu'il est, sous ses dehors austères, homme de plaisir. On peut gouverner ces hommes-là.

Colbert était vertueux, préoccupé seulement de sa fortune et de celle des siens. Bon ministre, mais la nuque un peu raide, et toujours cette volonté de restreindre les dépenses royales.

Louis se souvient qu'il avait dû, quelques semaines avant la mort du contrôleur des Finances, lui répéter :

— Je sais que vous faites tout ce qui est possible. La grande dépense me fait beaucoup de peine, mais il en est de nécessaires.

Il ne veut plus qu'on le harcèle ainsi.

Et pour quel profit ?

Il a fallu qu'on enterre Colbert à la nuit tombée, parce que l'on craignait que le peuple manifestât contre lui, autour de l'église Saint-Eustache, où se déroulaient les cérémonies funèbres.

Le peuple ne sait pas. Le peuple est ingrat.

Un roi ne doit chercher qu'en lui-même, et non chez ses sujets, fussent-ils ministres, l'approbation ou le désaveu de ses actions.

Il ne doit accepter aucune critique.

Seule la mort est plus puissante que le roi, et Dieu est son seul juge.

3.

Il est assis à la droite de la cheminée, dans ce qui fut la chambre de la reine.

Il a voulu dans les jours qui ont suivi la mort de Marie-Thérèse que Mme de Maintenon s'installât dans ses appartements.

Elle est là, de l'autre côté de la cheminée. Elle brode ou elle lit. Il lève les yeux, ferme l'état des dépenses et des recettes que vient de lui remettre le contrôleur général des Finances, Claude Le Peletier. Il observe Mme de Maintenon.

Il a besoin de sa présence, le plus souvent silencieuse. Mais il la sent attentive. Réservée, la tête baissée sur son ouvrage, elle ne perd aucun mot des propos que les ministres échangent, puisque c'est en sa présence, dans sa chambre, qu'il a décidé de tenir les Conseils. Et il a même pris l'habitude de l'interroger.

— Que pense Votre Solidité ? lui demande-t-il.

Elle le regarde. Elle murmure qu'elle ne sait pas. Il répète sa question. Il ne doute pas qu'après quelques instants, d'une voix douce, elle donnera son avis et, même s'il ne s'y rallie pas, il veut l'entendre.

Il a l'impression qu'elle veille sur lui, qu'elle le protège contre lui-même, contre les tentations qui parfois l'effleurent encore.

Mais les jeunes et provocantes suivantes ou dames d'honneur, ce bouquet de fleurs fraîches qu'on lui présentait à chaque pas, ont disparu.

La reine n'est plus. Mme de Montespan rôde encore dans les galeries et elle a conservé les appartements qu'elle occupait lorsqu'elle était maîtresse régnante, mais il ne la voit plus, détournant les yeux chaque fois qu'il la croise. Elle fréquente d'ailleurs plus la chapelle du château que les tables de jeu d'après souper.

Et lui-même a changé. Il veut encore de grandes fêtes, des réceptions fastueuses pour les ambassadeurs étrangers, des représentations de ballets, mais il n'a plus l'entrain d'autrefois.

Son corps est encombrant. Parfois une douleur fulgurante traverse son ventre, brûle ses fondements. Il pense à la reine, à Colbert, à ses proches, plus jeunes que lui et que la mort a ensevelis.

Puis la douleur s'efface. Mais son souvenir demeure. Il est soucieux. Il ne s'apaise que quand il entend le murmure des prières que Mme de Maintenon récite en égrenant son chapelet.

Et il l'imite.

Elle dit :

— Je crois que la reine a demandé à Dieu la conversion de toute la Cour.

Elle baisse encore la voix, ajoute :

— La vôtre est admirable, Sire.

Il pense que peut-être doit commencer pour lui le temps de la pénitence.

Il a si souvent cédé aux besoins de la chair sans se soucier de savoir si ses amours étaient criminelles, sacrilèges, qu'il lui faut demander pardon, changer.

Désormais, dans cette partie de sa vie, il veut refuser ces plaisirs. D'ailleurs, il ne sent plus en lui le désir tumultueux auquel il s'était toujours soumis.

Le temps n'est plus.

Le sommeil – et non le désir – le saisit au milieu de la journée. Il se réveille en sursaut, un peu hagard, et il est rassuré dès qu'il aperçoit Mme de Maintenon, assise non loin de lui, immobile, comme si le temps n'avait pas de prise sur elle.

Il veut qu'elle soit là, près de lui, toujours.

Peu importe son passé.

Il connaît toutes les rumeurs qui ont couru sur elle et qui se propagent encore.

Elle a peut-être été cette jeune Françoise d'Aubigné veuve Scarron, mariée à cet infirme par ambition, accueillante aux côtés de Ninon de Lenclos, une courtisane aux amants si nombreux qu'on ne pouvait en dresser la liste, mais qui étaient tous de haute lignée.

Il ne veut pas se souvenir de cela, mais de la gouvernante aimant les enfants qu'il a eus avec Mme de Montespan.

Il l'a vue vivre. Il l'a vue prier. Et elle est désormais marquise de Maintenon.

Et d'ailleurs, s'il l'a choisie, il l'élève, il efface son passé.

N'a-t-il pas le pouvoir dont il use encore, quatre ou cinq fois par an, de toucher les écrouelles et de les guérir, et les malades l'attendent, les plaies couvrant leur visage ou leurs membres difformes. Il les effleure du bout des doigts. Et le jeudi saint, il lave les pieds de treize enfants pauvres.

Mais lui, qui le touchera avec la volonté de le protéger, d'apaiser ses souffrances, ces maux du corps qui chaque jour le mordent plus profondément, plus durement ?

Il a besoin de cette femme devant laquelle il peut somnoler, soupirer, montrer sa lassitude, sa fatigue.

Il regarde Mme de Maintenon, assise dans son fauteuil à

coussins de damas rouge. Elle brode, mais souvent elle lève les yeux.

Il ne se sent pas surveillé, guetté. Son regard le caresse, elle l'enveloppe. Elle partage avec lui le même âge de la vie. Et il ne ressent plus guère le désir d'un jeune corps. Il n'a plus besoin d'être conquérant.

Il aime la manière passive et souriante dont elle l'accepte, s'offrant avec tendresse et soumission. Elle n'a aucune des fureurs amoureuses, des inventions passionnées d'Athénaïs de Montespan. Mais il n'attend pas cela d'elle.

Lorsque, après une brève étreinte, il s'écarte, il est apaisé. Et parfois, une deuxième fois dans la journée, il la serre contre lui, et avec la même douceur, la même bienveillance, elle se laisse aimer.

Louise de La Vallière ou Marie-Angélique de Fontanges défaillaient quand il les prenait. Elles étaient de jeunes proies. Marie-Thérèse fermait les yeux et subissait. Athénaïs de Montespan se nouait à lui, avec un désir si fort qu'il en était presque effrayé, et elle l'entraînait dans des gouffres de plaisir où il perdait conscience.

Mme de Maintenon l'accueille avec simplicité et naturel. Elle lui appartient. Et après l'amour il s'endort paisiblement.

Lorsqu'il se réveille, il veut qu'elle soit là, toujours, disponible, priant pour lui. Et une phrase tout à coup s'impose à lui alors que l'automne commence à noyer sous le brouillard les jardins, et que la terre est tapissée de feuilles mortes. La fumée des cheminées se répand dans les galeries du château, sans que le feu puisse vraiment réchauffer les bâtiments où s'infiltre le vent humide !

Il murmure ces mots qui s'imposent à lui. Elle sera son épouse devant Dieu ; celle qui demeurera à ses côtés chaque jour jusqu'à ce que la mort s'avance.

Et elle n'exigera de lui que la présence et la piété.

Il sera avec elle tel qu'il est avec lui-même.

Il la regarde vivre, prier dès le matin, se rendre à l'une des premières messes, s'y confessant, puis revenant dans ses appartements, se préparant à l'accueillir.

Il s'installe à droite de la cheminée cependant qu'elle prend son ouvrage et que les ministres défilent, exposent leurs affaires.

Il veut pouvoir à tout instant lui demander : « Qu'en pense Votre Solidité ? »

Et c'est une grâce de Dieu que d'avoir placé près de lui cette femme pieuse, qui prie pour le salut de son roi.

Il peut avec elle, devant elle, sortir de cette scène royale où il doit mesurer chacun de ses gestes, de ses regards. Et c'est de ce repos intime dont il a besoin.

Il convoque son confesseur le père de La Chaise, puis l'archevêque de Paris Harlay de Champvallon.

— Elle prie pour mon salut, dit-il.

— Elle n'a que le souci de votre âme, dit le père de La Chaise. Dieu l'habite.

Il veut l'épouser, en la seule présence du confesseur et de l'archevêque, du marquis de Montchevreuil dont l'épouse est une amie de Mme de Maintenon, de Louvois. Le premier valet de chambre Bontemps préparera la chapelle du château de Versailles.

Ce mariage, le 9 octobre 1683, est affaire d'âmes et non de théâtre.

Et chacun sera tenu au secret.

4.

Il lit et relit cette copie de l'une des nombreuses lettres qu'Élisabeth Charlotte, la Palatine, adresse chaque jour aux siens et que les espions du cabinet noir subtilisent et traduisent.

« Je n'ai pas pu savoir si le roi a oui ou non épousé la Maintenon, écrit la princesse. Il y en a beaucoup qui assurent qu'elle est sa femme et que l'archevêque de Paris les a unis en présence du confesseur du roi et du frère de la Maintenon ; mais d'autres disent que ce n'est pas vrai, et il est impossible de savoir ce qu'il en est. En tout cas, ce qu'il y a de certain, c'est que le roi n'a jamais eu pour aucune maîtresse la passion qu'il a pour celle-ci ; c'est quelque chose de curieux à voir lorsqu'ils sont ensemble. Si elle est quelque part, il ne peut pas y tenir un quart d'heure sans aller lui parler à l'oreille et l'entretenir en secret bien qu'il ait été toute la journée auprès d'elle. »

Il est satisfait. Il est parvenu à ses fins.

Chacun a compris à la Cour que Mme de Maintenon jouit d'une position unique auprès de lui, mais qu'elle est autre chose qu'une maîtresse régnante. Et, en même temps, comme il le souhaitait, le secret du mariage a été gardé, et

l'incertitude règne. Il ne voulait pas que Mme de Maintenon soit confondue avec une Athénaïs de Montespan ou une
Marie-Angélique de Fontanges. Elle a souffert, elle s'est
indignée quand on l'a imaginé. Mais la rumeur du mariage
a détruit la rumeur de la liaison banale.

Les courtisans, les princes ne savent plus. Et c'est mieux
ainsi. Tous, ils voient bien qu'elle est pour lui la seule femme
qu'il appelle avec déférence « Madame ». Et en même temps,
ils ne peuvent imaginer qu'une épouse devant Dieu aurait
cette discrétion, cette modestie.

Il en sait gré à Françoise.

Elle lui a dit, de sa voix posée :

— Mon état est éclatant. Dieu m'y a mise. Dieu sait que
je ne l'ai pas cherché. Je ne m'élèverai pas davantage et je
ne le suis que trop.

Il admire sa retenue, ses œuvres de charité.

Elle a créé une maison d'éducation pour jeunes filles
pauvres et elle s'y rend chaque jour, abandonnant la Cour
pour ce château de Noisy, situé à quelques lieues de Versailles.

Il le lui a offert. Il sait qu'elle y enseigne le catéchisme,
qu'elle y soigne les malades.

Il veut qu'on suive son exemple.

Il a demandé aux dames de la Cour de prendre soin des
pauvres de Versailles, comme on le fait dans les paroisses de
Paris.

Il a été heureux que Françoise lui dise qu'il est inspiré par
Dieu qui le voit.

Il veut servir le Seigneur comme elle le fait, et, un matin
au grand lever, il invite les gentilshommes à se rendre aux
offices, à faire leurs pâques, à respecter comme il s'y applique
lui-même avec assiduité les obligations de la religion.

Et pour montrer qu'il en a terminé avec une part de sa
vie, il affronte Athénaïs de Montespan.

C'est désormais une grosse femme, dont les bajoues déforment le visage. Elle s'indigne dès qu'il lui parle du respect qu'elle doit à Mme de Maintenon, qui est comme elle marquise.

— Que je l'appelle Mme de Maintenon! s'écrie Athénaïs. Elle? Cette gardeuse d'oies, ce torche-cul!

Il reste impassible. Il lui indique qu'elle doit quitter ses appartements, contigus aux siens qu'il veut agrandir, transformer en cabinet où il exposera les statues, les tableaux, les objets qu'il collectionne.

Il lui précise qu'elle occupera l'appartement des bains, situé au rez-de-chaussée, là où il avait fait aménager pour eux une piscine octogonale entourée de glaces afin qu'ils puissent jouir de la vision de leurs ébats aquatiques.

Ce temps n'est plus.

Louis s'éloigne.

Il sait maintenant comment il va vivre cette nouvelle partie de sa vie. Il faut qu'elle soit plus glorieuse encore que celle qui s'est achevée avec son installation à Versailles, la mort de la reine et de Colbert.

Il va vivre dans ce château qu'il a fait surgir d'un pays ingrat, de marais et de forêts, et au centre duquel, comme un germe, il voit le vieux pavillon de chasse de son père, auquel il rend ainsi chaque jour hommage.

Et c'est autour de ce pavillon qu'il a rassemblé les plus puissants, les plus illustres nobles de France, devenus ses sujets obéissants, qui quémandent un mot, un regard, une pension.

Il ne les craint plus. Plus de frondeurs parmi eux. Et il ne craint plus la mort, cette indomptable rebelle qui durant plusieurs mois l'a inquiété.

Il s'est rangé aux côtés de Dieu. Il prie. Il communie. Il a près de lui cette pieuse épouse, Mme de Maintenon, Françoise, qui veille sur son salut. Il veut qu'elle soit toujours à portée de voix ou de regard. Il veut qu'elle l'accompagne lorsqu'il décide de prendre la tête de ses troupes qui assiègent la ville de Luxembourg.

Elle est assise à sa droite dans le carrosse royal rouge et or. Et près d'elle, il a voulu que la dauphine, Marie Anne Charlotte de Bavière, la mère de son petit-fils le duc de Bourgogne, l'héritier de la dynastie, prenne place.

Tout est en ordre.

Il éprouve même un regain d'énergie qui lui permet de chevaucher aux côtés du maréchal de Créqui et de Vauban, sur le parapet des tranchées, et il a l'illusion qu'il retrouve la vigueur de ses premières campagnes.

Mais les douleurs percent son bas-ventre et ses fondements, après quelques heures de selle.

Il ne veut pas montrer sa souffrance.

Il entre aux côtés des troupes dans Luxembourg qui vient de capituler. Il y assiste à un *Te Deum*, et Mme de Maintenon est agenouillée dans la nef de la cathédrale.

Dieu est aux côtés du très chrétien roi de France.

Dieu ne lui tient pas rigueur d'avoir refusé de joindre ses troupes à celles de l'empereur germanique et du roi de Pologne qui affrontaient les Turcs sous les murs de Vienne. Ils l'ont emporté sans les soldats de France. Et Dieu a accepté que Louis le Grand ne soit pas d'abord le soldat de la papauté mais celui de la France.

Le souci d'un souverain doit être de défendre les intérêts de son royaume et de faire resplendir sa gloire.

Lorsqu'il dit cela à Seignelay, le ministre de la Marine, il guette le visage de Mme de Maintenon.

Il aime que d'une inclinaison de tête elle l'approuve lorsqu'il demande à Seignelay de rassembler une flotte qui bombardera Gênes jusqu'à ce que capitule cette république alliée de l'Espagne, et qui fabrique et arme pour ce royaume des galères. Il sait que Seignelay exécutera avec efficacité cet ordre.

Il apprécie le fils de Colbert, et d'autant plus que Mme de Maintenon, par petites phrases, lui tresse des éloges, montrant qu'elle se défie de Louvois, dont elle a appris sans doute qu'il était hostile au mariage, même s'il en fut le témoin.

Louis est satisfait. Il peut continuer à jouer de la rivalité des clans Louvois et Colbert. Chacun d'eux veut l'emporter sur l'autre et c'est le roi qui gagne. Seignelay réussit. Gênes, détruite sous une pluie de quatorze mille bombes et boulets, tirés depuis l'escadre de Duquesne, demande grâce, annonce qu'elle enverra le doge à Versailles pour faire acte de soumission.

Et Louvois obtient à Ratisbonne que les puissances liguées contre la France signent une trêve de vingt ans, par laquelle elles acceptent les annexions, les réunions – celle de Luxembourg comme celle de Strasbourg, de Besançon comme de Belfort – accomplies par Louis le Grand.

Il est à Versailles. Il règne sur la Cour et l'Europe.

Il s'installe sur son trône de vermeil.

Les ambassadeurs du dey d'Alger s'avancent vers lui, nuques ployées. Leur ville a été bombardée par la flotte de Duquesne. Ils viennent reconnaître leur défaite, se soumettre, comme doit le faire dans quelques mois le doge de la république de Gênes.

Humble, entouré de quatre sénateurs et des membres de sa famille, le doge parcourra la longue galerie des Glaces courbé. Il confessera les fautes de la République.

Ainsi, chacun saura que la force du roi de France vaut droit !

On doit s'en persuader du Sénégal, là où l'on entasse dans les cales des navires négriers les esclaves, aux îles d'Amé-

rique où on les débarque, et on doit le reconnaître du Brandebourg à Gênes.

Et les sujets du roi ne doivent pas l'oublier.

Il est assis dans la chambre de Mme de Maintenon, à
droite de la cheminée.

D'un mouvement de tête, il approuve l'ordonnance que
vient de lui lire Louvois.

Désormais, les déserteurs de l'armée royale ne seront plus
condamnés à mort, car la marine a besoin de bras.

Ils auront le nez et les oreilles tranchés. Ils seront rasés,
enchaînés et envoyés aux galères.

Et sur leurs joues, ils seront marqués au fer rouge de deux
fleurs de lys.

L'empreinte du roi doit s'inscrire dans les âmes et dans
les chairs.

5.

Il étend la jambe, mais à peine le talon a-t-il effleuré le parquet que la douleur comme une lame rougie au feu s'enfonce dans le mollet, taraude la cuisse, le dos, le bas-ventre.

Les médecins l'ont dit : c'est la goutte.

Il mordille ses lèvres. Il sent que la douleur gagne la nuque et s'infiltre même dans la bouche.

Il tente d'oublier ce corps, pesant, gênant.

Il invite d'un geste lent Monseigneur le dauphin, Michel Le Tellier et Louvois, puis le marquis de Châteauneuf à prendre place autour de lui.

Mme de Maintenon, assise à gauche de la cheminée et penchée sur son ouvrage, n'a pas bougé.

— Ce que veut le roi devient le droit, dit-il.

Tous approuvent.

Mais, reprend-il, il veut plus que la gloire, plus que la réunion et l'annexion des territoires et des villes, plus que les excuses du doge de la république de Gênes, plus que la trêve acceptée par les Provinces-Unies, l'Espagne et l'empereur germanique.

D'ailleurs, ces adversaires se préparent déjà à reprendre la guerre.

Guillaume d'Orange s'est allié à l'électeur de Brandebourg, Frédéric-Guillaume. En Angleterre, le nouveau souverain, le catholique Jacques II, est critiqué, menacé par ses sujets, restés hérétiques.

— J'ai le dessein de travailler à la conversion entière des hérétiques de mon royaume, ajoute-t-il. Je suis prêt à faire ce qui sera jugé le plus utile au bien de la religion.

Il voudrait se lever, mais la douleur lancinante le paralyse.

— Les sujets doivent avoir la religion de leur roi, dit Louvois. Une foi, une loi, un roi, chacun doit se soumettre à ce principe.

Louis regarde Mme de Maintenon. Elle baisse la tête en signe d'assentiment, puis murmure :

— Il ne faut point précipiter les choses. Il faut convertir et non point persécuter.

Louis répète :

— Convertir tous les hérétiques.

Depuis 1661, explique Louvois, près de trois cents édits ont été promulgués qui ont peu à peu réduit l'hérésie.

Des dizaines de milliers de huguenots, à Montauban, à Bordeaux, en Béarn, se sont convertis. Seuls les rebelles au roi refusent la conversion.

Ceux-là, il faut les réduire. Ils sont le mauvais germe, l'ivraie dans la moisson. Il suffirait de révoquer l'édit de Nantes pour que l'hérésie soit extirpée.

— Il faut en finir avec ce péril huguenot, poursuit Louvois. Ces obstinés religionnaires ne sont que des républicains, de mauvais sujets.

Monseigneur le dauphin toussote, puis à voix basse dit que la révocation peut susciter des troubles, une reprise des guerres de Religion.

Les huguenots, ajoute-t-il, peuvent chercher l'appui des princes de leur foi, ou bien, s'ils ne prennent pas les armes, fuir le royaume, ce qui nuirait au commerce et à l'agriculture.

Louis toise son fils.

Il a de bons généraux, dit-il au dauphin, des troupes fidèles, de braves dragons pour empêcher toute rébellion. Les huguenots le savent et n'iraient pas à leur perte.

Il se lève malgré la douleur, prenant appui sur le dossier de son fauteuil.

— Quant à la raison d'intérêt, continue-t-il, elle est peu digne de considération comparée aux avantages d'une opération qui rendrait à la religion sa splendeur, à l'État sa tranquillité et à l'autorité tous ses droits.

Il fait quelques pas en boitillant.

Il prendra bientôt sa décision, dit-il, avant la fin de cette année 1685.

Il s'adresse à Louvois.

Il veut que dans toutes les villes et provinces du royaume, on incite sans violence les huguenots à la conversion, en utilisant tous les moyens nécessaires.

— Ce que veut le roi est le droit, conclut-il.

Il a hâte que tous quittent la chambre.

S'il se retrouvait seul avec Françoise de Maintenon, la douleur qui ronge son talon et sa jambe, qui brûle son ventre, déchire ses fondements, s'atténuerait.

Mais il doit faire face à Monseigneur le dauphin qui s'attarde, qui n'en finit plus d'évoquer les excès commis en Béarn, dans de nombreuses villes, par les dragons, que les intendants au lieu de retenir poussent à être impitoyables.

On ferme les temples, on arrache les enfants à leurs parents. On pille. On viole. On tue. On rassemble les huguenots sur les places des villes. On les exhorte à se convertir et, s'ils s'y refusent, on les frappe. On les oblige à rester immobiles jusqu'à ce qu'ils aient changé d'avis. Les évêques sont aux côtés des généraux.

On outrepasse les désirs du roi.

Seuls quelques hommes, des prêtres, des prévôts, s'interrogent sur les conséquences que de telles violences susciteront. Que gagne le royaume à voir un drapier, un artisan, conduit comme un criminel aux galères, et sa femme violée, ses enfants confiés à des familles inconnues ? Qui peut avoir confiance dans les nouveaux convertis, qui peut croire qu'ils seront les fidèles sincères d'une religion qu'on leur aura forcé d'accepter ?

Louis ne répond pas.

Il a reçu des placets qui rapportent les mêmes faits. Il l'a dit : il ne veut pas de violences. Mais c'est l'unité du royaume qui est en question, l'autorité de son roi, le destin de la foi et de la religion catholiques, menacées par les hérétiques, les Turcs. Et il doit être le souverain qui en son royaume triomphe de l'hérésie.

Il devine que Monseigneur veut continuer à parler. Il l'interrompt. Il s'irrite et la douleur devient plus aiguë. Elle embrase tout son corps de la nuque aux talons.

Il voudrait fermer les yeux, laisser sa tête retomber sur sa poitrine. Il voudrait pouvoir s'affaisser, s'allonger, ne plus porter ce corps si lourd.

Il voudrait s'appuyer au bras de Françoise, l'entendre prier, invoquer le Seigneur, l'appeler à l'aide, à la miséricorde.

Il a besoin d'elle. Il peut, devant elle, montrer sa faiblesse, ses craintes, exhaler sa douleur.

Il a besoin de Dieu.

D'un mouvement de tête, il renvoie Monseigneur le dauphin.

Il est enfin seul avec Mme de Maintenon.

Il ne veut plus qu'on le harcèle avec des détails comme si l'on cherchait, de cette manière, à le faire revenir sur ses décisions.

Il veut éteindre l'hérésie dans le royaume. Voilà son

grand dessein ! Il veut que son autorité soit partout respectée. Et il n'accepte plus qu'on se comporte autrement qu'il le désire.

Il a l'impression que la douleur dans son corps s'avive chaque fois qu'il éprouve un mécontentement. Il a besoin, pour vaincre cette souffrance, pour mener cette guerre contre ce corps qui lui échappe, de ne plus rencontrer d'opposition, d'obstacle.

Il veut d'autant plus maîtriser le corps du royaume que sa propre chair se rebelle, que son propre corps se défait.

Il veut l'ordre partout.

Il approuve les soixante articles qui établissent les règles de la traite négrière, du commerce et du travail des esclaves dans les îles de l'Amérique.

Par ce « code noir » sera « maintenue la discipline de l'Église catholique, apostolique et romaine pour y régler ce qui concerne l'état et la qualité des esclaves dans nos dites îles ».

Il veut que tous les esclaves soient baptisés et instruits dans la religion catholique, apostolique et romaine.

Il accomplit ainsi, dans les îles lointaines, son grand dessein de défendre partout la juste religion. Les hérétiques et les juifs n'ont point de place dans les îles. Et même si « les esclaves sont meubles, et comme tels entrent dans la communauté », et s'il est de droit que « les enfants qui naîtront de mariage entre les esclaves seront esclaves », du moins pourront-ils, parce que baptisés, être reconnus comme hommes par l'Église et par Dieu.

Il lit la dernière phrase du code :

« Car tel est notre bon plaisir, et afin que soit chose ferme et stable à toujours nous y avons fait mettre notre scellé, le grand sceau de cire verte, en lacs de soie verte et rouge. »

Il signe.

Et durant quelques instants la souffrance se dissipe, comme si l'acte accompli était le meilleur des remèdes pour son corps douloureux.

Et il en est ainsi chaque fois qu'il agit, qu'il a le sentiment que l'ordre et son autorité pénètrent plus profondément dans le royaume et l'apaisent.

Il veut qu'on enferme les mendiants, qui sont comme les plaies purulentes des villes et des campagnes, dans des « ateliers de mendicité ».

Il approuve Mme de Maintenon, quand elle lui exprime sa volonté de faire construire à Saint-Cyr des bâtiments pour y accueillir et y éduquer des jeunes filles de bonne lignée de noblesse, mais pauvres.

Il voudrait que le royaume soit aussi réglé que l'est la Cour, et qu'en chaque ville le roi soit présent – comme il l'est à Versailles, et chaque jour aux yeux de tous – par une statue équestre, placée au centre de la plus grande place afin que tous les sujets le voient, l'honorent, sentent qu'il veille sur eux et les contrôle.

Et que ces sujets puissent venir à Versailles, admirer ces constructions, ces chantiers encore ouverts, et où s'affairent plus de trente mille ouvriers, entreprenant là la construction d'un aqueduc, pour détourner le cours d'une rivière, l'Eure, ou bien ici bâtissant l'aile nord du château.

C'est ainsi, quand l'ordre progresse, quand les hommes et la nature sont maîtrisés, que la douleur en lui s'apaise.

Et il réprimande, il châtie ceux qui viennent par leurs propos troubler cet ordre.

Il ne tolère plus les comportements fantasques, les écrits, les libertés d'Élisabeth Charlotte, la Palatine, qui il y a quelques mois encore le faisaient sourire.

Elle doit rentrer dans le rang. Et il le dit durement au confesseur de la princesse.

Il veut que le prêtre transmette dans les mêmes termes cette réprimande.

Il pourrait chasser de la Cour, insiste-t-il, Élisabeth Charlotte. Il faut qu'elle comprenne que les temps ont changé.

Elle lui répond. Il lit les premières phrases et, durant quelques instants, la douleur qui le tenaille semble s'effacer.

Élisabeth Charlotte écrit :

« Je sais que vous êtes mon roi et par conséquent mon maître, ainsi je ne m'aviserai jamais de vous bouder... Vous êtes mon roi et c'est à moi d'en souffrir et quoi que cela m'ait pénétré de douleur jusqu'aux os je me suis flattée, je vous l'avoue, que vous ayez encore assez de bonté pour moi pour écouter ma justification... »

Elle s'excuse, elle se soumet :

« Je ne puis que vous supplier, Monseigneur, d'oublier le passé, de m'ordonner quelle conduite vous voulez que je tienne à l'avenir et je l'exécuterai très exactement, et vous assure, Monseigneur, qu'en cela et en tout ce qui vous plaira jamais de m'ordonner, vous serez obéi. »

Et puis tout à coup, alors qu'il parcourt les dernières lignes, il sent l'étau de la douleur le serrer de nouveau.

La Palatine écrit :

« Et je vous supplie encore de croire que je n'ai pas moins de respect et, si j'ose dire, de véritable amitié pour Votre Majesté, que les gens qui croient se faire valoir auprès de vous, qu'ils ne peuvent avoir de véritable respect pour vous, parce qu'ils ont la hardiesse de vous rendre odieux... »

Il cesse de lire, il rejette la lettre.

Élisabeth Charlotte ne cite pas de noms, mais qui peut-elle viser sinon Françoise de Maintenon ?

Les espions qui se sont glissés dans l'entourage de la

Palatine ont déjà rapporté qu'elle voue à Mme de Maintenon une haine tenace, qu'elle l'accuse de « s'amuser à rendre odieux au roi tous les membres de la famille royale ».

La souffrance qui le tenaille se fait plus vive.

Élisabeth Charlotte ne s'est convertie que pour pouvoir épouser Philippe d'Orléans, mais elle est demeurée au fond d'elle-même une hérétique.

Il est sûr qu'elle est hostile à la révocation de l'édit de Nantes.

Dans ses lettres à ses proches restés hérétiques, elle écrit : « Il m'est impossible de traiter par la poste de questions religieuses. »

Elle se méfie, connaît l'existence du cabinet noir !

Mais elle se confie et il s'emporte en lisant les propos qu'elle tient :

« Là où le diable ne peut arriver il envoie une vieille femme, dit-elle. Nous tous, les membres de la famille royale, nous nous en apercevons bien. Mais assez là-dessus ! Il n'est pas recommandé d'en dire davantage. Mais j'ai plus de religion que tous les grands dévots, car je vis aussi bien que je peux et je ne fais de mal à personne... »

Qui est cette vieille femme, sinon Mme de Maintenon ?

Il se sent blessé, et impuissant, car pourrait-il chasser de la Cour, faire emprisonner, la femme de son propre frère ?

Il doit agir. Il ne doit pas suivre ces nouveaux convertis, ces hésitants qui acceptent que le royaume soit menacé par la gangrène de l'hérésie.

Il doit écouter Bossuet, le père de La Chaise, qui répètent :

— Le prince doit employer son autorité pour détruire dans son État les fausses religions. Il est le protecteur du repos public qui est appuyé sur la religion et il doit soutenir son trône dont elle est le fondement...

Il confie à Bossuet que certains, auprès de lui, prêchent la tolérance, l'acceptation de la présence de l'hérésie dans le royaume.

Bossuet s'indigne, dit :

— Ceux qui ne veulent pas souffrir que le prince use de rigueur en matière de religion, parce que la religion doit être libre, sont dans une erreur impie.

Il entend le murmure des prières de Mme de Maintenon qui, égrenant son chapelet, ne le quitte pas des yeux.

Elle veille sur lui, le conforte dans sa décision. Elle demande au Seigneur de le protéger, de soulager ses souffrances. Et il a l'impression que peu à peu la douleur s'efface, qu'elle disparaît lorsqu'il demande à Michel Le Tellier et au marquis de Châteauneuf de rédiger l'édit de révocation de l'édit de Nantes.

Il en lit lui-même, le 18 octobre 1685, le préambule, et son corps lui paraît plus léger, comme si chaque phrase qu'il prononçait lui rendait une nouvelle part de sa vigueur juvénile.

«Nous voyons, dit-il, que la meilleure et la plus grande partie de nos sujets de la religion prétendue réformée ont embrassé la catholique. Aussi nous avons jugé que nous ne pouvions rien faire de mieux pour effacer entièrement la mémoire des troubles... de révoquer entièrement ledit édit de Nantes et les articles particuliers qui ont été accordés en suite d'icelui, et tout ce qui a été fait depuis en faveur de ladite religion.»

Ainsi, l'hérésie est chassée du royaume. Le culte huguenot est interdit dans les maisons privées et dans les temples qui seront détruits. Les pasteurs n'auront le choix qu'entre abjurer ou quitter le royaume. Mais il n'est point question de permettre aux derniers fidèles de l'hérésie de sortir de France. Ils doivent choisir entre la conversion ou les galères – et pour les femmes la punition sera le couvent.

Il lui paraît juste aussi que les enfants soient baptisés dès leur naissance dans la vraie religion, et si besoin est retirés à leurs parents qui s'obstineraient à refuser la conversion.

Il ne veut pas lire les placets, les requêtes, les suppliques qu'on lui adresse après la publication de cet édit de Fontainebleau. Ceux qui en subissent les effets, qu'on conduit aux galères, qu'on prive de leurs enfants ou qui s'enfuient aux Provinces-Unies ou au Brandebourg, abandonnant leurs biens, sont des rebelles qui ont délibérément refusé de se convertir.

Ils ne sont les victimes que de leur choix diabolique !

Ils ont rejeté la religion de leur roi, celle de tous les sujets du royaume.

Il ne veut entendre que ces louanges qu'on lui adresse au Conseil, et lorsqu'il paraît à la Cour.

Il est le nouveau Charlemagne, le nouveau Constantin, le champion de la foi, lui répète-t-on. Aucun roi n'a fait et ne fera rien de plus mémorable.

Il ne sent autour de lui qu'approbation.

Jamais l'accord n'a été aussi grand entre lui et ses sujets. Jamais le royaume n'a été plus uni, pense-t-il.

Il écoute Louvois, qui lui lit les rapports des intendants. Dans toutes les provinces, ce ne sont qu'actions de grâces pour le roi, qui comme Saint Louis a combattu pour le Seigneur.

Et il se sent conforté dans sa décision et sa foi lorsqu'il apprend qu'en Angleterre, aux Provinces-Unies, les pasteurs qui ont préféré quitter la France plutôt que de se convertir le dénoncent. Ils parlent de « cruelle persécution ». Ils le menacent du tribunal de Dieu. Ils accusent l'Église du royaume d'être comme le roi coupable de toutes les violences.

«La mauvaise foi, la fourbe, la violation des promesses, la profanation du Sacré nom de Dieu, la fureur, la violence, la brutalité, tout y rentre. Qui ne serait scandalisé de voir les gens qui se disent chrétiens agir en Turcs et en cannibales?»

Voilà les ennemis de Dieu qui sont ceux du royaume.

Ils ont tombé le masque. Et aussi, les quelques-uns qui vivent encore dans le royaume, qui n'ont pas été convertis, ceux qui ont échappé à la chiourme des galères, et qui ne renoncent pas.

Il approuve Louvois qui, contre ces hérétiques qui se rassemblent dans les lieux les plus reculés, dans les Cévennes, le Vivarais, pour chanter les psaumes impies, veut envoyer les dragons, afin de disperser ces obstinés, de les conduire de force à l'autel, pour qu'ils communient, et ceux qui s'y refuseront seront enchaînés, condamnés aux galères.

Il sent que la douleur revient, plus aiguë encore.

La guerre contre elle et contre les hérétiques et les rebelles, contre tous ceux qui, à l'intérieur des frontières ou dans les pays ennemis, veulent affaiblir le royaume, ne cessera donc jamais!

Il doit la mener : c'est son destin de grand roi.

Il se souvient des temps de la Fronde, de l'hostilité qui entourait sa mère, le cardinal de Mazarin, de la haine des princes qui avaient pris les armes, se mettant au service de l'étranger.

Et les huguenots s'enrôlent dans les régiments de l'électeur Frédéric-Guillaume ou dans ceux de Guillaume d'Orange!

Et cependant, certains dans son entourage même prennent leur parti.

Il lit dans les rapports des espions qu'Élisabeth Charlotte, sa belle-sœur, aurait tenté de protéger des huguenots, facilité leur fuite et empêché qu'on leur arrache leurs enfants.

Elle aurait dit :

— La vieille conne et le père de La Chaise, et tous les jésuites persuadent le roi que tous les péchés que Sa Majesté a commis avec la Montespan seront absous s'il harcèle et chasse les réformés. Et que c'est là le chemin qui le conduira au paradis. Sa Majesté le croit fermement car de sa vie il n'a lu un seul mot de la Bible. C'est ainsi qu'il est trompé.

Il est indigné qu'on insulte ainsi Mme de Maintenon.

Il est emporté par la colère parce qu'on ose faire de lui le jouet d'une épouse, ou de l'ordre des Jésuites.

Il se tourne vers Mme de Maintenon.

Elle est la seule personne en qui il ait confiance, la seule qui comprenne ses intentions. Il lui tend la main pour qu'elle le rassure, parce que, avec la colère et l'indignation, la douleur l'a de nouveau empoigné.

6.

Il ouvre la bouche.

Il tient la main de Françoise de Maintenon qui est debout près du fauteuil sur lequel il est assis, la nuque appuyée au dossier, la tête un peu renversée en arrière afin de faciliter le travail du chirurgien.

Il entend le murmure de Françoise qui prie et dit :

— Que la volonté de Dieu soit faite, que Dieu vous protège.

Il lève la main pour inviter le chirurgien à approcher, à commencer. Il est prêt à accepter cette nouvelle épreuve, cette souffrance. Dieu la lui impose et on ne se rebelle pas contre le Seigneur.

Voilà des mois maintenant qu'il vit avec la douleur.

Il est contraint souvent de ne se déplacer dans les galeries et les salons du château que dans un fauteuil à roulettes, parce que la goutte l'empêche de marcher. Et il a dû renoncer à chevaucher, ses fondements sont si douloureux qu'il peut à peine rester assis dans un fauteuil, et que la selle est devenue un instrument de torture.

Alors il chasse le cerf et le sanglier, à demi allongé dans une calèche. Et il a même dû souvent s'installer sur une sorte de chariot poussé par des valets, parce qu'il ne peut plus marcher dans ses jardins, et qu'il veut pourtant s'y promener. Et parce que Dieu qui lui inflige ces épreuves ne peut pas désirer que le Roi Très-Chrétien, défenseur de la juste religion, s'abandonne, se couche, n'accomplisse plus ses devoirs de roi et de catholique.

Le chirurgien se penche.

Louis voudrait oublier son corps, cette plaie qui s'est creusée dans son palais et que le chirurgien veut cautériser en en brûlant les contours purulents avec un fer rougi au feu.

Il faut accepter, laisser le chirurgien agir, tenter de fermer ce trou par où les aliments et les boissons pénètrent avant de ressortir par le nez.

C'est comme si Dieu voulait lui rappeler qu'il n'est qu'une chair vulnérable et souffrante, qui après avoir connu tous les plaisirs doit maintenant subir la douleur et l'épreuve.

Dieu lui retire tous ces plaisirs du corps dont il a tant joui et dont il lui reste si peu.

L'amour n'est plus qu'une brève étreinte dont il ne se lasse pas, qui l'apaise et dont il rend grâce à Françoise de Maintenon.

Mais il ne veut même plus se souvenir des nuits brûlées par le désir.

Maintenant, après l'amour, il se redresse avec peine. Il se rend en boitillant vers sa chaise percée, placée dans la chambre, et sur laquelle il s'assied plusieurs fois par nuit, et jusqu'à dix fois dans la journée.

Les médecins le purgent, lui font boire du vin émétique. Ils lui répètent qu'il doit évacuer les aliments qu'il ne mâche plus, et qu'il avale le plus vite possible pour éviter qu'ils ne s'infiltrent dans la plaie du palais. Mais s'il se nourrit ainsi, il n'a jamais l'impression de manger, de savourer. Il ne peut plus écraser, déchiqueter les bouchées parce qu'il n'a plus que quelques morceaux de dents. Les chirurgiens ont arraché, cassé les autres, et en même temps brisé ses mâchoires, crevé son palais.

Il est donc contraint d'engloutir, sans être jamais rassasié, avec l'impression d'avoir toujours le ventre gonflé qu'il faut vider alors que la faim le tenaille.

C'est ce ver aussi qui vit en lui, dans ses entrailles, qui lui donne cette sensation, disent les médecins. Il faudrait réussir à l'extirper, et pour cela purger, saigner, faire vomir.

On lui a montré ce ténia, mais ce n'est qu'une partie du ver, la tête est encore dans le ventre, et il faut donc à nouveau purger.

Et il est ainsi toujours entre l'envie d'engloutir et celle de se vider.

Il doit livrer son corps aux médecins, aux chirurgiens.

Il faut accepter. Ne pas se rebeller contre la douleur. Elle est épreuve et punition, expression de la volonté divine.

« Mon Dieu, je me remets entre vos mains », pense-t-il, alors qu'il sent dans sa bouche la chaleur dévorante du fer rougi qui s'approche de la plaie du palais.

Il est le roi. Il ne crie pas. Il ne montre ni sa souffrance, ni son appréhension, ni sa peur.

Mais malgré lui son corps tremble et se couvre de sueur, et sa main se crispe sur celle de Mme de Maintenon.

Il subit. Il se livre. Il veut que son corps pour mieux résister à la douleur s'y abandonne sans défense. Et il veut, bien qu'il connaisse leur impuissance, faire confiance aux médecins.

La plaie du palais a cessé d'être purulente, même si elle demeure ouverte et qu'il est lui-même incommodé par la puanteur de son haleine.

Il interroge le premier de ses chirurgiens, Félix, sur cette douleur, cette brûlure, cette gêne qui griffe ses fondements.

Il écoute le chirurgien évoquer cet abcès, cette fistule, ces saignements qui rendent l'anus si douloureux.

C'est un mal qui se répand, dû sans doute à l'abus, dans les dîner et les soupers, des ragoûts et des épices, mais provoqué aussi par les longues chevauchées, et chez certains par la pratique du « vice italien ».

Il faut quelquefois se résoudre à la « grande opération » pour résorber cette fistule, cette fissure, qui révèle que « le gros boyau qui communique au fondement se trouve pourri ». M. le duc de Ludres, grand maître de l'artillerie de France, et quelques autres personnages de bonne lignée ont subi cette « grande opération ». Périlleuse, dit Félix.

Mais la douleur est là. La brûlure, l'abcès sont si incommodants que Louis ne peut plus marcher en ce début du mois de février 1686. Il faut se résoudre à garder le lit, s'agenouiller, écarter les jambes, dans cette chambre de Mme de Maintenon où se pressent les chirurgiens, les médecins, et Louvois et Seignelay, les ministres les plus importants.

— Tumeur à la cuisse, murmure l'un des médecins.

— Abcès, fistule, dit le chirurgien Félix.

Mais Félix hésite à tenter la « grande opération ».

Louis l'écoute.

Il faut accepter ce que Félix propose, avant la « grande » épreuve.

— Maintenant, Votre Majesté, dit le chirurgien.

C'est comme si, de cette boule brûlante qui ferme l'anus, irradiaient des douleurs fulgurantes, lames, rayons de feu, parcourant les jambes, se nouant autour des chevilles et perçant la nuque.

Et la brûlure se prolonge puisque le chirurgien applique sur l'abcès incisé une pierre de cautère.

La douleur est si vive, si tenace, qu'il ne peut somnoler.

Il reste immobile, ne quittant pas des yeux Françoise de Maintenon qui, près du lit, égrène son chapelet.

Il faut accepter quelques semaines plus tard une nouvelle incision et de nouvelles brûlures, alors qu'il imagine les rumeurs qui doivent infester la Cour, se répandre dans toutes les nations, parmi ces groupes d'hérétiques qui ont été accueillis dans les Provinces-Unies, à Genève, en Angleterre, dans le Brandebourg.

On doit prétendre qu'il va mourir.

Il apprend qu'à Augsbourg une ligue s'est constituée, autour de la Hollande, des princes allemands, de l'Espagne, de l'Angleterre, se préparant à recommencer la guerre, oubliant la trêve de Ratisbonne.

Il doit malgré la souffrance réunir le Conseil, dans la chambre, interroger Louvois et Seignelay, toujours rivaux, ordonner que l'on rassemble les troupes dans les forteresses des frontières, que l'on chasse des vallées vaudoises les huguenots qui s'y sont réfugiés, et qui peut-être s'apprêtent à entrer en force dans le royaume. Et que l'on menace Genève de l'invasion si la ville hérétique accueille des huguenots français.

Est-ce d'accomplir ses tâches de roi, ou bien est-ce la guérison à la suite des coups de lancette et des applications de pierre de cautère, mais il se sent mieux, alors que le printemps déjà colore les jardins du château.

Il s'y promène en chariot, malgré la douleur qui revient à chaque cahot. Il peut même se rendre en carrosse à Paris, où l'on a dressé place des Victoires une statue équestre pour célébrer ses victoires.

Il veut espérer que l'épreuve s'achève, qu'il va pouvoir être à nouveau le roi qui chevauche à la tête des régiments et qui chasse.

Certains jours, il oublie même qu'il a tant souffert. Il ne sent plus le poids de son corps. Il lui semble que malgré ses quarante-huit ans, il a gardé l'énergie de sa jeunesse.

Il se rend aux fêtes qu'offrent, rivalisant de magnificence, Louvois et, dans son château de Sceaux, Seignelay.

Il inaugure au côté de Mme de Maintenon cette maison de Saint-Cyr que Mansart vient d'achever, et qui accueille les deux cent cinquante jeunes filles pauvres mais de quatre quartiers de noblesse.

Il fait quelques pas dans les vastes galeries de ce bâtiment qu'il juge plus beau que tous ceux dont il a ordonné la construction, plus noble même que ce château de Marly où il espère bientôt passer quelques jours.

Il est heureux de voir ces jeunes filles s'incliner devant lui.

Il se souvient de l'inscription placée sur le piédestal de la statue équestre de la place des Victoires : *Viro immortalis*.

Il est un bref instant grisé.

Ces statues, ces châteaux de Versailles et de Marly, cette maison de Saint-Cyr, et l'unité religieuse du royaume, ces annexions, ces réunions de villes et de territoires lui assurent l'immortalité.

Il doit recevoir les ambassadeurs du royaume du Siam, venus s'incliner devant lui, le plus grand des rois. Quelle preuve plus grande que sa gloire s'étende jusqu'à l'autre extrémité du monde, et qu'elle lui assure l'immortalité ?

Mais est-ce d'avoir trop présumé de ses forces ?

Mais est-ce d'avoir trop espéré, trop cru dans un regain de santé ? Tout à coup, alors que l'automne étend sa grisaille sur le labyrinthe des jardins, la douleur revient, plus aiguë, et les pierres de cautère ou les incisions, au lieu de la réduire, l'avivent.

Et la fistule ne se résorbe pas mais s'approfondit.

Il veut affronter la «grande opération», parce qu'il faut livrer la bataille et non se contenter d'escarmouches.

Il sait que les chirurgiens, et d'abord Félix, ont pour se préparer à la grande épreuve sur le corps du roi opéré des malades anonymes, et conçu des instruments appropriés.

Peut-être certains de ces patients que Louvois a fournis aux chirurgiens sont-ils morts?

Mais la vie du roi est le bien le plus précieux du royaume.

Le 18 novembre, Louis se lève à l'aube.

Il s'agenouille auprès du lit, il prie, murmure en se redressant, en s'avançant vers les chirurgiens :

— Mon Dieu, je me remets entre vos mains.

Il regarde ceux qui l'entourent, ces chirurgiens, et le premier d'entre eux, Félix, et d'Aquin, le premier des médecins, puis Françoise de Maintenon, Monseigneur le dauphin, Louvois, le père de La Chaise, le premier valet de chambre, Bontemps, et Bessières, un des grands chirurgiens de Paris.

Il s'allonge, saisit la main de Louvois, et d'un signe de tête invite Félix à opérer.

Coup de lame, plus tranchant encore que ceux qui l'ont déjà si souvent transpercé.

Il se mord les lèvres. Il voudrait être silencieux. Mais il répète comme une plainte : «Mon Dieu! mon Dieu!»

Il est en sueur. Il faut que cette bataille soit victorieuse et il craint que les chirurgiens n'osent pas attaquer avec toute l'énergie nécessaire. Il doit leur en donner l'ordre.

— Est-ce fait, messieurs? Achevez, ne me traitez pas en roi, je veux guérir comme si j'étais un paysan.

Il sent deux nouvelles incisions et les douleurs qui en naissent le déchirent.

Il répète «Mon Dieu! mon Dieu!» en serrant la main de Louvois.

Puis, alors que son corps frissonne, il sent que le chirurgien retire sa lancette, que la bataille est terminée. Et la douleur faiblit.

Il se repose quelques instants, puis il dit qu'il veut que l'on ouvre les portes de la chambre et que les gentilshommes du petit et du grand lever soient introduits, afin qu'ils apprennent de sa bouche que la grande opération a eu lieu et que le roi, comme à l'ordinaire, les reçoit et tiendra Conseil.

Un roi, tant que la vie ne l'a pas quitté, gouverne son royaume.

Il souffre encore, mais il peut se lever, marcher dans la chambre appuyé au bras de Mme de Maintenon.

Il a faim, et il peut avaler un peu de viande, avec du vin coupé d'eau.

Mais après quelques jours la douleur revient et il écoute, s'efforçant de rester impassible, le premier chirurgien lui dire que la plaie ne se cautérise pas, qu'il faudra sans doute faire de nouvelles incisions, afin d'arracher les duretés calleuses qui se sont formées de part et d'autre de la fistule.

Il doit encore accepter mais il veut, dit-il, quelle que soit la souffrance, recevoir tous ceux auxquels il doit donner audience. Il fait un signe pour que le premier chirurgien commence.

Et la douleur est si vive que son corps est à nouveau couvert de sueur cependant que le chirurgien l'assure qu'il n'y a plus rien à couper.

Il ferme les yeux.

Dieu décide. Il faut se lever, s'asseoir, répondre aux louanges de ces visiteurs sans que la voix tremble.

Il fait son métier de roi.

Et en même temps, c'est comme s'il était voué au supplice, roué, écartelé.

Et la torture dure, ne cesse qu'à l'avant-veille de Noël.

C'est tout à coup la paix dans son corps.

Il entend les musiciens de la chapelle royale qui entament
un *Te Deum* pour remercier Dieu de la guérison du roi.

Il est ce roi qui a traversé l'épreuve et remporté la plus
difficile des guerres.

Peu importe si des hérétiques, aux Provinces-Unies, dans
le Brandebourg ou en Angleterre, le qualifient de « nouveau
Turc des chrétiens », le condamnent, l'accusent « d'effrayer
les enfants, de brûler, de dévaster, de piller, de mener
des dragonnades, de faire massacrer sujets et étrangers,
amis et ennemis, hommes et femmes » et considèrent que
« les vapeurs qui animent le cerveau de ce roi, qui se prend
pour un héros, sont descendues de l'esprit pour se manifester dans cette région du corps qu'on nomme anus,
provoquant une fistule, se rassemblant là en une tumeur et
laissant ainsi pour un certain temps le reste du monde en
paix ».

Maintenant qu'il a vaincu la maladie, il va montrer à ses
ennemis qu'il est plus que jamais Louis le Grand.

DEUXIÈME PARTIE

1687-1693

7.

Il s'agenouille sur son prie-Dieu, auprès de son lit.

Il veut, il doit remercier le Seigneur.

Ce matin, 15 mars 1687, il va pour la première fois depuis des mois monter à cheval.

Il croise les mains, il appuie son front sur ses pouces, il ferme les yeux. Il se souvient de cette douleur qui, comme une tenaille, semblait lui arracher les chairs, mordait ses chevilles et son bas-ventre.

Elle n'est plus que diffuse, et il a pu, dès les premiers jours de janvier, marcher, assister au *Te Deum* que dans l'église des Jacobins Lully a fait chanter.

Mais au milieu de l'office, Lully a poussé un cri, et s'est effondré après s'être blessé en frappant son pied avec sa canne, emporté par le rythme du chant qu'il conduisait.

Et il a suffi de quelques semaines pour que la gangrène dévore Lully. Peut-être Dieu a-t-il voulu punir les débauches du musicien, le condamner pour tous les jeunes gens qu'il a corrompus, et a initiés au vice italien.

Mort Lully et mort aussi le prince de Condé.

Et Louis a écouté le sermon de Bossuet, qui a plusieurs fois répété :

— C'est Dieu qui fait les rois, les guerriers et les conquérants.

L'évêque de Meaux a ajouté que la mort de Condé n'af-
faiblirait pas le roi, que protège « la main de Dieu, toujours
prête à venir à son secours, afin qu'il soit toujours le rempart de ses États ».

Louis prie.

Il est sûr que Dieu l'a protégé, a guidé la lancette du chirurgien, et a voulu que l'épreuve s'achève, que les plaies se
cautérisent, que l'on ne parle plus de fistule ou de tumeur
« entre les fondements et les bourses », et qu'ainsi, il puisse
à nouveau se promener dans les jardins, manger même si
les mâchoires et le palais restent douloureux, et le ventre
gonflé, l'obligeant à s'asseoir si souvent sur la chaise percée.

Mais ce sont là si faibles désagréments qu'il veut les
oublier.

Il a pu rester debout dans l'ancienne chapelle de Versailles, où s'était rassemblée le 18 janvier toute la Cour pour
le baptême des ducs de Bourgogne, d'Anjou et de Berry, les
trois fils de Monseigneur le dauphin et de Marie Anne Charlotte de Bavière.

Il a remercié Dieu de pouvoir porter sur les fonts baptis-
maux le duc de Bourgogne, sa descendance directe, son
petit-fils.

Que l'avenir de sa lignée soit ainsi assuré lui a donné un
regain d'énergie.

Il a même eu l'impression, depuis ce début du mois de
janvier 1687, que son corps était moins pesant, comme
épuré, et, chaque matin, il a suivi les recommandations des
médecins, laissant son premier valet de chambre Bontemps
le frictionner entièrement à l'eau de toilette.

Cette fraîcheur qui entre dans son corps en chasse les
impuretés.

Et chaque jour, il a senti monter en lui la joie de ses sujets de le savoir guéri, et cela l'a ragaillardi.

Il s'est rendu à Notre-Dame de Paris, pour remercier le Seigneur de sa guérison, et il a accepté de présider le dîner que les édiles de la ville lui offrent.

On lui récite le poème de Charles Perrault, *Le Siècle de Louis le Grand*, qui a été lu à l'Académie française :

> *La belle antiquité fut toujours vénérable*
> *Mais je ne crus jamais qu'elle fût adorable.*
> *Je vois les Anciens sans plier les genoux,*
> *Ils sont grands, il est vrai, mais hommes comme nous ;*
> *Et l'on peut comparer sans crainte d'être injuste*
> *Le siècle de Louis au beau siècle d'Auguste.*

Il veut, il doit remercier Dieu.

Il se redresse. Bontemps l'aide à s'habiller, puis ouvre les portes de la chambre pour le grand lever.

Louis s'avance. Il dit que ce matin, il monte à cheval.

Et il écoute les compliments et les louanges des courtisans qui se pressent autour de lui.

Il chevauche d'abord avec appréhension, sur ses gardes, craignant que tout à coup la douleur ne le déchire. Puis, peu à peu, il oublie cette inquiétude et galope, avec la sensation de renaître.

L'après-midi, il se promène longuement dans les jardins, parcourant à pas lents plusieurs fois le labyrinthe, se proposant d'écrire une « manière de visiter les jardins de Versailles » tant il éprouve de plaisir à s'y attarder, à se pencher sur les massifs de fleurs, à respirer leur parfum.

Il rentre enfin, rejoint Mme de Maintenon dans ses appartements. Elle l'accueille le buste serré dans une robe bleue, le visage que ne griffe aucune ride.

Il lui prend la main, il l'entraîne dans sa chambre.

Le désir est là, vif mais si vite épuisé.

Louis s'installe devant la cheminée.

Sur une table qu'il a fait placer à sa droite sont déposées les lettres subtilisées et copiées par les espions du cabinet noir, ainsi que les dépêches des ambassadeurs. Il commence à lire ces dernières.

Il s'indigne des pamphlets écrits et publiés dans les Provinces-Unies par des pasteurs huguenots exilés. Ces auteurs dénoncent les dragonnades, ce qu'ils appellent des « actes d'une cruauté inouïe ».

« Parmi ces mille hurlements et mille blasphèmes, écrit l'un d'eux, les dragons pendaient les gens, hommes et femmes, par les cheveux ou par les pieds aux plafonds des chambres ou aux crochets des cheminées. »

Louis convoque Louvois qui affirme qu'il ne s'agit là que de calomnies.

Louis l'interrompt. L'heure n'est pas aux excès à l'intérieur du royaume mais à la guerre contre les nations ennemies et souvent hérétiques.

Il veut se rendre, poursuit-il, sur la frontière, à Luxembourg, visiter la forteresse, car la guerre, même si elle n'a pas été déclarée, est déjà ouverte par ces pays qui accueillent, soutiennent, paient les huguenots français.

Il faut agir pour écarter cette menace, d'autant plus grande que sous la conduite de Charles V de Lorraine les princes germaniques ont fait reculer les Turcs, écarté ainsi la menace ottomane. Ils vont pouvoir reporter leurs forces contre le royaume de France.

Il écoute Louvois qui propose de ne pas attendre que l'alliance antifrançaise et la ligue d'Augsbourg s'élargissent, devenant dangereuses.

Il ne faut pas agir sans réflexion, sans précaution, dit Louis.

Il faut d'abord s'assurer que dans les vallées vaudoises les huguenots ne se sont pas à nouveau rassemblés.

Il faut partout montrer, avant même que la guerre n'éclate, que le roi de France ne cède rien, et à personne, ni même à ce pape Innocent XI qui prétend contrôler les ambassades situées dans ses États.

Qu'on envoie des troupes à Rome avec un nouvel ambassadeur, et qu'on rappelle au souverain pontife que le roi de France refuse que l'on touche aux franchises de son ambassade, même si tous les autres souverains se sont inclinés devant la volonté du pape.

Et celui-ci argue de ce fait pour exiger que les Français acceptent ces dispositions nouvelles.

Louis se lève.

— Je ne me suis jamais réglé sur autrui, dit-il, et c'est à moi de servir d'exemple.

8.

Il a préféré être seul pour lire les copies des lettres d'Élisabeth Charlotte.

Il a craint, s'il restait dans la chambre de Françoise de Maintenon, que celle-ci ne l'interroge, à sa manière douce mais insistante.

Il aurait dû lui répondre qu'il s'agissait de lettres de la princesse Palatine. Les deux femmes se haïssent. Françoise aurait baissé la tête sur son ouvrage, en soupirant. Et il n'aurait pas pu lui rapporter ce qu'Élisabeth Charlotte dit avec cette violence et cette verdeur de ton qu'il n'aime pas.

Elle a écrit, il y a quelques jours, à sa tante Sophie, électrice de Hanovre :

«Je ne puis taire que la Cour devient à présent si ennuyeuse qu'on n'y tient presque plus, car le roi s'imagine qu'il est pieux s'il fait en sorte qu'on s'ennuie bien. Je ne puis croire pour ma part qu'on peut servir Notre-Seigneur Dieu à force d'aimer les vieilles femmes et d'être grincheux ; si cela est la voie du paradis, j'aurai de la peine à y arriver. C'est une misère quand on ne veut plus suivre sa propre raison, et qu'on ne se guide que d'après les prêtres intéressés et de vieilles courtisanes.»

Il a senti que la colère empourprait son visage et

Mme de Maintenon l'a aussitôt remarqué, s'inquiétant de son état, lui demandant si la douleur était revenue.

Elle s'est approchée pleine de compassion, et la colère de Louis s'est tournée contre elle, qui n'avait pas, lui a-t-il dit, à s'occuper des affaires du royaume. Il décidait seul et, s'il avait besoin d'un avis, il le demandait à ses ministres, en son Conseil.

Il ne veut plus vivre de tels moments, et il a choisi de s'installer désormais dans ses appartements, devant la table de marbre, sur laquelle les lettres sont posées.

Il sait qu'il va être irrité, mais il ne peut ignorer ce qu'écrit et ce que pense Élisabeth Charlotte.

Elle n'est pas qu'une méchante langue, une Allemande hérétique jamais vraiment convertie. Elle est la belle-sœur du roi et la princesse Palatine.

Et à ce dernier titre, elle a des droits sur le Palatinat depuis la mort de son père.

Et Louis les a fait valoir, comme roi de France, chef de la famille royale, et donc autorisé à défendre les intérêts de Mme Élisabeth Charlotte, épouse de M. le duc d'Orléans, frère du roi.

L'empereur du Saint Empire germanique Léopold, les princes électeurs, Guillaume d'Orange, et tous ceux qui se retrouvent dans la ligue d'Augsbourg ont fait part de leur indignation, considérant cette revendication sur l'héritage du père d'Élisabeth comme une nouvelle tentative pour s'emparer des villes et des territoires allemands.

Il sait que la princesse Palatine est inquiète.

Elle craint pour son pays. Elle l'a dit à Louvois qui l'a rapporté, et elle l'a écrit :

« On se sert de mon nom pour ruiner ma pauvre patrie. »

Elle a fait état de la protestation des princes allemands.

Faut-il qu'il répète : « Je ne me suis jamais réglé sur autrui ! »

Il ne cédera pas aux lamentations d'Élisabeth Charlotte.

Le Palatinat n'est qu'une carte qu'il faut posséder pour être plus fort dans la grande partie qu'ont engagée les ennemis du royaume de France.

Et il est le roi de France, soucieux de sa gloire et de sa puissance. Louvois l'a compris.

Le ministre prépare l'armée à la guerre en rassemblant les troupes sur les bords du Rhin, et en créant une Milice royale dont les recrues seront équipées par leur paroisse et recevront une solde de deux sous par jour. Elles serviront de réserve à l'armée.

Mais Louis constate que Colbert de Croissy, chargé des Affaires étrangères, veut essayer à tout prix de préserver la paix. Qu'imagine-t-il, que Guillaume d'Orange, les Espagnols, les princes allemands, Frédéric Ier qui vient de succéder au Brandebourg à son père Frédéric-Guillaume ne veulent pas la guerre ?

Il y a plus grave. Les Anglais rejettent leur roi, Jacques II le catholique, avec encore plus de détermination depuis qu'il est le père d'un fils – le prince de Galles – baptisé dans la religion catholique, et sa fille Mary, épouse de Guillaume d'Orange, bonne protestante, n'est plus dès lors l'héritière du trône.

Comment ne pas imaginer que Guillaume d'Orange, l'hérétique, l'ennemi résolu du royaume de France, s'alliera avec les hérétiques anglais pour chasser le roi catholique, Jacques II, son épouse et son prince de Galles afin de se faire attribuer, à lui et à Mary, le trône d'Angleterre ?

Et il faudrait ne pas prendre ce gage qu'est le Palatinat !

Louis ordonne que l'on s'empare de la ville de Philippsburg, sur la rive droite du Rhin.

Il veut que Monseigneur le dauphin prenne la tête de l'armée, et qu'il apprenne ainsi sur le terrain en compagnie de

Vauban comment l'on assiège une ville, et la contraint à capituler.

Il le dit au dauphin.

— Je vous donne l'occasion de faire connaître votre mérite. Allez le montrer à toute l'Europe afin que, quand je viendrai à mourir, on ne s'aperçoive pas que le roi est mort.

Il va mourir.

Cette pensée tout à coup l'habite.

Le dauphin sera son successeur, et devant Philippsburg il se conduit en homme de courage et de talent.

Louis ressent de la fierté et de l'inquiétude aussi quand Louvois lui remet les lettres écrites par Vauban qui racontent comment Monseigneur le dauphin a arpenté les tranchées situées à quelques centaines de pas seulement des bouches à feu adverses.

«Il voulait tout voir, écrit Vauban. Non content de cela, il fallut accommoder un endroit par où il pût regarder par-dessus la tranchée à son aise. Je lui en fis un et il s'éleva, moi le tenant par le pan de son justaucorps pour le retirer quand il en serait temps.»

Il sent, en poursuivant la lecture, que l'inquiétude peu à peu efface la fierté.

A-t-on idée de rester trois ou quatre heures dans la tranchée la plus exposée, là où, dit Vauban, le canon est dangereux?

«Monseigneur le dauphin a été aux grandes attaques, un coup de canon donna si près de lui que M. de Beauvillier, le marquis d'Huxelles et moi qui marchions devant lui en eûmes le tintouin un quart d'heure, ce qui n'arrive jamais que quand on se trouve dans le vent du boulet; jugez du reste.»

Le dauphin sous le feu du canon! La succession de France mise en péril! Louis dicte :

« Le roi demande présentement à Monseigneur qu'il ne désire plus qu'il aille à la tranchée et qu'ayant fait à présent tout ce qui était nécessaire pour sa propre gloire, il ne veut plus qu'il songe à autre chose qu'à achever de s'instruire. »

Il ne peut plus chasser. L'idée de la mort, la sienne, celle de son fils. Il pense à ses autres enfants, aux bâtards qu'il a légitimés mais auxquels il doit assurer une position, qui unira tous ceux qui sont de son sang.

Il pense au duc du Maine et à Mlle de Blois, les enfants qu'il a eus d'Athénaïs de Montespan. Mlle de Blois pourrait épouser le duc de Chartres, le fils de Monsieur et de la Palatine, et le duc du Maine, leur fille.

Il veut voir les mignons de Monsieur, le chevalier de Lorraine et le marquis d'Effiat.

Il leur annonce qu'il a décidé de les désigner comme membres de l'ordre du Saint-Esprit.

Il perçoit leur étonnement, leur satisfaction. Ils savent que le roi n'aime pas les sodomites et ils s'interrogent sur les raisons de cette distinction.

Il dit simplement qu'il souhaite que le duc du Maine et Mlle de Blois épousent les enfants de Monsieur et de Madame.

Le chevalier de Lorraine et le marquis d'Effiat s'inclinent cérémonieusement. Ils ne seront pas ingrats.

Et il est apaisé à l'idée que ses enfants prendront rang parmi la famille d'Orléans.

Il a le sentiment d'avoir accompli son devoir, effacé la bâtardise née du double adultère.

Et puis cette lettre de la princesse Palatine, qui le fait trembler de colère.

« Depuis quelque temps j'ai beaucoup d'ennuis, écrit la princesse Palatine. On m'a dit en confidence les vraies raisons pour lesquelles le roi traite si bien le chevalier de

Lorraine et le marquis d'Effiat; c'est parce qu'ils ont promis d'amener Monsieur à le prier très humblement de vouloir bien marier les enfants de la Montespan avec les miens, savoir ma fille avec ce boiteux de duc du Maine et mon fils avec Mlle de Blois.

« La Maintenon dans cette circonstance est tout à fait pour la Montespan car c'est elle qui a élevé les bâtards; et elle aime ce méchant boiteux comme si c'était son propre enfant. »

Il ferme les yeux.

Chacun de ces mots est un poison.

Mais il doit continuer à lire pour ne pas oublier qu'autour de lui, à la Cour, grouillent les serpents.

Il se souvient qu'on avait accusé le chevalier de Lorraine et le marquis d'Effiat d'avoir empoisonné Henriette d'Angleterre, la première épouse de Monsieur. Et Athénaïs de Montespan avait peut-être dévoilé son corps au cours des messes noires, sa poitrine servant d'autel à des prêtres voués au culte de Satan.

Le mal est partout et c'est une guerre sans fin qu'il doit mener contre lui.

Les hérétiques sont ses suppôts et ce sont eux qui, au cœur du royaume, et à Londres, à Amsterdam, au Hanovre ou dans le lointain Brandebourg, attisent la haine contre lui.

Il vient d'apprendre que, comme il l'avait craint, Guillaume d'Orange a débarqué en Angleterre, que Jacques II, incapable de résister, a fui son royaume, et qu'il vogue sans doute vers la France.

La guerre est bien là, qu'il faut conduire de manière impitoyable, avec autant de détermination qu'on en a mis à combattre les huguenots.

Il faut mener hors des frontières la politique des dragonnades.

Qu'on le fasse à Philippsburg, et dans toutes les villes du Palatinat que l'on va assiéger, conquérir.

Et peu importe les sentiments et les protestations d'Élisabeth Charlotte, la Palatine.

Que peut-il attendre d'elle ou de qui que ce soit, sinon la haine et l'ingratitude ?

Dieu seul est magnanime. C'est lui seul qu'il faut prier. Il est le Seigneur du monde.

En lui seul on peut avoir confiance.

Et peut-être en ceux qui se proclament ses serviteurs, qui le prient comme le fait Françoise de Maintenon.

Mais la princesse Palatine a gardé au fond d'elle-même le poison de l'hérésie.

Et c'est lui qu'elle déverse dans cette lettre dont il doit reprendre la lecture.

Elle écrit :

«Lors même que le duc du Maine au lieu d'être le fruit d'un double adultère serait un prince légitime, je n'en voudrais pas pour mon gendre, non plus que de sa sœur pour ma bru ; car il est affreusement laid, paralysé, et il joint encore à cela plusieurs autres mauvaises qualités : ainsi il est avare en diable et n'a pas un bon naturel. Par-dessus le marché ils sont l'un et l'autre comme je vous l'ai dit, bâtards d'un double adultère et enfants de la femme la plus méchante et la plus perdue que la terre puisse porter. Toutes les fois que je vois ces bâtards, cela me fait tourner le sang.»

Il prend une autre lettre. Et c'est la même haine contre lui, contre Françoise de Maintenon, «la vieille ordure du roi», ose écrire Élisabeth Charlotte. Elle ajoute :

«Les gens du peuple de Paris disent très haut que ce serait une honte si le roi donnait à ses bâtards des enfants légitimes de sa famille.»

Il ne doit pas se laisser emporter par la colère.

Chaque chose en son temps.

Il faut mener la guerre, et donc faire le siège des villes du Palatinat et d'abord de Mannheim.

Il ordonne que, lorsqu'elle sera conquise, on en rase la citadelle, et on en détruira les habitations de manière qu'il ne reste pas pierre sur pierre.

Mais, dit-il à Louvois, ces instructions doivent rester secrètes. Les souverains et leurs sujets doivent être comme frappés par la foudre.

Ils ont voulu combattre le roi de France, rompre la trêve, se liguer contre lui ?

Ils ont oublié qu'on ne s'oppose pas impunément à Louis le Grand.

9.

Il s'arrête sur le seuil de la grande salle de la maison de Saint-Cyr où les jeunes pensionnaires vont donner, devant toute la Cour et le roi d'Angleterre Jacques II réfugié depuis quelques jours en France, une représentation d'*Esther*, la dernière pièce de Racine, écrite pour Mme de Maintenon.

D'un mouvement de tête, le roi invite Louvois à s'approcher. Il veut connaître la situation dans le Palatinat.

Il murmure, afin qu'aucun des courtisans qui se trouvent à quelques pas ne l'entende.

— Il faut, dit Louis, empêcher que les Allemands puissent se servir des villes et des forteresses. Il faut leur interdire d'entamer le Rhin.

Louvois sait ce que cela signifie : détruire les villes et leurs forteresses, mais aussi brûler les récoltes, égorger le bétail, punir les populations, les chasser, incendier leurs maisons.

Cela vaut pour Mannheim comme pour Worms, Spire, Kreuznach, Oppenheim, Heidelberg, et tous les villages. Il ne faut laisser que des ruines, des amoncellements de cendres, et tant pis si les monuments, les églises sont aussi rasés.

Louvois s'incline, approuve, indique que les destructions ont commencé, que les habitants ont fui et se sont réfugiés dans les forêts.

Louvois a reçu ce matin même une dépêche du marquis de Chamlay qui commande les troupes chargées d'occuper Mannheim.

Chamlay a écrit :

« Dès le lendemain de la prise de Mannheim, je mettrai les couteaux dedans et je ferai passer la charrue. »

Louis reste impassible.

C'est ainsi qu'il faut agir. Car le grand affrontement a commencé.

Guillaume d'Orange et son épouse Mary Stuart ont été couronnés roi et reine d'Angleterre, et ils ont aussitôt commencé la guerre, bombardé Saint-Malo, leur flotte pourchassant les bateaux français, car le stathouder des Provinces-Unies devenu Guillaume III d'Angleterre veut aussi détruire le commerce du royaume de France. Ses alliés l'empereur germanique et Frédéric Ier de Brandebourg sont tout aussi déterminés que lui. Ils sont prêts à user de tous les moyens pour l'emporter, alors qu'ils s'indignent de l'action des troupes royales dans le Palatinat.

Et naturellement les huguenots sont ceux qui hurlent le plus fort, qualifiant le roi de France de « fléau de Dieu », de « Turc », de « barbare », de « fou furieux ».

Dans un pamphlet intitulé *Soupirs de la France esclave*, et dont l'auteur est sans doute l'un de ces pasteurs obstinés et haineux, on peut lire :

« Les Français passaient autrefois pour une nation honnête, humaine, civile, d'un esprit opposé aux barbaries ; mais aujourd'hui un Français et un cannibale, c'est à peu près la même chose dans l'esprit des voisins. »

Louis est insensible à ces aboiements, et même aux supplications, aux plaintes de la princesse Palatine.

Chaque jour, dans ses lettres, elle se lamente, elle proteste. Dans sa dernière missive, elle écrit :

« Une calamité affreuse et pitoyable s'est abattue sur le pauvre Palatinat. Ce qui me fait encore souffrir le plus, c'est qu'on s'est servi de mon nom pour précipiter les pauvres gens dans un malheur extrême et quand je proteste en pleurant, on m'en sait mauvais gré, on m'en fait des reproches. Dût-on m'ôter la vie, je ne puis cesser de regretter et de déplorer ce qui arrive. Je ressens une telle horreur de tout ce qu'on a fait sauter que toutes les nuits, à peine endormie, il me semble être à Heidelberg ou à Mannheim et voir toute la désolation. Je me réveille alors en sursaut et de deux heures je ne puis trouver le sommeil. Je me représente alors comment tout était de mon temps et dans quel état on l'a mis maintenant, puis en quel état je suis moi-même et je ne puis m'empêcher de pleurer à chaudes larmes. Ce qui me désole encore, c'est que le roi a précisément attendu pour précipiter tout dans la dernière misère que je l'eusse imploré en faveur de Heidelberg et de Mannheim. Et l'on trouve encore mauvais que je m'en afflige, mais vraiment c'est plus fort que moi... »

Il ne veut pas se laisser émouvoir. La Palatine est du parti de l'ennemi. Elle ajoute :

« Les troupes brandebourgeoises ont quelque peu époussseté les Français. Ce que j'en pense ne peut se confier à la plume, mais vous le devinerez sans peine. »

Il s'indigne quand il découvre dans une autre lettre qu'Élisabeth Charlotte est pleine d'indulgence pour Guillaume III d'Angleterre, auquel elle fut autrefois fiancée.

Elle se permet d'écrire :

« J'espère si le malheur voulait ici que le prince d'Orange (car il nous est interdit de dire le roi Guillaume) prenne sa vengeance, qu'il se rappellera notre ancien amour et qu'il ne me fera point de mal. »

Et c'est l'épouse de Monsieur, la belle-sœur du roi Louis le Grand, qui a de telles pensées !

Louis est d'autant plus révolté par ces propos qu'il vient de recevoir une dépêche de son ambassadeur à Madrid, le comte de Rebenac, qui lui annonce la mort de la reine d'Espagne, Marie-Louise d'Orléans, la fille issue du premier mariage de Monsieur, et qui meurt à vingt-sept ans, comme sa mère Henriette d'Angleterre, et de façon aussi inattendue, mystérieuse.

Elle retenait son époux Charles II, débile et impuissant, soumis aux pressions de l'empereur d'Allemagne qui voulait que l'Espagne s'engage résolument dans la guerre contre la France.

Rebenac, rentré quelques semaines plus tard à Paris, précise que Marie-Louise d'Orléans a peut-être été empoisonnée sur ordre du comte Mansfeld, l'émissaire de l'empereur germanique à Madrid, avec la complicité de la comtesse de Soissons, cette femme mêlée à l'affaire des Poisons et dont le roi se souvient si bien. Il l'avait aimée alors qu'elle n'était qu'Olympe Mancini, nièce du cardinal de Mazarin.

Rebenac ajoute que Marie-Louise d'Orléans est « morte à l'égard de Dieu comme une religieuse et à l'égard du monde comme une héroïne » ! Le poison aurait été mis dans une tourte d'anguilles ou bien dans des huîtres. Une des demoiselles de la reine a voulu en manger et un grand d'Espagne lui a arraché l'huître de la main, l'avertissant que si elle l'avalait elle serait malade.

On a ouvert le corps de la reine, dont les organes étaient rongés, et sa chair violette.

Et déjà, on annonçait le prochain mariage du roi d'Espagne avec la fille de l'électeur palatin, et sœur de l'impératrice d'Allemagne.

C'est cela, la guerre qu'on mène contre le roi de France ! Et on l'accuse d'être un barbare !

Il n'a fait que son devoir de Roi Très-Chrétien du royaume de France.

Il a accueilli au château de Saint-Germain Jacques II d'Angleterre, le catholique, chassé de son royaume par Guillaume d'Orange, l'hérétique. Il lui a donné l'accolade et lui a dit :

— Monsieur mon frère, que j'ai de joie de vous voir ici ! Je ne me sens pas de joie de vous voir en sécurité !

Il l'a aidé à organiser un débarquement en Irlande, et il l'a soutenu lorsque Jacques II s'est trouvé, après quelques jours, en difficulté, en lui envoyant un contingent de sept mille hommes commandés par le comte de Lauzun.

Il l'a accueilli à nouveau, après l'échec de cette tentative.

Et il a dû faire face aux troupes espagnoles et allemandes dans les Pays-Bas et les pays rhénans. Mayence est tombé. Et les coffres se sont vidés parce que la guerre est une grande dévoreuse d'or et d'argent.

Il en veut à Louvois de n'avoir pas su conduire cette guerre.

Il écoute le frère de Colbert, Colbert de Croissy, et le marquis de Torcy, le fils de ce dernier, et Seignelay, le fils de Colbert.

Ce sont eux qui ont eu l'idée, pour combattre la disette d'argent, de condamner le luxe de la vaisselle et des objets en métaux précieux. Mais c'est lui qui a décidé d'envoyer à la Monnaie toute son argenterie, afin qu'on la fonde et qu'avec le métal ainsi obtenu on frappe des pièces d'or et d'argent pour remplir les coffres, payer la guerre, maintenir le commerce.

Un roi doit être prêt aux sacrifices pour la gloire de son royaume.

Maintenant, il assiste à la représentation d'*Esther*.

Les personnages de Racine, l'impérieuse Vasthi, l'épouse du roi Assuérus, et la noble, la douce Esther, dont la piété attire le roi, malgré les manigances du ministre Aman, lui rappellent l'une Athénaïs de Montespan, l'autre Françoise de Maintenon, et Aman, c'est Louvois !

Quant à Assuérus, c'est lui, Louis le Grand !

Il perçoit l'émotion des jeunes actrices.

Il sourit de leurs maladresses. Il est sensible à leur beauté, à leur virginité rougissante. Et il entend les murmures désapprobateurs de quelques prêtres, qui s'inquiètent pour ces jeunes pensionnaires, exposées aux regards et aux désirs des courtisans.

Mais il aime cette pièce et il le dit, faisant taire les critiques et suscitant ainsi l'enthousiasme de toute la Cour, qui félicite Racine.

Le soir on soupe au Grand Trianon, ce bâtiment dont il a surveillé la construction, demandant à l'architecte Hardouin-Mansart d'utiliser des marbres roses, de ne pas élever d'étage, de se contenter de deux corps de logis, reliés par un péristyle.

Il a voulu qu'ainsi la beauté naisse non pas de l'or, des boiseries et des statues, mais seulement du jeu de la pierre et du marbre.

Il est satisfait.

Il a à ses côtés Mme de Maintenon, le roi Jacques II et la reine d'Angleterre, ces vaincus qu'il protège.

Et lorsqu'il lit les dernières pages de la Palatine, il reste indifférent.

Et pourtant, Élisabeth Charlotte, à son habitude, exprime avec violence ses ressentiments, sa haine pour Françoise de Maintenon.

« La vieille guenille, écrit-elle, s'est donnée devant le roi d'Angleterre pour tellement pieuse et humble que la reine la prenait pour une sainte... Mais bien que je ne sois plus jeune, la vieille conne est plus âgée que moi, j'espère donc que j'aurai avant ma fin le plaisir de voir crever la vieille diablesse. »

Il se sent au-dessus de ces querelles, de ces passions médiocres. Il est le roi. Rien, hormis la mort, ne peut et ne doit l'atteindre.

10.

Il s'avance vers le lit où est couchée Marie-Anne de Bavière.

Et au fur et à mesure qu'il s'approche de la dauphine, il sent cette odeur écœurante, douceâtre et putride qui est celle de la mort.

Il se tourne vers le dauphin qui se tient derrière lui à trois pas. Mais son fils paraît absent, comme s'il refusait de voir que la mort est à l'œuvre, que sa femme agonise.

Il se souvient des propos de la princesse Palatine, lus dans l'une de ses innombrables et insupportables lettres, que pourtant il ne se lasse pas de parcourir, comme si c'était seulement à travers elles qu'il pouvait voir ce qui se cache derrière les décors de la Cour et les visages.

La princesse Palatine, qui rencontrait presque chaque jour Marie-Anne de Bavière, Allemande comme elle, avait à plusieurs reprises fait état de la mauvaise santé de la dauphine, jamais remise de l'accouchement de son dernier fils, le duc de Berry. Elle vivait loin de la Cour, blessée par les aventures galantes de son mari, ne trouvant quelque plaisir que dans les concerts qu'elle organisait, conviant chez elle les violons du roi.

La princesse Palatine a écrit :

« On tue la dauphine à force de déboires. On fait tout ce qu'on peut pour me réduire au même état ; mais je suis une noix plus dure que Marie-Anne de Bavière. Avant que les vieilles femmes m'auront bouffée, elles pourraient bien perdre quelques dents, car bien qu'on cherche à me chagriner en tout, et que le roi me traite très mal du fait de la méchanceté et des mauvais offices de la vieille sorcière, je prends sitôt mon parti et vais mon chemin et je prends grand soin de ma santé pour la faire enrager. »

Louis n'avait pas évoqué avec le dauphin l'état de sa femme.

Il le regrette.

Peut-être aurait-il dû exiger de son fils qu'il traitât autrement la dauphine. Peut-être a-t-il été retenu par le souvenir de ce qu'il avait lui-même infligé à la reine Marie-Thérèse.

Et il n'a pas mesuré la gravité de la maladie de la dauphine.

On disait « langueur ». Aucun médecin n'avait prévu que la fin fût si proche.

Il était donc parti pour Marly où, avec Françoise de Maintenon et les quelques dizaines de courtisans privilégiés qu'il avait conviés, il avait séjourné trois jours.

Et puis cette dépêche. La dauphine avait été saignée et d'un abcès s'était écoulée une grande quantité de pus.

Il est rentré en hâte à Versailles.

Il a entendu Bossuet administrer les derniers sacrements.

Il est minuit, ce 19 avril 1690. Puis, dans la matinée du 20, la dauphine a commencé à murmurer, à faire comprendre qu'elle voulait parler à son mari, Monseigneur le dauphin, à ses fils, les ducs de Bourgogne, d'Anjou et de Berry.

Elle a recommandé ce dernier à la princesse Palatine et il a entendu les derniers mots qu'elle a prononcés à son amie :

— Je prouverai aujourd'hui que je n'étais pas folle quand je me plaignais et disais que j'étais malade.

Elle a béni ses trois fils, et dit au duc de Berry :

— Berry, tu sais que je t'ai tendrement aimé, mais tu me coûtes bien cher.

Louis s'est approché du lit.

Elle murmure quelques mots. Elle a toujours été, dit-elle, respectueuse de Sa Majesté. Elle lui demande de veiller sur ses trois fils. Il entend dans cette voix voilée le souffle rauque de la mort. Il voit que Monseigneur le dauphin s'éloigne, comme s'il ne voulait pas assister à la mort de sa femme.

Le duc de Bourgogne pleure. Louis le réconforte. Il apprécie ce petit-fils.

Il lui a donné pour gouverneur le duc de Beauvillier – l'époux d'une fille de Colbert –, et celui-ci a choisi pour précepteur Fénelon, un évêque aux allures de grand seigneur, qui a évangélisé les hérétiques.

Fénelon est, dit-on, l'ami d'une certaine Mme Guyon, une étrange mystique, auteur d'un opuscule, *Moyen court de faire oraison*, dont se sont entichées les dames de la Cour, et même Françoise de Maintenon, qui fait grand cas de Fénelon et lui a demandé de prêcher à Saint-Cyr, devant les jeunes pensionnaires.

Louis se méfie de cet évêque, qui est pourtant bon précepteur, et le duc de Bourgogne semble avec lui apprendre ce que doit savoir un roi.

Et il peut l'être bientôt, tant la mort frappe de manière inattendue qui bon lui semble.

Il la voit s'emparant du corps de Marie-Anne de Bavière, le secouant, lui tordant les bras, lui raidissant les jambes, révulsant les yeux et secouant la tête de soubresauts.

Puis, après une dernière convulsion et un cri étouffé, c'est le silence et l'immobilité de la pierre.

— Mme la dauphine est retournée à Dieu, dit une voix.

Louis s'agenouille au pied du lit et commence à prier.

Il entend les sanglots d'Élisabeth Charlotte.

Il l'a reçue il y a peu.

Elle était à la fois respectueuse et indignée, soumise et prête, disait-elle, à ne pas céder.

Il l'avait écoutée, avec d'abord de l'irritation, puis de la lassitude.

Elle a dit que Monsieur avait décidé de nommer pour gouverneur de leur fils Philippe d'Orléans, duc de Chartres, ce marquis d'Effiat, maintenant membre de l'ordre du Saint-Esprit et l'on savait pourquoi. Mais Effiat avait beau porter le grand cordon, la cape de velours noir doublée de satin orange, le mantelet tissé d'argent et le collier d'or soutenant la croix, composé de lys et des armes du roi, il n'en restait pas moins adonné aux débauches de la pire espèce.

— S'il devient gouverneur de mon fils, il lui apprendra ce qui est le plus horrible au monde. Effiat, c'est le plus grand sodomite de France, qui a toujours sa chambre au Palais-Royal pleine de putains et de jeunes garçons.

Louis l'avait d'un geste interrompue.

Il n'admettait pas ce ton. Mais en même temps, il l'avait rassurée. Il n'avait pas donné son consentement pour cette nomination. Il avait même depuis un an empêché Monsieur son frère d'annoncer son choix.

La princesse Palatine s'est confondue en remerciements, a exprimé sa gratitude, sa fidélité.

Il l'a toisée.

C'était elle qui venait d'écrire à propos de Françoise de Maintenon :

«Je ne crois pas qu'on puisse trouver au monde plus méchant diable qu'elle avec toute sa dévotion et son hypocrisie, tous les malheurs viennent de cette vieille conne!»

Il ne pouvait pas condamner publiquement Élisabeth Charlotte. Il devait respecter Madame, épouse de son frère.

474

Mais il l'avait privée des deux mille pistoles d'étrennes qu'il donnait chaque année à chacun des membres de la famille royale.

Tout cela, dans cette pièce où la mort s'est emparée de Marie-Anne de Bavière, lui paraît si dérisoire.

Il lui semble que ces mois qui viennent de s'écouler, que cette année 1690 ne sont pleins que de cette mort, de celle de Seignelay aussi, car le fils de Colbert, ce ministre efficace, a été emporté sans que rien annonçât qu'il serait frappé par la faucheuse noire, la souveraine de toutes les vies.

Pourtant, les victoires du maréchal de Luxembourg contre les troupes espagnoles, allemandes, hollandaises à Fleurus, celles des flottes de Tourville dans la Manche contre les navires anglo-hollandais, puis des navires de Duquesne au large de Madras contre les navires anglais, ou bien celles des troupes de Catinat, victorieuses en Piémont, l'avaient comblé.

On avait tapissé la nef de Notre-Dame des drapeaux pris par Luxembourg et Catinat à l'ennemi.

Louis avait assisté au *Te Deum* célébrant ces victoires.

Il avait dit, après le succès des soixante-quinze vaisseaux de Tourville sur la flotte ennemie :

— Je me trouve à présent le maître de la Manche, après avoir battu les Anglais qui se vantaient depuis plusieurs siècles d'en être les maîtres, fortifiés de tous les vaisseaux de Hollande.

Mais que restait-il de ces victoires, à l'instant ? Face à la mort ?

Il fallait les remporter, pour la gloire du roi et donc celle du royaume, pour ne pas être un souverain humilié et déchu, comme l'était Jacques II, vaincu en Irlande, à la bataille de la Boyne, et contraint de vivre en exil, laissant son royaume à l'hérétique Guillaume III d'Orange.

Il a donc fait ce qu'il devait.

Il ne sera pas un Jacques II que le remords dévore, qui quitte souvent le château de Saint-Germain où il est hébergé pour la cellule d'un monastère, tant le roi d'Angleterre est sûr que sa défaite et sa chute sont le châtiment que lui a infligé Dieu pour ses péchés.

Louis est toujours agenouillé au pied du lit de la dauphine.

Les murmures de ceux qui prient sont souvent recouverts par le bruit de l'averse qui martèle avec force. Il en est ainsi depuis le début de cette année 1690, balayée par un vent glacial, des pluies incessantes. Les cultures, et d'abord celle du blé, vont en souffrir.

La disette peut venir, comment acheter du grain pour le distribuer aux plus démunis alors que les coffres sont vides, et que la création et la vente de nouveaux offices ne les remplissent pas, aussi insuffisantes que l'avait été la fonte de ces joyaux d'argent, de vermeil et d'or, cette vaisselle qui comptait tant de chefs-d'œuvre, et dont on n'a tiré que quelques milliers de pièces, vite disparues ?

Dieu veut-il le punir ?

Louis prie. Il a péché au cours de sa vie, plus que Jacques II, plus que Monseigneur le dauphin, et cette pauvre dauphine, mais Dieu le sait, il a combattu et réduit l'hérésie dans le royaume.

Il mène désormais cette vie de piété dont la princesse Palatine se moque, et qui est pourtant la seule manière de demander le pardon au Seigneur de ses fautes, et d'abord le double adultère.

Et il a choisi ce nouveau chemin grâce à Françoise de Maintenon, dont il est le seul à savoir ce qu'il lui doit.

Il prie encore, et les larmes lui viennent aux yeux en se souvenant des derniers instants de la dauphine, avant les convulsions, quand elle a avoué à Bossuet qu'elle ressentait une terreur extrême de se savoir si près de la mort.

Elle a voulu que Bossuet, à haute voix, dise qu'elle pardonnait à tous ceux qui l'avaient offensée, et qu'au cas où elle aurait causé du chagrin à qui que ce fût, elle en demandait pardon.

Mais Dieu n'avait pas retenu le bras de la faucheuse.

C'est lui le Souverain Seigneur, celui qui décide du moment.

Louis se lève, regarde le visage exsangue de la dauphine, si blanc qu'on dirait déjà celui d'un gisant de pierre.

Il sort de la pièce.

Il aperçoit le dauphin qui dans l'antichambre attend, son visage n'exprimant aucune émotion.

Louis s'approche de son fils.

— Vous voyez ce que deviennent les grandeurs de ce monde, dit-il. Nous viendrons comme cela vous et moi.

11.

Il met le pied à l'étrier et aussitôt les douleurs percent ses talons, pénètrent ses cuisses et ses reins.

Mais il veut chevaucher jusqu'à la tranchée en dépit de l'avis des médecins. Ce ne sont ni la goutte ni les boulets de l'armée ennemie assiégée dans la ville de Mons qui vont l'arrêter.

Il veut vaincre la maladie et les troupes espagnoles et hollandaises.

Il veut être encore et toujours Louis le Grand.

C'est ainsi qu'il oubliera la souffrance et la mort.

Il s'avance, accompagné par Vauban et Louvois, jusqu'à se trouver en face de la batterie ennemie.

Il toise avec mépris les courtisans qui l'adjurent de ne pas rester à découvert. Il veut s'exposer au contraire.

La seule manière de vivre quand on est roi, c'est d'être grand.

Tout à coup, le canon tonne. Des boulets tombent à quelques pas. Des hommes sont renversés par le souffle, recouverts par la terre qui a jailli. Certains ne se relèvent pas.

Il reste immobile.

S'il meurt à cet instant, à la tête de son armée, dirigeant le siège de Mons, il sera pour toujours couronné par la gloire.

Il tourne la tête.

Il veut voir les visages de ses trois fils. Monseigneur le dauphin, son successeur légitime, et puis le comte du Maine et le comte de Toulouse, nés de ses amours avec Mme de Montespan.

Il lui semble que le comte du Maine est pâle, mais le comte de Toulouse, qui n'a que treize ans, s'est levé sur ses étriers.

Il aime l'expression de défi de cet enfant.

Près de lui se tiennent Monsieur frère du roi et son fils Philippe, duc de Chartres, qui lui aussi paraît exalté par le danger.

Louis l'observe. Il songe toujours à unir sa famille légitime à ses enfants qui sont bâtards, peut-être, mais de sang royal. Il faudra que la princesse Palatine, hostile à cette union, accepte que son fils bien-aimé, ce duc de Chartres, épouse Mlle de Blois, fille d'Athénaïs de Montespan, sans doute, mais surtout fille du roi.

Les coups de canon se succèdent. Des gerbes de terre, d'éclats de pierre et de métal giclent de toutes parts. Un cheval, du sang couvrant son pelage roux, s'abat, meurt après quelques soubresauts !

Louis entend la voix frêle mais joyeuse du comte de Toulouse. Son fils lance :

— Quoi, un coup de canon, ce n'est que cela ?

Allons, ses fils sont de bonne trempe ! Dans leurs veines, c'est bien le sang de Louis le Grand qui coule.

Il écoute les courtisans qui l'encensent pour son courage de Roi Très-Chrétien.

— Le soleil a-t-il vu quelque chose de plus fier et de plus hardi que ce siège de Mons ? demande l'un.

Il partage ce sentiment. Il n'a jamais dirigé une armée aussi nombreuse qui combat non seulement pour la grandeur du royaume et de son roi, mais encore pour le triomphe de la vraie religion.

Il regrette de ne pas avoir, comme il l'a toujours fait dans le passé, convié les dames de la Cour à venir assister au siège.

Françoise de Maintenon lui manque. C'est dans les yeux des femmes qu'on lit le mieux sa gloire.

Il éprouve le besoin d'écrire à Françoise dont il sait qu'elle prie pour lui.

« Il est une vérité, lui confie-t-il, qui me plaît trop pour me lasser de vous la dire : c'est que je vous chéris toujours et que je vous considère à un point que je ne puis vous exprimer ; et qu'enfin, quelque amitié que vous ayez pour moi, j'en ai encore plus pour vous, étant de tout mon cœur tout à fait à vous. »

Il en veut à Louvois. C'est ce ministre orgueilleux qui lui a conseillé de ne pas inviter la Cour et les dames à rejoindre l'armée devant Mons.

Louvois l'irrite avec ses manières brusques, ses prétentions.

On l'encense plus qu'il ne faut. Un ministre doit rester un serviteur et ne point être trop ambitieux.

Or il a l'impression que Louvois dissimule sa volonté d'agir à sa guise, d'imposer au roi ses choix.

Il fait écrire ses louanges :

> *De ce ministre habile, infatigable et sage,*
> *Que le plus grand des rois de sa main a formé*
> *Que ni difficulté ni travail ne rebute*
> *Et qui, soit qu'il conseille, ou soit qu'il exécute*
> *De l'esprit de Louis est toujours animé.*

Est-ce bien sûr ?

Louis se souvient que c'est Louvois qui a tenté, à plusieurs reprises, de lui forcer la main, d'aller plus loin que son roi.

Et l'esprit d'un roi ne se donne pas à un serviteur.

C'est Louvois qui a outrepassé les ordres dans le Palatinat, lui qui, méthodiquement, a organisé la destruction de plus de villes qu'il n'était nécessaire, faisant placer dans toutes les cités des centaines de mines afin de transformer le Palatinat en désert.

Louvois a eu l'audace de dire :

— J'ai bien senti, Sire, que le scrupule est la seule raison qui vous a retenu de consentir à une chose aussi nécessaire que brûler Trèves. J'ai cru vous rendre service en vous en délivrant et en m'en chargeant moi-même. Pour cela, sans avoir voulu vous en reparler, j'ai dépêché un courrier avec l'ordre de brûler Trèves dès son arrivée.

Au souvenir de ces propos, la colère emporte à nouveau Louis.

Il revit la scène.

Il s'était précipité sur Louvois, le menaçant avec les pincettes de la cheminée, et il avait crié :

— Louvois, dépêchez un courrier à cette heure avec un contrordre et qu'il arrive à temps, et sachez que votre tête en répond si on brûle une seule maison de Trèves.

Mme de Maintenon s'était interposée, avait retenu le bras du roi, au moment où il allait frapper Louvois.

— Ah ! Sire, qu'allez-vous faire ?

Comment pourrait-il pardonner à Louvois d'avoir voulu ainsi décider seul, et d'avoir suscité cette colère qui brisait l'impassibilité et la maîtrise de soi, les attributs nécessaires du roi ?

A-t-il oublié, Louvois, le sort de Nicolas Fouquet ? Un jour la gloire et le lendemain le cachot d'une forteresse.

Et comment, alors que les caisses du royaume sont vides, que la disette se répand, accepter que ce ministre ait accumulé une fortune de dix millions de livres, en bonnes et belles terres dans la baronnie de Meudon, les seigneuries en Champagne et le duché de Bourgogne ? Et il faut y ajouter les grandes sommes d'argent comptant mises en rentes sous des noms d'emprunt, et les bénéfices nés du maniement de l'argent requis pour le département de la Guerre, celui des Bâtiments et des Jardins.

Un roi doit savoir mettre les fers à un ministre. Et il a trop tardé avec Louvois qui n'aime pas Mme de Maintenon.

N'avait-il pas, à genoux et en larmes, supplié que le roi ne l'épouse pas, avant d'accepter d'être témoin du mariage ?

Louis pense à cela, en passant en revue un peloton de cavalerie.

Il ordonne que cette troupe change d'emplacement, s'avance au plus près des tranchées.

Quelques heures plus tard, il retrouve le peloton à la même place. Il s'étonne auprès du capitaine. L'officier répond que M. de Louvois lui a donné l'ordre de ne pas bouger.

— Mais ne lui avez-vous pas dit que c'était moi qui vous avais demandé de changer de position ?

— Oui, Sire.

Louis contient sa colère.

Il se tourne vers sa suite.

— N'est-ce pas là le métier de Louvois ? Il se croit un grand homme de guerre et savoir tout.

Il est temps de rabaisser l'orgueil de M. de Louvois.

Il ne veut plus rien tolérer de lui.

Or, maintenant que Mons est tombé, Louvois parle encore plus haut, comme si au Conseil des ministres personne, pas même le roi, ne pouvait s'opposer à lui. Il est le ministre de la Guerre victorieux, celui qui a organisé, rassemblé l'armée qui à Mons a battu Guillaume III d'Orange et d'Angleterre et a fait capituler la ville.

Louis ne peut plus se contenir. Le moment est venu. Il lance :

— Vous paierez ces ordres donnés de votre tête.

Il sait que ces mots creusent entre Louvois et lui un abîme parce que tous les ministres les ont entendus, et qu'un roi ne peut reculer.

Il observe Louvois dont le visage s'est empourpré.

Le silence est pesant, les ministres, les yeux baissés, le corps recroquevillé, se terrent. Louis a l'impression qu'il est seul en face de Louvois.

Celui-ci se lève, jette ses papiers.

— S'il en est ainsi, dit-il d'une voix sourde, enrouée, je ne veux plus m'occuper des affaires.

Il quitte le Conseil.

L'abîme entre eux ne pourra plus être comblé.

Mais il faut savoir attendre.

Louis reste silencieux quand, le 16 juillet 1691, Louvois entre dans la chambre de Mme de Maintenon pour, comme de coutume, présenter les dossiers en cours.

Louis l'écoute. La voix du ministre est voilée, le visage cramoisi. La sueur inonde son front.

Louvois parfois bute sur un mot, se reprend, jette un regard vers Mme de Maintenon, balbutie, passe ses doigts autour de son cou.

Louis l'observe. Cet homme est condamné. Sa superbe a disparu.

Il le renvoie afin qu'il se repose.

Louvois sort à reculons, trébuche.

Il est quatre heures. Il faut attendre.

Et tout à coup des murmures, un brouhaha.

Le premier valet de chambre qui annonce que M. de Louvois s'est fait saigner, au bras droit puis au bras gauche, que les médecins l'ont purgé, lui ont appliqué des ventouses, puis lui ont fait boire de l'eau apoplectique, mais que ces « eaux divines et générales » n'ont servi de rien, ni les autres remèdes.

M. de Louvois est mort sans recevoir les sacrements, de « male mort ».

Louis ne bouge pas. Dieu a choisi.

Il reçoit les courtisans.

Il dit au maréchal de Luxembourg :

— Je ne puis qu'avec déplaisir vous donner part du décès inopinément arrivé du marquis de Louvois.

Puis il sort, marchant d'un pas encore plus lent, alors qu'il se sent leste, délivré.

On l'entoure cérémonieusement, on l'observe avec avidité.

— Je suis bien persuadé de la part que vous prendrez à la perte que j'ai faite, dit-il. Je ne doute point qu'étant aussi zélé pour mon service, vous ne soyez fâché de la mort d'un homme qui me servait bien.

Il sort dans le jardin. Le crépuscule est rouge.

Il ne désire pas aller vers les fontaines comme il le fait chaque jour. Il va et vient le long de la balustrade de l'Orangeraie, d'où l'on voit le logement de la surintendance où Louvois vient de mourir.

Dieu l'a défait d'un homme qu'il ne pouvait plus souffrir.

Il voit s'approcher Monsieur son frère, qui dit :

— Je vous fais mon compliment, Sire, pour la grande perte que vous venez de faire.

Il fixe Monsieur.

— Moi ? Pas du tout. Si Louvois ne fût mort promptement, vous l'auriez vu à la Bastille avant deux jours.

Il est satisfait de la stupéfaction et de l'effroi qu'il lit sur le visage de son frère.

Un roi doit surprendre et savoir inspirer la crainte.

Il annonce qu'il a accepté que le corps de Louvois, comme sa famille le souhaite, soit inhumé dans l'église de l'hôtel des Invalides.

Il nommera le fils de Louvois, le marquis de Barbezieux, au Conseil, et Monseigneur le dauphin assistera à la réunion des ministres.

Mais il ne tolérera plus qu'un de ces ministres dispose d'un pouvoir et d'une fortune aussi considérables que ceux qu'avait acquis Louvois. Et avant lui, Nicolas Fouquet ou Colbert.

Le pouvoir est au roi. Et ce sont des commis qui exécuteront les ordres.

Il veut que cette mort de Louvois, comme l'avait été la mort de Mazarin, marque le commencement d'une nouvelle période de son règne. Il devra tenir entre ses mains toutes les rênes du pouvoir, et ne jamais lâcher l'une d'elles.

Il dit, à un proche de Jacques II qui arrive au château de Saint-Germain et s'inquiète de la disparition de Louvois :

— Dites au roi d'Angleterre que j'ai perdu un bon ministre mais que ses affaires et les miennes n'en iront pas plus mal pour cela.

Il est sûr qu'elles iront mieux parce qu'il les conduira seul.

Mais il veut d'abord qu'il n'y ait pas de doute sur cette mort, et il devine les rumeurs qui, une fois de plus, se répandent dans tout le château.

On dit que Louvois a été victime des empoisonneurs qu'il avait autrefois pourchassés, ou bien que cette « horrible mort », sans que Louvois ait pu penser au salut de son âme, cette mort païenne, avait été décidée, préparée, par Mme de Maintenon, son ennemie. Elle lui avait fait administrer du poison, peut-être placé dans la cruche d'eau fraîche que Louvois avait toujours à portée de main, parce qu'il était souvent fiévreux.

Il ordonne qu'on procède à une autopsie et les médecins concluent à une apoplexie.

Mais il suffit de lire les copies des lettres de la princesse Palatine pour savoir que rien ne pourra dissiper les soupçons.

Élisabeth Charlotte écrit :

«Tous les médecins et barbiers qui l'ont ouvert disent et ont signé qu'il est mort d'un horrible poison. En moins d'un quart d'heure et il était bien portant et mort. Je l'avais même rencontré une demi-heure avant sa mort et lui avais parlé. Il avait bonne mine et une si belle couleur que je lui dis qu'il paraissait que l'eau de Forges lui avait fait du bien. Il voulait me raccompagner par civilité dans ma chambre, mais je lui dis que le roi l'attendait, et ne voulus le lui permettre. Si je l'avais laissé aller, il serait mort dans ma chambre, ce qui eût été un spectacle affreux.

«Puisqu'il devait mourir, j'aurais souhaité que cela eût pu arriver il y a trois ans, ce qui aurait bien arrangé le pauvre Palatinat.»

Cette Élisabeth Charlotte se dresse toujours devant lui comme un obstacle. Elle use des mots comme d'un poison.

Il lit encore :

«Pour ma part j'aurais mieux aimé qu'une vieille conne fût crevée que lui, car elle va être à présent plus puissante que jamais et sa méchanceté se manifestera de plus en plus. Parce qu'elle me hait terriblement, elle s'acharnera tant sur moi que sur d'autres... Je crois qu'un médecin a fait le coup pour plaire à une vieille femme que M. de Louvois a vivement contrariée.»

C'est le roi que Mme la Palatine contrarie.

Il faudra bien qu'elle plie.

Personne ne peut, personne ne doit résister à la volonté du roi.

12.

C'est aujourd'hui, mercredi 9 janvier 1692, que Louis a décidé d'imposer sa volonté à Monsieur son frère, à la princesse Palatine et à leur fils Philippe d'Orléans, duc de Chartres.

Il vient de faire entrer dans ses appartements Monsieur, puis le duc de Chartres.

Monsieur a déjà accepté, baissant la tête.

Voilà des mois que ses mignons s'emploient à le convaincre qu'il doit accepter le mariage de son fils et de Mlle de Blois, la bâtarde de Montespan et du roi. Ils ont été éloquents. Ils ont ainsi respecté les clauses de l'accord : le cordon de l'ordre du Saint-Esprit en échange de cette pression quotidienne sur Monsieur.

Louis fixe le duc de Chartres qui détourne le regard.

Celui-là obéira sans même résister. Il faut simplement lui donner des raisons de capituler.

Louis parle.

Le duc est en âge de se marier, dit-il. Une alliance avec une princesse étrangère est impossible, puisque le royaume de France se bat contre tous les souverains d'Europe. Mais le roi veut lui prouver son affection et sa sollicitude en lui offrant d'épouser Mlle de Blois, sa propre fille. Le pape donnera son accord à cette union entre enfants issus de la même famille royale.

— C'est à vous de choisir, conclut Louis.

Il ne quitte pas Philippe d'Orléans des yeux. Le jeune homme paraît perdu, il se tourne vers son père. Mais Monsieur ne dit mot.

— Votre Majesté est le maître de mon destin, dit-il enfin, et je m'en remettrai au consentement de mes parents.

— Cela est bien à vous, mais dès que vous y consentez et vous le faites, et j'en suis fort aise, votre père et votre mère ne s'y opposeront pas.

Louis se tourne vers Monsieur.

— N'est-il pas vrai, mon frère ?

Monsieur opine, avec des mots confus, presque inaudibles.

— Il n'est donc plus question que de Madame, ajoute Louis.

Il n'imagine même pas que la princesse Palatine puisse ne pas céder. Les femmes, fussent-elles reines, doivent se soumettre. Et il n'a que trop attendu, laissant la Palatine écrire, se confier, proclamer partout et à tous qu'elle n'accepterait jamais que son fils épousât Mlle de Blois, et sa fille le duc du Maine.

Il ne l'a pas fait taire. Il lui a même concédé qu'il n'exigerait pas l'union du duc du Maine et de la fille d'Élisabeth Charlotte. Mais, aujourd'hui même, il veut obtenir l'accord de la Palatine pour le mariage du duc de Chartres et de Mlle de Blois.

Ce n'est pas pour satisfaire les ambitions d'Athénaïs de Montespan. Voilà longtemps qu'il lui a retiré l'éducation de Mlle de Blois. Et quand Athénaïs l'a menacé de quitter la Cour, de se retirer au couvent des filles de Saint-Joseph, manière pour elle de faire pression sur le roi, il a accepté aussitôt, exigeant qu'elle abandonne son appartement au château, qu'il a attribué au duc du Maine.

Et celui-ci a jeté par les fenêtres les meubles de sa mère tant il avait hâte d'emménager !

Mais c'est ainsi qu'il faut parfois se conduire avec les femmes. Et il lui est arrivé de rabrouer Mme de Maintenon, qui pourtant se tient en retrait quand les ministres viennent exposer leurs projets, et prend bien garde d'intervenir.

Il n'en va pas de même avec la Palatine, cette Allemande qui se sert de sa plume comme d'une épée, et de ses phrases comme d'un poison.

Le roi la fait entrer à huit heures ce 9 janvier 1692 dans son cabinet.

Elle a l'air courroucée et accablée, hésitant entre la fureur et le désespoir.

— Monsieur et son fils, dit-il d'une voix qu'il veut calme, presque douce, sont d'accord pour le mariage du duc de Chartres avec Mlle de Blois, j'attends votre avis.

Élisabeth Charlotte s'incline, recule d'un pas.

— Quand Votre Majesté et Monsieur me parlez en maîtres, comme vous faites, je ne peux qu'obéir, dit-elle.

Et aussitôt, elle esquisse une révérence et quitte le cabinet.

Il l'imagine, comme une lionne à qui l'on arrache ses petits, se répandant dans les galeries du château, montrant à tous sa colère, son dépit et son désespoir.

Il ne s'est pas trompé. Elle se comporte ainsi au souper du roi, ne regardant pas son fils pourtant assis à côté d'elle, ne pouvant étouffer les sanglots qui la secouent.

Il est sensible à la sincérité de cette femme, qui ne sait rien dissimuler.

Il lui vient à l'esprit cette épitaphe que Charles Perrault a composée pour Louvois. On l'a dite et redite à la Cour, mais qui l'a vraiment entendue ?

Charles Perrault a écrit :

Louvois plus haut que lui ne voyait que son maître
Dans le sein des grandeurs des biens et des plaisirs
Un trait fatal et prompt borne enfin ses désirs
Et ne lui laisse pas le temps de se connaître !
Hélas, aux grands emplois, à quoi sert de courir ?
Pour veiller sur soi-même, heureux qui s'en délivre !
Qui n'a pas le temps de bien vivre
Trouve malaisément le temps de bien mourir.

Il a compris cela, mais il a des devoirs de roi.

Il doit penser à l'avenir de la famille royale, et il doit la réunir, imposer donc ce mariage au fils de la Palatine.

Il veut lui marquer qu'il l'estime, et mesure sa peine.

Il lui fait, à la fin du souper, une longue et basse révérence. Mais lorsqu'il se redresse, elle lui a déjà tourné le dos, et elle a fait un pas vers la porte.

Il veut oublier cette impertinence.

Un roi doit aussi être magnanime, surtout quand il obtient ce qu'il veut. Et les fiançailles et le mariage se préparent, même si la Palatine ne cesse de rechigner. Elle a giflé le duc de Chartres à toute volée. Et son fils, qui a affronté le canon à Mons, n'a pu retenir ses larmes, comme un enfant justement châtié !

Elle ne cesse de critiquer Mlle de Blois, d'insister sur sa laideur, son absence de sourcils, sa tête dodelinante comme celle d'un oiseau malade.

Elle va jusqu'à dire : « Si je pouvais donner mon sang pour empêcher ce mariage, je le ferais. »

Mais quand le roi veut, il faut courber l'échine.

Il l'accueille ainsi que Monsieur, les fiancés, les membres de la famille royale et les Grands de la Cour, dans le salon de ses appartements, où il s'habille en velours noir brodé avec des boutons de diamant. Il a veillé lui-même à ce que la robe de Mlle de Blois soit d'une richesse éblouissante.

Elle l'est, faite d'une étoffe d'or, garnie de diamants et de rubis, et il regarde sa fille et le duc de Chartres avec le sentiment du devoir accompli. Et cette conviction ne le quitte ni lors de la cérémonie de mariage le 18 février 1692, ni pendant le souper où cent cinquante plats suivis par des desserts sont servis, ni pour le grand bal qui se donne au Palais-Royal dont il a fait don à Monsieur et au duc de Chartres.

Il a ignoré la princesse Palatine.

Qu'elle pleure ou tempête, peu importe !

Et qu'Athénaïs de Montespan, la mère pourtant de Mlle de Blois, sanglote seule dans le couvent des filles de Saint-Joseph, n'ayant pas été invitée au mariage de sa fille, n'a pas plus d'importance.

L'intérêt du roi et du royaume, celui de la famille royale doivent seuls être pris en compte.

Et c'est le roi qui décide de ce qui doit être accompli.

Le mariage est conclu et Louis peut maintenant quitter Versailles pour se rendre au camp de Givry, passer en revue cent vingt mille hommes alignés sur quatre rangs et défilant une journée entière.

Il est sûr que c'est le plus grand spectacle qu'on ait vu depuis plusieurs siècles, et Racine, son historiographe, qui se tient près de lui, murmure que même les Romains n'ont pas organisé de telles parades.

Louis, malgré les douleurs qui, après plusieurs heures passées en selle, lui dévorent les jambes et le dos, a l'impression que cela faisait des années qu'il ne ressentait pas une telle énergie, comme si de voir briller les épées et les mousquets, d'entendre les tambours, les trompettes et les cymbales, lui donnait un regain de jeunesse.

Il prend la tête de cette armée, mais il veut que Mme de Maintenon, les dames de la Cour et la famille royale l'accompagnent jusqu'à cette forteresse de Namur, assiégée et dont la reddition doit, après la capitulation de Mons, établir la supériorité du royaume de France sur les puissances coalisées contre lui.

En arpentant les tranchées, en restant en première ligne, il sent bien que sa présence enthousiasme les troupes. Les compagnies de mousquetaires s'élancent à l'assaut de la forteresse, escaladent les rochers, conquièrent des bastions avancés.

Mais il sent aussi que sous cette pluie d'averse qui semble devenir chaque jour plus froide, plus rageuse, et noyer toute la région sous des trombes d'eau, la maladie s'insinue en lui. Il ne peut plus monter à cheval tant les douleurs de la goutte sont vives.

Il veut rester sur les lieux des combats, mais les médecins le supplient de bien vouloir s'installer dans l'une de ces maisons grises de Dinant, cette ville proche de Namur, où la Cour séjourne.

La goutte ne desserre pas ses mâchoires. Il reste alité, lisant les dépêches qui annoncent de mauvaises nouvelles.

L'armée des Impériaux est entrée en Dauphiné. Elle a pris Embrun et Gap. Ses soldats volent et violent, saccagent et détruisent les habitations.

Tout est Palatinat à la guerre.

Et il y a aussi cette défaite navale, Tourville battu à La Hougue, au large du Cotentin.

Il faut s'y résoudre : la mer est dominée par les Anglais et les Hollandais et on ne peut contre eux mener que la guerre de course.

Il décide d'accorder aux corsaires Jean Bart, Duguay-Trouin, des croix de Saint-Louis et même des lettres de noblesse.

Namur est tombé.

Il part rejoindre Versailles, alors que la pluie barre l'horizon. On oublie que devrait commencer, avec l'été, la saison des moissons. Mais que récolter, après des mois de gel et de pluie ? Les pousses de blé percent à peine la terre alors qu'on devrait déjà couper les épis ! Le temps est extravagant, dangereux, et le sol tremble, dans les Flandres.

Il donne des ordres aux intendants pour qu'on fasse, dans les provinces les plus touchées par les intempéries, le gel, le pourrissement des blés par les pluies, des distributions de grain.

Mais comment les payer ? Comment approvisionner les villes où les pauvres sont affamés ?

Il apprend qu'à Paris, place Maubert, des soldats des gardes-françaises ont pillé les boulangeries.

Il faut sévir.

Un roi, quel que soit l'état de son royaume, ne peut accepter que le désordre s'y installe.

Pour l'exemple, on doit punir ces soldats pillards.

Et pourtant, ce sont des gardes-françaises qui, quelques jours plus tard, à Steinkerque, alors que l'armée royale est bien inférieure en nombre aux troupes de Guillaume d'Orange, remportent la victoire.

Le maréchal de Luxembourg a culbuté les compagnies de Guillaume III, qui ont laissé douze mille morts sur le champ de bataille.

Louis est fier d'apprendre que le duc de Chartres a chargé, l'épée à la main, et que, blessé au bras, il a continué de conduire l'assaut. Et les jeunes nobles ont fait preuve d'une égale bravoure, se lançant dans la bataille sans même avoir le temps de nouer leurs cravates de dentelle, qu'ils se contentent d'enrouler autour de leur cou.

Et il voit que toutes les dames de la Cour les imitent, adoptant cette mode des « cravates à la Steinkerque ».

Il a le sentiment que tout le royaume est rassemblé autour de son roi.

Il donne l'ordre qu'on expose dans le chœur de la chapelle du château les drapeaux pris à l'ennemi.

C'est la cause de Dieu que le roi de France défend.

13.

Il est debout devant l'une des fenêtres de la chambre de Mme de Maintenon.

Il regarde le ciel.

La pluie vient de cesser mais, au-delà de l'Orangerie, vers la forêt, en direction de Marly, l'averse comme un rideau épais ferme encore l'horizon. Les nuages sont si bas qu'ils enveloppent la cime des arbres. Et c'est ainsi depuis des mois. Quand le soleil paraît pour à peine quelques heures, après des jours de pénombre, il semble affaibli et presque éteint.

Dieu veut-il punir le royaume de France, en le privant de ses moissons?

Louis a lu les rapports des intendants qui évoquent des dizaines, des centaines de milliers de victimes de la faim et des épidémies. Car les paysans affamés mangent ce qu'ils trouvent, des entrailles de bestiaux que les bouchers viennent d'abattre. Ils font leur pain avec du son, de la terre, des déchets de toute sorte.

Combien de morts? Deux millions?

Louis se tourne.

Il va, en boitant, vers la cheminée. Ses douleurs sont plus vives, comme si le froid et l'humidité qui imprègnent les tissus et les murs désagrégeaient ses os. Il a mal jusqu'au bout de ses doigts, qui se recroquevillent comme des branches rabougries.

Il croise le regard de Françoise de Maintenon, qui comme à son habitude brode. Il devine son inquiétude.

Le lieutenant général de police, La Reynie, a laissé sur la table le rapport qu'il a commenté.

Les grands fours à pain que l'on a installés dans la cour du Louvre ne suffisent plus, a-t-il dit. Les pauvres par milliers se pressent chaque jour, de l'aube à la nuit, pour obtenir, à prix réduit, une miche. On se bouscule, on s'invective, on se bat. La distribution a lieu au Louvre, mais aussi aux Tuileries, à la Bastille, au Luxembourg, dans la rue d'Enfer. Les curés tentent de calmer les impatiences. Ils ont organisé plusieurs processions, pour demander à Dieu la clémence, le retour du beau temps, la fin de cet hiver qui envahit toutes les saisons, et ce, depuis près d'une année déjà.

La voix de La Reynie tremblait. Il a ajouté :

— Tous les marchés ont été aujourd'hui si difficiles qu'il est, ce me semble, impossible d'empêcher qu'il n'arrive quelque grand désordre, si les choses subsistent encore un peu de temps sur le même pied ; car le concours et l'état du peuple qui paraît dans tous les marchés sont tels qu'il n'est plus au pouvoir des officiers et de tous ceux qui concourent à maintenir la sûreté de répondre qu'elle ne sera point troublée.

Il s'est tu longuement, puis, détachant chaque mot, il a repris : « La multitude renouvelle ses menaces, et on y entend dire sans qu'il soit possible d'y remédier qu'il faut aller piller et saccager les riches. »

Louis n'a pas commenté. Un roi doit souvent rester silencieux et demeurer impassible.

Mais il sait que les mêmes scènes se déroulent dans la plupart des provinces, de Beauvais à Chartres, de Rouen à Dijon, de Saint-Malo à Albi.

La mort partout, les chiens et les chats errants traqués comme gibier. Les orties, les herbes folles, cueillies comme toutes les baies que la pluie n'a pas pourries. Et les convois de blé, les greniers et les boulangeries attaqués, pillés.

Au moment où La Reynie s'est incliné avant de se retirer, Mme de Maintenon s'est levée.

— Quant à la misère, a-t-elle dit, nous ne l'ignorons pas ici et Sa Majesté voudrait de tout son cœur la soulager, mais qui peut commander aux éléments, aux cieux, sinon Dieu ? Nous le prions.

Mais est-ce que les prières rempliront les caisses ? Or c'est avec de l'or qu'on achète le blé. Et encore faut-il pouvoir le transporter.

Louis ne bouge pas. Il a l'impression que tout mouvement lui est impossible, comme si ses épaules, ses coudes, ses genoux et ses chevilles étaient prêts à se briser s'il tentait de se lever, de marcher.

Il est comme un arbre que la pluie et le gel ont gangrené.

Il murmure :

— Nous sommes pressés de tous côtés.

La guerre dévore l'argent. On a multiplié et vendu les fonctions jusque-là attribuées par élection. Les maires et les échevins doivent maintenant acheter leurs charges qui deviennent héréditaires. On a augmenté tous les impôts.

Il le sait : cela a davantage étranglé les sujets du royaume que desserré le garrot qui étrangle l'État.

Il faudrait la paix. Et il a envoyé le comte d'Avaux à Stockholm et l'abbé Morel à Bruxelles, pour ouvrir des négociations secrètes avec Guillaume III d'Orange, les princes allemands et l'empereur germanique, mais ces hérétiques veulent arracher au royaume toutes les villes réunies, les territoires annexés, le ramener dans les frontières de 1659, quand lui, Louis le Grand, ne gouvernait pas encore et que le cardinal de Mazarin décidait en souverain, signait la paix des Pyrénées.

Comment peuvent-ils imaginer que Louis le Grand va renoncer à ce que son règne a apporté au royaume?

Il faut donc continuer la guerre et la gagner, ne pas se soucier de ces pamphlets que les imprimeurs d'Amsterdam, de Londres ou de Bruxelles répandent dans toute l'Europe, qualifiant le roi de France d'Antéchrist ou de Nabuchodonosor.

Il va leur rappeler qui il est.

Il part une nouvelle fois pour l'armée de Flandre, en compagnie du dauphin, des maréchaux de Luxembourg, de Villeroy et de Joyeuse.

Il ordonne au général de Catinat d'attaquer au Piémont. À Tourville de concentrer la flotte en Méditerranée. Et d'armer quelques navires pour aller jusqu'au Spitzberg, détruire les baleiniers hollandais.

Catinat à La Marsale défait les Impériaux, et Tourville au large de Lagos envoie par le fond plus de cent navires d'un convoi anglo-hollandais. Quant à la flotte partie pour le Grand Nord, elle coule un tiers des baleiniers hollandais.

« Sa Majesté, dicte Louis, est très satisfaite de ce que les officiers et les équipages ont fait en cette occasion, et elle s'en souviendra quand il y aura lieu de leur faire plaisir. »

Cependant, il sait que la victoire ou la défaite se jouera sur terre.

Il chevauche vers les Flandres, mais il se soucie des bords

du Rhin. Il envoie dépêche sur dépêche aux armées qui sont entrées à nouveau dans le Palatinat.

«J'ordonne à mon cousin, le maréchal duc de Lorges qui commande mes troupes en Allemagne, de se rendre maître de Heidelberg, qu'il exécute mes commandements au plus tôt, qu'il ouvre la tranchée, qu'il force la ville, qu'il obtienne la capitulation du château.»

Il n'est ni ému ni troublé, il n'éprouve aucun regret quand des officiers, hésitants, lui rapportent que Heidelberg a été à nouveau incendiée, que les soldats se sont répandus dans la ville, qu'ils ont pillé, violé, massacré, enfermé les survivants dans la cathédrale, à laquelle ils ont mis le feu, ne rouvrant les portes qu'au moment où les cloches fondaient.

Ils ont alors profané les tombes des électeurs palatins, tranché la tête des cadavres qu'ils ont traînés dans les rues de la ville.

Et il s'agissait des corps du père et du frère de la princesse Palatine.

Comment Élisabeth Charlotte ne se lamenterait-elle pas, et ne condamnerait-elle pas «l'horrible cruauté qu'on a faite en dernier lieu à Heidelberg»? Mais elle n'est pas en charge d'un royaume qui doit faire la guerre et qui doit vaincre.

Louis ordonne de célébrer un *Te Deum* à Notre-Dame, de frapper une médaille, qui représentera Heidelberg détruite par le feu : *Rex dixit et factum*.

Et il proclame qu'il veut «rendre grâces à Dieu et lui demander qu'il Lui plaise, pour mettre le comble à Ses faveurs, de donner à mes peuples une paix solide, que je regarde comme le prix glorieux de mes pénibles entreprises».

Car il est déjà las de la guerre.

Il lui semble que si elle continue d'apporter beaucoup de gloire, elle ne donne plus de grands avantages.

Et puis il y a ce corps de moins en moins agile, ces che-vauchées de plus en plus douloureuses, cette pluie aussi qui ne cesse pas, cette grisaille qui enveloppe tout, s'infiltre dans les chairs et corrompt les os. Et Mme de Maintenon, qui soupire quand elle découvre la rusticité, l'inconfort de ces maisons de Flandre où elle doit attendre le roi.

Surtout, il est devenu, depuis la mort de Louvois, celui dont tout dépend, qui décide, et dont les ministres atten-dent les ordres. Il n'y a plus personne entre lui et eux. Plus de Colbert, plus de Louvois.

Il a le sentiment que l'intérêt de l'État lui commande de retourner à Versailles, de quitter l'armée.

Il le dit au maréchal de Luxembourg aussitôt après avoir appris la chute et la destruction de Heidelberg, et il est surpris par le désarroi que manifeste le maréchal, qui s'age-nouille devant lui, qui lui dit que toute l'armée sera saisie de surprise et de désespoir, que le départ du roi intervient au moment où il suffirait d'attaquer Guillaume III pour le vaincre.

— Sire, vous ne pouvez pas faire cela et quitter l'armée maintenant, répète le maréchal de Luxembourg, toujours à genoux.

Un roi ne cède pas.

Il relève Luxembourg, le charge d'attaquer les troupes de Guillaume III et de le vaincre.

Le jour même, il part pour Versailles et près de lui Mme de Maintenon répète ce qu'il a dit : « C'est l'intérêt de l'État, Sire. »

Il reste songeur : c'est un moment important de son règne.

Il sait qu'il ne commandera plus jamais aux armées sur le champ de bataille, que d'autres – Monseigneur le dauphin, le duc de Chartres – auront la gloire des armes, comme il l'a eue jadis.

Il reçoit, à la fin du mois de juillet, les dépêches du maréchal de Luxembourg annonçant la victoire de Neerwinden.

« Vos ennemis ont fait des merveilles, écrit Luxembourg, vos troupes encore mieux. Pour moi, Sire, je n'ai d'autre mérite que d'avoir exécuté vos ordres. Vous m'aviez dit d'attaquer une ville et de livrer bataille, j'ai pris l'une et j'ai gagné l'autre. »

Les victoires se succèdent : Villeroy prend Huy en Flandre, puis plus tard Charleroi. Les Anglais qui attaquent Saint-Malo, lançant contre la ville un navire transformé en brûlot, en machine infernale, sont repoussés. Et il apprend qu'à Neerwinden le duc de Chartres s'est montré d'une bravoure extrême, menant sous le feu des canons, à cinq reprises, la cavalerie à l'assaut.

Il est fier de celui qui est à la fois son neveu et son gendre, l'époux de Mlle de Blois.

« On chante vos louanges partout, lui écrit-il, et je sens une grande joie de la justice qu'on vous rend. Continuez avec application à vous instruire mais ne hasardez pas toujours, ce que vous avez fait en cette rencontre. »

Il doit mettre en garde le duc de Chartres, ou ses fils, Monseigneur le dauphin, le duc du Maine ou le comte de Toulouse. Ils ont la fougue de la jeunesse. Peut-être Maine est-il le plus timoré, mais les autres semblent ne pas se soucier de la mort.

Or elle est là, aux aguets, il le sait.

Il est entré une nouvelle fois dans l'une de ces chambres que l'on a plongée dans la pénombre, dont on a tiré les rideaux et laissé seulement, au pied du lit, deux grands candélabres, pour à peine éclairer le visage de l'agonisante.

C'est cette fois la Grande Mademoiselle.

Il a conduit la famille royale dans ce palais du Luxembourg où, en ce début du mois d'avril 1693 froid et pluvieux, la Grande Mademoiselle, qui jadis, au temps de la Fronde, avait fait tirer le canon de la Bastille contre les troupes royales, se meurt.

Il se souvient que cette cousine avait rêvé d'épouser Monsieur, puis qu'elle avait été emportée par sa passion pour le duc de Lauzun. Mais tout ce qu'elle a vécu n'est plus que vague souvenir.

Elle lègue ses biens à Monsieur, et il se félicite de lui avoir autrefois arraché de belles propriétés pour le duc du Maine.

Tout cela lui semble vain, alors qu'on célèbre ces funérailles de la Grande Mademoiselle.

Tout à coup, une explosion suivie d'une puanteur écœurante envahit l'église. L'assistance s'affole, s'enfuit, cependant qu'il ne bouge pas. Les dames, peu à peu, reviennent dans l'église, où l'on répand du parfum. Les médecins expliquent que l'urne contenant les entrailles de la Grande Mademoiselle a explosé, parce que les viscères ont été mal vidés, mal embaumés, et que la putréfaction a fait son office, libérant des gaz.

Voilà ce que devient la vie d'une duchesse.

Le roi est resté à sa place, respirant cette odeur de mort qu'il sait déjà reconnaître.

La Grande Mademoiselle avait soixante-trois ans. Il en a cinquante-cinq.

Combien d'années encore Dieu décidera-t-il de le laisser vivre ?

Il le prie. Il le sert. Il finit tous les soirs la journée par le salut : Dieu est partout et honoré partout.

Il veut que l'on sache que la guerre qu'il mène est au service de Dieu, qu'elle a pour but de conduire à la paix.

Il veut qu'on dise, comme le fait Thomas Corneille dans le livret de l'opéra *Médée*, dont la première a lieu à Versailles, le 4 décembre 1693 : « Louis est triomphant, tout cède à sa puissance. »

Mais il préfère la conclusion qui condamne les ennemis :

> *Ils ne cherchent à triompher*
> *Qu'afin de prolonger la guerre*
> *Louis combat pour l'étouffer*
> *Et rendre calme la terre.*

L'Église le sait, l'Église le proclame, et Dieu le sait donc.

Il assiste dans la chapelle de Versailles, en cette fin d'année 1693, à la célébration de l'avent.

— Je dois, dit dans son prêche le père Bourdaloue, bénir le ciel quand je vois, Sire, dans votre personne, un roi conquérant et le plus conquérant des rois...

« Je dois, en présence de cet auditoire chrétien, poursuit Bourdaloue, rendre à Dieu de solennelles actions de grâces, quand je vois dans Votre Majesté un monarque victorieux et invincible dont tout le zèle est de pacifier l'Europe et qui par là est sur la terre l'image visible de Celui dont le caractère est d'être tout ensemble, selon l'Écriture, le Dieu des armées, et le Dieu de la paix.

TROISIÈME PARTIE

1694-1700

14.

Louis serre les accoudoirs de son fauteuil si fort qu'il éprouve une vive douleur dans les avant-bras et que ses ongles s'enfoncent dans le tissu rouge du siège.

Il ne peut détacher ses yeux de cette lettre posée devant lui sur la table. Elle comporte plusieurs pages qu'il a parcourues, et il a l'impression que chaque mot était une flamme qui lui brûlait les joues.

Il s'est tourné vers Mme de Maintenon.

Elle a balbutié qu'elle ne connaissait pas l'auteur de cette lettre qu'on a remise pour le roi, mais qui n'est pas signée.

Il a cru d'abord qu'il s'agissait de l'un de ces pamphlets, comme il en reçoit tant, qu'on imprime à Amsterdam ou à La Haye, et que les librairies reproduisent dans le royaume. Et parfois ils sont d'abord imprimés en France et contrefaits dans les Provinces-Unies.

Le dernier qu'il a lu exprimait les plaintes des gentils-hommes.

« On n'a plus d'égard au rang qu'ils ont toujours tenu dans la monarchie », écrivait-on avant d'ajouter qu'on les faisait « s'épuiser à la guerre et que leurs services étaient mal récompensés », que les intendants et les financiers « n'avaient que la ruine des gentilshommes pour objet ».

Il y avait aussi ces ouvrages vantant la réussite des Hollandais, ou des Anglais, qui avaient créé des banques et qui avaient compris que «la richesse d'un royaume consiste en son terroir et en son commerce» et non dans les conquêtes de territoires.

Vauban lui-même s'était mis de la partie, écrivant un *Projet de capitation*, un nouvel impôt par tête. Vauban s'en prenait aux impôts injustes mal répartis, trop lourds. Il avait justifié son ouvrage en notant : «La pauvreté ayant souvent excité ma compassion m'a donné lieu d'en rechercher la cause.»

Ces textes l'ont irrité.

On ose faire la leçon au roi, comme s'il ne connaissait pas les maux du royaume, et ne cherchait pas les remèdes pour l'en guérir.

Il ne se passe pas de jour qu'un intendant, un lieutenant général, ainsi La Reynie à Paris, ou Pierre de Boisguilbert à Rouen, ne lui parle de la disette qui frappe les provinces et les villes, des épidémies ou des rébellions que la rareté, le prix du grain suscitent.

Il sait tout cela.

Mais un roi ne doit pas se complaire dans la compassion ou dans la contemplation des malheurs de ses sujets. Dieu décidera du retour d'un temps propice aux cultures. Lui seul a le pouvoir de faire cesser les pluies et le froid afin que les moissons soient grasses.

Louis a donc voulu écarter ces écrits et agir en roi. Il a anobli Jean Bart qui, dans la Manche, avec quelques navires corsaires, réussit à protéger des attaques anglaises les convois chargés de blé, acheté au loin.

Il s'est réjoui – et il l'a fait savoir aux officiers – que les troupes de marine aient repoussé un débarquement anglais à Camaret, non loin de Brest. Les navires ennemis ont été incendiés, les soldats tués ou faits prisonniers.

Voilà d'utiles actions.

Il a lu le récit de ces batailles à Mme de Maintenon, et il lui a dit :

— Je sens une grande joie que vous allez partager avec moi.

Et comment s'attarderait-il à ces lamentations sous le poids des impôts quand il craint que la mort ne s'approche à nouveau pour frapper près de lui !

Il a vu s'avancer son médecin, Fagon, dont le visage grave et soucieux l'a inquiété.

Il l'a interrogé du regard.

Fagon a murmuré, comme s'il ne voulait pas que Mme de Maintenon l'entende, que Mme la princesse Palatine a eu une forte poussée de fièvre, des maux de tête, des nausées, un dévoiement et un grand mal de cœur.

Fagon s'est interrompu, s'est penché et a ajouté encore plus bas :

— On craint la petite vérole.

Louis a pensé à la dernière copie de lettre de la Palatine, où elle notait : « Je suis toujours ce que j'ai été ma vie durant, la France ne m'a pas polie, je suis arrivée trop tard. »

Elle parlait cru comme à son habitude. Avec une vigueur joyeuse, elle évoquait les « pets tonitruants » qu'elle échangeait avec Monsieur, en s'esclaffant. Le duc de Chartres, ce courageux cavalier de Neerwinden, avait lancé après avoir entendu les pets de sa mère et de son père : « S'il ne tient qu'à cela, j'en ai autant envie que Monsieur et Madame. » Et son pet avait été le plus sonore.

Elle avait conclu sa lettre en écrivant :

« Ce sont des conversations princières. Si des curieux ouvrent mes lettres, j'offre cet encens en étrennes au premier qui ouvre et lit cette lettre avant vous, ma tante. »

Elle savait que le cabinet noir copiait et traduisait ses missives. Louis n'avait pu s'empêcher d'estimer cette femme dont si souvent les manières et les propos l'irritaient.

— La petite vérole, répète le médecin.

La rumeur de cette maladie qui enfonce ses griffes dans le corps, et le plus souvent l'épuise et le tue, s'est répandue. On ne joue pas avec elle.

Il faut que toute la famille royale quitte Versailles, pour ne pas respirer ce «mauvais air» chargé des miasmes de la petite vérole.

Il donne des ordres. Le dauphin et sa famille, ses domestiques iront au château de Noisy-le-Sec. Les autres s'installeront à Saint-Cloud. Et lui rejoindra Marly, avec Mme de Maintenon et quelques courtisans.

La princesse Palatine ne mourra pas, refusant de suivre les conseils des médecins, se soignant à sa guise, buvant de l'eau glacée, changeant de linge quatre fois par jour, le corps couvert par les boutons de la variole qui heureusement sèchent vite.

Louis est rassuré, la mort a reculé.

Mais il revoit Élisabeth Charlotte, le visage grêlé. En outre, elle a en quelques semaines grossi. Elle dit, sur un ton provocant :

— J'ai toujours été laide, et je le suis devenue plus encore. Je suis carrée comme un dé. Ma peau est d'un rouge tacheté de jaune, je commence à grisonner, mon front et mes yeux tout ridés, mon nez toujours aussi de travers mais très brodé par la variole ainsi que mes deux joues. J'ai les joues plates, un double menton, les dents gâtées. Voyez ma jolie figure!

Il ne la contredit pas. Il baisse les yeux. Tout ce qu'elle dit, il pourrait le reprendre à son compte, même s'il n'a pas été atteint par la petite vérole.

Il est accablé.

Et cette lettre anonyme maintenant qui met ses joues en feu.

Il doit la lire, même si chaque mot perce ses chairs comme un bouton purulent.

« Vos peuples, lui écrit-on, que Vous devriez aimer comme Vos enfants et qui ont été jusqu'ici si passionnés pour Vous, meurent de faim.

« La culture des terres est presque abandonnée ; les villes et la campagne se dépeuplent, tous les métiers languissent, et ne nourrissent plus les ouvriers. Tout commerce est anéanti.

« Par conséquent, Vous avez détruit la moitié des forces réelles du dedans de Votre État pour faire et pour défendre de vaines conquêtes au-dehors.

« La France entière n'est plus qu'un grand hôpital désolé et sans provisions.

« Les magistrats sont avilis et épuisés. La noblesse dont tout le bien est en décret ne vit que des lettres d'État. »

Louis s'interrompt.

Il a l'impression que l'on écrase sa poitrine. Il est sûr que Mme de Maintenon l'observe. Il tourne vivement la tête et il saisit son regard inquiet et apeuré.

Elle connaît l'auteur de cette missive.

Il recommence à lire :

« Pendant que Vos peuples manquent de pain, Vous ne voulez pas voir l'extrémité où Vous êtes réduit.

« Vous craignez d'ouvrir les yeux, Vous craignez qu'on Vous les ouvre.

« Vous craignez d'être réduit à rabattre quelque chose de Votre gloire. Cette gloire qui endurcit Votre cœur Vous est plus chère que la justice, que Votre propre repos, que la conservation de Vos peuples qui périssent chaque jour des maladies causées par la famine, enfin que Votre salut éternel. »

Il étouffe de colère et il est aussi triste que si la mort avait emporté l'un des siens.

Et peut-être même est-il plus désespéré encore.

La lettre continue. L'auteur s'indigne des « louanges outrées qui vont jusqu'à l'idolâtrie » qu'on adresse au roi. Du mal fait par les guerres de conquête : « Votre nom est odieux et toute la nation française insupportable à nos voisins. »

« Le peuple même qui Vous a tant aimé commence à perdre l'amitié, la confiance, et même le respect.

« Vos victoires et Vos conquêtes ne le réjouissent plus ; il est plein d'aigreur et de désespoir. La sédition s'allume peu à peu de toutes parts.

« Votre Conseil n'a ni force ni vigueur pour le bien.

« Du moins Mme de Maintenon et Votre ministre, le duc de Beauvillier, devraient-ils se servir de Votre confiance en eux pour Vous détromper. Mais leur faiblesse et leur timidité les déshonorent et scandalisent tout le monde.

« Voilà, Sire, l'état où Vous êtes. Vous vivez comme ayant un bandeau fatal sur les yeux. »

Il veut se lever, mais son corps lui semble si lourd qu'au contraire il se tasse dans le fauteuil, les mains crispées sur les accoudoirs, les ongles griffant le tissu rouge.

15.

N'est-il donc plus que cela?

Un roi qu'on ose défier!

Un vieil homme qui tousse et qui à chaque quinte a l'impression que sa gorge s'enflamme, que son corps va se briser et son ventre se déchirer.

Et il est contraint, pour la dix-huitième fois ce jour, de s'asseoir sur la chaise percée, de laisser s'écouler ces «sérosités écumantes, ces matières en bouse de vache, huileuses et fort ardentes, pleines de morceaux d'artichaut non mâchés, de petits pois verts», et que commentent les médecins.

Il songe à la princesse Palatine qui, à peine remise, trempe sa plume dans les excréments, pour raconter aux cours allemandes qu'«à Fontainebleau il est impossible de s'installer sur sa chaise percée sans qu'il y passe des hommes, des femmes, des filles, des garçons, des abbés et des suisses».

Elle s'exclame, enviant sa correspondante, une duchesse d'Allemagne :

«Vous êtes bienheureuse d'aller chier quand vous voulez, chiez donc tout votre chien de soûl.»

Lui doit se soulager devant les gentilshommes de la chambre qui ont payé soixante mille écus pour acheter ce brevet et ce privilège.

Mais les actes du roi, même les plus quotidiens, les plus communs, sont sacrés.

Et ce n'est pas le regard des autres qui le gêne, mais ce que lui-même voit de lui – son corps s'affaisse, s'alourdit. Les rides profondes cernent sa bouche.

Il ne peut empêcher ces écoulements du nez et de la bouche. Il subit des fluxions, des furoncles qui encombrent ses oreilles, durcissent sur sa nuque, puis suppurent.

Et la goutte l'empêche de monter à cheval, et le tient prisonnier de son fauteuil.

C'est comme s'il était à la merci de ces lettres, de ces écrits, qui chaque jour se renouvellent.

On le critique, mais on l'insulte aussi.

Il est outragé quand paraît cet ouvrage, *L'Ombre de M. Scarron*, qui révèle son mariage avec Mme de Maintenon et la rend responsable de la guerre qui accable le royaume et dont on ne voit plus la fin.

Il ordonne qu'on se saisisse de l'imprimeur, du libraire, qu'on les livre aux bourreaux afin qu'on les torture et les pende en place de Grève !

Mais il sait bien que le danger pour l'État ne peut venir de ces médiocres pamphlétaires.

Il reprend la lettre anonyme. Voilà une autre encre ! Un autre style ! Ceux d'un Grand, capable d'animer une conjuration, un frondeur de haute lignée qui a l'audace d'écrire, revenant précisément au temps et au ton de la Fronde :

« Vous êtes né, Sire, avec un cœur droit et équitable, mais ceux qui vous ont élevé ne vous ont donné pour science de gouverner que la défiance, la jalousie, l'éloignement de la vertu, la crainte de tout mérite éclatant, le goût des hommes souples et rampants, la hauteur et l'attention à votre seul intérêt. Depuis environ trente ans, vos principaux ministres ont ébranlé et renversé toutes les anciennes maximes de l'État. [...] On n'a plus parlé que du roi et de son plaisir... »

Et cette autre phrase qui lui tord le ventre :

« En voilà assez, Sire, pour reconnaître que vous avez passé votre vie entière hors du chemin de la vérité et de la justice, et par conséquent hors de celui de l'Évangile. »

Celui qui écrit ainsi n'est pas le modeste prêtre qu'il prétend être, mais un Grand, qui veut l'atteindre au cœur en contestant tout ce qu'il a fait depuis qu'il gouverne, et en niant qu'il ait été comme l'avait dit le père Bourdaloue en chaire « sur la terre l'image visible de celui qui est le Dieu des armées et le Dieu de la paix ».

Il interroge à nouveau Mme de Maintenon, il la devine, anxieuse, affolée même.

L'auteur est peut-être ce François de Salignac de La Mothe Fénelon, dont Françoise de Maintenon s'est entichée, qu'elle a introduit auprès des pensionnaires de Saint-Cyr, recommandé à Bossuet.

Il s'en veut d'avoir désigné ce Fénelon comme précepteur du duc de Bourgogne, son premier petit-fils, l'héritier de France.

Il a le sentiment que, de manière insidieuse, on l'a trompé, qu'on s'est servi de Françoise de Maintenon, séduite par cet « amour pur » que vantait Mme Guyon, l'amie de Fénelon.

Et cette bonne dame, à la poitrine généreuse, aux émois mystiques, a même su tromper la vigilance de Bossuet. Et voici ce Fénelon archevêque de Cambrai et maître à penser des pensionnaires de la maison de Saint-Cyr.

Louis s'emporte, s'indigne. Et même s'il ne peut être sûr que Fénelon soit l'auteur de cette lettre anonyme, qui reprend toutes les accusations des ennemis du royaume, ceux d'Amsterdam, de Londres, de Bruxelles, de Genève, de Heidelberg ou de Berlin, il veut sévir, faire condamner les écrits de Mme Guyon comme hérétiques, et il décide qu'elle sera emprisonnée à Vincennes.

Quant à Fénelon, archevêque de Cambrai, et de ce fait duc et prince de l'Empire, il n'est pas possible de le poursuivre, mais il doit rester sous surveillance. Et il faut briser l'influence que son esprit frondeur et hostile exerce sur le duc de Bourgogne.

Le roi doit veiller sur ceux qui lui succéderont.

Mais qui seront-ils ?

Il lui semble que la mort rôde, qu'elle a déjà posé ses griffes sur les corps. Monsieur son frère, son cadet d'un an à peine, avec son ventre rebondi, son nez allongé, semble hanté par l'idée qu'il doit se dépêcher de jouir pour prendre la mort de vitesse.

Monsieur ne le dissimule pas.

Louis l'écoute dire d'une voix provocante que la fin de la fête approche, qu'il ne doit rien épargner, que ceux qui lui survivront se débrouilleront comme ils pourront. Il le voit perdre des sommes considérables aux tables de jeu, s'entourer de nouveaux mignons, plus beaux et plus jeunes, apparaître toujours dans des vêtements extravagants.

Louis s'approche de la princesse Palatine qui regarde Monsieur son époux se conduire comme une femme parée de dentelles et de colliers.

Elle aussi, visage grêlée, n'est plus qu'une vieille grosse qui dit d'elle-même qu'elle a « un derrière effroyable, un ventre, des hanches et des épaules énormes, la gorge et la poitrine très plates ».

Louis la dévisage. Elle lance, provocante :

— À vrai dire, je suis une figure affreuse, mais j'ai le bonheur de ne pas m'en soucier.

Elle montre Monsieur, assis à une table de jeu.

— La fatalité veut, dit-elle, que les gens qui savent bien qu'ils n'ont plus que peu de temps à vivre le passent à se rendre malheureux eux-mêmes et les autres. Il faut qu'ils suivent une autre voie que celle de l'intelligence.

Il ne veut pas s'abandonner à cette fatalité de la débauche qui entraîne son frère, à cet égoïsme qui ne se soucie ni des autres ni de son âme.

Lui est le roi, il a des devoirs vis-à-vis du royaume et de ses enfants. Il veut que les bâtards légitimés, le duc du Maine et le comte de Toulouse mais aussi le duc de Vendôme, l'arrière-petit-fils d'Henri IV, viennent immédiatement, pour la succession, après les princes du sang.

Il sait, par les espions qui arpentent les galeries de Versailles, que la Fronde gronde, après cette mesure, parmi les ducs, que le jeune duc de Saint-Simon, dressé sur ses ergots, se dit ulcéré de cette violation des lois fondamentales du royaume, de cette humiliation infligée à la grande noblesse.

Et nombreux sont ceux qui s'indignent aussi du nouvel impôt, de la capitation, qui frappe chaque chef de famille, fût-il prince ou duc.

« Cette *capitatio*, se répandant généralement sur tous, sera peu à charge de chaque particulier », dit Louis dans sa déclaration royale. Les princes et les ducs sont aussi des sujets du royaume. Et l'État ne doit plus s'en remettre aux financiers, aux usuriers, habiles en affaires extraordinaires, et cherchant d'abord à s'enrichir à l'occasion de ces maniements d'argent.

Cela doit changer, parce que la guerre est de plus en plus coûteuse. Louis voudrait la conclure, mais les ennemis désirent le dépouiller de toute sa gloire, refouler le royaume dans ses anciennes frontières. Et il sent bien qu'ils espèrent qu'il sera affaibli par les critiques qui, à la Cour même, l'assaillent.

Guillaume III compte autant sur Fénelon que sur la flotte anglaise qui bombarde Saint-Malo, Dunkerque, Calais, ou sur les troupes qui s'emparent de Namur.

Il faut répondre, bombarder Bruxelles durant trois jours, afin que la ville, écrasée sous trois mille bombes et mille deux cents boulets rougis au feu, s'embrase.

Mais cette vengeance ne suffit pas. Louis s'impatiente.

Il sent que l'armée n'a plus le même allant.

Le maréchal de Luxembourg vient de mourir. Philippe, duc de Chartres, est trop jeune encore pour commander les armées. De plus, durant l'été 1695, il est terrassé par de fortes fièvres et Louis s'inquiète.

Il ne comprend pas la tactique suivie par le maréchal de Villeroi, le successeur de Luxembourg.

Villeroi a d'abord prétendu qu'une partie des troupes de Guillaume III, commandées par le prince de Vaudémont, étaient à sa merci, qu'il était sûr de les surprendre et de les vaincre.

Puis c'est le silence, rompu par une dépêche que Louis reçoit à Marly :

« La diligence dont M. de Vaudémont a usé dans sa retraite l'a sauvé de mes espérances que j'avais crues certaines. »

Il devine que Villeroi ne lui donne pas les vraies raisons de sa déception.

Il veut interroger le duc du Maine, qui commande l'aile gauche des troupes de Villeroi, celles précisément qui devaient faire mouvement pour attaquer Vaudémont.

Maine est devant lui, pâle, le visage agité de tics, le corps disgracieux, passant d'un pied sur l'autre, boitant, l'épaule basse.

Louis le presse de questions et le duc du Maine balbutie.

Son fils a eu peur d'attaquer Vaudémont.

Louis le congédie sans un mot, le regardant s'éloigner, songeant avec amertume aux espoirs qu'il a placés dans ce fils d'Athénaïs de Montespan et dont Mme de Maintenon a surveillé l'éducation.

Il pense à Philippe, duc de Chartres, le fils de Monsieur, qui s'est distingué dans toutes les batailles, et dont chacun se plaît à souligner les dons multiples.

Il éprouve un sentiment de solitude. Le destin d'un grand roi est-il d'être seul, de ne susciter que l'admiration, la jalousie ou la crainte ?

Il ne peut ainsi faire confiance à personne, qu'il s'agisse de ses fils ou même de Françoise de Maintenon. N'a-t-elle pas cru aux propositions hérétiques de Mme Guyon ? N'a-t-elle pas été l'alliée de Fénelon ?

Il est seul. Il doit se défier de tous.

Il s'assoit à table pour le dîner.

Les courtisans debout en face de lui le regardent. Les valets s'affairent.

Il suit des yeux l'un d'eux, et le voit dérober un biscuit et l'enfouir dans sa poche. Il se lève sans réfléchir et la douleur qu'il ressent à ce mouvement brusque le précipite en avant.

Il commence à frapper le valet avec sa canne, hurlant, le couvrant d'injures, jusqu'à ce que la canne se brise sur les épaules de l'homme qui trébuche, s'enfuit.

Louis regarde les courtisans. Il lit l'étonnement et la peur qui figent leurs visages.

Jamais ils ne l'ont vu ainsi.

Il faut qu'il sorte grandi de cet instant de faiblesse. Il se rassied et, impassible à nouveau, il reprend son dîner. Il engloutit avec avidité, sans les mâcher, des petits pois et des artichauts, puis des asperges et des salades, enfin des fraises, des pâtes de fruits et des biscuits au miel.

Il boit de longues rasades de vin de Bourgogne, que les médecins lui ont dit préférable au champagne.

Il ne faut pas que les courtisans puissent connaître les raisons de sa subite colère, de sa perte de cette maîtrise de soi dont il a fait sa loi.

Ils doivent seulement se souvenir que le roi, qui respecte scrupuleusement l'étiquette, est aussi un souverain imprévisible.

Étonner, dérouter, surprendre : ce sont là les méthodes d'un grand roi.

16.

Il voit le valet qui s'approche, se penche. Il l'entend qui chuchote que Madame attend dans l'antichambre, qu'elle espère être reçue par le roi.

Louis hésite, regarde ses fils, le duc du Maine, le comte de Toulouse, le dauphin, puis Monsieur. Il se tourne vers Mme de Maintenon. Puis sans répondre au valet, il reprend la conversation là où il l'a interrompue.

— Le titre et la source de la noblesse, dit-il, sont un présent du roi, qui sait récompenser au choix les services importants que les sujets rendent à leur patrie.

Il a donc décidé d'anoblir, moyennant finance, cinq cents personnes parmi les plus distinguées du royaume. Et par ailleurs, il fera rechercher les usurpateurs des titres de noblesse. Et il ordonnera ainsi la création d'un armorial où seront recensées toutes les armoiries portées dans le royaume, et l'enregistrement des armes et blasons sera obligatoire et payant.

— Le roi est le seul juge des qualités et titres des sujets, ajoute-t-il.

Il soupire. La goutte, comme des brodequins, lui broie les chevilles, les genoux, les coudes.

Il sait qu'il ne pourrait pas se lever et marcher sans aide. Et il y a aussi ce furoncle qui suppure, lui donne l'impression que dans son cou et sa nuque un sang brûlant bouillonne.

Il ajoute, parce qu'il faut que ses fils et son frère comprennent les raisons des mesures qu'il vient de leur exposer, et se persuadent qu'il n'agit pas pour humilier les vieilles et nobles lignées :

— La guerre assèche les finances du royaume. Je dois trouver de nouvelles sources. Le Conseil, Monseigneur le dauphin le sait, a décidé de publier ces édits sur l'anoblissement et l'armorial.

Il reste un moment silencieux, puis il dit :

— Il nous faut la paix. J'ai envoyé le comte de Tessé à Turin, pour négocier secrètement avec le duc Victor-Amédée de Savoie.

Monsieur fait un pas en avant, approuve bruyamment. Sa fille Anne-Marie d'Orléans est l'épouse du duc.

— Elle est demeurée française comme si elle n'avait jamais passé les Alpes, dit Monsieur, et elle a élevé sa fille, Marie-Adélaïde de Savoie, dans l'amour du royaume de France et de Votre Majesté. Vous êtes son oncle, Sire.

Louis hoche la tête. Marie-Adélaïde de Savoie n'a même pas treize ans, murmure-t-il.

Il regarde Monseigneur le dauphin.

— Votre fils, le duc de Bourgogne, en a près de quatorze.

Il lève la main pour que personne ne parle, ne dise qu'on pourrait en effet marier Marie-Adélaïde de Savoie avec le duc de Bourgogne, et ainsi, grâce à cette union, cet appât, conclure la paix avec la Savoie, la détacher des Impériaux, de l'Angleterre et des Provinces-Unies.

Il garde un instant le bras en l'air et ce geste suffit à déclencher une douleur qui lui paralyse toute l'épaule gauche.

Il repose son bras et, baissant un peu la tête, indique que l'entretien est terminé. Mais au moment où Monsieur s'apprête à sortir, il le retient.

Il entend la voix de Mme la Palatine.

Elle doit être ulcérée de ne pas avoir été reçue. Il sait ce qu'elle va écrire, dire. Il a lu l'une de ses lettres, où elle se plaint comme à son habitude.

« Je suis à nouveau en disgrâce sans l'avoir mérité, a-t-elle écrit. On me traite ici d'une façon bien impolie : on me fait attendre tous les jours à la porte du roi avant de me laisser entrer. On me renvoie même souvent, quoique dans ce moment-là tous les bâtards du roi et Monsieur lui-même se trouvent dans la chambre. Si j'arrive jusqu'au roi, Mme Conne s'en va... »

Il se refuse à évoquer ces propos injurieux avec son frère.

Il ne veut pas que naisse l'un de ces conflits entre membres de la famille royale dont l'écho s'amplifie dans tout le royaume et jusque dans les cours étrangères. Car Élisabeth Charlotte n'est pas femme à se taire, à pleurer en silence. Elle remplirait ses lettres du récit de l'incident et de son indignation.

Il doit parler à Monsieur d'une autre lettre, plus inquiétante et que, grâce au cabinet noir du lieutenant général de police, on lui a remise.

— Votre fils, mon neveu, le duc de Chartres, commence-t-il.

Il montre la lettre. Elle est du marquis de Feuquières, un méchant homme qui se plaît au mal pour le mal, qui autrefois a été compromis, dans cette affaire...

Louis murmure.

Il évoque l'affaire des Poisons. La Chambre ardente. Il ne cite pas le nom d'Athénaïs de Montespan.

Cette lettre du marquis de Feuquières est adressée à l'une de ces sorcières qui vendent poudres, drogues, philtres d'amour.

Le lieutenant général de police a trouvé chez elle une lettre de Feuquières. Le marquis y rappelle la liaison que le duc de Chartres entretient avec une fille de cabaretier devenue l'une de ces jeunes danseuses de l'Opéra qui se vendent au plus offrant. Le duc de Chartres l'a logée, comme une duchesse.

— Il aurait fait, selon Feuquières, un « infâme achat », chez la sorcière.

Louis voit le visage de son frère se décomposer. Il le rassure. Le lieutenant général de police a retiré la lettre avant que les juges n'en prennent connaissance.

— C'est votre fils, répète Louis, c'est mon neveu. C'est un prince de sang royal.

Monsieur baisse la tête, balbutie.

— Peut-être, dit Louis, le duc de Chartres voulait-il, lui qui est curieux de tout, de la guerre et des femmes, d'alchimie et de musique, apprendre le métier de sorcier ?

Il interrompt d'un mouvement de tête les propos indignés de son frère qui jure qu'il va sermonner son fils, le punir.

— La sorcière, dit Louis, est entre les mains de la justice. Elle sera brûlée vive. Si je n'avais retiré cette lettre, le duc de Chartres...

Il fait un effort pour se lever, et il grimace tant la douleur est vive.

Son frère l'assure de son amour, de son dévouement, de sa gratitude. Louis se rassied. Il ne peut porter son corps.

— J'ai de l'amitié et de l'estime pour le duc de Chartres, dit-il. J'ai confiance en lui.

Il hausse le ton.

— Il ne doit pas hanter de telles canailles. Il doit choisir la vertu et non la débauche.

Il fixe son frère, qui baisse la tête et s'éloigne, marchant pesamment, ses dentelles de femme couvrant son habit.

Louis se souvient qu'il avait écrit pour le dauphin, quand il se préoccupait de lui enseigner le métier de roi : « Les rois sont souvent obligés à faire des choses contre leur inclination. Il faut qu'ils châtient souvent et perdent des gens à qui naturellement ils veulent du bien. L'intérêt de l'État doit marcher le premier. »

Il sait que son frère n'entendra pas la leçon qu'il vient de lui donner et ne se réformera pas.

Et qu'il ne le condamnera pas, puisque le sang royal coule dans ses veines. Et qu'il est sacré.

17.

Louis a voulu qu'on tire un feu d'artifice somptueux afin que les gerbes multicolores illuminent le ciel de Paris, et que tous les sujets de la capitale puissent voir se dessiner dans la nuit la silhouette d'Alexandre tranchant le nœud gordien.

Car la paix est enfin signée avec le duc Victor-Amédée de Savoie.

L'alliance du duché avec Guillaume III d'Orange et les Impériaux est rompue.

On a restitué à la Savoie Casal et Pignerol, mais il fallait ce premier traité pour que d'autres soient enfin conclus et que cette guerre se termine.

Et maintenant, Louis est assis dans ce carrosse aux côtés de Monsieur et ils roulent vers Montargis, en ce dimanche 4 novembre 1696, pour y rencontrer Marie-Adélaïde de Savoie, qui doit épouser le duc de Bourgogne.

Les deux héritiers sont si jeunes qu'il faudra attendre plus d'un an pour que le mariage soit célébré, mais Marie-Adélaïde va vivre à la cour de France.

Mme de Maintenon veillera à son éducation, et cette fille d'à peine treize ans lui a déjà envoyé plusieurs lettres, qui ont ému Louis.

L'écriture est enfantine, la spontanéité et la candeur, l'enthousiasme s'y expriment simplement :

« Maman m'a chargée de vous faire mille amitiés de sa part et de vous demander la vôtre pour moi. Apprenez-moi bien, je vous prie, tout ce qu'il faut faire pour plaire au roi », a-t-elle écrit.

Il est impatient de la voir.

Il s'étonne même d'éprouver de la joie, de la gaieté, alors que depuis des mois il ne rit plus, qu'il lui semble qu'autour de lui et en lui, la mort guette.

Il est six heures du soir.

Il aperçoit les porteurs de torches qui entourent le carrosse de Marie-Adélaïde de Savoie. Il a l'impression que son corps est devenu léger. Il descend. Il voit cette petite fille joyeuse qui l'embrasse. Et Monsieur, qui est derrière lui, se précipite, se jette à son cou, l'embrasse aussi.

Il lui rappelle que le duc de Bourgogne ne l'a pas encore saluée. Mais il parle avec indulgence. Monsieur est le grand-père de Marie-Adélaïde de Savoie et lui, le grand-père du duc de Bourgogne.

Le soir il ne peut s'endormir, ému, gai. Il a le sentiment que cette petite fille qui sera duchesse de Bourgogne, et un jour reine de France, a la vivacité d'un soleil levant.

Il veut partager sa joie. Il écrit à Mme de Maintenon :

« À six heures et demie, approchant les flambeaux de son visage, je l'ai considérée de toutes manières pour vous mander ce qu'il m'en semble. Elle a la meilleure grâce et la plus belle taille que j'aie jamais vues, habillée à peindre et coiffée de même, des yeux vifs et très beaux, des paupières noires et admirables, le teint fort uni, blanc et rouge, les plus beaux cheveux noirs que l'on puisse voir. Elle est maigre comme il convient à son âge, la bouche fort vermeille, les lèvres grosses, les dents blanches, longues et très mal plantées, les mains bien faites... »

Il s'interrompt. Il veut assister au souper et au coucher de Marie-Adélaïde de Savoie.

Puis il reprend la plume :

« À dix heures. Plus je vois la princesse, plus je suis satisfait. Je l'ai vue déshabiller; elle a la taille très belle, on peut dire parfaite, et une modestie qui vous plaira. Tout s'est bien passé à l'égard de mon frère. Il est fort chagrin. Il dit qu'il est malade. Nous partirons demain. Je suis très content. »

À Nemours, le lendemain, il voit courir vers le carrosse le duc de Bourgogne venu à leur rencontre avec son gouverneur, le duc de Beauvillier.

Il fait monter son petit-fils dans le carrosse, et il observe les deux jeunes gens, qu'il a fait asseoir de chaque côté de lui.

L'avenir de la famille royale, le destin du royaume sont là, vivants.

La mort recule donc.

Il a l'impression, dans les semaines qui suivent, que Marie-Adélaïde lui donne une part de sa gaieté et de sa jeunesse.

Il a cinquante-huit ans. Elle en a treize.

Il n'a jamais connu la compagnie d'une petite fille. Il remercie Dieu de lui avoir donné cette joie, cette enfant vive et curieuse.

Il veut la voir à chaque instant de la journée.

Il lui fait visiter les jardins, le château. Il la conduit à Marly. Il la fait entrer dans le cabinet où sont exposés ses collections, ses tableaux, ses sculptures. Il veut même qu'elle soit là, près de lui, quand le Conseil se réunit.

Il aime qu'elle vienne se blottir contre lui, qu'elle s'installe sur ses genoux, puis qu'elle coure et qu'elle embrasse Françoise de Maintenon.

Il ne se lasse pas de la regarder jouer avec ses poupées.

Il sait qu'à la Cour, on dit qu'« il n'a rien d'autre en tête que cette enfant ».

Il devine que Monsieur est irrité. Son épouse, la Palatine, a perdu le premier rang qu'elle occupait depuis la mort de la dauphine.

Elle est amère. Élisabeth Charlotte écrit :

« Cette fillette est bien italienne et politique comme si elle avait trente ans. Il y a ici un envoyé de sa cour qui est premier écuyer de sa mère et qu'elle connaît donc bien. Mais elle fait semblant de ne point le connaître, le regarde à peine et ne lui adresse pas la parole, de peur que le roi ne le lui reproche et n'aille croire qu'elle est toujours attachée à sa patrie. Cela ne me plaît pas, car un bon naturel et caractère ne doit point cacher ses propres sentiments et rougir d'aimer ses parents et sa patrie. »

Il n'éprouve aucune colère contre Élisabeth Charlotte. Il a de la compassion pour elle. Elle est grêlée, si grosse, si laide, si vieille déjà, qu'il lui pardonne sa rancœur, sa jalousie.

Il écoute Marie-Adélaïde chanter, et cela suffit pour qu'il se sente heureux.

Elle est la preuve de la bienveillance de Dieu pour le royaume de France.

18.

Il rit et il s'en étonne.

Les grimaces de Marie-Adélaïde de Savoie, ses cabrioles dans la chambre de Mme de Maintenon, sa curiosité, ses élans de tendresse, son avidité aussi, la manière dont, à table, elle lui arrache parfois un fruit confit, une écorce d'orange enrobée de sucre glacé ou bien une pâte de groseille, le distraient un instant, effacent un peu de cette anxiété qu'il réussit à cacher mais qui l'oppresse.

Il lui semble qu'il vit dans une pénombre inquiétante, et que seule Marie-Adélaïde, cette enfant bientôt épouse du duc de Bourgogne, rappelle qu'il existe une lumière joyeuse.

Mais son rire s'estompe vite.

Il n'ignore pas cette misère qui colle au royaume comme une gale, une peste.

Les sujets, tous les sujets, des miséreux aux ducs et aux princes, protestent contre le poids des impôts, la cherté des offices, et pour les plus pauvres se rebellent contre la hausse du prix du pain.

Mais Dieu, s'il a voulu qu'une petite princesse vienne éclairer les jours de Versailles, de Fontainebleau ou de Marly, n'a pas fait cesser le dérèglement des saisons.

Les pluies torrentielles noient les champs, pourrissent les blés en herbe, font déborder les cours d'eau, inondent

villes et villages, emportent les ponts. Et les vents en bour-
rasques déracinent les arbres et arrachent les toits.

Il prie, mais il reçoit des libelles qui l'accusent d'être – on
ose lui écrire cela ! – « un niais pour tout ce qui touche à la
religion », parce qu'il n'aurait jamais lu quoi que ce soit
concernant l'Église, « se contentant de croire bonnement ce
qu'on lui débite là-dessus ».

On lui reproche plus durement encore de ne pas aimer
Dieu. « Vous ne Le craignez même que d'une crainte
d'esclave. Votre religion ne consiste qu'en superstition, et en
pratiques superficielles. »

Il sait bien d'où viennent ces critiques, ces calomnies et
ces rumeurs.

Il y a les huguenots qui n'ont pas renoncé à leur hérésie.

Il y a ces disciples de Mme Guyon, qui professent un « pur
amour de Dieu » sans les œuvres et les prières.

Et enfin il y a tous ceux qui haïssent Françoise de
Maintenon.

À la Cour même, il sait bien qu'on accuse son épouse
d'hypocrisie, de volonté de gouverner le roi à sa guise, au
mieux de ses intérêts et de ceux des prêtres qui l'entourent.

On murmure qu'elle s'est emparée de l'éducation de
Marie-Adélaïde de Savoie pour accentuer son emprise sur le
roi qui s'est entiché de cette petite. Et Mme de Maintenon
se sert d'elle comme d'une poupée avec laquelle elle tient le
roi.

Ce sont ces propos-là qui le blessent le plus. Et le lieutenant général de police lui apprend que les comédiens-italiens
jouent dans leur théâtre de Paris une pièce intitulée *La
Fausse Prude* et que le public s'y presse, et qu'après trois
représentations seulement le succès risque de devenir
triomphe.

Il ordonne qu'on ferme aussitôt le théâtre, et qu'on chasse les comédiens-italiens du royaume.

Mais en dépit de la joie que Marie-Adélaïde lui offre, ce n'est que lorsqu'il reçoit les dépêches envoyées par les négociateurs qui tentent depuis plusieurs mois de conclure la paix avec Guillaume III d'Orange et d'Angleterre, l'Espagne et l'Empire, qu'il a enfin l'impression que l'obscurité se dissipe.

Le traité va être signé au château de Nieuwburg qui appartient aux princes d'Orange, non loin du village de Ryswick.

Cette paix, il sait qu'il la paie cher.

Il ne conserve d'important que Strasbourg et la partie ouest de l'île de Saint-Domingue. C'est bien peu pour près de dix années de guerre et de victoires, de réunions et d'annexions ! Il doit même reconnaître Guillaume III d'Orange comme roi d'Angleterre ! On peut donc être hérétique et souverain, se soumettre à un Parlement qui a le pouvoir de vous déclarer roi.

Il ressent cela comme une défaite dans cette paix qu'il doit pourtant présenter comme une victoire.

Il veut qu'on célèbre un *Te Deum* à Notre-Dame en ce 21 septembre 1697, puis le 30 octobre quand l'Empire à son tour conclut la paix.

On tire un grand feu de joie sur la place de l'Hôtel-de-Ville. Il passe en revue les gardes du corps et les mousquetaires. La foule se presse et cependant il lui semble qu'elle ne manifeste aucun enthousiasme.

Il sait que la princesse Palatine est allée, répétant dans les galeries et les salons de Versailles : « Il faut qu'il y ait un sort sur cette paix générale ; que nulle part on n'en reçoive la nouvelle avec joie quoi qu'on l'eût désirée si longtemps, car le peuple de Paris n'a pas voulu non plus s'en réjouir ; il a fallu pour ainsi dire l'y contraindre. »

Louis s'irrite de ces propos, de ces réserves.

La princesse Palatine dont il a défendu les droits,

obligeant l'électeur du Palatinat à lui verser des dédommagements, a essayé d'obtenir pour le margrave de Bade un traitement de faveur.

Il a refusé. Elle l'a harcelé, de plus en plus amère, comme si son âme, jadis légère, avait changé de la même manière que son corps.

Peut-être aussi ne supporte-t-elle plus que Monsieur dilapide sa fortune avec tel ou tel mignon – qu'il comble de faveurs – ou bien qu'il racole, au vu et au su de tous, les laquais dans les antichambres de son château de Saint-Cloud.

Mais il entend aussi les soupirs de Mme de Maintenon, qui elle aussi semble regretter cette paix, alors qu'elle y aspirait.

Maintenant, elle dit que c'est «une espèce de honte de restituer ce qui a coûté tant d'efforts et de sang!».

Il le sait!

Mais comment ne voient-ils pas, ceux qui sont insatisfaits du contenu du traité, qu'il fallait en finir avec cette guerre-là, en donnant un coup de lancette dans l'abcès, pour se débarrasser de cette maladie, la ligue d'Augsbourg, retrouver la vigueur, penser à une autre partie, celle qui depuis toujours préoccupe les rois de France : la lutte contre l'empereur germanique pour l'empêcher de contrôler l'Espagne, et de tenir ainsi la France entre les mâchoires germanique et espagnole.

Il pense ainsi à chaque instant à l'avenir du royaume et de sa dynastie. Il en a la charge.

Et il est fier et heureux de le voir s'incarner dans ces deux jeunes gens, Marie-Adélaïde de Savoie et le duc de Bourgogne qui, le samedi 7 décembre 1697, s'avancent dans la nef de l'ancienne chapelle de Versailles.

Il a exigé que cette cérémonie et les fêtes qui suivront étonnent par leur magnificence toutes les cours et tous les peuples d'Europe.

Il veut que les habits et les parures soient d'or, que diamants, rubis et émeraudes resplendissent sur les jaquettes et les robes.

Que les Grands s'endettent s'il le faut !

Il préside après la cérémonie religieuse le banquet où l'on sert plus de cent plats.

Puis toute la Cour assiste au plus grand feu d'artifice tiré à Versailles.

Enfin, il entre avec la famille royale dans la chambre où vont se coucher les deux jeunes mariés.

Mais le mariage ne doit être consommé que des mois plus tard.

— Je ne veux pas, dit Louis, que mon petit-fils baise le bout du doigt de sa femme jusqu'à ce qu'ils soient tout à fait ensemble.

Et ils sont trop verts encore pour l'être.

Il attend donc que le duc de Bourgogne se relève, se rhabille et retourne coucher chez lui.

Quatre jours plus tard, le mercredi 11 décembre, il s'avance, précédant le jeune couple dans la galerie des Glaces que les trois rangées de lustres, les centaines de bougies, les candélabres, les flambeaux illuminent d'un bout à l'autre.

On danse le menuet, puis vient le moment de la collation.

Il voit cette foule enrubannée, couverte d'or et de pierres, se précipiter, oubliant l'étiquette et le rang.

Il aperçoit son frère, bousculé, battu et foulé dans la presse des courtisans qui s'agglutinent aux portes pour pouvoir entrer.

Il avance lentement. Les valets qui l'entourent écartent durement la foule, qui parfois reflue et bouscule les valets.

Mais même ce désordre le satisfait.

Jamais la grande galerie de Versailles ne lui a paru si resplendissante.

Et le samedi 14 décembre, il y a autant de presse, une lumière encore plus vive, pour le second bal qu'il a décidé d'y donner.

Et le mardi 17, toute la Cour assiste à Trianon à la première représentation d'un opéra, *Apollon et Issé*, signé André Destouches.

Il lui semble que cette pastorale n'est pas inférieure aux pièces que composait Lully.

Qui osera dire, en cette fin d'année 1697, que Louis le Quatorzième n'est pas Louis le Grand, le Roi-Soleil?

19.

Il fait lentement le tour de la vaste pièce.

Il s'arrête devant l'un des quatre grands miroirs qui se renvoient les images des trois lustres en bronze doré, des tables en marbre, des bronzes, de la pendule et de plusieurs chandeliers à plusieurs branches, des girandoles, placés sur des guéridons veinés d'or et d'ivoire.

Il se voit par ce jeu de miroirs sur toutes les faces.

Il lui suffit d'un regard à droite ou à gauche pour découvrir ses bajoues, les rides qui cernent sa bouche, ce nez de plus en plus aquilin, ce cou gonflé et ce ventre proéminent. Il voit même son dos voûté, et il imagine les replis de peau sous les boucles de sa perruque.

Il lui semble qu'il n'est plus ce roi altier, dominant de la tête et souvent des épaules tous ceux qui l'entouraient.

Le temps l'a tassé.

Il a soixante ans en cette année 1698.

Les serviteurs entrent, portant sur des plateaux dorés les carafes de vin et d'eau de source glacée, des pots de café et de thé, ces boissons qu'il a découvertes il y a peu et qu'il apprécie, malgré les remarques toujours critiques de la Palatine.

Elle n'aime, lui a-t-elle dit, ni le café, ni le thé, ni ce chocolat dont on fait grand cas à la Cour.

«Au thé je trouve un goût de foin et de paille pourrie, au café un goût de suie et de lupin, le chocolat je le trouve trop doux. Que Votre Majesté me pardonne, ça m'est toujours un nouveau sujet d'étonnement que tant de gens aiment le café ; il a pourtant un goût horriblement désagréable. Je lui trouve une odeur d'haleine corrompue. Le défunt archevêque de Paris sentait comme ça. Qu'on me donne une bonne soupe à la bière... »

Il se penche sur les plateaux que les valets ont déposés sur les tables. Il a faim, comme à vingt ans.

Il commence à arracher des morceaux de viande de ces rôtis de veau de Gand, là il y a des chapons de Bruges, des perdrix rouges, des gélinottes des bois, des ortolans.

Puis, rassasié, il sort de la pièce, traverse une antichambre. Les officiers s'y pressent. Dans une grande salle voisine, on a dressé une estrade sur laquelle se trouve le fauteuil royal, placé au-dessous d'un dais, que surplombe son portrait.

Il salue les dames de la Cour qui debout sur l'estrade entourent le fauteuil. Il entend les tambours qui commencent à battre, rejoints par les trompettes. Et il imagine dans la brume de cette chaude journée les régiments qui se mettent en marche.

Il a voulu cette parade de soixante mille hommes dans la plaine non loin de Compiègne.

Il salue les ambassadeurs de toutes les puissances, les princes du sang, Monseigneur le dauphin et le duc de Bourgogne. Il a vu parmi les dames Marie-Adélaïde de Savoie son épouse. Plus loin se tient le roi Jacques II d'Angleterre.

Il faut montrer à tous les souverains que le royaume de France après la paix de Ryswick n'est pas une nation exsangue, à l'armée épuisée, aux caisses vides.

Et c'est pour que, dans leurs dépêches, les ambassadeurs racontent à leurs princes et à leurs rois ce qu'ils ont vu, qu'il a exigé du maréchal de Boufflers que cette parade, ces manœuvres pour l'instruction militaire du duc de Bourgogne étonnent par le spectacle grandiose qu'elles offrent.

Pour loger la Cour et les ambassadeurs, on a construit des maisons de bois, dressé d'immenses tentes dont l'intérieur est recouvert de toiles en satin blanc des Indes sur lesquelles les peintres ont composé des tableaux des batailles victorieuses.

Et, dominant toutes ces constructions, on a élevé la maison du roi, blanc et rouge comme si elle avait été construite en marbre et en briques alors qu'elle n'est qu'en bois peint.

Et le ballet des troupes a commencé. Il l'a contemplé à cheval, ou installé dans un fauteuil placé sur une éminence.

Les dames sont restées dans leur carrosse ou bien se sont assises autour du fauteuil, cependant que les troupes défilaient, donnaient l'assaut, creusaient des tranchées, se livraient à des simulacres de bataille, de siège ou de combat de corps à corps.

Il observe les ambassadeurs, il écoute leurs éloges.

Ils ont compris que le roi de France n'a pas conclu la paix par faiblesse. Que son armée reste la plus puissante. Que ses finances lui permettent de dépenser pour ces manœuvres de vingt-cinq jours près de quinze millions de livres. Et que rien, sinon sa propre décision, ne peut le faire céder.

Il a ainsi reconnu Guillaume III comme roi d'Angleterre, mais Jacques II est toujours son hôte, il ne l'abandonnera jamais.

On ne peut faire plier Louis le Grand.

Il faut qu'on le sache et il a voulu cette parade pour qu'on s'en persuade dans toutes les cours d'Europe.

Car il sait que le grand jeu dont l'issue décidera du sort du royaume d'Espagne va commencer.

Il lit les dépêches de son ambassadeur à Madrid, le marquis Henri d'Harcourt.

Celui-ci lui a fait parvenir un portrait du roi Charles II qui, dans son palais de l'Escorial, vit à trente-sept ans comme un vieillard accablé par la maladie, et qui sait qu'autour de son trône les souverains d'Europe attendent sa mort pour s'emparer ou se partager ses vingt-trois couronnes puisqu'il est sans héritier.

Louis a longuement regardé le visage émacié du roi d'Espagne.

Il a des droits sur ce royaume. La reine Marie-Thérèse était la demi-sœur de Charles II. Elle n'avait renoncé à ses droits que «moyennant» une dot qui n'a jamais été versée.

Il pense à cette succession, presque chaque jour. Il jauge ses petits-fils, les enfants du Grand Dauphin. Le duc de Bourgogne est destiné au trône de France. Mais l'un de ses frères, le duc d'Anjou ou le duc de Berry, pourrait régner à Madrid.

Il doit préparer cette succession, pour empêcher qu'à la mort de Charles II ce ne soit l'un des fils de l'empereur germanique Léopold, veuf de l'une des sœurs de Charles II, qui accède au trône. Et que, autour de Léopold, ne se reconstitue une ligue contre la France.

Il ne veut pas de la guerre. Il le dit à ceux qui, comme la princesse Palatine, s'inquiètent.

«Il ne faut pas être prophète pour deviner que si le roi d'Espagne meurt sans enfant, dit-elle, il s'élèvera une terrible guerre ; toutes les puissances prétendent à sa succession ; aucune d'elles ne voudra céder à une autre et il n'y aura que la guerre qui pourra décider.»

Il sait que la guerre est le grand juge, qu'il ne devra pas

s'y dérober si la grandeur du royaume et la gloire du roi sont remises en question.

Mais il répète à la princesse Palatine ou à Mme de Maintenon qu'il ne veut pas de l'affrontement.

Les sujets du royaume souffrent déjà. La misère les tenaille. Le froid intense, une nouvelle fois, comme si Dieu s'obstinait, réduit ou détruit les récoltes. Les augmentations du prix du grain, et donc du pain, serrent les plus pauvres à la gorge.

La guerre apporterait de nouvelles souffrances.

Il est donc prêt à négocier.

Il reçoit le comte de Portland, l'envoyé de Guillaume III d'Orange et d'Angleterre. Il comble d'honneurs et de cadeaux ce Bentick qui fut le favori du souverain. Il l'admet à la cérémonie du coucher, lui confie le bougeoir, distinction suprême.

Il s'endort avec peine et le sommeil, quand il le trouve, est vite brisé par des cauchemars, une sensation d'étouffement.

Il se lève. Il va jusqu'à la table où les valets ont déposé viandes, fruits et biscuits.

Il mange jusqu'à avoir la sensation que son ventre va se déchirer.

Il s'installe sur sa chaise percée.

Il a soixante ans. Cette affaire de la succession d'Espagne est sans doute la dernière grande affaire de son règne. L'un de ses descendants peut gouverner des Amériques à la Sicile. Ou bien ce peut être un héritier de Léopold de Habsbourg, et se reconstituerait alors ce que les rois de France n'ont jamais accepté : l'empire de Charles Quint.

La guerre s'imposerait. Et il veut l'éviter. Alors pourquoi pas le partage de la succession auquel est favorable, selon le comte de Portland, Guillaume III ?

Il le propose. L'Angleterre, qui n'est concernée que par

l'équilibre des puissances, mais n'a droit à aucune part de l'héritage espagnol, l'accepte.

Il se sent apaisé.

« L'avantage est moindre en apparence, écrit-il à Henri d'Harcourt, mais cet accord abaisse encore la puissance de la maison d'Autriche. »

Et puis c'est la réponse de l'ambassadeur de France. Charles II refuse de voir démembrer à sa mort l'empire d'Espagne et fait de son petit-neveu, le prince Joseph Ferdinand de Bavière, âgé de sept ans, son unique héritier.

Louis prie.

Quelle est la volonté de Dieu ? Donnera-t-il un signe ?

Il apprend quelques semaines plus tard que l'enfant désigné comme héritier de Charles II est mort, frappé par la petite vérole. Il faut revenir au partage. Un accord est esquissé, même si l'empereur proteste. Mais que pourrait Léopold contre l'entente de la France, des Provinces-Unies et de l'Angleterre ?

Dieu a-t-il choisi ?

Qui peut le savoir ?

Louis se tourne vers Mme de Maintenon. Elle est favorable au partage de la succession. Elle craint la guerre, et ses directeurs de conscience, ainsi Jodet, l'évêque de Chartres, pèsent en ce sens.

Mais doit-il faire confiance à ces gens d'Église qui se déchirent entre eux, se drapent dans leur robe rouge et se soucient plus de leurs rivalités et de leurs ambitions que de l'intérêt du royaume ?

Le pape tarde ainsi à condamner Fénelon, qui s'obstine en publiant un livre, *Les Aventures de Télémaque, fils d'Ulysse*, où chacun peut lire une critique d'un roi vaniteux, soucieux seulement de sa gloire et indifférent au sort de son royaume.

Et dans ce roi de Crète Idoménée, chacun reconnaît le roi de France.

Il faut saisir ce livre, qui déjà se répand dans toute l'Europe, après qu'on l'a réimprimé à La Haye.

Il en veut à Mme de Maintenon d'avoir si longtemps succombé aux séductions de Mme Guyon – qu'on l'emprisonne à la Bastille ! – et de Fénelon.

Il lui est toujours aussi profondément attaché, mais il se lasse de ses soupirs, de ses gémissements, et même de ses prières car il imagine les confidences qu'elle doit faire à ses confesseurs.

Ne lui reproche-t-elle pas de trop songer encore à se divertir, à faire répéter des danses dans son cabinet pour la plus grande joie de Marie-Adélaïde de Savoie, duchesse de Bourgogne, et de manquer les vêpres ?

Elle le juge, et un roi ne peut être jugé, même pas par une dévote !

Il reçoit une lettre de l'évêque de Chartres, ce Jodet qui veille sur la maison de Saint-Cyr et a, le premier, critiqué les idées de Mme Guyon et de Fénelon, et leur influence néfaste sur les jeunes pensionnaires de Saint-Cyr.

Jodet, écrit, soucieux de défendre Mme de Maintenon :

« Je serai bien sa caution, Sire, qu'on ne peut vous aimer plus tendrement ni plus respectueusement qu'elle vous aime. Elle ne vous trompera jamais si elle n'est elle-même trompée.

« Il paraît bien visiblement, Sire, que Dieu vous a voulu donner une aide semblable à vous, au milieu de cette troupe d'hommes intéressés et trompeurs qui vous font la cour, en vous accordant une femme qui ressemble à la femme forte de l'Écriture, occupée de la gloire et du salut de son époux et de toutes sortes de bonne œuvres. »

Peut-être.

Mais personne, hormis Dieu, ne peut faire la leçon à Louis le Grand.

20.

Il referme le livre du bout des doigts, avec la pointe des ongles, comme s'il craignait de se brûler à son contact.

Il le rouvre, retrouve aussitôt ces phrases qui, naturellement, le visent, et non le roi de Crète que Fénelon met en scène, et dont la critique doit servir de leçon à Télémaque !

Et Fénelon a été précepteur du duc de Bourgogne qui sera un jour, si Dieu le veut, roi de France !

Louis a le sentiment qu'il a été trompé par Mme de Maintenon, par l'Église, qui a tant tardé à condamner Mme Guyon et l'archevêque de Cambrai, le pape Innocent XII venant seulement de dénoncer les propositions avancées par Mme Guyon, et contraindre ainsi Fénelon à se rétracter.

Il eût fallu mettre ce livre à l'Index.

« Ces grands conquérants, a écrit Fénelon, qu'on nous dépeint avec tant de gloire, ressemblent à des fleuves débordés qui paraissent majestueux, mais qui ravagent toutes les fertiles campagnes qu'ils devraient seulement arroser ! »

Qui évoque-t-il sinon Louis le Grand ?

Et il récidive, écrivant encore : « N'oubliez jamais que les rois ne règnent point pour leur propre gloire mais pour le bien de leurs peuples. »

Louis a l'impression que sa bouche et tout son corps se remplissent d'une humeur amère.

Ceux qui le critiquent croient-ils qu'il ignore que la disette frappe encore de nombreuses provinces, l'Auvergne et le Limousin, le Périgord et le Quercy ou le Rouergue ? Louis a parcouru les enquêtes qu'à la demande du duc de Beauvillier les intendants ont conduites dans leurs provinces. Il sait donc ce qu'il en est du royaume de France, des pauvres ou des hérétiques.

Il s'emporte quand il apprend que dans certaines provinces, on a traîné sur des claies, et mis à pourrir avec les carcasses d'animaux, des cadavres de huguenots.

Et ailleurs, d'autres intendants favorisent les enlèvements d'enfants ou les violences contre les obstinés de l'hérésie.

Il le répète : « Sa Majesté ne veut point qu'on use d'aucune contrainte. »

Mais si l'unité de foi du royaume est en péril, si une poignée de huguenots, ici ou là, résistent ou se rebellent, alors il faudra arracher ces mauvaises graines, pour qu'elles ne soient pas semences d'hérésie.

Il doit agir ainsi, en souverain juste et mesuré, mais ne cédant point, soucieux de sa gloire et de la grandeur du royaume, parce que c'est ainsi qu'il peut apporter le bien à ses peuples !

Il ne l'oublie pas quand il pense à la succession d'Espagne.

Charles II va de plus en plus mal. Et tous les ambassadeurs du royaume de France dans toutes les capitales rapportent qu'il n'est pas un souverain qui ne se préoccupe de l'héritage espagnol.

Il pense sans cesse à cet immense empire.

Le soleil ne se couche jamais sur les possessions espagnoles. Outre l'Espagne et les pays espagnols, Charles II détient le Milanais, les Deux-Siciles, la Toscane, la Sardaigne, les colonies des Indes et celles d'Amérique.

Serait-il digne d'un roi de France s'il abandonnait à un

Habsbourg, allemand, Madrid, Cadix, Anvers, Naples et les richesses des Amériques et des Indes ?

Il est le fils d'infantes aînées d'Espagne, il a été l'époux de la sœur aînée de Charles II. Quant à l'empereur Léopold Iᵉʳ, il n'a été le fils et l'époux que d'infantes cadettes.

Faut-il faire la guerre pour cet héritage, ou bien le partager ?

C'est cela qu'il veut à nouveau, et il arrive à conclure un nouvel accord de partage avec l'Angleterre et les Provinces-Unies.

Dira-t-on que le désir de gloire l'aveugle alors qu'il a choisi de limiter des droits et donc des ambitions légitimes ?

Mais s'il fallait, pour les faire respecter, s'engager dans la guerre, il est prêt à le faire.

Il faut attendre.

Il se rend souvent à Marly, où il a décidé que l'étiquette serait plus légère.

Il le précise chaque fois à ses invités.

— Messieurs, jamais on ne se couvre devant moi, mais aux promenades je veux que ceux qui me suivent ne s'enrhument point et n'aient aucune incommodité, même lorsqu'une princesse est présente. Mettez vos chapeaux, messieurs !

Il rit aux bals masqués qui se succèdent. Le duc de Chartres s'y déguise en personnage de la commedia dell'arte, grimace et se contorsionne.

Et le roi applaudit.

Il se sent plus léger, gai, quand il est ainsi entouré par les membres les plus jeunes de la famille royale.

Et lorsque l'un d'eux quitte la Cour, il ne peut dissimuler son émotion. Il pleure en accompagnant à son carrosse la duchesse d'Orléans – la fille de la Palatine et de

Monsieur – qui vient de se marier avec le duc de Lorraine et va rejoindre son époux à Nancy.

Il serre la main de Marie-Adélaïde de Savoie, duchesse de Bourgogne, elle aussi en larmes.

Il couvre la jeune duchesse de Lorraine de cadeaux somptueux et lui accorde une dot de neuf cent mille livres.

Un grand roi ne mesure pas sa générosité.

On lui rapporte que le duc de Saint-Simon a dit de lui :

« Jamais personne ne donna de meilleure grâce et n'augmenta par là le prix de ses bienfaits... Jamais homme ne fut si naturellement poli ni d'une politesse si fort mesurée... Jamais il n'a passé la moindre coiffe sans soulever son chapeau. »

Louis murmure :

— Cela s'appelle savoir vivre.

Il veut qu'on respecte l'étiquette, telle qu'il la fixe à Marly ou à Versailles. Et il est prêt à se soumettre aux règles de l'Église qui ne sont pour lui qu'une étiquette particulière. Il écoute le cardinal de Noailles, archevêque de Paris, qui veut que l'on retranche « trois jours gras » aux mascarades et aux bals.

Le cardinal puis Mme de Maintenon insistent :

— Ces trois jours-là retrancheraient bien des péchés, dit Mme de Maintenon.

Il accepte mais il ne comprend pas cette exigence. Faut-il se punir et cesser de rire ? Une part de lui résiste encore.

Il questionne :

— Un roi doit-il s'humilier ? Un roi doit-il se couvrir du sac et de la cendre pour obtenir le pardon de Dieu, ou la paix ?

Il rentre à Versailles.

Il va recevoir l'ambassadeur du Maroc, Abdalla Bin Aycha.

Il veut, dit-il au baron de Breteuil, chargé d'introduire les ambassadeurs et les princes étrangers, qu'on montre à cet ambassadeur la force de la garde du roi.

On rassemblera les gardes-françaises et les Suisses dans la première cour du château. Ils déposeront à terre leurs armes et leurs tambours, et les étendards seront ployés.

L'ambassadeur sera introduit dans la chambre royale, mais s'arrêtera au bord du tapis, au-dessous et tout contre la marche de l'estrade.

Il le reçoit assis, et se découvre un bref instant, puis écoute les compliments de l'émissaire du souverain du Maroc.

Cela suffit.

Un roi doit toujours se tenir à son rang. Et celui de Louis le Grand est le premier.

Il a cela en tête quand, le 9 novembre 1700, un valet lui remet la dépêche qu'un courrier vient, à bride abattue, d'apporter de Madrid.

QUATRIÈME PARTIE

1700-1704

21.

Il pose la dépêche devant lui, au centre de la table.

Est-ce enfin, ce matin du 9 novembre 1700, la mort de Charles II qu'elle annonce et les dispositions testamentaires arrêtées par le roi d'Espagne ?

Il croise les bras comme pour s'emprisonner, s'empêcher de briser aussitôt les sceaux, de connaître la réponse à cette question qui depuis des mois le hante.

Et c'est pour cela, pour fuir cette incertitude, qu'il a voulu qu'à Marly ou à Versailles, presque chaque jour, on danse, on tire un feu d'artifice, on joue la comédie, on se déguise.

Mais chaque jour aussi, il a pensé à ce moment, quand il saura si Charles II a choisi un héritier pour son empire, et qu'il faudra décider d'accepter son testament ou bien d'appliquer les clauses de cet accord de partage de la succession d'Espagne conclu avec l'Angleterre et les Provinces-Unies.

Il n'est pas impatient.

Tant de dépêches sont arrivées déjà depuis le début de cette année 1700. Et il a si souvent cru que l'instant était venu de trancher, de faire le choix sans doute le plus grave qu'il ait eu à accomplir, celui qui pourrait ouvrir, en ce début du nouveau siècle, à nouveau les portes de la guerre.

Il y a quelques semaines, le 17 septembre, il a fait duc le marquis Henri d'Harcourt, parce que son ambassadeur à Madrid a agi avec efficacité et discrétion, versant de l'or à qui il fallait, s'entretenant plusieurs fois par jour avec le Premier ministre du roi, le cardinal Portocarrero, combattant l'influence du clan allemand, qui tente d'imposer pour héritier l'archiduc Charles de Habsbourg, le fils cadet de l'empereur germanique, Léopold Ier.

Il regarde l'un après l'autre les membres du Conseil des finances, réunis autour de lui.

Il fixe un instant Michel Chamillart, qu'il vient de nommer contrôleur général des Finances, ministre d'État, sur l'insistance de Mme de Maintenon.

Que pense-t-elle de la décision qu'il faudra prendre si d'Harcourt annonce la mort de Charles II ?

Il sait que Françoise de Maintenon est, comme toute dévote, sensible aux choix de l'Église. Et d'Harcourt a écrit, il y a quelques semaines, que le cardinal Portocarrero avait consulté le pape Innocent XII, et que celui-ci s'était prononcé pour la décision de Charles II de ne pas accepter le démembrement de son empire, et de choisir pour successeur un Bourbon, ou à défaut un Habsbourg, mais d'abord le Bourbon de France. Et peut-être l'arrivée à Paris d'un nouvel ambassadeur d'Espagne, Castel Dos Rios, qui s'est montré si déférent, si français, annonce-t-elle ce choix.

Il ouvre les bras, place ses mains de part et d'autre de la dépêche, fixe un long moment cette mer enveloppée de brume qu'est la forêt de Fontainebleau.

Dieu a voulu que ce soit ici, loin de Versailles, que la dépêche soit remise.

Et soit ouverte.

Il brise les sceaux. Il s'est tant contraint qu'il ne ressent d'abord, à lire la dépêche, aucune émotion.

Et pourtant, elle annonce la mort de Charles II qui, dans son testament, établi le 2 octobre 1700, a choisi pour héritier le duc d'Anjou, le second petit-fils du roi de France, à la condition qu'il s'engage à conserver la totalité de l'héritage et à renoncer à ses droits sur la couronne de France.

Si le duc d'Anjou, puis son frère le duc de Berry refusaient cet héritage, Charles II léguerait son empire à l'archiduc Charles de Habsbourg.

Louis lève les yeux.

Il dit seulement que le roi d'Espagne, son cousin et beau-frère, est mort le 1ᵉʳ novembre. Il décrète donc un deuil de cour. La chasse royale prévue est annulée. Les ministres sont convoqués à trois heures, dans les appartements de Mme de Maintenon.

Il ne bouge pas. D'un signe il commande aux valets de faire servir le dîner.

Il croise de nouveau les bras, comme pour contenir l'émotion qui enfin le submerge.

Ce jour du 9 novembre commence une autre histoire de son règne et du monde.

22.

Il est trois heures, ce 9 novembre 1700.

D'un signe, Louis invite son fils, Monseigneur le dauphin, puis le chancelier le comte de Pontchartrain, le duc de Beauvillier, le marquis Colbert de Torcy et Chamillart contrôleur général des Finances, à s'asseoir autour de lui.

Il se tourne vers Mme de Maintenon. Elle baisse aussitôt les yeux, se tasse, comme si elle voulait disparaître, se cacher afin qu'on l'oublie.

Mais il veut que tous, et même Françoise de Maintenon, s'expriment. Il le dit, puis il lit la dépêche. Il répète :

— Mon cousin et beau-frère est mort, et il a choisi pour héritier de son empire mon second petit-fils, le duc d'Anjou.

Il dévisage ceux qui l'entourent.

Le dauphin a les joues empourprées comme un cavalier qui toute la matinée a chassé le loup dans la forêt de Fontainebleau. Les autres tentent de dissimuler leur anxiété. Le chancelier est le plus pâle.

— Messieurs, j'attends votre choix, dit Louis. Le roi de France doit-il accepter le testament du roi d'Espagne ?

Il est étonné par la vigueur avec laquelle son fils parle, s'exprimant le premier, disant qu'il n'abandonnera jamais un seul pouce d'un héritage qui est celui de sa mère et qui revient à son fils Anjou, et qu'il faut donc accepter ce testament qui reconnaît la légitimité des droits de la reine Marie-Thérèse.

Il regarde Mme de Maintenon, qui hésite, puis, comme il ne la quitte pas des yeux, murmure que Monseigneur a raison, qu'il faut accepter ce testament.

Il interroge le duc de Beauvillier. Il le sait proche de Mme de Maintenon. C'est un de ceux qui soutenaient Fénelon, qui l'a même recommandé pour qu'il devienne le précepteur du duc de Bourgogne.

Beauvillier, d'un ton ferme, dit qu'il faut respecter le traité de partage, que l'acceptation du testament provoquera une guerre qui causera la ruine du royaume.

Louis le remercie d'une inclinaison de tête, pour la franchise avec laquelle il a exprimé ses convictions.

Un roi a besoin d'hommes qui savent le contredire.

Il écoute maintenant Chamillart et Torcy, l'un et l'autre favorables à l'acceptation du testament.

Torcy parle de commerce avec les Indes et les Amériques, qui sera désormais ouvert aux navires et aux marchands français, et le futur roi d'Espagne pourrait accorder à une compagnie française l'*asiento*, ce monopole de la traite négrière, le plus fructueux des commerces.

De toute façon, continue Colbert de Torcy, un roi de France peut-il accepter qu'un Habsbourg règne à Madrid? Et ce serait le cas si l'on refusait le testament de Charles II. La guerre est donc, quel que soit le choix, inéluctable. Autant la faire avec l'Espagne pour alliée. Elle a des places fortes et des troupes.

Louis interrompt le marquis de Torcy afin que Pontchartrain s'exprime.

Il ne peut s'empêcher d'éprouver du mépris pour le

553

chancelier qui dit que le roi seul, plus éclairé que ses ministres, peut connaître et décider suivant ses lumières ce qui convient le mieux à sa gloire, à sa famille royale, au bien de son royaume et de ses sujets.

Louis laisse le silence s'établir, puis il dit :

— J'ai décidé.

Puis il précise qu'il faut garder secrète sa décision.

Il n'a pas encore prononcé les mots : «J'accepte le testament de Charles II.»

Il ne veut pas les dire.

Il se tourne vers le dauphin.

— Les droits de votre mère, dont les vôtres et ceux de vos fils, seront respectés, dit-il seulement.

Il attend d'avoir la copie du testament du roi pour annoncer officiellement qu'il l'accepte. Mais il sait que la Cour bruit de rumeurs, que dans une lettre à sa tante la princesse Palatine, toujours aux aguets, écrit :

«Hier tout le monde se disait à l'oreille : "N'en parlez pas mais le roi a accepté la couronne d'Espagne pour M. le duc d'Anjou." Je me tus quand j'entendis à la chasse le duc d'Anjou dans un chemin derrière moi, je m'arrêtai et dis : "Passez grand roi, que Votre Majesté passe." Je voudrais que vous ayez vu l'étonnement de ce brave enfant que j'étais au courant. Le duc d'Anjou a déjà tout à fait l'air d'un roi d'Espagne, il rit rarement et conserve toujours un air de gravité.»

Louis reçoit Colbert de Torcy, qui fait état de l'agitation que les rumeurs provoquent chez les ambassadeurs d'Angleterre, des Provinces-Unies et naturellement chez le représentant de l'empereur germanique.

— La couronne d'Espagne transférée dans la maison de France, ajoute Torcy, c'est l'un des plus grands événements qui soit arrivé depuis plusieurs siècles. Et, Votre Majesté ne l'ignore pas, le plus capable de renouveler incessamment une guerre générale.

Louis ne répond pas. Torcy le sait et l'a dit, dès le 9 novembre, le choix n'est pas entre la paix et la guerre, entre le partage de la succession et l'acceptation du testament, mais entre une guerre ou l'autre, l'une avec l'Espagne pour alliée et l'autre sans elle.

Il ne veut plus attendre pour annoncer son choix.

À Versailles, le 16 novembre 1700, Louis fait ouvrir les deux battants de la porte de son cabinet.

Les courtisans en foule se pressent pour entrer comme il les y invite. Il s'approche du duc d'Anjou qu'entourent ses deux frères, le duc de Bourgogne et le duc de Berry. Leur père, Monseigneur le dauphin, se tient à quelques pas.

Louis regarde son fils et ses petits-fils. Il est ému et fier.

Il dit, montrant le duc d'Anjou :

— Messieurs, voici le roi d'Espagne. La naissance l'appelait à cette couronne. Toute la nation l'a souhaité et me l'a demandé instamment, ce que je leur ai accordé avec plaisir : c'était l'ordre du ciel.

Il se tourne vers le duc d'Anjou.

— Vous êtes Philippe V d'Espagne, dit-il. Soyez bon Espagnol, c'est présentement votre premier devoir, mais souvenez-vous que vous êtes né français.

Il voit l'ambassadeur espagnol Castel Dos Rios qui s'agenouille en pleurant aux pieds de cet enfant, le duc d'Anjou – « mon petit-fils » –, Philippe V d'Espagne.

— Quelle joie, s'écrie Castel Dos Rios, il n'y a plus de Pyrénées ! Elles sont abîmées et nous ne sommes plus qu'un.

Louis entend les compliments des courtisans qui félicitent celui qu'ils appellent déjà Sa Majesté le roi d'Espagne.

Sait-il, cet enfant, ce que c'est que d'être roi ?

23.

Louis est assis dans son cabinet, les avant-bras posés sur les accoudoirs du fauteuil.

Il regarde droit devant lui, vers l'horizon où s'effilochent des nuages bas. Il semble ne pas voir le secrétaire assis en face de lui, et qui attend qu'il commence à dicter.

Il hésite encore.

Il a fait cela autrefois, il y a si longtemps, pour son fils, aujourd'hui père de ce duc d'Anjou qui est maintenant Philippe V d'Espagne.

Mais le dauphin n'écrira pas pour son fils des *Réflexions sur le métier de roi*, qu'il n'a pas exercé encore, et d'ailleurs quel roi sera-t-il, lui qui semble n'aimer que chasser le loup et qui paraît noyé dans la graisse et l'apathie ?

Alors, c'est à lui de parler à son petit-fils.

Il commence à dicter :

Instructions au duc d'Anjou

Il entend la plume crisser. Il ferme les yeux. Il a l'impression qu'il lit.

« 1 – Ne manquez à aucun de vos devoirs, surtout envers Dieu.

« 2 – Conservez-vous dans la pureté de votre éducation.

« 3 – Faites honorer Dieu partout où vous aurez du pouvoir ; procurez sa gloire ; donnez-en l'exemple ; c'est un des plus grands biens que les rois puissent faire.

« 4 – Déclarez-vous en toute occasion pour la vertu et contre le vice. »

Il s'interrompt.

Il a connu les liaisons sacrilèges, ce double adultère avec Athénaïs de Montespan, tant de femmes, Mlle de La Vallière et Mlle de Fontanges.

Il ne pourrait pas, le voudrait-il, se remémorer toutes les coiffes qu'il a saluées d'un coup de chapeau et les jupes qu'il a soulevées.

Il reprend.

« 5 – N'ayez jamais d'attachement pour personne.

« 6 – Aimez votre femme, vivez bien avec elle, demandez-en une à Dieu qui vous convienne. Je ne crois pas que vous deviez prendre une Autrichienne.

« 7 – Aimez les Espagnols et tous vos sujets attachés à vos couronnes et à votre personne ; ne préférez pas ceux qui vous flatteront le plus ; estimez ceux qui pour le bien hasarderont de vous déplaire : ce sont là vos véritables amis. »

Il a l'impression qu'en dictant sa vie défile, qu'il la voit comme dans un miroir, et qu'il peut, tel un spectateur, juger ce qu'il a fait, et exprimer ce qu'il aurait fallu, ce qu'il aurait dû être, et qu'il voudrait que le duc d'Anjou, Philippe V d'Espagne, soit.

« 8 – Faites le bonheur de vos sujets ; et, dans cette vue, n'ayez de guerre que lorsque vous y serez forcé et que vous en aurez bien considéré et bien pesé les raisons dans votre Conseil. »

Il s'arrête.

L'acceptation du testament, c'est la guerre assurée contre l'Empire.

Léopold Ier ne pourra pas accepter que l'Espagne échappe aux Habsbourg pour entrer dans la maison des Bourbons.

Mais les autres, l'Angleterre de Guillaume III, les Provinces-Unies que gouverne un certain Heinsius, un hérétique, s'allieront-elles à l'empereur, considérant que le roi de France les a trompées en signant avec elles des accords pour le partage de la succession d'Espagne et peut-être, en même temps, agissant à Madrid pour que Charles II lègue son empire au duc d'Anjou ?

Supporteront-elles que les marchands français soient favorisés par un roi d'Espagne qui n'oubliera pas qu'il est français ?

Les Anglais voulaient le monopole de la traite négrière. Mais la France le veut. Et Louis sait qu'il est actionnaire de la compagnie qui cherche à s'emparer de tout le commerce du « bois d'ébène ». L'Angleterre et les Provinces-Unies ont toujours défendu leur commerce avec leurs ongles et leurs crocs.

S'ils veulent la guerre, il faudra la faire et l'Espagne sera l'alliée du royaume de France.

Il reprend.

« 9 – Essayez de remettre vos finances ; veillez aux Indes et à vos flottes. Pensez au commerce ; vivez dans une grande union avec la France, rien n'étant si bon pour nos deux puissances que cette union à laquelle rien ne pourra résister.

« 10 – Si vous êtes contraint de faire la guerre, mettez-vous à la tête de vos armées.

« 11 – Songez à rétablir vos troupes partout, et commencez par celles de Flandre. »

Il voudrait tout dire, mais comment presser le suc de toute une vie, afin de le transmettre !

Alors il dit aussi bien « c'est à vous de décider » que « traitez bien vos domestiques mais ne leur donnez pas trop de familiarité et encore moins de créance », ou « ayez une cassette pour mettre ce que vous aurez de particulier dont vous aurez seul la clé », et « jetez quelque argent au peuple quand vous serez en Espagne et surtout en entrant dans Madrid ».

Il sent que sa gorge se serre quand il dicte :

« 27 – Aimez toujours vos parents ; souvenez-vous de la peine qu'ils ont à vous quitter ; conservez un grand commerce avec eux dans les grandes choses et dans les petites.

« 28 – N'oubliez jamais que vous êtes français. »

L'émotion le force à s'interrompre.

Il lui semble qu'il n'a pas dit l'essentiel.

Ce sera le trente-troisième point.

Il le dicte en parlant plus lentement encore :

« 33 – Je finis par un des plus importants avis que je puisse vous donner ; ne vous laissez pas gouverner ; soyez le maître ; n'ayez jamais de favoris ni de Premier ministre ;

écoutez, consultez votre Conseil, mais décidez. Dieu, qui vous a fait roi, vous donnera les lumières qui vous sont nécessaires tant que vous aurez de bonnes intentions. »

Il se tait, renvoie le secrétaire d'un mouvement de tête.
Il est las.
Il a l'impression qu'il vient d'offrir à son petit-fils toute sa vie, et qu'il ne lui reste plus que la tristesse de l'avoir déjà vécue.

24.

Il veut retenir ses larmes.

Il regarde le duc d'Anjou, Philippe V roi d'Espagne, qui est entouré de ses frères et de jeunes gentilshommes. Ils attendent dans les salons du château de Sceaux.

Il voit près d'eux le duc du Maine, qui vient d'acheter le château au fils de Colbert et qui pérore, claudiquant.

Louis détourne la tête.

Il a voulu que toute la famille royale accompagne le duc d'Anjou jusqu'à Sceaux. Au-delà, ses frères, les ducs de Bourgogne et de Berry, chevaucheront avec lui jusqu'à la frontière espagnole avec une escorte, et déjà une cour.

Mais c'est ici, dans ce château de Sceaux, ce 4 décembre 1700, que Louis doit se séparer de son petit-fils.

Et les larmes inondent ses yeux.

Il demande au duc d'Anjou de le rejoindre dans ce salon dont les valets referment les portes derrière eux.

Il voulait être seul avec lui pour ces adieux, et il ne peut parler.

Il lui remet ses *Instructions*, qu'il a dictées et dont il ne peut que lui dire qu'elles sont le fruit de toute sa vie de roi.

Il laisse le duc d'Anjou lui prendre les mains, les embrasser. Alors il le serre contre lui et tous deux pleurent.

Puis il ouvre les portes afin que la famille royale puisse entrer.

Il est surpris par la tristesse de Monseigneur le dauphin.

Il n'imaginait pas que son fils fût à ce point sensible et attaché au duc d'Anjou, qu'il embrasse en pleurant, et tous deux ne paraissent pas pouvoir se séparer.

Il ne voit, autour d'eux, que des visages couverts de larmes.

Mme la Palatine et Marie-Adélaïde de Bourgogne paraissent les plus touchées.

Et le duc d'Anjou sanglote.

Louis craint d'être lui aussi emporté par la tristesse alors qu'il a réussi à étancher ses larmes.

Il lance d'une voix forte :

— Qu'on aille voir si tout est prêt.

Il attend, la gorge nouée.

— Sire, tout est prêt, répond une voix.

Et près de lui il entend le duc d'Anjou, roi d'Espagne, qui murmure :

— Tant pis.

Il lui prend le bras, le conduit jusqu'au perron du château, et tout à coup il ne peut s'empêcher de pleurer.

Il cache son visage sous ses mains.

Le règne de Philippe V, roi d'Espagne, son petit-fils, commence.

Dieu l'a voulu ainsi.

Il monte dans son carrosse, seul.

Combien de temps Dieu le laissera-t-Il être encore Louis le Grand ?

25.

Il s'approche du tableau qu'il a fait placer dans le grand cabinet, là où il reçoit le Conseil, dans cette pièce qui se trouve à côté de sa chambre, au centre du château de Versailles.

Il est ému comme chaque fois qu'il regarde le portrait de son petit-fils. Il a félicité le peintre Hyacinthe Rigaud qui a saisi la jeunesse et la gravité du duc d'Anjou.

Il est fier et inquiet du duc qui lui a écrit pour lui raconter son entrée à Madrid.

« Mon peuple espagnol m'a acclamé, la Cour m'a réservé le meilleur accueil et tous les gentilshommes vous ont loué pour avoir accompli les volontés du roi défunt. »

Cette dépêche n'a pas dissipé son inquiétude.

La guerre est là qui vient.

Il ne la déclenchera pas, mais il agira au mieux des intérêts et de la grandeur du royaume dont il a la charge.

Il s'attarde longuement devant le tableau.

Il n'est plus seulement comptable devant Dieu du royaume de France mais aussi du royaume d'Espagne, puisque Dieu a voulu que ce soit son petit-fils, un roi d'à peine dix-sept ans, qui en soit le souverain.

Et Dieu savait que le duc d'Anjou ne pouvait régner qu'avec l'aide du roi de France.

Il doit donc veiller sur ce petit-fils, et les *Instructions* qu'il lui a remises ne suffiront pas à le protéger des ennemis qui se concertent.

Les Impériaux, Guillaume III, Heinsius à La Haye, préparent une grande alliance.

Et déjà, en Italie, les troupes impériales ont attaqué les régiments de Catinat.

Louis a donné l'ordre de ne pas livrer bataille, pas encore. Que Guillaume III ose déclarer la guerre !

Mais il est sûr qu'elle éclatera, et il ne doit céder sur rien.

Il a présenté au Parlement des lettres patentes, qui ont été approuvées et qui proclament que Philippe V conserve ses droits sur la couronne de France.

Il a répondu au duc de Beauvillier, qui regrettait qu'on ne respectât pas le testament de Charles II, qu'un roi de France était maître de choisir ses successeurs, et qu'il ne pouvait sans lâcheté et reniement priver son petit-fils de l'héritage que Dieu et le sang lui avaient attribué.

— C'est la guerre, a dit Beauvillier.

Comme si Guillaume III, Heinsius, Léopold Ier, et peut-être ce grand électeur du Brandebourg qui vient de se proclamer Frédéric Ier, roi de Prusse, avaient besoin de ce prétexte !

Il suffit aux Anglais et aux Hollandais de savoir que l'*asiento*, la traite négrière, a été attribué à la compagnie de Guinée, qui devra fournir quatre mille huit cents esclaves par an, pour qu'ils se liguent contre le royaume de France. Ils voulaient ce commerce-là et tous les autres.

Leur objectif est de briser les compagnies du royaume ! Et que le roi de France et celui d'Espagne soient parmi les bailleurs de fonds de la compagnie de Guinée leur est une raison de plus de s'opposer à la France et à l'Espagne.

— La guerre ruinera le royaume, a répété le duc de Beauvillier.

Louis a tenté de le rassurer.

Il vient de désigner, a-t-il dit, Michel Chamillart, contrôleur général des Finances, comme secrétaire d'État à la Guerre, et Chamillart sera à même ainsi de trouver les sommes nécessaires au paiement des soldes, à l'achat des armes, des munitions et des approvisionnements.

Chamillart projette de créer une monnaie en billets, qui pourrait suppléer le manque de pièces d'or ou d'argent. Louis a exigé qu'on donne à l'armée et à la flotte tout ce dont elles ont besoin. Et d'abord des hommes.

Il va promulguer une ordonnance pour que, dans tout le royaume, on lève une milice qui constituera une armée régulière venant appuyer les régiments réglés.

Il décide de faire occuper par les troupes les forteresses espagnoles de Flandre, et des renforts partent pour le Milanais. Il a désigné le maréchal de Boufflers pour commander toutes ses troupes, et il sera assisté par le duc du Maine, le comte de Toulouse – mes fils – et par le maréchal de Villeroi. Vauban, qui vient de publier un *Traité de défense des places*, sera à la tête du corps des ingénieurs.

— Qu'on déclare donc la guerre au roi de France et au roi d'Espagne, si on l'ose, a-t-il lancé.

Il quitte le grand cabinet à pas lents, car la goutte le tenaille toujours.

Il entre dans la chambre.

Il ne se lasse pas de cette pièce, où l'immense lit fait face à la ville de Versailles, et qui est le cœur du château.

C'est ici que chaque jour, au grand et au petit lever, et aux couchers, les courtisans viennent l'honorer selon une étiquette qu'il a fixée et à laquelle personne, même les princes du sang, même Monsieur son frère, ne peut se soustraire.

Il s'approche de la fenêtre.

Il regarde le char d'Apollon enveloppé de ses jets d'eau. Ce soir, le soleil dans sa course viendra éclairer ce Roi-Dieu, et le matin l'astre solaire illuminera la chambre.

Il est le Roi-Soleil et Louis le Grand.

Il contemple les jardins, les labyrinthes, les fontaines et les bassins.

Il a voulu tout cela. Il l'a fait surgir du néant.

Il n'y avait là que marais infestés et le modeste pavillon de chasse de son père.

Il voit désormais la ville neuve et, de l'autre côté du château, placé sur une éminence, le parc.

Il éprouve chaque fois qu'il redécouvre cet ordonnancement et ce monde qu'il a créé une joie plus forte que toutes celles que lui ont données les femmes et les victoires.

Il a été à la genèse d'un monde dont il occupe, dans cette chambre et ce grand cabinet, le centre.

Il jouit du plaisir superbe d'avoir forcé la nature.

L'huissier fait entrer Rigaud qui, après s'être incliné, dispose ses chevalets, suggère la pose.

Car Louis veut être peint. Philippe V lui a écrit pour lui demander un portrait de lui, qu'il placerait à l'Escorial.

Il a choisi Hyacinthe Rigaud qui a si bien réussi à représenter son petit-fils.

Mais il veut un portrait en pied, en costume de sacre.

Il s'appuiera sur le sceptre dont il se servira comme d'une canne, ce qui lui permettra de soutenir ce corps dont les os le font toujours souffrir.

Il veut avoir près de lui la couronne et la main de justice. Il portera le glaive et le riche et somptueux manteau du sacre.

Il se regarde dans le miroir pendant que Rigaud peint.

Il met son poing gauche sur sa hanche. Il écarte un peu le manteau, afin qu'on voie ses bas de soie moulant ses jambes dont les dames disaient qu'elles étaient les plus fines, les plus élégantes de tout le royaume.

Il esquisse un pas de danse, et reste ainsi le temps qu'il faut en se contemplant, en oubliant ses douleurs, en pensant que si le tableau ressemble à ce qu'il voit, il demandera à Rigaud d'en faire des copies qui seront envoyées dans toutes les villes du royaume et dans toutes les cours d'Europe.

Il sent, quand il se retrouve seul, que cette station debout, qui pourtant fut brève, Rigaud ayant fait une esquisse qu'il terminera dans son atelier, l'a fatigué.

Il s'irrite de ce corps qui devient un entrelacement de souffrances, d'inconvénients et de malaises.

Il n'a plus de dents. Les derniers chicots sont tombés ou ont été arrachés par ces chirurgiens qui agissent comme des bourreaux.

La goutte continue de le ronger et, même s'il monte à cheval, il ne peut plus chasser le cerf qu'en calèche !

Et il ne se passe pas de jour que les médecins qui l'examinent ne décident de le purger, ou même de le saigner.

Il tend son bras ou sa jambe à Fagon. Il voit son sang couler. Et quelquefois on lui en retire cinq palettes. Puis Fagon lui administre des drogues, des poudres, et convoque les chirurgiens qui incisent un furoncle ou un abcès.

Il subit en silence.

Un roi doit savoir accepter la maladie, cette guerre qui se livre dans le corps, et qu'on ne peut gagner.

Il regarde son portrait en pied, en costume de sacre, tel que Rigaud l'a achevé.

Il est comme il le désirait et de nombreuses copies déjà ont été entreprises. Certaines ont été envoyées aux intendants pour qu'ils les exposent dans leur demeure.

Mais quand il approche de la toile, il ne peut pas regarder longtemps son visage.

Ces bajoues, ces rides, ce cou ne le trompent pas. La

vieillesse est inscrite là, même si, quand il recule de quelques pas, la silhouette est majestueuse, altière.

Mais il ne s'illusionne pas. La mort est au travail. Elle rôde en compagnie de la maladie. Chacun est sa proie.

Le 19 mars, Monseigneur le dauphin, qui rentrait de sa quotidienne chasse au loup, a été frappé par une attaque d'apoplexie.

Louis s'est penché sur le corps paralysé de son fils. Il l'a cru mort. Puis la vie est revenue. Le dauphin s'est redressé. Fagon l'a saigné, le mettant en garde contre les débauches de la table et du lit auxquelles le dauphin s'adonne.

Louis est resté silencieux.

Il a eu le sentiment que Dieu venait de l'avertir, de lui rappeler qu'il pouvait le frapper dans ce qu'il avait de plus cher, ses fils, les membres de la famille royale, et, tout en le préservant lui, le roi, lui infliger les souffrances du deuil.

Et la mort s'abat. Elle emporte le petit-fils de quelques mois de Mme la Palatine.

Il semble à Louis, quand il voit Madame en sanglots, qu'elle est devenue une vieille femme, au corps difforme, aux cheveux blancs, aux chairs flétries.

Elle accuse le médecin d'avoir fait mourir l'enfant de sa fille, la duchesse de Lorraine.

— Il lui a donné en l'espace de douze heures, dit-elle, quatre lavements d'eau de chicorée avec de la rhubarbe, une poudre contre les convulsions, une grande quantité d'une forte eau de mélisse et des gouttes d'Angleterre. Il faut que cela ait étouffé le pauvre enfant.

Il reçoit peu après à Marly, pour le dîner, Monsieur son frère. Et il est saisi par son visage empourpré, son corps alourdi par les excès, le désarroi de son regard, ces brusques silences, puis ces colères qui l'empoignent.

Il l'écoute d'abord avec patience, fasciné par celui qui est son cadet et qui paraît si vieux et si usé.

Puis le ton monte. Monsieur se plaint que son fils, le duc de Chartres, qui s'est rendu illustre par sa bravoure sur les champs de bataille de Flandre, n'ait reçu aucun commandement, alors que le comte de Toulouse, le duc du Maine sont généraux.

Il faut répondre, dire que Chartres mène une vie dissolue.

Monsieur s'indigne. Il a accepté, dit-il, le mariage de son fils avec Mlle de Blois.

— En mariant mon fils à votre bâtarde, dit-il, vous lui avez promis des avantages qui ne sont jamais venus. Ce mariage ne lui a apporté que déshonneur.

— Ma fille a trop de patience avec votre fils, dit Louis.

Il parle haut. Son frère hurle.

Un huissier entre, indique que les courtisans rassemblés dans les salons voisins entendent les cris de Sa Majesté et de son frère.

Cette haine, ce ressentiment tout à coup, ces rancœurs accumulées par Monsieur durant toute une vie, Louis a l'impression qu'ils le salissent comme des vomissures.

Il faut que cela cesse. On n'insulte pas le roi, même lorsqu'on est son frère.

Il ouvre les portes du cabinet, il toise les courtisans qui vont assister au dîner.

Il regarde son frère qui, les yeux brillants de colère, avale les mets avec avidité, boit plus que de raison, s'étouffe presque en engloutissant les fruits, les confitures, les pâtisseries, se lève en titubant, comme s'il était ivre, s'incline à peine devant le roi, annonçant qu'il rentre dans son château de Saint-Cloud.

Louis a la certitude qu'entre eux, après cette dispute, les liens fraternels, maintenus tout au long de la vie, se sont rompus.

Il y a pensé toute la journée, puis lorsqu'après le souper il se retrouve seul dans sa chambre de Marly.

Et il n'est pas surpris quand il entend un bruit de voix qui s'amplifie, dans le château, et qu'un messager, arrivé de Saint-Cloud, lui annonce que Monsieur est au plus mal, qu'à la fin du souper Monsieur s'est effondré, victime d'une crise d'apoplexie. Les remèdes ont été impuissants à le soulager. Il agonise, et il est peut-être déjà mort, à cette heure.

Il faut se rendre au château de Saint-Cloud, affronter la mort qui achève d'envahir ce corps au visage empourpré, à la lèvre pendante, aux yeux révulsés, et qui tente encore de balbutier.

Il est trois heures du matin.

Madame, échevelée, pleure, répète que c'est le plus grand malheur du monde qui la frappe.

Les médecins sont à l'œuvre, penchés sur le mourant.

— La machine va disputer longtemps, dit Fagon.

Louis se rend à la chapelle du château, s'y agenouille.

C'est toute son enfance qui meurt avec son frère.

Qui se souviendra de ces années si lointaines ?

Il pleure quand, vers midi, ce 9 juin 1701, alors qu'il est rentré à Marly, on lui annonce que Monsieur, frère du roi, est mort.

Cette dispute entre eux, quelques heures avant l'agonie, c'était comme une confession violente, une sorte de cri, peut-être aussi comme la protestation devant la mort qui allait venir les séparer et devant l'injustice d'avoir lui, le cadet, à mourir le premier.

Cette mort, c'est comme si on arrachait à Louis une partie de son corps.

Il sanglote.

Mais il refuse de rester dans ses appartements ou bien de dîner seul en compagnie de Mme de Maintenon.

L'étiquette doit être respectée. Il dînera devant la Cour, comme à l'habitude. Il veut que la vie continue.

Il dit au duc de Bourgogne de proposer aux courtisans, après le souper, de jouer aux cartes. Il le fait. On ne doit pas s'ennuyer à Marly. Il faut accepter la mort sans jamais y soumettre la vie.

Mais il se sent amputé, et chaque jour la douleur est avivée par les actes qu'il doit accomplir.

Il faut assister à l'ouverture du testament, régler la vie de Mme la Palatine, favoriser sa réconciliation avec Mme de Maintenon, imposer à la duchesse de Bourgogne, Marie-Adélaïde de Savoie, la présence de Madame alors qu'elle hait la « vieille Allemande ».

— Je veux, dit-il, que Madame soit de tout, elle est ici dans sa famille, et qu'ainsi il faut qu'elle vive comme les autres et qu'elle n'y soit pas retirée.

Elle demeurera donc dans ses appartements et ceux de Monsieur à Versailles. Il apprend qu'elle y a découvert les lettres que les mignons adressaient à son époux.

Elle se confie. Elle les a brûlées sans les lire, prétend-elle, mais elles étaient toutes parfumées des plus violentes senteurs. Certaines contenaient des poils de la maîtresse de ce mignon qui écrivait à Monsieur : « Voilà ce qui vient de cet endroit que vous aimez tant. »

Il veut que la mort efface tout cela. Et il veut que les cérémonies du deuil célèbrent avec faste celui qui était le plus proche du roi.

L'honorer et prier pour lui, c'est aussi le faire pour le roi.

Il veut que les courtisans viennent à son lever en grand manteau de deuil, que le corps de Monsieur soit transporté dans un char de triomphe drapé de noir, bordé d'hermine et surmonté d'un grand dais.

Le cœur de Monsieur est inhumé au Val-de-Grâce, et il veille à ce que les funérailles dans la basilique de Saint-Denis soient d'une pompe royale. Les ducs de Bourgogne, de Berry et d'Orléans conduisent le deuil.

Mais Monseigneur le dauphin a préféré chasser le loup dans la forêt de Saint-Germain.

Il ne le lui reproche pas.

La vie doit, après le passage de la mort, reprendre au plus vite tous ses droits.

Mais en cette année 1701, la mort s'obstine.

Il doit aller veiller au château de Saint-Germain Jacques II qui agonise, qui lui demande de reconnaître son fils Jacques III, roi d'Angleterre.

S'il le fait, c'est un prétexte de plus donné à Guillaume III et au Parlement anglais de déclarer la guerre, alors que quelques jours auparavant, à La Haye, la grande alliance contre le royaume de France préparée depuis des mois a été conclue.

Il réunit, à Versailles, dans le grand cabinet, le Conseil. Il écoute les ministres, qui estiment qu'il ne faut pas reconnaître Jacques III.

Mais ils n'ont pas entendu la voix de Jacques II mourant supplier qu'on fasse de son fils son successeur.

Ils n'ont pas reçu la veuve du roi qui, en sanglotant, a rappelé le souhait de son époux.

Ils n'ont pas écouté les prières de Mme de Maintenon en faveur de Jacques III, souverain catholique, que le Roi Très-Chrétien doit reconnaître, et Dieu se souviendra de ce qui est un acte de piété.

Louis dit, alors que les ministres debout s'apprêtent à sortir du grand cabinet, que Guillaume III est le roi de fait, avec qui l'on doit négocier, mais tout montre qu'il s'y refuse, qu'il préfère la guerre, que les Impériaux ont déjà commencé en Italie, dans le Milanais, où le maréchal de Catinat a été battu. Et il faudra savoir pourquoi.

Il se tait un long moment, puis il ajoute :

— Mais Jacques III est le roi selon le droit et notre cœur, et nous devons le proclamer tel.

Il regarde les ministres baisser la tête et quitter le grand cabinet.

Michel Chamillart se retourne, s'apprête sans doute à parler, mais Louis le toise, et le contrôleur général des Finances et secrétaire d'État sort à son tour.

Louis l'a écrit à Philippe V, en conclusion des *Instructions* qu'il lui a données : «Ne vous laissez pas gouverner ; soyez le maître ; consultez votre Conseil, mais décidez. »

Et il a décidé. Et la guerre, inévitable, est là.

Mais son petit-fils, le duc d'Anjou, est roi d'Espagne, pour la plus grande gloire de la dynastie des Bourbons, en faveur de qui Dieu a choisi.

Et il vient de bénir le mariage de Philippe V avec Marie-Louise Gabrielle de Savoie, la sœur de Marie-Adélaïde, aussi belle et aussi vive qu'elle, dit-on.

Louis se promène en carrosse dans le parc de Versailles, malgré le froid de ce mois de décembre 1701.

Il a fait asseoir en face de lui Marie-Adélaïde, duchesse de Bourgogne, et Madame, la Palatine, la veuve de Monsieur.

Il regarde la duchesse, et c'est la vie triomphante qu'il voit, celle qu'il a vécue, qu'il voudrait vivre encore. Et il imagine le bonheur de ses petits-fils, le duc de Bourgogne et le duc d'Anjou, roi d'Espagne.

Puis il dévisage à la dérobée Madame, et c'est l'autre versant de la vie, celui sur lequel il se trouve, qu'il découvre.

Il voudrait l'oublier.

Mais à chaque cahot du carrosse, il ressent dans les jambes et le dos, jusqu'aux épaules, une vive douleur. Il a soixante-trois ans.

Alors il se souvient de la première phrase du testament de son frère : « La mort attaque également tous sans qu'ils y pensent. »

Et il prie.

26.

Il est assis dans le grand cabinet et il aperçoit au loin, sous le soleil d'hiver, cette lumière d'argent terni, les toits de la ville neuve de Versailles.

Il écoute Michel Chamillart qui, debout devant lui, évoque une nouvelle fois comment, à Crémone, quelques soldats impériaux se sont glissés dans la ville, ont capturé le maréchal de Villeroi, se sont retirés avec lui cependant que les régiments français repoussaient victorieusement l'attaque ennemie.

— Mais le maréchal de Villeroi est toujours leur prisonnier, conclut d'une voix étouffée Chamillart.

Louis a froid.

Il se tourne vers la cheminée. D'un tronc brisé jaillissent des flammes vives, et les braises sont comme des morceaux de métal fondu, qui passe du rouge à l'or.

Il invite d'un mouvement de la tête le contrôleur général des Finances, ministre de la Guerre, à poursuivre. Mais il sait que Chamillart tentera de lui dissimuler ce qui peut déplaire, la rumeur de la Cour et les articles des gazettes étrangères qui se moquent de ce pauvre Villeroi, maréchal de France prisonnier.

Il y a quelques jours, il a convoqué le maréchal de Catinat, battu lui aussi par les Impériaux dans le Milanais. Et Chamillart présent a dû reconnaître qu'il avait bien reçu les missives de Catinat, rendant compte des premières opérations de guerre contre les Impériaux, et les dépêches du maréchal de Boufflers faisant état des attaques des troupes des Provinces-Unies, en Flandre. Partout, la coalition, alors que la guerre n'est pas encore officiellement déclarée, est passée à l'offensive.

Chamillart a finalement avoué qu'il avait donné ces lettres des maréchaux à Mme de Maintenon.

Elle avait sans doute voulu éviter à Sa Majesté les désagréments de ces événements, qui seront effacés par les victoires éclatantes qui se préparent.

Il ne peut en vouloir à Françoise de Maintenon. Elle veut le protéger, et elle agit pour le bien.

Mais il doit tout savoir.

Il veut, en personne, traiter du règlement des armées. Et il veut, seul à seul avec Chamillart, puis le marquis de Chamlay, examiner les plans de bataille, décider des offensives, être ici, à Versailles, au cœur du royaume, le maître des opérations de guerre.

Il a la charge non seulement du sort du royaume de France mais aussi de celui d'Espagne.

Le duc d'Anjou, ce souverain de moins de vingt ans qui ne parle pas espagnol, et sa jeune épouse, Marie-Louise Gabrielle de Savoie, ont besoin de lui. Il n'est pas que le grand-père du duc d'Anjou, il doit être le tuteur de Philippe V.

Il veut que l'ambassadeur d'Harcourt agisse en vice-roi, et c'est avec lui qu'il communique. Et il n'ignore pas que Mme de Maintenon a choisi la *camarera mayor* qui va régenter la vie de la reine et du roi d'Espagne.

Il a vu cette princesse des Ursins, Marie-Anne de La Tré-moille, et il a été frappé par le regard brillant, l'allure altière, la poitrine provocante de cette femme fière, qui doit sur-veiller, conseiller le couple royal d'Espagne et renseigner Mme de Maintenon de tout ce qui survient en tout domaine à la cour d'Espagne.

Louis tend les mains vers les flammes, mais il lui semble qu'il ne réussira plus à réchauffer son corps.

Il ne grelotte pas, mais ses os sont de la glace dont il a l'impression qu'elle peut se briser, laissant son corps rempli de douleurs.

Et elles sont là. Il doit les contenir. Il doit vivre, gagner cette guerre qu'il mène, comme s'il était le roi de deux royaumes, les plus grands du monde.

Et c'est pour cette puissance, cette gloire, qu'on le hait, à Londres, à La Haye, à Vienne et même à Berlin.

La mort de Guillaume III n'a rien changé à cela. Au contraire, Louis a refusé que l'on porte le deuil de cet hérétique, de ce roi de Parlement, et toute l'Europe s'est indignée.

Et même à la Cour, certains gentilshommes ont murmuré qu'il fallait honorer la mémoire d'un souverain, que c'était là l'usage.

Mais ce Guillaume d'Orange n'était pas un roi légitime, seulement un roi de fait. Et la reine Anne Stuart qui lui a succédé, qui est pourtant la fille de Jacques II, a aussitôt déclaré : « On ne saurait trop encourager nos alliés à réduire la puissance exorbitante de la France. »

Il ne se passe pas de jour qu'on ne publie un pamphlet à Amsterdam, à La Haye ou à Londres, contre le « *french tyran* », despote ennemi des droits, et donc de la liberté des peuples.

Il sent cette haine autour de lui. Elle se cache sous les apparences de la dévotion qu'on lui porte.

Il le dit à Chamillart :

— Les gens qui insultent au malheur du maréchal de Villeroi, parce qu'il est prisonnier des Impériaux, s'en prennent à lui parce qu'on connaît l'amitié que j'ai pour lui. Villeroi souffre de la haine qu'on me porte.

Il est inquiet de la voir se répandre dans le royaume.

Il lit les rapports des intendants. Il a exigé de Chamillart qu'on les lui remette dès qu'ils parviennent à Versailles.

Il est seul dans le grand cabinet.

Il doit savoir.

Dans les campagnes, les jeunes paysans tentent par tous les moyens d'éviter l'enrôlement dans la milice.

Ils s'enfuient dans les forêts, se mutilent, se marient pour échapper à ceux qu'ils appellent les «vautours», les «vendeurs de chair humaine», qui les traquent comme du gibier, organisant des battues, encerclant des villages, se saisissant de tous les jeunes hommes, mariés ou pas. Il veut que ce recrutement se poursuive ! Il ne peut pas accepter le refus de servir le roi et le royaume.

Il est celui qui décide de ce qui est bon pour le royaume et ses sujets.

Ils doivent donc se soumettre aux règlements édictés.

La guerre dévore les hommes. C'est ainsi. Et il ne peut tolérer la rébellion. Elle est trahison.

Il dit à Chamillart qu'il faut que partout l'ordre règne. Et l'ennemi veut favoriser la révolte contre le roi.

Toute l'Europe exalte les hérétiques qui, dans les Cévennes, se sont organisés en bandes et bientôt en une véritable armée.

Ils ont commencé par assassiner un prêtre, l'abbé du Chayla, puis mis le feu aux églises, persécutant les catholiques.

Ces hérétiques doivent être réduits. Il n'y a plus de place dans le royaume pour une autre religion que celle du roi.

Comment, plus de quinze ans après la révocation de l'édit de Nantes, osent-ils encore se réunir pour écouter des «prêches» exaltés?

Dans ces «assemblées du désert», les prédicateurs, qui ne sont parfois que des paysans, appellent à la révolte dans toutes les Cévennes. Il faut sévir.

Il charge le maréchal de Montrevel d'en finir avec cette guerre des «camisards».

Il est hostile à l'idée qu'on pende deux camisards pour un meurtre. Mais il faut vaincre ces furieux, ces hérétiques, ces faux «enfants de Dieu», et, pour réduire cette armée et capturer son chef, ce Jean Cavalier qui réussit à tenir en échec plusieurs milliers d'hommes, soldats et partisans catholiques, s'il le faut, alors qu'on «rase» le pays des Cévennes, qu'on en chasse les habitants vers les villes, et que les combattants qui échapperont au mousquet, à la lame ou à la corde soient condamnés aux galères.

Comment un roi, en pleine guerre, pourrait-il tolérer que perdure une rébellion, dans le royaume, qui ne peut que favoriser l'ennemi, sinon être à son service?

Car il lui suffit de lire ce qui s'imprime dans les Provinces-Unies, dans les terres d'Empire et naturellement en Angleterre, pour savoir que l'on espère que cette guerre des camisards sera la saignée qui épuisera le royaume de France.

Et il est lui, Louis le Grand, l'incarnation de ce royaume. C'est donc lui qu'on veut saigner, lui qu'on hait.

Il y a ce Heinsius, grand pensionnaire de Hollande, qui poursuit la politique de Guillaume III, qui a la détermination d'un hérétique, d'un calviniste, et dont Louis se souvient que Louvois l'avait menacé de la Bastille, alors qu'il représentait en France Guillaume d'Orange.

Cet homme-là le hait.

Et il y a pire.

Il pense, chaque fois qu'on parle du prince Eugène de Savoie qui, après s'être illustré au service de l'Empire contre les Turcs, combat victorieusement en Italie les troupes françaises, à Olympe Mancini dont il est le fils.

Cette femme-là, cette nièce de Mazarin qu'il a conquise, puis écartée, est depuis lors son ennemie. Il l'a chassée du royaume parce qu'elle était compromise dans l'affaire des Poisons. Et son fils a hérité de cette haine.

Il y a près de vingt ans à Versailles, Eugène de Savoie lui avait présenté une requête. Il sollicitait le commandement d'une compagnie. C'était parmi la foule des courtisans une voix, une silhouette, que Louis avait paru ne pas remarquer.

Maintenant, il dit à Chamillart :

— Personne n'a jamais osé me regarder avec autant d'insolence, comme un épervier jaugeant sa proie.

Et il y a plus avide que ce rapace, ce John Churchill, duc de Marlborough, inspirateur de la reine Anne d'Angleterre et qui a appris le métier des armes avec Turenne, qui lui aussi, comme Eugène de Savoie, a voulu servir dans l'armée royale, et que Louvois a jugé avec mépris.

De ces trois hommes-là, il ne peut attendre que de la haine, le désir de le vaincre et donc de l'humilier. Et ce sont eux qui suscitent, financent les pamphlets, les articles des gazettes qui représentent le roi de France sous les traits d'un tyran.

Il veut combattre ces calomnies.

Il écoute Colbert de Torcy, le secrétaire d'État aux Affaires étrangères, qui propose de répandre en Europe des lettres qui seraient imprimées à Bâle. Traduites en anglais, en allemand, en latin, elles diffuseraient les arguments du roi de France, sans paraître être l'expression de sa politique.

Il approuve cette «guerre couverte», mais il sait que la victoire naîtra seulement de la résistance et des succès des armées françaises et espagnoles.

Chaque jour, il reçoit dans ce grand cabinet, en même temps que Michel Chamillart, le marquis de Chamlay qui présente l'état des forces, la situation des fronts.

Louis écoute avec attention, note, comptes ses hommes, les mousquets, les canons.

Depuis qu'il est en fait le souverain de deux royaumes, et que la guerre est déclarée, il passe ses journées dans ce grand cabinet, distrait seulement par la course du soleil qui éclaire la pièce.

Et ce passage de la pénombre à la lumière, du gris argenté de l'hiver à l'éclat doré de l'été, puis à la rouille de l'automne, est comme accordé à la succession des batailles.

Français vaincus, puis vainqueurs, Anglais qui tentent de débarquer à Cadix et qui sont repoussés, et ces milliers de morts, et parmi eux le duc de Créqui, qui pourrissent des Flandres au Milanais.

Il reçoit Villars qui vient de remporter à Friedlingen, sur les troupes impériales du margrave de Bade, une victoire éclatante, les contraignant, avec des forces moins nombreuses, à reculer. Et les soldats ont acclamé Villars, aux cris de « Vive le Maréchal ! ».

— C'est d'ordinaire vers les dix heures du soir que Chamillart vient travailler avec moi, dit Louis.

Il lui semble qu'il réussit à chasser de son corps le froid, déjà si pénétrant dans cet automne 1702.

— Pendant plus de trois mois, reprend-il, il ne m'a appris que des choses désagréables. L'heure à laquelle il arrivait était marquée par des mouvements de mon sang. Vous m'avez tiré de cet état.

Il se tait, regarde le feu puis Villars.

— Comptez sur ma reconnaissance, conclut-il.

Villars sera maréchal de France, comme le criaient ses soldats.

Mais le froid revient.

L'ambassadeur d'Harcourt et la princesse des Ursins écrivent tous deux de Madrid qu'une flotte de galions, chargée d'or, arrivant d'Amérique était entrée dans la baie de Vigo.

Elle a été attaquée par une flotte anglaise, qui a fermé la baie, puis s'est emparée des forts protégeant le port où venaient de s'amarrer les galions.

On a débarqué une partie du trésor, mais il a fallu, pour éviter que les Anglais ne s'emparent du reste, incendier et voir couler les quinze galions et leur chargement.

Louis sait que l'or est le sang de la guerre.

Et quand il voit rentrer Chamillart dans le grand cabinet, il devine, à l'expression du contrôleur général des Finances, que cette mauvaise nouvelle venue d'Espagne ne sera pas la seule.

Dans les Cévennes, près d'Alès, dit Chamillart, les camisards de Jean Cavalier ont tendu une embuscade aux troupes de la garnison, qu'ils ont mises en déroute alors qu'ils étaient dix fois moins nombreux.

Louis se tait, puis se lève avec difficulté. La goutte veut le retenir prisonnier, comme un maréchal défait et capturé.

Il se redresse. Il va aller chasser, en calèche, malgré les douleurs et le froid. Il doit continuer à vivre en roi.

Il dit à Chamillart qu'il vient de décider que son petit-fils, le duc de Bourgogne, siégerait au Conseil des finances et au Conseil d'État, afin qu'il y écoute et s'y forme quelque temps sans opiner, mais après qu'il serait bien aise qu'il entrât en tout.

Pour combattre le froid et la mort, vaincre, donc, il fait confiance à la chaleur de la vie qui bat dans le sang de ses descendants.

27.

Il regarde Mme de Maintenon à la dérobée.

Elle porte une robe bleue qui serre son buste, en fait ressortir les formes. Un flot de dentelles noires cache le bas de son visage et son cou.

Le temps ne semble pas avoir de prise sur ses joues roses, lisses.

Est-il possible qu'elle ait deux ans de plus que lui, soixante-sept ans, donc ?

Elle baisse la tête.

En ce début d'année 1703, il pense presque chaque jour qu'il atteindra, dans quelques mois, sa soixante-cinquième année.

Elle pèse sur lui.

On l'a encore saigné ce matin. Les tailleurs ont succédé aux médecins, pour mesurer son tour de taille, afin de lui couper de nouveaux vêtements adaptés à sa corpulence.

Mme de Maintenon, elle, ne change pas. Elle ne se plaint d'aucune maladie. On ne la purge pas, on ne la saigne pas, alors qu'il vient d'apprendre que Mme la Palatine, qui a tout juste cinquante ans, demeure alitée. Elle a depuis deux jours une fièvre continue qui a même eu un redoublement cette nuit.

Il a envoyé son médecin Fagon interroger les médecins qui la soignent, et ce dernier vient de lui faire le compte rendu de leur diagnostic : «Grand mal de gorge, elle perd beaucoup de sang par le derrière, en gros caillots, ce qu'on ne peut pas soupçonner d'être un effet des hémorroïdes. »

Elle ne veut pas qu'on la saigne et refuse de prendre des eaux ferrugineuses. Et elle ne se nourrit que d'un peu de pain.

Il lui rend visite, mais il ne s'attarde pas. Elle somnole, abattue, elle hier encore pleine d'une violente énergie.

Il questionne Fagon. Mais le médecin ne se prononce pas. Madame est forte, mais Madame peut mourir, dit-il. Il faut qu'elle accepte d'être soignée.

Il l'ordonne.

Il rentre dans son grand cabinet, inquiet.

La mort rôde. Il voudrait que le duc de Bourgogne et Marie-Adélaïde de Savoie lui donnent un arrière-petit-fils.

Autour du roi la vie doit bourgeonner.

Il a appris avec joie que le duc de Chartres, devenu depuis la mort de Monsieur, frère du roi, duc d'Orléans, vient d'avoir un fils, Louis !

Il s'agit de la branche cadette, mais il remercie Dieu.

Toute naissance de sang royal est une grâce.

Il regrette, à cet instant, d'avoir nommé le duc de Bourgogne généralissime de l'armée d'Allemagne. Son petit-fils, il l'a appris par Vauban qui en a fait rapport à Chamillart, a eu une conduite héroïque. Il s'est exposé durant le siège de Vieux-Brisach.

Et s'il était atteint par un boulet ou une balle ?

Est-ce que la prise d'une ville vaut la vie d'un petit-fils de Louis le Grand, qui peut un jour régner sur la France ?

Il va écrire à Vauban, pour l'élever à la dignité de maréchal de France, et en même temps lui commander de renvoyer à Versailles le duc de Bourgogne, d'ordre du roi.

Qu'il apprenne son métier de roi en assistant aux Conseils, plutôt que de braver l'ennemi et de risquer d'en mourir !

Il s'installe à sa table.

Les lettres, les rapports s'entassent. Il les ouvre, les parcourt.

Il doit vivre jusqu'à ce qu'il ait gagné cette guerre. Qui d'autre pourrait conduire le royaume ?

Le dauphin chasse le loup. Le duc de Bourgogne est courageux, mais que sait-il de la conduite des affaires ?

Louis lève les yeux, regarde le portrait de Philippe V.

Et ce petit-fils, serait-il capable de lui succéder, de gouverner à la fois l'Espagne et la France ?

Philippe V ne paraît même pas pouvoir faire régner l'ordre autour de lui à Madrid, tout en ayant l'ambition de régner seul.

Louis a appris que Philippe veut chasser le cardinal d'Estrées, le nouvel ambassadeur de France, chargé de le guider.

Sans doute a-t-il succombé aux charmes de la princesse des Ursins, qui veut écarter d'Estrées, être la seule à conseiller le roi. Et d'Estrées l'accuse de vouloir chasser les Français de l'entourage de Philippe V pour mieux le tenir sous sa coupe.

Louis interroge Mme de Maintenon, à laquelle la princesse des Ursins réaffirme dans chaque lettre sa fidélité.

Il dit qu'il choisit d'Estrées et Mme de Maintenon baisse la tête, murmure que la volonté de Sa Majesté doit l'emporter sur toutes les autres.

Soit. Il écrit à Philippe V :

« Je choisis d'Estrées comme l'homme le plus consommé dans les affaires. Et au moment où vous avez le plus besoin de ses talents; quand il est plus nécessaire de prendre de promptes résolutions pour votre sûreté et celle de votre royaume, vous faites voir en vous une malheureuse facilité à croire que, tout d'un coup, vous pouvez gouverner seul une monarchie que le plus habile de vos prédécesseurs aurait eu peine à conduire dans l'état où elle est présentement.

« Je vous aime trop tendrement pour vous abandonner.

« Vous me réduirez cependant à cette fâcheuse extrémité si je cesse d'être informé de ce qui se passe dans vos Conseils.

« Il n'est pas juste que mes sujets soient absolument ruinés pour soutenir l'Espagne malgré elle. »

Il se sent apaisé d'avoir ainsi tranché, averti Philippe V de sa décision, agi au mieux des intérêts du royaume qui, il n'a pas menti, souffre.

Louis a accepté que Chamillart crée un nouvel impôt, de un pour cent sur les ventes de biens immobiliers. Et le pays grogne. Mais peut-on faire la guerre sans finances abondantes?

Et même avec ce nouveau prélèvement, elles ne le sont guère.

Et les hommes manquent aussi, malgré la levée de la milice, et parce qu'il faut distraire des milliers d'hommes, une armée, pour tenter de briser la révolte de ces camisards, de ces hérétiques qui dans les Cévennes continuent leur guerre.

Il lit les rapports de l'intendant Basville, du maréchal de Montrevel.

Ils lui écrivent que les camisards « ont élu des chefs parmi eux qui sont à la vérité d'une naissance abjecte, mais qui réparent ce défaut par beaucoup de courage et de capacité ».

Ils mènent une guerre d'embuscade. Même les femmes huguenotes ont pris les armes et crient «Tue! Tue! Vive l'épée de l'Éternel!».

Les condamnations aux galères, les pendaisons, les exécutions de centaines de camisards, l'incendie des villages, et même les défaites que leur inflige Montrevel, sa cruauté, ne parviennent pas à les réduire.

Au contraire, ils deviennent féroces, brûlent et égorgent les catholiques. Et des navires anglais viennent croiser devant Sète, sans doute avec l'intention de leur porter secours en débarquant des troupes hérétiques.

Un roi doit savoir être sans pitié.

Il faut étouffer, dit-il, cette prise d'armes, cette rébellion qui est l'alliée des ennemis du royaume.

Il n'est pas surpris d'apprendre que parce qu'on imagine le royaume affaibli, atteint par cette gangrène camisarde, des souverains, d'abord rangés à ses côtés, l'abandonnent.

Le Portugal du roi Pierre II signe un traité avec l'Angleterre, et menace ainsi l'Espagne.

Il faut donc renoncer à imposer à Philippe V ce cardinal d'Estrées dont la Cour espagnole ne veut pas. Car Philippe V, tout petit-fils du roi de France qu'il soit, peut, s'il juge ses intérêts royaux mis en danger, changer de camp. Les hommes sont ainsi. Et la princesse des Ursins peut aussi avoir intérêt à cette rupture, enivrée par son goût du pouvoir.

Louis hésite encore. Il n'aime pas céder. Mais un roi doit savoir feindre et manœuvrer.

Il écrit à Philippe V :

« J'ai su les raisons que vous aviez eues de me demander le rappel du cardinal d'Estrées. Je vous l'accorde. »

Mais quand il le peut, un roi doit frapper.

Il lit les dépêches des espions qui à Turin ont appris que le duc de Savoie Victor-Amédée a commencé à négocier avec l'empereur germanique.

Lui, le père de Marie-Adélaïde, duchesse de Bourgogne,

héritière du trône de France, lui, le père de Marie-Louise Gabrielle, épouse de Philippe V, reine d'Espagne.

Il ne sert à rien de mépriser cet homme. Il faut agir.

Louis ordonne que le duc de Vendôme désarme les soldats du duc de Savoie.

Il écrit à Victor-Amédée de Savoie :

« Mon cousin, puisque la religion, l'honneur, l'intérêt, les alliances et votre propre signature ne sont rien entre nous, j'envoie mon cousin le duc de Vendôme à la tête de mes armées pour vous expliquer mes intentions. Il ne vous donnera que vingt-quatre heures pour vous déterminer. »

Il ne se fait aucune illusion. L'empereur a offert au duc de Savoie une bonne partie de la plaine de Pô, et une pension plus élevée que celle que lui verse le royaume de France.

Tels sont les rapports entre les souverains.

Celui d'entre eux qui est le plus puissant rassemble autour de lui les autres. Et malheur au roi qui montre ses faiblesses.

Il ne sera jamais celui-là.

Quand Michel Chamillart lui apporte la nouvelle que le maréchal de Villars a vaincu les Impériaux à Höchstädt, une petite ville bavaroise sur les bords du Danube, Louis dissimule sa joie parce qu'il doit montrer au secrétaire d'État à la Guerre que cette victoire ne le surprend pas. Il doit montrer à tous qu'il est sûr de l'issue de cette guerre. Et que les victoires obtenues par les armées de Louis le Grand sont dans l'ordre des choses.

Il se rend auprès de Madame, dont Fagon a dit qu'elle se portait beaucoup mieux.

Il se sent joyeux, l'invite, si elle le peut, à le rejoindre à Fontainebleau où il a décidé de se rendre avec la Cour.

Elle le remercie.

Elle a une « bonne nature », dit-elle. « Je ne me suis jamais affaiblie à force de saignées excessives et de médicaments. Je supporte vaillamment les maladies. »

Un roi doit en faire de même avec les désagréments de la guerre. Et ne jamais se laisser abattre par la maladie ou la défaite.

Il doit continuer à faire son métier de roi.

Demain, dans la forêt de Fontainebleau, il chassera le cerf en calèche.

28.

Louis se tient debout, au pied du lit où la duchesse de Bourgogne, les jambes écartées et repliées, geint et halète depuis plusieurs heures déjà, entourée des médecins, des chirurgiens et des dames.

Il espère que la naissance de celui dont il n'imagine pas qu'il puisse ne pas être un mâle, son arrière-petit-fils, aura lieu avant la fin de cet après-midi du 25 juin 1704.

Il l'attend, comme toute la famille royale rassemblée dans la chambre de Marie-Adélaïde, duchesse de Bourgogne.

Mme de Maintenon est à la tête du lit, et serre la main de la duchesse.

Il voit le duc de Berry traverser la chambre, pour se rendre dans un cabinet voisin où s'est retiré le duc de Bourgogne, trop ému pour demeurer dans la chambre, à entendre et à voir son épouse en proie aux douleurs de l'accouchement.

L'attente se prolonge.

Louis s'appuie sur sa canne. Mais depuis le matin les douleurs se sont calmées, comme si l'espoir de voir naître un arrière-petit-fils les avait refoulées, et avec elles la fatigue et les préoccupations de ces derniers mois.

Il y a eu ces disputes de cour, l'hostilité renaissante, après leur réconciliation, entre Mme de Maintenon et Élisabeth Charlotte.

La Palatine confie à qui veut bien l'entendre – et à la Cour ils le veulent tous :

— Cette dame me haïra jusqu'à sa mort. Quelque bonne mine qu'elle puisse faire, je vois bien la fausseté au travers. Il y a trop longtemps que je la connais pour avoir pu m'y tromper.

Madame se plaint aussi de la duchesse de Bourgogne :

— Elle me hait d'une manière si atroce que ses traits s'altèrent rien qu'à me regarder, dit-elle, toujours en confidence !

Louis sait bien que la cour est un nid de jalousies et donc de haines et de rumeurs. Il y a vécu depuis l'enfance. Et il s'en méfie, s'en protégeant par le silence et l'impassibilité.

Il reçoit Mme la Palatine, après le souper.

Il s'efforce à l'écouter avec attention et courtoisie. Elle est la veuve de Monsieur. Il accepte qu'elle vive à Versailles. Il lui verse une pension. Il honore son fils, le duc d'Orléans, il se réjouit que le petit-fils de Madame, le duc de Chartres, soit un enfant robuste.

Mais il ne veut plus admettre Madame dans l'intimité de ses soirées. Il la renvoie, après l'avoir entendue.

Elle dit, déçue :

— En général, on me traite bien mais en particulier, on ne veut de moi nulle part...

« Le roi dès que j'ai fini de parler me renvoie, cela se fait certainement pour faire plaisir à la duchesse de Bourgogne. »

Il ne commente pas ces propos qu'on lui rapporte. Comment pourrait-il en ces temps de guerre accorder de l'importance à ces humeurs de veuve, à ces querelles de femmes ?

Il a appris que ce qu'il craignait depuis la trahison portugaise s'est réalisé.

Des troupes anglaises et hollandaises ont débarqué à Lisbonne, avec dans leurs bagages l'archiduc Charles de Habsbourg qui s'est proclamé Charles III d'Espagne, en prétendant que le testament de Charles II n'a pas été respecté et qu'il faut donc chasser le duc d'Anjou, Philippe V, Bourbon et souverain illégitime.

Les troupes débarquées marchent vers la frontière espagnole cependant que les navires anglais croisent devant Gibraltar et toujours le long des côtes françaises, de Sète à Montpellier. Leur intention est à l'évidence d'aider les camisards rebelles des Cévennes.

Elle n'en finit pas de pourrir, cette guerre d'embuscades où la cruauté répond à la férocité.

Louis sent qu'il faut changer de médecine. Celle appliquée par l'intendant Basville et le maréchal de Montrevel est impuissante à soigner cette plaie gangrenée et purulente, qui menace de s'étendre car les camisards de Jean Cavalier remportent des succès, et certains paysans et même des gentilshommes dans les provinces voisines rêvent de les imiter, de se rebeller contre les impôts, le pouvoir des intendants.

Il faut mettre fin à cela.

Il a convoqué le maréchal de Villars.

Il faut le flatter, lui dire :

— Des guerres plus considérables à conduire vous conviendraient mieux ; mais vous me rendrez un service bien important si vous pouvez arrêter une révolte qui peut devenir très dangereuse, surtout dans une conjoncture où faisant la guerre à toute l'Europe il est assez embarrassant d'en avoir une dans le cœur du royaume.

Car le désordre, il ne le cache pas à Villars, s'aggrave. Des

« cadets de la croix » pourchassent les camisards, aux côtés des dragons.

L'Église bénit ces volontaires et leur promet l'indulgence pour les crimes et les viols qu'ils commettent.

Et cependant, malgré les incendies et les pendaisons, les troupes royales viennent d'être défaites.

Louis observe Villars qui paraît hésiter avant de relever un peu la tête et de dire :

— Si Votre Majesté le permet, j'agirai par des manières toutes différentes de celles que l'on emploie, et je tâcherai de terminer par la douceur des malheurs où la sévérité me paraît non seulement inutile mais totalement contraire.

Il est satisfait des propos de Villars. Il avait eu l'intuition que la répression ne réussirait pas seule à vaincre une rébellion conduite par des croyants exaltés, pour qui la mort au combat ou sous la torture est la preuve de la grâce du Christ.

— Je m'en rapporte à vous, dit-il, et croyez bien que je préfère la conservation de mes peuples à leur perte, que je crois certaine si cette malheureuse révolte continue.

Il va recevoir jour après jour les dépêches du maréchal de Villars.

Il l'approuve d'offrir aux huguenots qui voudraient cesser le combat un passeport pour quitter le royaume.

Louis contraint l'intendant Basville et le maréchal de Montrevel à se soumettre à l'autorité de Villars, et à accepter d'être présents dans le couvent des Franciscains de Nîmes, là où Villars a choisi de rencontrer, en lui garantissant sécurité et impunité, Jean Cavalier, afin de discuter des conditions de la reddition.

Et Cavalier accepte.

Et Louis est sûr désormais que la révolte va mourir.

Villars lui a tranché la tête en ralliant Cavalier à la paix.

Il y aura quelques soubresauts, quelques spasmes, mais la plaie se refermera.

Louis est prêt, s'il le faut, à recevoir, à Versailles ce Jean Cavalier.

Mais si quelques nouveaux chefs camisards veulent reprendre le flambeau de la révolte, qu'on soit sans pitié avec eux! Qu'on les tue au combat ou qu'on les roue en place publique. Il ne faut pas permettre que des braises renaisse l'incendie.

Il décide de faire duc le maréchal de Villars.

Un roi doit savoir récompenser avec éclat ceux qui le servent bien!

Il pense que jusqu'à ce 25 juin, l'action du maréchal de Villars est la seule qui, au cours de ces premiers mois de l'année 1704, ait desserré cet étau d'inquiétude.

La guerre, les menaces qui pèsent sur les frontières, l'isolement du royaume, à l'exception de l'alliance avec la Bavière, les querelles qui à Madrid affaiblissent le pouvoir de Philippe V, la prise de Gibraltar par les Anglais n'ont cessé de le meurtrir.

Et puis il y a le temps qui fuit, soixante-six ans de vie, et la mort qui s'approche, réduit au silence ces grands prédicateurs, Bossuet, Bourdaloue, que personne ne peut égaler.

Mais tout à coup, ce cri, qui chasse les pensées moroses, ce corps maculé qui apparaît entre les chairs meurtries de la duchesse de Bourgogne. Et cette voix d'un chirurgien qui montre l'enfant, qui dit : «Votre Majesté, c'est un fils.»

Le duc de Berry court chercher son frère, cependant que l'on s'agenouille et sanglote, que l'on remercie Dieu.

Louis s'approche de la duchesse de Bourgogne, au visage couvert de sueur, aux traits creusés.

Il l'embrasse et ne peut retenir ses larmes. Marie-Adélaïde vient de lui donner sa plus grande joie.

Il remercie Dieu de cette grâce.

Il est bisaïeul. Il y a dans cette chambre son fils le Grand Dauphin, ses petits-fils le duc de Bourgogne et le duc de Berry, et ce nouveau-né, son arrière-petit-fils qui portera le titre de duc de Bretagne.

Il ne remerciera jamais assez Dieu de ce privilège que le ciel n'a accordé à aucun roi avant lui.

Il veut que, bientôt, des fêtes saluent la naissance de ce duc de Bretagne.

Il faut que des courriers annoncent dans toutes les provinces du royaume et dans toutes les cours d'Europe qu'un prince de sang royal est né, que la puissance du royaume de France se trouve ainsi renforcée.

Il prie, alors que le cardinal de Coislin ondoie l'enfant. Il annonce qu'il décerne à son arrière-petit-fils le cordon bleu de l'ordre du Saint-Esprit.

Cette naissance vaut toutes les victoires et efface toutes les défaites.

Il veut se souvenir le 21 août 1704 de cette pensée parce que Mme de Maintenon, d'une voix douce, vient de lui annoncer que, en Bavière, à Blenheim – et le village voisin est celui de Höchstädt, où Villars a, l'année précédente, remporté une victoire éclatante –, l'armée commandée par le maréchal de Tallard a été écrasée par les Impériaux.

Il s'éloigne de Mme de Maintenon.

Il n'a pas besoin de compassion. Il ne veut pas qu'on le ménage. Il veut connaître les faits, les raisons de cette déroute.

Le maréchal est prisonnier. Des soixante mille soldats français, plus de dix mille sont morts, vingt-six bataillons se sont rendus. Des centaines de gentilshommes, d'officiers sont prisonniers. Et des milliers d'autres soldats se sont enfuis, ont déserté.

Tous les canons ont été pris par les troupes du duc de Marlborough et celles du prince Eugène de Savoie, qui se sont ainsi emparés de cent soixante-douze étendards. Louis a le sentiment que cette bataille perdue est le commencement de grands maux qui vont frapper le royaume.

Alors qu'il parcourt, s'efforçant de demeurer impassible, la galerie du château de Versailles, ou bien qu'il reçoit les courtisans dans sa chambre, ou lors des réunions des Conseils dans le grand cabinet, il ne voit que des visages désolés, exprimant l'inquiétude.

Il sait que cet homme qui retient ses larmes a perdu son fils unique. Que cette dame éplorée ne sait pas ce qu'est devenu son fils, s'il est prisonnier ou blessé, mort au combat ou noyé en tentant de traverser le Danube.

Il ne doit rien ignorer de ces grands chagrins, de ces inquiétudes, et en même temps il doit soutenir ces malheurs-là avec fermeté, en montrant qu'il ne cède rien.

Mais il veut comprendre ce qui s'est passé, pourquoi Tallard et l'électeur de Bavière qui combattait à ses côtés se sont laissé surprendre.

Il ordonne qu'on ouvre les lettres que les prisonniers adressent à leurs familles.

Il apprend ainsi que le prince Eugène a invité les gentilshommes prisonniers à assister à un opéra, qui s'est ouvert par cinq chants à la gloire de Louis XIV.

Mais en même temps, le prince Eugène a confié aux officiers que leurs généraux et leurs maréchaux étaient incapables, qu'ils avaient accumulé des prodiges d'erreurs, qu'un enfant aurait pu les battre.

Il doit lire cela, et aussi cette lettre que Mme de Maintenon adresse à l'archevêque de Paris et dans laquelle elle écrit :

«Dieu soit loué de tout et veuillez apaiser Sa colère que

nous n'avons que trop méritée. Hélas! nous souffrons de grands maux et nous en méritons de plus grands encore. J'ai toujours appréhendé la punition du luxe et de l'ambition.»

Il médite longuement ces propos.

Il est vrai qu'il a souvent et longuement péché. Mais, de tous les souverains, n'est-il pas le Très-Chrétien? Celui qui a combattu les huguenots, et contre lequel se dressent les puissances hérétiques?

Lorsqu'il reçoit la nouvelle que la flotte franco-espagnole que commande son fils – ce bâtard qu'il a légitimé comte de Toulouse – a vaincu la flotte anglaise sur les côtes d'Espagne, à Velez Malaga, il sait que Dieu ne le condamne pas, même s'il veut lui rappeler que le plus grand des rois, le Très-Chrétien, doit aussi lui être soumis.

Il le sait.

Et c'est pourquoi il le prie. Et lui rend grâce, le 27 août, en organisant les fêtes qui célèbrent, par un feu d'artifice sur la Seine, la naissance du duc de Bretagne, son arrière-petit-fils.

Il n'oublie pas la défaite de Blenheim, ni les grands maux qu'elle annonce, et qu'il pressent.

Mais il croit en Dieu. Et en la vigueur éternelle du sang royal.

CINQUIÈME PARTIE

1705-1710

29.

Il s'approche du lit de l'enfant et se penche.

Il découvre le visage enflé et si empourpré du duc de Bretagne qu'il a un mouvement de recul.

Il lui semble qu'il voit une tache de sang sur les dentelles blanches.

Il est sûr que la mort est là, que c'est elle qui étouffe l'enfant, dont il entend à peine le souffle irrégulier et rauque. Et l'enfant tout à coup se raidit, son corps convulsionné.

Pourquoi Dieu reprend-il déjà la vie de ce premier arrière-petit-fils dont la naissance il y a seulement quelques mois avait été si douloureuse, et qui avait donné tant de joie et tant d'orgueil ?

Est-ce pour rappeler sa puissance que Dieu agit ainsi, qu'il reprend après avoir accordé ?

Louis regarde le père et la mère de l'enfant. Son fils a les yeux fixes, comme pour ne rien voir. Mais Marie-Adélaïde, la duchesse de Bourgogne, sanglote.

C'est elle qui, durant des heures, a geint et souffert pour donner la vie. Et celle-ci s'en va.

Louis tourne la tête, aperçoit son confesseur le père de La Chaise qui prie, les mains jointes, les yeux clos.

Il va vers lui, et prie à ses côtés, puis tout à coup s'interrompt.

— Mon père, commence-t-il, nous faisons bien des vœux pour la santé de cet enfant. Mais nous ne savons pas ce que nous faisons.

Il perçoit l'inquiétude et la surprise du père de La Chaise. Il répète :

— Oui, mon père, nous ne savons pas ce que nous faisons. Si cet enfant meurt, c'est un ange dans le ciel ; s'il vit, les grands princes sont si exposés à tant de tentations et tant de dangers pour leur salut qu'on a sujet d'en tout craindre.

Il reste un moment silencieux, observant le père de La Chaise qui se contente de répéter qu'il faut prier et se résigner, se soumettre à la volonté de Dieu, qu'on ne peut trop louer, qui connaît seul les raisons de sa décision.

— Que la volonté de Notre-Seigneur soit faite, murmure Louis.

Il a perdu son arrière-petit-fils.

Il ne se rebelle pas contre ce choix de Dieu. Il l'accepte. Chaque naissance porte en elle la mort, et Dieu décide de l'instant. Il faut que chacun à la Cour accepte le deuil du duc de Bretagne avec la fermeté que tout chrétien doit manifester quand la mort frappe.

Il sait ce qu'on murmure pourtant.

La princesse Palatine répète :

— Les docteurs ont tué le pauvre petit prince avec leur émétique et leurs saignées.

Le marquis de Sourches, grand prévôt de France, conseiller d'État, ajoute :

— Il ne s'agissait pas de lui donner tant de remèdes qui le firent mourir mais de lui donner des forces pour lui aider à pousser ses dents.

Tous ces commentaires, ces accusations lui paraissent vains.

Il se souvient du dernier chant de l'opéra *Atys*, de Lully et de Quinault, quand cette reine meurt, en pleine beauté, en pleine jeunesse :

Atys, au printemps de son âge
Périt comme une fleur
Qu'un soudain orage
Renverse et ravage.

Il est chrétien, il doit accepter ce « ravage ».

Il est le roi, et il doit avoir à l'égard de ses sujets la même souveraine liberté que celle dont Dieu dispose envers chaque homme.

Il peut lui aussi d'un geste donner. Et d'un autre prendre. C'est lui qui juge et dispose.

Il reçoit M. de Gassion, lieutenant des gardes du corps. Il lui accorde une pension.

— Je ne vous dois rien, dit-il à l'officier qui se confond en remerciements, mais je suis bien aise de vous distinguer par la grâce que je vous fais, étant très satisfait des services que vous m'avez rendus et persuadé que vous m'en rendrez encore de bons à l'avenir.

Il prie pour que Dieu l'éclaire dans les choix qu'à chaque instant il doit faire. Et parfois, il a l'impression qu'il erre dans un labyrinthe.

Il reçoit les lettres du duc de Gramont qu'il a nommé ambassadeur à Madrid auprès de Philippe V.

Rien n'est jamais réglé. Il avait cru trouver une issue, et maintenant il est à nouveau dans la même impasse. La princesse des Ursins, dont la jeune reine, Marie-Louise Gabrielle de Savoie, s'est entichée, se permet d'ouvrir la correspondance de l'ambassadeur, et de l'annoter !

Il exige qu'elle rentre aussitôt à Paris, il la reçoit, l'observe.

603

Et pendant ce temps-là, à Madrid, la reine tempête, complote, implore. Elle veut la princesse des Ursins auprès d'elle, c'est plus qu'une *camarera mayor* ou qu'une confidente, c'est mieux qu'une mère.

Elle rend à Philippe V la vie impossible.

Alors il faut reculer, écrire à l'ambassadeur Gramont :

«Mon cousin, depuis que j'ai parlé avec la princesse des Ursins j'ai jugé nécessaire de la renvoyer en Espagne.»

Est-ce le bon choix?

La guerre ne laisse pas le temps de s'interroger.

Cependant qu'on se déchire à Madrid, autour de Philippe V, en intrigues de cour, les Anglais, auxquels on n'a pas réussi à reprendre Gibraltar, débarquent en Catalogne, s'emparent de Barcelone, et l'archiduc de Habsbourg, qui se proclame Charles III d'Espagne, pénètre dans la ville qui l'acclame!

Même si, dans le Piémont, le duc de Vendôme remporte à Cassano une victoire sur le prince Eugène de Savoie, et s'ouvre ainsi la route de Turin, la guerre est comme une maladie qui s'aggrave.

Même si, sur le Rhin, Villars empêche les Impériaux d'envahir l'Alsace, ce n'est là qu'une brève rémission.

Louis le sait.

Presque chaque jour, il reçoit le contrôleur général des Finances. Chamillart, d'une voix accablée, énumère la longue litanie des dépenses.

Il faut approvisionner les armées qui combattent en Italie et dans les Flandres. Il faut payer les soldes. Et alimenter aussi le Trésor espagnol, toujours vide.

Il faut acheter dans les pays étrangers des chevaux par milliers, et les payer en bonnes pièces d'or et d'argent.

Louis écoute.

Il faudrait en finir avec cette guerre, et peut-être la mort le 5 mai 1705 de l'empereur germanique Léopold Ier et l'accession au trône de son fils aîné Joseph Ier sont-elles l'occasion d'ouvrir des négociations.

Il décide de faire porter le deuil en violet de Léopold Ier, et toute la Cour l'imite. En même temps, il envoie des émissaires en Hollande, afin qu'ils commencent à évoquer l'idée d'une paix possible. Il s'interroge. À quelles conditions, cette paix ? Il n'acceptera pas que son petit-fils, Philippe V, soit chassé du trône d'Espagne.

Même s'il fallait que l'Empire espagnol soit démembré, si c'était là la concession nécessaire, il est prêt à l'examiner.

Il a froid.

Est-ce seulement parce que l'hiver de cette année 1705, après un été brûlant, est d'une rigueur extrême, que des chevaux meurent de froid, que d'autres doivent être abattus après s'être brisé les jambes sur le sol gelé ?

Ou bien est-ce aussi parce que la victoire lui paraît inaccessible, que reste l'obligation de céder, alors qu'il avait cru pouvoir imposer sa volonté et faire de son petit-fils le roi de tout l'Empire espagnol ?

Il est las.

Il lit toujours les lettres de la Palatine, dont on lui apporte tous les jours les copies.

Elle sait qu'on subtilise ses missives, et il a souvent l'impression qu'elle écrit certaines de ses lettres pour qu'il en prenne connaissance, et sache ainsi ce qu'elle pense.

« C'est une misère la façon dont on agit avec les lettres, note-t-elle. Du temps de M. de Louvois on les lisait comme maintenant mais au moins on vous les remettait au moment voulu. Mais depuis que ce petit crapaud de Colbert de Torcy a la poste dans son département, il vous agace horriblement avec les lettres… »

Louis en veut à la Palatine d'écrire pour telle ou telle duchesse ou princesse allemande ce qu'elle voit, de confier ce qu'elle éprouve.

Mais elle dit vrai, quand elle évoque la vie à Marly.

« On ne sait plus du tout qui on est, écrit-elle. Quand le roi se promène, tout le monde se couvre ; la duchesse de Bourgogne va-t-elle se promener, eh bien, elle donne le bras à une dame, et les autres marchent à côté. On ne voit donc plus qui elle est. Ici, à Marly, au salon, et à Trianon, dans la galerie, tous les hommes sont assis devant M. le dauphin et Mme la duchesse de Bourgogne ; quelques-uns même sont étendus tout de leur long sur les canapés. J'ai grand peine à m'habituer à cette confusion ; on ne se fait plus d'idée comme tout est présentement, cela ne ressemble plus du tout à une cour. »

Il regarde autour de lui en se souvenant de ces lignes. Ce n'est pas la « confusion » qu'il retient. Il a désiré qu'à Marly, les quelques privilégiés qui y étaient admis soient libérés de certaines des obligations et de la raideur de l'étiquette versaillaise.

Mais il voit le visage morose de son petit-fils le duc de Bourgogne, que son épouse Marie-Adélaïde de Savoie néglige. Elle semble avoir oublié la mort de son fils, le duc de Bretagne. Elle est toute à ses facéties, à sa gaieté, à son insolence, à ses impudeurs.

Elle relève ses robes et ses jupons, et les médecins lui administrent un lavement dans le salon de Mme de Maintenon, qui sourit, confie :

« Elle est charmante et ses défauts mêmes sont aimables, on l'aime plus qu'il ne faudrait, on le sent, et on ne peut s'en défendre. »

Louis le reconnaît. Marie-Adélaïde, duchesse de Bourgogne, est une flamme de joie, de jeunesse, au milieu de la grisaille, de ces soupers du roi où «l'on se croirait dans un réfectoire de religieuses».

Après, la passion du jeu rassemble les courtisans autour des tables. Ils oublient ainsi les deuils et les mauvaises nouvelles de la guerre.

Louis regarde son second petit-fils, le duc de Berry, qui joue gros, s'endette, s'enivre.

Ce spectacle lui est souffrance.

Il va rejoindre Mme de Maintenon, avec l'espoir que Marie-Adélaïde, duchesse de Bourgogne, viendra les distraire par l'un de ses éclats.

Car en dehors d'elle, «il n'y a plus à la Cour que tristesse, ennui et méfiance».

Il se souvient de ce qu'écrit la princesse Palatine :

«De ma vie je n'ai vu la Cour plus triste qu'elle n'est à présent. Personne ne peut ouvrir la bouche et les mauvaises nouvelles arrivent à tout moment... On a maintenant bien besoin de consolation, car je n'ai jamais vu des temps plus malheureux depuis les trente-cinq ans que je suis en France...»

C'était en 1671. Les temps étaient pourtant troublés.

On murmurait qu'Henriette, duchesse d'Orléans, première épouse de Monsieur le frère du roi, qui venait de mourir, avait été empoisonnée par les favoris de son époux.

Il cherche à se souvenir, et c'est comme si passait devant lui la silhouette de Mlle Louise de La Vallière.

Il avait trente-trois ans, cette année-là. Il en a soixante-huit.

30.

Il est assis dans le grand cabinet, le buste penché en avant, les mains posées sur ses cuisses, le dos rond.

Il a l'impression que les soixante-huit années de sa vie l'écrasent, l'empêchent de se redresser, de regarder le contrôleur général des Finances qui se tient debout, en face de lui, dans la lumière du soleil couchant qui a envahi la pièce et inonde le parc, enveloppant d'or la statue d'Apollon qu'entourent les jets d'eau.

Il imagine le jaillissement et le scintillement des fontaines dans le crépuscule, ce bref instant, en ce début d'année 1706, alors que l'hiver impose sa loi grise et glacée.

Il est inquiet. Il voudrait effacer ce pressentiment qui l'habite. Mais l'intuition que cette année sera cruelle s'agrippe à son esprit, serre sa gorge et sa poitrine, réveille les douleurs qui brisent ses chevilles, sa nuque et ses épaules.

Les mauvaises nouvelles se sont accumulées.

Les Anglais tiennent toujours Gibraltar et Barcelone, et le blocus de ces deux places par la flotte française a dû être levé.

Une armée anglo-portugaise marche vers Madrid, et la population catalane l'acclame, salue Charles de Habsbourg, sous le nom de Charles III, roi d'Espagne.

Sur toutes les frontières du royaume, en Flandre, en Italie, les armées impériales et anglaises de Marlborough et d'Eugène de Savoie avancent et menacent.

Et en France même, de nouveaux chefs camisards veulent reprendre la lutte et reçoivent déjà de l'argent anglais et hollandais. Et les flottes ennemies croisent le long des côtes, prêtes à débarquer des troupes pour soutenir la rébellion.

Année cruelle.

D'un mouvement de tête, il invite le contrôleur général à parler.

Chamillart toussote, dit qu'il veut dresser l'état des finances des deux royaumes.

En Espagne, commence-t-il, Philippe V a décidé de réduire toutes ses dépenses, et d'employer tous ses revenus à bien entretenir ses troupes et à soutenir la guerre.

— Ce serait à moi, dit Louis, qui suis son grand-père, à lui donner des exemples, mais, en ce fait-là, je veux suivre les siens.

Il se redresse.

— Je veux, reprend-il, retrancher toutes les dépenses dont je pourrai me passer, afin d'être plus en état de continuer la guerre et tâcher de parvenir à une paix heureuse et glorieuse.

Il regarde à nouveau le parquet.

Il doit atteindre ce but, mais l'Angleterre et la Hollande refusent d'engager des négociations. Il faut donc se battre, les vaincre ou à tout le moins les repousser.

Il a été blessé d'avoir à accepter la proposition de Vauban qui suggérait de construire deux camps retranchés, à proximité de Dunkerque, pour s'opposer à une invasion anglaise.

Car telle est la situation.

Il n'y a plus d'argent, reprend Chamillart.

Les recettes des deux années à venir sont déjà engagées. On devra, précise-t-il, créer pour cinq millions de livres de nouveaux billets de cinq cents livres chacun, car toutes les ressources sont épuisées. Et le risque existe qu'un si grand nombre de billets ne prenne le dessus sur l'argent, et que les avantages de cette nouvelle monnaie ne soient vite remplacés par un désordre monétaire extrême.

Mais le moyen d'éviter cela? demande Louis.

Comment sans ces nouveaux billets ne pas augmenter les impôts alors que les provinces sont déjà accablées, affligées par la gelée et la grêle, si bien que les peuples n'ont pu recueillir qu'une partie des fruits nécessaires à leur subsistance?

— Il n'est d'autre issue que la paix, conclut-il, mais elle suppose des victoires.

Il attend chaque jour les dépêches qui viennent des armées.

Quand il sort du grand cabinet, il sent que les courtisans le guettent, avides de savoir s'il a reçu un courrier, d'Espagne, d'Italie ou de Flandre.

Il s'étonne du silence du maréchal de Villeroi. L'armée qu'il commande dans la région de Ramillies, non loin de Bruxelles, compte près de quatre-vingt mille hommes et défend toute la Flandre contre les troupes de Marlborough.

Ce silence de Villeroi inquiète Louis.

Un courrier enfin, mais la dépêche ne contient que quelques lignes imprécises qui entourent le mot de défaite, comme si Villeroi n'osait pas dire la vérité.

Louis la devine. Un maréchal victorieux aurait clamé son succès, en aurait été en personne le messager, pour recevoir des mains du roi ses louanges. Villeroi se dérobe. Villeroi doit être en difficulté.

Mais comment savoir?

Louis décide d'envoyer Chamillart auprès de l'armée

de Flandre. Et maintenant il faut attendre le retour du contrôleur général des Finances, secrétaire d'État à la Guerre.

Mais lorsque Louis le voit, le doute n'est plus permis.

Le poids des années, de cette année 1706, lui écrase à nouveau les épaules, l'oblige à courber le dos, pendant que Chamillart parle de cette défaite de Ramillies, devenue déroute parce que Villeroi s'est affolé, après avoir laissé sur le champ de bataille plusieurs milliers de morts. Le maréchal n'a pas cherché à résister, et toutes les villes de Flandre, Bruxelles, Anvers, Gand, Ostende, Bruges, Louvain, Audenarde, sont tombées, et les Impériaux menacent Lille.

Et dans les Pays-Bas perdus, la population acclame « son souverain espagnol », Charles de Habsbourg, Charles III d'Espagne.

Louis entend ces murmures qui accablent Villeroi, et dont Mme de Maintenon se fait l'écho.

— On se déchaîne dans l'armée et dans Paris contre le maréchal, dit-elle.

Il ne veut pas se joindre à la meute. Villeroi est son vieux compagnon, dont il a pu souvent éprouver la fidélité.

Il ne veut pas le juger, le punir, et cependant cette défaite de Ramillies est une souffrance cruelle. Il faut qu'il demande à Villeroi de démissionner, mais le maréchal ne répond pas aux lettres qu'il lui adresse.

Il se présente enfin à Versailles, et Louis le dévisage longuement, lit sur les traits du maréchal le désarroi et l'orgueil de celui qui ne veut pas abdiquer.

Louis ne veut pas frapper cet homme à terre. Il n'est pas de ceux qui disent, après avoir vu Villeroi : « Ce n'est plus qu'un vieux ballon ridé, dont tout l'air qui l'enflait est sorti. »

Mais il se souvient des propos de Françoise de Maintenon : « Votre Majesté ne peut plus soutenir le maréchal de Villeroi. »

Il partage ce sentiment. Il s'approche de Villeroi, lui annonce qu'il lui retire le commandement de son armée, ou de ce qu'il en reste, puis il ajoute :

— Monsieur le maréchal, on n'est pas heureux à notre âge.

C'est ce qu'il éprouve en cette année 1706, qu'il ressent comme la plus noire de son règne, si long déjà.

À chaque jour sa mauvaise nouvelle.

Un messager qui dépose sur la table dans la chambre de Mme de Maintenon un coffret contenant les bijoux de la couronne d'Espagne.

Philippe V a souhaité les mettre en sûreté à Versailles, car l'armée anglo-portugaise approche de Madrid.

C'est un Français, le marquis de Ruvigny, devenu lord Galloway, qui la commande, c'est lui qui repousse les troupes espagnoles commandées par Berwick – un neveu de Marlborough – et Philippe V.

Déjà, la reine et la princesse des Ursins ont abandonné la capitale. Et le 28 juin, les troupes de Galloway entrent dans Madrid et y proclament Charles de Habsbourg roi d'Espagne.

Jamais Louis n'a ressenti une telle souffrance.

Son petit-fils, ce roi de son sang, chassé de son trône. C'est comme si tout ce qu'il avait voulu et espéré depuis son mariage avec Marie-Thérèse, héritière du trône d'Espagne, était remis en cause, détruit.

Il ne doit pas montrer ce qu'il ressent.

Mais qu'il soit à Versailles ou à Marly, il n'a jamais vu la Cour plus triste qu'elle n'est à présent. On attend des nouvelles d'Italie, où l'armée commandée par le maréchal de Marsin assiège Turin.

Mais Louis est inquiet.

Il vient de recevoir, le 21 août, des lettres envoyées de l'armée par Philippe d'Orléans, qu'il a autorisé à prendre un commandement à la tête de quatre régiments que le fils de la princesse Palatine a équipés à ses frais.

Il lit et relit les lettres du duc d'Orléans.

Il connaît la bravoure et l'intelligence de son neveu. Philippe critique la stratégie suivie par le maréchal de Marsin et le duc de La Feuillade – le gendre de Chamillart – qui, sous l'autorité de Marsin, commande en fait l'armée.

Le duc d'Orléans conteste leurs décisions. L'armée française s'obstine à faire le siège de Turin alors que les troupes du prince Eugène de Savoie avancent, qu'elles sont déjà menaçantes, ayant franchi le Pô, le Tanaro, bientôt la Doire. Elles prendront les troupes françaises à revers, feront la jonction avec les soldats du duc Amédée de Savoie.

Il semble à Louis que son neveu lui présente un compte rendu exact de la situation.

Mais que faire ?

Il est trop tard pour bouleverser le commandement de l'armée tel que Chamillart l'a organisé autour de son gendre le duc de La Feuillade et du maréchal de Marsin.

Alors il faut à nouveau attendre.

Le 14 septembre, le premier valet de chambre du duc d'Orléans, Saint-Léger, se présente aux appartements du roi.

Louis le reçoit et avant même de lire les lettres l'interroge.

La défaite a été complète. Toute l'Italie du Nord, du Milanais à Mantoue, et le Piémont, est perdue.

Le duc d'Orléans a été deux fois blessé, au poignet et à la hanche. Il a conduit les troupes, chargeant à leur tête jusqu'à ce qu'il tombe. Le maréchal de Marsin a été gravement atteint, fait prisonnier, avant de mourir.

Louis veut rester seul dans le grand cabinet.

Il écrit à Philippe d'Orléans, gentilhomme valeureux, de bon sang royal, pour le consoler de la défaite.

Mais elle est là, accablante. L'Italie après la bataille de Turin est aux mains de l'ennemi, comme l'ont été les Flandres après la défaite de Ramillies, et la Bavière et les pays allemands en 1704, après celle de Blenheim.

Mais quelle autre issue sinon continuer la guerre, puisque, gonflés de leur victoire, les Impériaux, les Hollandais, les Anglais se refusent à toute négociation ?

Louis veut voir la princesse Palatine, dont il imagine l'angoisse depuis que son fils a été blessé.

— J'aime mieux tout perdre, dit-il à la Palatine, et que le duc d'Orléans votre fils, mon neveu, vive. Je ne peux être plus content de lui que je ne le suis. Mme de Maintenon m'a dit, à raison : les héros dans les romans ne poussent pas la bravoure plus loin que ce qu'il a fait.

Il s'éloigne, suivi de quelques courtisans.

Il s'arrête, les toise.

— Ce n'est pas la faute de mon neveu, dit-il. C'est la mienne, c'est moi qui lui ai ordonné de suivre les avis de M. de Marsin.

Un roi est plus grand s'il sait prendre sa part des fautes de ceux qui lui ont obéi.

Il regarde la rouille de l'automne s'étendre jour après jour sur le parc de Versailles.

L'hiver est là, mais a-t-il jamais cessé tout au long de cette année 1706 ?

Malgré l'humidité et le froid, Louis s'obstine chaque jour à se promener dans les allées et, souvent, il doit rester assis sur son chariot que poussent les valets, tant les douleurs dans les jambes sont vives.

Il rentre dans ses appartements, puis passe dans le grand

cabinet, au moment où le bref crépuscule est englouti par la nuit.

On apporte les candélabres. On allume le feu dans les cheminées. Les dépêches sont posées sur la table.

Il lit la première.

Elle annonce que Philippe V et l'armée de Berwick sont rentrés dans Madrid, acclamés par la foule castillane, qui a crié : « Vive le roi ! »

Les Anglo-Portugais de Galloway, harcelés par la population, ont abandonné la capitale. Le cœur de l'Espagne s'est donné au roi Bourbon.

« Mon petit-fils. »

C'est comme si ce poids qui l'écrasait se soulevait.

Il peut se redresser.

Son petit-fils règne. L'offense est effacée.

Et la duchesse de Bourgogne est grosse depuis quelques semaines d'un arrière-petit-fils.

Louis lève la tête, regarde monter la myriade d'étincelles qui jaillissent des bûches.

Il n'a plus froid.

31.

Il s'avance d'un pas lent dans la grande galerie, regardant droit devant lui, semblant ne pas voir les ambassadeurs et les courtisans qui s'inclinent, le suivent, font la haie.

Il ne doit pas leur montrer que son corps, des talons à la nuque, des doigts aux coudes et aux épaules, n'est que douleur.

Il a une fois de plus l'impression que ses os vont se briser, rongés par cette maladie qui revient avec le froid, se diffuse avec la chaleur et que Fagon ne peut faire reculer, se contentant de répéter d'un air accablé :

— La goutte, Votre Majesté.

Louis s'arrête, se tourne vers l'ambassadeur d'Espagne, le fixe silencieusement, puis dit :

— Monsieur, nos affaires vont bien.

Il veut se persuader que cette année 1707 effacera l'année cruelle qui vient de s'achever.

Le 8 janvier, la duchesse de Bourgogne, cette Marie-Adélaïde qui met un peu de gaieté et tout simplement de vie dans cette Cour devenue si grise, a donné naissance – enfin ! – de nouveau à un fils, et l'accouchement s'est déroulé si facilement que quelques personnes seulement ont pu assister à la naissance de cet arrière-petit-fils du roi.

Lorsque Louis l'a vu, il a détourné la tête pour cacher son émotion.

Il a dit d'une voix sourde qu'il saluait la naissance du second duc de Bretagne. Puis aussitôt il est sorti de la chambre, se souvenant de la mort de son premier arrière-petit-fils si vite venue.

Il sait que la mort est un poison qui se glisse dans la vie, dès qu'elle apparaît.

Aussi la joie qu'il éprouve est-elle ternie par cette inquiétude sourde.

La mort est là, si proche. Il la sent dans son corps et elle est déjà dans celui du duc de Bretagne.

Il se rend à la messe chaque jour.

Il prie pour son arrière-petit-fils puis il gagne le grand cabinet où les ministres l'attendent.

Il voit Chamillart dont le visage exsangue et la pâleur, toute son attitude aussi – tête penchée, dos voûté – disent la fatigue et l'accablement. Les billets ne réussissent pas à remplacer l'or ou l'argent.

Les coffres sont vides.

Une flotte de galions espagnols, chargée d'argent des Amériques, a été coulée par les navires anglais à Carthagène.

La création et la vente d'offices dans toutes les activités, depuis celles des perruquiers barbiers jusqu'à celles des visiteurs de beurre frais ou de beurre salé, n'apportent que de faibles ressources qu'on ne peut renouveler qu'en créant d'autres charges, tout aussi inutiles mais qui peu à peu ossifient le royaume.

Il comprend le désarroi et l'épuisement de Chamillart qui laisse entendre, une fois encore, qu'il est prêt à abandonner sa charge de contrôleur général des Finances.

«Votre Majesté, écrit-il, j'ai toujours eu du courage et les forces ne m'ont point manqué tant que j'ai eu des ressources.

« Mais elles sont malheureusement épuisées, reprend-il. Je commence à travailler à l'impossible. Dieu me donne assez de lumières pour en faire quelque chose ! »

Il ne laissera pas Chamillart renoncer à ses fonctions.

Il ne veut plus changer de ministre. Il a besoin d'avoir autour de lui ces visages qui le rassurent.

Il lui semble que tout mouvement, tout changement, l'inquiète.

Il ne veut pas se séparer de Chamillart ou exclure de la Cour le maréchal de Villeroi, vaincu à Ramillies, mais vieux compagnon.

Ils sont si rares désormais ceux qui ont connu les splendeurs des débuts du règne, quand il dansait le corps léger devant toute la Cour l'une de ces comédies-ballets dont il était l'acteur principal, aussi beau qu'Apollon, Louis, le Roi-Soleil.

Et dans la rotonde en marbre rose des bains de Diane, il retrouvait Athénaïs de Montespan de Mortemart, belle comme Vénus.

Il est à Marly.

Il s'apprête, entouré de quelques courtisans, à partir à la chasse. Un courrier s'approche, remet une dépêche. C'est un acte de décès rédigé par le curé de Bourbon.

C'est là que s'est retirée Athénaïs de Montespan.

Louis commence à lire à haute voix : « Aujourd'hui 28 mai 1707 a été apporté en cette église le corps de Mme Marie... »

Louis s'interrompt.

Pourquoi a-t-on donné à Athénaïs ce prénom qui n'est pas le sien !

Il reprend :

« En mourant la marquise de Montespan a manifesté les sentiments les plus chrétiens. »

Louis replie la dépêche.

Il sent sur lui tous ces regards. Il doit rester impassible quoi que cela lui coûte.

D'ailleurs, pour lui, Athénaïs est morte le jour où il l'a congédiée, peut-être même depuis plus longtemps encore, quand on a prétendu, témoigné qu'elle avait dévoilé son corps devant un prêtre du diable, lors d'une messe noire, sa poitrine servant d'autel.

Et des nouveau-nés avaient été sacrifiés lors de telles cérémonies diaboliques.

Il n'a jamais pu oublier ces accusations. On avait aussi affirmé qu'Athénaïs avait voulu l'empoisonner. Et sans doute lui avait-elle administré des philtres d'amour, pour le soumettre au désir et le retenir.

D'un geste, Louis indique aux courtisans que la journée va se dérouler comme à l'habitude. En selle donc, et ce matin il le peut. Comme autrefois.

On chevauche. On chasse.

Mais il est distrait. Il se sent lourd et las.

Il rentre à Marly.

Il veut qu'on le laisse seul. Il renvoie les valets qui s'apprêtent à lui retirer ses bottes et ses habits de chasse. Il marche dans sa chambre, d'une fenêtre à l'autre.

Il se souvient d'Athénaïs. Et le désespoir l'étreint. Que reste-t-il de la vie quand elle s'achève ?

Il ferme les yeux.

Il voit passer cette gondole qui voguait légère sur le grand canal de Versailles, et à la poupe de laquelle se trouvaient dans une robe d'or Athénaïs de Montespan de Mortemart, et près d'elle un jeune homme vigoureux et souriant.

Lui.

Le soir au souper, il se souvient encore des banquets joyeux d'autrefois, quand il lui arrivait de lancer des olives sur les jolies suivantes d'Athénaïs.

Maintenant règne autour de la table un silence de couvent.

Chacun avale son affaire sans dire une parole. Parfois, quelqu'un chuchote un ou deux mots. Personne ne tourne la tête.

Tout provoque soupçon, tout est intrigue.

Il sait qu'on attend sa mort.

On se rassemble déjà autour du futur souverain, le Grand Dauphin. Mais s'il ne vit pas ce sera le duc de Bourgogne son fils, ou bien, si la mort fait son office, ce duc de Bretagne de quelques mois, et il faudra un régent, qui pourrait être Philippe duc d'Orléans.

Louis apprécie son neveu qui vient de partir pour l'Espagne où il va, aux côtés de Berwick, prendre le commandement des armées de Philippe V.

Louis se souvient de la manière dont il a imposé à Madame et à Monsieur, les parents de Philippe, le mariage de celui-ci avec Mlle de Blois, bâtarde selon la mère de Philippe, fille du double adultère du roi et d'Athénaïs de Montespan.

En ces jours qui suivent la mort d'Athénaïs, il pense à sa fille, à ces bâtards, le duc du Maine, le comte de Toulouse, qu'il a reconnus et voulu allier à la famille légitime, et dont il veut assurer l'avenir.

Mais il connaît les jalousies qui déchirent la Cour, et d'autant plus qu'on sait que sa mort ne peut plus être éloignée. Il a soixante-neuf ans.

Alors chacun surveille chacun, cherche à détruire le rival.

On se moque de Philippe d'Orléans. On chantonne un refrain qui rappelle la défaite de Turin, dont il ne fut pas responsable.

On sourit en répétant :

> *Gendre et neveu de ce grand roi*
> *Vous allez donc paraître*
> *Encore, une seconde fois*
> *Vous vous ferez connaître.*

Et quand on apprend que Philippe est arrivé après la bataille livrée et gagnée par Berwick à Almanza contre lord Galloway, on murmure quand passe la mère de Philippe, la Palatine : « Je n'y étais pas... Je n'y étais pas. »

Louis est irrité, attristé.

Cette jalousie haineuse lui semble gagner toute la Cour.

Il est sensible et touché par la lettre que lui adresse Philippe d'Orléans.

« J'ai eu le malheur d'arriver ici un jour trop tard quelque diligence que j'aie pu faire, écrit Philippe. Je ne puis m'empêcher de dire à Votre Majesté que si la gloire de M. de Berwick est grande, sa modestie ne l'est pas moins, ni sa politesse qui l'engageaient quasi à vouloir s'excuser d'avoir remporté une victoire aussi complète que celle-ci. »

Il est heureux dans les semaines qui suivent d'apprendre que le duc d'Orléans soumet le royaume de Valence, puis réussit à obtenir la reddition de Saragosse, la capitale du royaume d'Aragon.

Il veut marquer qu'il honore Philippe d'Orléans et, en compagnie du dauphin et de la Cour, il se rend auprès de la princesse Palatine pour, par cet hommage à la mère, saluer la gloire du fils qui vient d'encercler la ville de Lérida.

Si elle tombe, la couronne d'Espagne ne sera plus menacée. Elle restera sur la tête d'un Bourbon, petit-fils de Louis le Grand.

Il croit, durant quelques jours, que cette année 1707, comme il l'a pensé en janvier, sera bonne pour sa gloire et donc celle du royaume.

Les troupes de Villars s'enfoncent en Allemagne.

Philippe d'Orléans achève les travaux de siège autour de Lérida. Il va lancer l'assaut.

Mais tout à coup, la situation change.

Les troupes d'Eugène de Savoie, anglaises et piémontaises, pénètrent en Provence, occupent Nice, puis franchissent les Maures et l'Estérel et mettent le siège devant Toulon.

La flotte anglaise qui croise au large bombarde le port.

Il faut faire venir les troupes de Berwick d'Espagne, et celles de Villars d'Allemagne afin de briser l'encerclement de Toulon et d'effacer l'humiliation du royaume de France envahi.

Il sent que l'inquiétude revient.

Ses douleurs se font plus vives, s'accrochent à son corps, alors qu'à un hiver glacial et à un printemps froid succède un été torride, dont les marins disent qu'il est plus chaud et plus étouffant que celui qu'ils subissent dans les mers de l'Inde.

Les moissons pourrissent. La misère et la famine reviennent dans certaines régions.

Les paysans du Quercy se révoltent contre les impôts, menacent de «brûler et piller tous les contrôleurs et partisans et affirment qu'ils ne paieront pas autre chose que la taille à cause qu'ils meurent de faim».

Il apprend par les rapports de l'intendant qu'en Anjou, les paysans succombent par centaines, «attaqués par une maladie pestilentieuse» qui ne dure que deux ou trois jours.

Il lui semble entendre les cris – «horribles», dit le rapport – poussés par les malades qui souffrent tant, «jusqu'à presque rendre les boyaux par le fondement».

Il connaît la souffrance. Il peut imaginer celle des autres.

Il craint lorsqu'il apprend que le duc de Chartres, le fils de Philippe d'Orléans et de Mlle de Blois, duchesse d'Orléans, est atteint d'une forte fièvre, que ce ne soit le premier signe d'une épidémie.

Il pense aussitôt à son arrière-petit-fils, ce duc de Bretagne dont il ne pourrait pas supporter la mort.

Il faut qu'il le protège.

Il décide que le duc de Chartres devra quitter ses appartements proches de ceux du duc de Bretagne. Il se rend auprès de la duchesse d'Orléans, sa propre fille.

— Si je ne regardais que moi, commence-t-il, il ne serait pas question de transporter votre fils ; mais je dois compte à l'État qui me reprocherait d'avoir hasardé le duc de Bretagne pour trop ménager le duc de Chartres. Cependant, si la petite vérole avait paru, tout ce qu'on aurait pu dire ne m'aurait jamais fait consentir à exposer la vie de votre fils.

Il prend la main de la duchesse d'Orléans.

— Heureusement il a bien passé la nuit, prenons ce temps pour le faire transporter, il est de votre intérêt comme du mien d'éviter les reproches du public. Faisons porter votre fils dans l'appartement de M. de Marsan qui est de l'autre côté de la chapelle.

Il a fait ce qu'il doit, mais l'inquiétude a mille visages.

Il apprend ainsi que son premier écuyer, qui se rendait dans un carrosse royal de Versailles à Paris, a été enlevé dans la plaine non loin de Sèvres, par une bande d'une trentaine de huguenots venus de Hollande et commandés par un Allemand, colonel de l'armée des Provinces-Unies. Ils se sont trompés de proie : ils voulaient s'emparer du Grand Dauphin !

Telle est donc la faiblesse du royaume que l'ennemi puisse y faire le siège de Toulon, et ses affidés agir aux portes de Paris !

Il ne peut accepter cette situation. Il n'est d'autre solution que de continuer la guerre tout en proposant la paix à l'ennemi.

Il a offert au nouvel empereur Joseph Ier de lui concéder tout le Milanais et, comme les Flandres sont déjà perdues, cela revient à admettre que l'héritage espagnol sera partagé, que l'Empire germanique en sera pour partie bénéficiaire, Philippe V restant roi d'Espagne.

Mais Joseph Ier et les Anglais ne semblent pas vouloir négocier.

Alors il faut se battre.

Philippe d'Orléans vient d'obtenir la capitulation de Lérida.

Ce n'est pas suffisant pour contraindre l'ennemi à accepter la paix.

Il faut subir la guerre. Et pour cela il faut de l'argent.

Il a parcouru ce *Projet d'une dîme royale* dont Vauban serait l'auteur et qu'il aurait fait imprimer clandestinement à sept cents exemplaires à Paris.

Louis sait que l'état du royaume que présente ce livre est conforme à la vérité.

Le royaume est un océan de misère entourant quelques îles privilégiées.

Mais comment imposer à chaque sujet, prince ou duc, évêque, parlementaire ou manouvrier, une dîme royale unique?

Il a bien voulu recevoir Vauban, l'écouter présenter son projet.

Vauban était sincère mais il a dû le réprimander pour avoir par la publication de son livre troublé le royaume, car tous ceux qui échappent aux impôts se sont révoltés, au nom de leurs droits et de leurs privilèges.

C'est au roi seul d'énoncer ce qui est bon et nécessaire pour le royaume, et non à un sujet, fût-il le glorieux maréchal de Vauban. Et, d'une voix qu'il a voulue la plus douce qu'il se pouvait, il a annoncé à Vauban que son *Projet d'une dîme royale* était condamné «à la saisie et au pilon».

Mais il a voulu que Vauban comprenne qu'il lui gardait son estime et son amitié.

Louis est en train de souper quand il voit Fagon s'approcher.

Le médecin porte le masque lugubre de celui qui annonce la mort.

Louis se raidit.

Fagon dit que Vauban est à la dernière extrémité.

Encore un des témoins et des acteurs des premières années glorieuses du règne que la mort emporte.

— Je perds un homme affectionné à ma personne et à l'État, murmure Louis.

Sera-t-il le prochain à mourir?

32.

Il est debout au pied du lit de la princesse Palatine.

Il a la tentation de détourner les yeux, de quitter cette chambre où depuis plusieurs jours un violent accès de fièvre retient alitée la mère du duc d'Orléans. Mais il s'oblige à regarder le visage de cette femme qu'il a connu rayonnant de santé et d'énergie, de gaieté aussi.

Elle se soulève en grimaçant, se plaint de son corps trop lourd que la goutte paralyse.

Elle a, dit-elle, des aphtes plein la bouche et des maux de gorge qui sont comme un feu brûlant jusqu'à sa poitrine.

Elle tousse, continue de parler bien que sa voix soit éraillée, étouffée.

— Sire, la guerre réussit mieux à mon fils que Paris.

Louis sait que Philippe d'Orléans vit avec sa maîtresse dans une maison proche du Palais-Royal. À son habitude, il mêle l'amour, la débauche et l'étude. Il a fait installer des cornues dans une cave où il s'adonne à la chimie. Et il espère, après ses victoires de Valence, de Saragosse, de Lérida, obtenir un nouveau commandement en Espagne.

— Sire, je le vois presque aussi peu que s'il était encore à Lérida, chuchote Madame.

Elle laisse retomber sa tête sur sa poitrine, épuisée.

Il la dévisage. Les joues sont empourprées, couperosées. Le front, les lèvres sont couverts de petits ulcères.

Fagon se penche vers Louis.

— Elle ne veut point être saignée, dit le médecin, ni faire de remède, et on craint que ce mal n'ait de la suite. Dès que Madame a un peu de soulagement, elle s'habille et écrit comme elle a coutume de le faire.

Louis se tait.

Il a tant lu de lettres de la Palatine qu'il lui semble avoir entretenu avec elle une conversation libre et tumultueuse. Elle a conservé aujourd'hui le style mordant, l'écriture ardente qu'elle avait autrefois, mais c'est la main d'une vieille femme qui tient la plume.

Et tout à coup, il a l'impression que le souffle va lui manquer.

Il se retient de fuir cette chambre. Il retrouve peu à peu sa respiration régulière. Mais la pensée qui l'a oppressé est restée en lui, au centre de sa poitrine, flèche rougie au feu : la Palatine a près de quinze ans de moins que lui. Et en cette année 1708 qui commence, il va avoir soixante-dix ans.

Il s'efforce de ne plus y penser, d'arracher cette réalité brûlante de son esprit et de sa poitrine, mais à chaque instant elle s'enfonce davantage, fouaillant son cœur et son corps.

Il suffit qu'on lui présente un portrait de lui, ou un buste de cire, pour qu'il ne retienne de ces œuvres que les bajoues, les rides profondes autour de la bouche qui paraissent tirer les lèvres vers le bas, dans un rictus d'amertume et de dégoût. Il ne s'aime plus, il ne veut plus se voir. Son regard glisse sans s'y arrêter sur les miroirs.

Mais les autres, marqués par ce temps inexorable et cette mort qui vient, sont comme son reflet.

Il est contraint d'accepter le départ de Chamillart qui, épuisé, abandonne le contrôle général des Finances au profit de Nicolas Desmarets. Mais cet homme plus jeune, dévoué, lui rappelle qu'il a commencé à servir sous les ordres de Colbert dont il est le neveu, fils de Marie Colbert la sœur du ministre.

Temps enfuis. Ministres morts : Colbert, Louvois.

Il est le survivant.

À cette pensée, il se sent à la fois plus fort et plus menacé.

Il voudrait tant pouvoir oublier ces soixante-dix années. Il faut pour cela accomplir méthodiquement, régulièrement, les tâches du métier de roi.

Et faire mine de rencontrer par hasard dans les jardins de Marly le financier Samuel Bernard qui s'y promène en compagnie de Nicolas Desmarets.

Il faut s'étonner et se féliciter de sa présence, être plein d'attention pour ce banquier dont on veut obtenir du crédit pour cette guerre dévoreuse de finances.

— Vous êtes bien homme à n'avoir jamais vu Marly, dit-il à Bernard. Venez le voir à ma promenade, je vous rendrai après à Desmarets.

Plus tard, il retrouve à Versailles, dans le grand cabinet, Nicolas Desmarets.

Le contrôleur général des Finances a la mine sombre. Samuel Bernard, comme les autres banquiers, les « partisans » et usuriers, hésite à prêter au roi.

— L'État, dit Desmarets, n'a jamais été dans des engagements si considérables envers le public, si arriéré pour le paiement de ses dépenses, ni avec aussi peu de fonds pour y satisfaire.

Desmarets semble hésiter à poursuivre, et Louis l'y invite d'un geste las.

Il a souvent le sentiment que la maladie des finances qui frappe le royaume est accordée à celle qui atteint son corps de vieux roi, entré par cette porte des soixante-dix ans dans le grand âge.

Il est vieux et son règne est vieux.

— Tous ces papiers et les sommes considérables qui sont dues aux différents entrepreneurs pour les années précédentes ont causé un si grand discrédit et rendu les espèces si rares qu'il paraît impossible de mettre les armées en campagne.

Il ne peut pas accepter cette conclusion. Jusqu'à son dernier souffle de vie il doit être Louis le Grand, et il défendra son royaume.

La mort n'existe ni pour le sang royal qui se transmet tout au long des temps ni pour la nation que la dynastie incarne !

— Les armées doivent défendre le royaume, dit-il à Desmarets.

Il reçoit presque chaque jour les dépêches que d'Espagne ou de Flandre les princes et les maréchaux lui envoient.

Il a confiance en Philippe d'Orléans, qui a pris le commandement de l'«armée des deux couronnes» et qui a ouvert les tranchées de siège autour de la ville forte de Tortosa.

On lui rapporte que le duc d'Orléans mène lui-même les assauts, arpentant les tranchées et les glacis, encourageant ses soldats, prenant tous les risques.

Mais Louis sait que, à la Cour, un clan ne cesse de critiquer le duc d'Orléans.

On jalouse le neveu et le gendre du roi. On le soupçonne de vouloir supplanter un jour Philippe V d'Espagne, et peut-être de songer, après la mort du roi, à la couronne de France.

Louis veut ignorer ces rumeurs. Il fait célébrer un *Te Deum* pour saluer la chute de Tortosa, la victoire remportée par

Philippe d'Orléans. Il remarque le dépit du prince de Conti et de quelques autres. Il ne se soucie que de cette victoire qui conforte Philippe V sur son trône.

Mais peu à peu, il s'inquiète lui aussi des ambitions de Philippe d'Orléans. Mme la princesse des Ursins affirme que le duc d'Orléans a pris contact avec les Anglais dont le chef, James Stanhope, a été, à Paris, l'un de ses compagnons de débauche. Il lui aurait laissé entendre qu'il pourrait remplacer Philippe V sur le trône d'Espagne.

Est-ce une trahison ? Louis ne le croit pas.

Philippe d'Orléans l'a averti de ses contacts avec Stanhope en lui assurant que, dans une négociation de paix avec les Anglais, son accession au trône d'Espagne pourrait être une manière de trouver une issue à la guerre, l'Espagne restant ainsi toujours entre les mains d'un Bourbon.

Mais ce n'est pas cela que Louis reproche à Philippe d'Orléans.

Il a appris que ce dernier a insulté la princesse des Ursins et Mme de Maintenon, invitant ses officiers à lever leur verre à la santé du « con-lieutenant et du con-capitaine ».

Ce n'est pas admissible.

Il faut priver Philippe d'Orléans de son commandement et le rappeler à Paris.

Il le regrette car Philippe d'Orléans est bien le seul à remporter dans cette guerre des succès.

Partout ailleurs, c'est l'incertitude, la défaite, parfois la déroute. Louis a accepté que le fils de Jacques II, le roi défunt d'Angleterre, tente de débarquer en Écosse. Échec. La flotte anglaise bloque les navires français dans la rivière d'Édimbourg, et c'est miracle qu'ils réussissent à échapper à la bataille. Mais le rêve d'un débarquement s'effondre. Il faut fuir.

En Flandre, la situation est tout aussi incertaine.

Jour après jour, Louis suit à travers les dépêches la marche des quatre-vingt mille hommes qui sous le commandement du duc de Vendôme et du duc de Bourgogne progressent, occupant Gand et Bruges.

Mais il devine qu'entre Vendôme, vieux noble débauché mais officier aguerri, et le duc de Bourgogne, la rivalité, la jalousie, l'incompréhension, les désaccords se sont installés.

Il connaît son petit-fils. Il voit chaque jour son épouse, la duchesse de Bourgogne. Il aime Marie-Adélaïde, et il mesure aux traits tirés de la jeune femme son inquiétude.

Elle attend, comme toute la Cour, des nouvelles de l'armée.

Quand un courrier arrive, les courtisans s'agglutinent à la porte du grand cabinet.

Il est aussi impatient qu'eux ! Il sait que de l'issue de l'affrontement entre l'armée des ducs de Vendôme et de Bourgogne et celle du prince Eugène et de Marlborough peut dépendre le sort du royaume.

Le matin du 11 septembre 1708, alors qu'il est en train de revêtir son costume de chasse, un courrier arrive. Il le lit puis, quand il lève la tête, il découvre les visages anxieux des courtisans.

Il montre la dépêche.

— Afin qu'on ne me fasse pas parler mal à propos, commence-t-il, je vais vous dire ce que le courrier a apporté. Voilà assez de témoins. Mais au moins redites la chose comme je vais vous la dire. L'armée du duc de Bourgogne s'allongea hier le long de la Marque pour avancer sa marche d'aujourd'hui, mais le quartier général ne marcha point, aujourd'hui il a marché avec le reste de l'armée... Les ennemis sont retranchés. Le maréchal de Boufflers est averti que les armées sont en présence.

Il n'en sait pas davantage, mais il répète que le duc de

Bourgogne est entré dans Gand et Bruges, et a conquis aussi Ypres.

Il voudrait croire que c'est de bon augure, mais près de lui il entend Mme de Maintenon murmurer :

— J'ai vu tant de fois prendre et reprendre les villes que je ne vois plus rien de stable.

Il voudrait ne pas partager ce sentiment. Mais des courriers, envoyés par le duc de Vendôme puis le duc de Bourgogne, lui font craindre que les dissensions entre les deux chefs ne conduisent à l'échec.

Et il a le sentiment déplaisant qu'il ne peut rien.

Qu'est-ce qu'un roi impuissant ? Le jouet des événements sur lesquels il n'a pas prise !

Il ne peut l'accepter, et il a peur d'y être contraint !

N'est-ce pas cela la vieillesse ? Vouloir et ne plus pouvoir, subir, être soumis à la maladie.

Il ne le veut pas.

Il prie.

Mais Dieu l'écoute-t-il encore ?

Il lit les dernières dépêches que les courriers hagards de fatigue ont apportées à bride abattue.

Eugène et Marlborough ont attaqué à Audenarde, enfoncé les lignes françaises.

Le duc de Vendôme et le duc de Bourgogne se sont opposés sur la conduite à tenir. Laissée sans ordres précis, accablée par des commandements contradictoires, l'armée française se débande. Le duc de Bourgogne ordonne la retraite qui se transforme en déroute. On abandonne les villes conquises, on se replie sur Lille que les troupes d'Eugène encerclent et où le maréchal de Boufflers tente de résister.

Louis s'interroge. Son petit-fils a-t-il failli, homme de cour plutôt que de guerre ?

Il apprend qu'à Paris on se moque du duc de Bourgogne, on fustige sa lâcheté.

À la Cour même, le propre père du duc de Bourgogne, Monseigneur le dauphin, condamne son fils, et rassemble autour de lui quelques princes, dont le duc du Maine. En face se dressent les ducs de Beauvillier et de Chevreuse, les gendres de Colbert et la duchesse d'Orléans.

Il a le sentiment que, à travers le duc de Bourgogne, son petit-fils estimé, c'est lui qu'on veut atteindre.

Parce qu'on imagine qu'il va bientôt mourir et on se rapproche de ceux dont on pense qu'ils vont s'installer au pouvoir.

Il doit faire face, tenir fermement le sceptre royal jusqu'à ce qu'il ne puisse plus serrer les doigts.

Il ne doit rien abandonner de sa puissance.

À l'instant de la mort seulement, il sera désarmé.

Il faut donc rester impassible devant la défaite d'Audenarde, puis la déroute.

Et il ne peut laisser accuser son petit-fils. Il sait ce que l'on dit du duc de Bourgogne. Et il lit ce que celui-ci écrit à Mme de Maintenon, à propos du duc de Vendôme :

« Vous n'aviez que trop raison, madame, quand je vous ai vue trembler de voir nos affaires entre les mains du duc de Vendôme... le roi s'y trompe fort s'il a une grande opinion de lui. Je ne le dis pas seul, toute l'armée en parle. Il n'a jamais eu la confiance de l'officier, et il vient de la perdre du soldat... »

Il ne peut non plus accepter ce jugement, ni la campagne de rumeurs que les adversaires du duc de Bourgogne entretiennent contre lui.

Il le reçoit.

Il veut lui manifester son estime et son affection, et rassurer aussi Marie-Adélaïde de Savoie qu'il voit inquiète et tourmentée. Il embrasse le duc de Bourgogne, le garde longuement contre lui, puis se tourne vers la duchesse et dit :

— Il n'est pas juste de retarder plus longtemps votre plaisir d'être ensemble.

Il les regarde s'éloigner.

Il ne peut être sévère avec eux, ils continuent son sang. C'est d'eux qu'est né son arrière-petit-fils et que d'autres naîtront sans doute.

Quant à Vendôme, qu'il quitte la Cour, et s'exile en son château d'Anet. Lui aussi est de sang royal, puisqu'il est le petit-fils d'un des bâtards d'Henri IV. Mais un roi doit toujours choisir en pensant aux intérêts de sa lignée qui sont ceux du royaume.

Et jamais ils ne lui ont semblé aussi menacés qu'en cette fin de l'année 1708, alors qu'il a depuis le mois de septembre plus de soixante et dix ans.

Et quel que soit le sujet qu'il examine, il ne voit que périls.

Les finances du royaume sont au plus bas. Si exsangues que lorsqu'il propose à Desmarets un cadeau de deux cent mille livres pour sa fille celui-ci refuse, et il doit insister pour que le contrôleur général des Finances accepte une pension de dix mille livres.

Louis sait qu'à des finances pauvres correspond une armée faible.

Les troupes d'Eugène et de Marlborough viennent de conquérir Lille, où le maréchal de Boufflers a résisté dans la citadelle jusqu'à la limite de ses forces.

Il le reçoit. Un roi doit savoir honorer ses serviteurs courageux. Boufflers refuse de quémander.

— Eh bien! Monsieur le maréchal, puisque vous ne voulez rien me demander, je vais vous dire ce que j'ai pensé afin que j'y ajoute encore quelque chose si ne j'ai pas assez pensé à tout ce qui peut vous satisfaire : je vous fais pair, je vous donne la survivance du gouvernement des Flandres pour votre fils, et je vous donne les entrées des premiers gentilshommes de la chambre.

Il interrompt le maréchal de Boufflers qui le remercie et l'assure de sa fidélité.

Il l'a éprouvée. Boufflers est de ceux, comme Mme de Maintenon ou son premier valet de chambre Blouin, en qui il a une totale confiance.

Il lui dit que Gand s'est rendu au prince Eugène. Il hésite, puis il replie la lettre qu'on lui a communiquée ce matin, et à propos de laquelle il a été tenté de demander l'avis du maréchal de Boufflers.

Mais il ne la lira pas.

C'est une copie d'une missive adressée par Fénelon au duc de Chevreuse.

L'archevêque de Cambrai écrit :

« Si le roi venait en personne sur la frontière, il serait cent fois plus embarrassé que le duc de Bourgogne. Il verrait qu'on manque de tout, et dans les places en cas de siège et dans les troupes, faute d'argent. Il verrait le découragement de l'armée, le dégoût des officiers, le relâchement de la discipline, le mépris du gouvernement, l'ascendant des ennemis, le soulèvement secret des peuples et l'irrésolution des généraux. »

Il est persuadé que Fénelon dit vrai.

Mais un grand roi ne peut laisser son royaume se défaire.

Il luttera avec ce que Dieu lui accordera de force et de vie.

33.

Il regarde la glace rouge, le vin gelé dans les verres et les carafes.

Il voit dans la soupière le bouillon de poule lui aussi recouvert d'une couche de glaçons.

Il lève les yeux.

Mme de Maintenon assise en face de lui est enveloppée dans des fourrures, et le duc de Beauvillier et le duc de Chevreuse, assis à sa droite et à sa gauche, sont eux aussi emmitouflés.

Le maréchal de Boufflers tousse, puis commence à parler.

Il se trouvait chez son notaire, à Paris, dit-il.

Il a entendu des cris, vu une foule composée de femmes de la Halle et de laquais sans emploi. Ils hurlaient en brandissant leurs poings : « Du pain ! Nous voulons du pain ! »

Il est sorti dans la rue Saint-Denis, il est allé à la rencontre de l'émeute. Il a interrogé les meneurs.

— Que se passe-t-il, que voulez-vous ?

Ils ont réclamé du pain, crié : « Dites au roi notre misère ! »

Il s'y est engagé.

Il a remercié Dieu d'avoir pu apaiser la colère de ces gens, avant que les régiments des gardes-françaises et suisses, commandés par le lieutenant général de police, d'Argenson, qui étaient en marche, n'aient réprimé l'émeute à coups de mousquet.

Le matin, on avait déjà relevé après leur intervention une quarantaine de morts, près du Palais-Royal.

Tout le royaume a faim, dit le duc de Beauvillier.

Louis devine que Mme de Maintenon va vouloir interrompre le duc.

Il l'a déjà plusieurs fois surprise essayant de lui masquer la situation du royaume depuis que le grand hiver qui s'est abattu le 6 janvier 1709 sur le royaume a rendu la vie difficile à la plupart des sujets.

Ici même, à Versailles, on mange du pain d'avoine !

Et les paysans en sont à se nourrir d'herbe quand elle n'est pas pourrie par la neige. Le blé a disparu. Les accapareurs font avec le grain un cruel manège, s'enrichissant de la rareté qui a multiplié le prix du blé par huit depuis 1708 !

— Dites-moi ce que vous savez de l'état du royaume, interroge Louis.

Le roi doit savoir.

Beauvillier commence à parler d'une voix d'abord hésitante, puis qui peu à peu prend de l'assurance.

Il dit ce froid qui a paralysé tout le pays en une nuit de janvier, la température tombant à vingt degrés en dessous de zéro.

Les arbres fruitiers ont tous gelé. Le tronc des chênes centenaires a éclaté comme si on avait placé dans l'âme de l'arbre une charge de poudre.

Les loups sont sortis des forêts, ont attaqué les courriers, dévorant chevaux et cavaliers. La faim et le froid ont, assure-t-on, tué près de vingt personne par jour à Paris.

Et l'hécatombe continue.

— La misère, le désespoir et la colère sont partout, poursuit le duc de Beauvillier.

Louis se souvient de ces cris lancés par des femmes de la halle, venues hurler leur faim contre les grilles de Versailles.

À Paris, à Tours, dans la plupart des villes on pille les boulangeries.

Place Maubert, une centaine de femmes ont écharpé, démembré un commissaire.

On a découvert souvent dans les rues des cadavres raidis, morts de froid.

Hier, on a trouvé à Versailles les corps de quatre pauvres petits ramoneurs savoyards.

Beauvillier s'interrompt, montre le vin, le bouillon gelés, et le feu qui pourtant crépite dans la cheminée.

— Personne, quel que soit son âge, ne se souvient d'avoir vécu une telle gelée, reprend le duc. La Seine est entièrement prise de glace. Il y a des morts et des malades dans toutes les maisons. Les pauvres n'ont plus rien à manger, et ce que l'on mange – il montre la soupière en or contenant le bouillon – est gelé.

Louis sait cela.

Depuis le début du grand hiver, il n'a cessé d'imaginer ce que devaient subir les sujets du royaume.

Il a ordonné qu'on achète du grain hors de France, au Levant, mais les navires anglais font la chasse aux bateaux chargés de grain. Et l'argent manque pour payer le grain !

Un convoi venu des Amériques, les navires chargés d'argent, a réussi à atteindre La Rochelle, forçant le blocus anglais, mais cela est insuffisant.

Desmarets tente d'obtenir des prêts à des taux usuraires. Les financiers se dérobent. Alors il faut fondre les monnaies pour en fabriquer d'autres, moins titrées en argent et en or, et valant cependant davantage.

Louis tend le bras, montre la soupière en or.

Il va, dit-il, comme il l'a déjà fait quand, il y a une quinzaine d'années, le royaume connaissait la famine, faire porter sa vaisselle d'argent et d'or à la Monnaie, afin qu'on la fonde. Et il compte que ceux qui ont le souci du royaume feront de même.

Il connaît les courtisans. Ils l'imiteront pour lui plaire.

Le duc de Beauvillier et le duc de Chevreuse promettent déjà de suivre l'exemple de Sa Majesté.

Mais il ne s'illusionne pas. Tous les princes et tous les ducs, tous les courtisans apporteraient-ils leur vaisselle d'or et d'argent à la Monnaie que cela ne suffirait pas à sauver le royaume, à rendre la confiance aux sujets qui se rebellent.

Il lit les rapports des intendants.

Dans le Bourbonnais, l'intendant a été assailli par plus de huit cents paysans et n'a dû son salut qu'à la fuite.

Des bandes de mendiants, de soldats déserteurs, de paysans attaquent les châteaux et les couvents, pour piller les réserves de grain qu'ils imaginent y trouver.

Le carrosse de M. le dauphin a été arrêté à Paris par des femmes enragées. Et il n'a pu se sauver qu'en leur jetant des poignées de pièces.

Le royaume va-t-il sombrer dans le désordre et la révolte ?

Les protestants du Vivarais ont pris les armes.

Il faut, alors que la menace que font peser sur les frontières les armées du prince Eugène de Savoie et du duc de Marlborough n'a jamais été aussi forte, envoyer des troupes pour réduire ces camisards qui ne se soucient pas de l'intérêt du royaume.

Louis est inquiet.

La nuit il ne trouve pas le sommeil, réveillé à chaque instant par des cauchemars qui le replongent dans ce temps des troubles, la Fronde, quand il devait avec la reine et le cardinal Mazarin fuir, et que les libelles haineux se répandaient dans Paris.

Ils sont à nouveau affichés sur les murs de la capitale, vendus, distribués, certains de leurs passages chantés.

Il interroge le lieutenant de police d'Argenson, qui assure que de «pareilles insultes ne méritent que du mépris».

Mais il veut connaître ces textes, ce *Pater*, qu'on récite et qu'il peut enfin lire, chaque mot comme un défi :

> *Notre père qui êtes à Marly*
> *Votre nom n'est plus glorieux*
> *Votre volonté n'est faite*
> *Ni sur la terre ni sur la mer*
> *Rendez-nous aujourd'hui notre pain*
> *Parce que nous, nous mourons de faim*
> *Pardonnez à vos ennemis qui vous ont abattu*
> *Mais ne pardonnez pas à vos généraux*
> *Et ne nous induisez pas en tentation de changer de maître*
> *Mais délivrez-nous de la Maintenon,*
> *Amen.*

Il est blessé.

Il sait combien Mme de Maintenon se dévoue, donnant chaque jour aux pauvres, s'efforçant de les accueillir pour les arracher au froid et à la faim, s'obligeant à manger du pain d'avoine pour partager leur misère.

Et lui-même n'a pour seul souci que la gloire du royaume qui se confond avec la sienne.

Ceux qui écrivent et diffusent ces libelles – peut-être des huguenots, au service de Heinsius, du prince Eugène ou du duc de Marlborough – ignorent sa volonté de protéger et de sauver le royaume. Et il sait bien qu'il ne peut y parvenir que si la guerre cesse, et pour cela il faut négocier avec l'ennemi.

Nuits d'insomnies. Journées douloureuses.

Il faut décider d'envoyer des émissaires à La Haye, et c'est une humiliation. Alors il a l'impression que même son corps se révolte contre ce choix nécessaire, et que les souffrances qu'il endure sont le prix à payer pour sa décision.

Le ventre est le lieu de ses tourments.

Il mange pour les apaiser. Il se vide plusieurs fois par nuit et à toute heure du jour. Et la faim vient, comme une angoisse qu'il faut étouffer en s'empiffrant de poissons et de poulets rôtis, de pâtés en croûte, de pois, de fruits, d'eau glacée et d'eau de cannelle.

On le purge. On le saigne. Il est vingt-deux fois en une journée assis sur sa chaise percée.

Mais quand le ventre et le ver qui s'y love s'apaisent, c'est dans les reins une douleur d'enfer qui le traverse.

Uriner est un supplice. Puis, quand le « calcul » gros comme un grain de sable est passé, c'est la goutte qui le paralyse. Il grelotte. Il tousse, enveloppé dans une peau d'ours.

Il tient ainsi conseil dans le grand cabinet. Il ne veut plus qu'y figure Chamillart qui, après avoir abandonné le contrôle général des Finances, est encore secrétaire d'État à la Guerre. Il faut un autre homme pour les temps qui s'annoncent, qui seront ceux des négociations, de la paix et donc des ultimes batailles.

Il donne l'ordre à Jean-Baptiste Colbert de Torcy, ministre des Affaires étrangères, de se rendre incognito à La Haye afin d'y rencontrer Heinsius, Eugène de Savoie et le duc de Marlborough, d'offrir à ce dernier dont toute l'Europe connaît l'âpreté au gain quatre millions de livres.

Il faut attendre. Prier, se confesser.

Et chaque fois se souvenir du père de La Chaise, mort au début de l'année, tué par l'âge et le froid, murmurer à Le Tellier, le provincial des jésuites qui l'a remplacé :

— Le père de La Chaise était si bon que je le lui reprochais quelquefois. Il me répondait : « Ce n'est pas moi qui suis bon, mais vous qui êtes dur. »

Il doit être dur. C'est la première qualité d'un grand roi. Et il a confiance en Le Tellier. Ce jésuite est volontaire, dur lui aussi, fier de ses origines modestes, précisant qu'il n'appartient pas à la famille des Colbert, qui sont aussi des Le Tellier.

— Je suis bien loin de cela, a-t-il dit, je suis un pauvre paysan de Basse-Normandie où mon père était fermier.

Louis est satisfait. Ce jésuite-là, même s'il fait désormais partie de la Cour, même s'il est invité à Marly, ne peut être un courtisan.

Il prie avec lui, pour que Torcy réussisse à obtenir la paix. Elle est nécessaire.

Louis sait que le royaume est au bord de l'abîme.

Il lit le mémoire que lui remet Nicolas Desmarets – et qu'approuve le nouveau secrétaire d'État à la Guerre Voysin, un homme prudent, dévoué, efficace, soumis à Mme de Maintenon.

Desmarets dresse la liste de tous les maux qui assaillent le royaume. Il souligne « la mauvaise disposition d'esprit de tous les peuples » qui sont prêts, tenaillés par la faim, la misère, le désespoir, à la révolte.

Et Desmarets conclut :

« À tous ces maux il n'est possible de trouver des remèdes que par une prompte paix. »

Louis partage plus que jamais cette opinion et, lorsqu'il écoute le sermon de carême du père Massillon, ses dernières hésitations disparaissent.

— La main du Seigneur, dit Massillon en ce quatrième dimanche du carême, est étendue sur nos peuples dans les villes et dans les campagnes : vous le savez et vous vous en plaignez. Le ciel est d'airain pour ce royaume affligé, la misère, la pauvreté, la désolation, la mort marchent partout devant nous.

Louis attend donc Torcy.

Il est impatient, le corps tourmenté par les douleurs du ventre et de la goutte.

Lorsqu'il traverse la galerie et les salons en s'efforçant de masquer ses souffrances, il lit sur les visages des courtisans le désarroi et l'anxiété.

La paix est necessaire, même s'il faut pour l'obtenir beaucoup céder.

Mais lorsqu'il voit Torcy rentré dans la nuit de La Haye, il devine à l'expression du ministre que Heinsius, et surtout Eugène et Marlborough, les Impériaux et les Anglais, ont présenté des exigences insolentes, exorbitantes.

Il veut rester impassible cependant que Torcy rapporte les propositions qui lui ont été communiquées.

Marlborough, précise-t-il d'abord, a refusé, narquois, les quatre millions que Sa Majesté lui offrait.

— Le roi de France, continue Torcy, devrait abandonner entièrement le roi d'Espagne. Il lui ôterait jusqu'au titre de roi. Il livrerait aux Hollandais Bayonne et Perpignan pour rester entre leurs mains jusqu'à ce que Philippe V ait entièrement évacué l'Espagne.

Torcy s'interrompt, mais Louis ne bouge et ne commente pas.

Torcy reprend :

— Le roi rétablirait en France la religion prétendue réformée et donnerait aux huguenots pour places de sûreté Bordeaux et La Rochelle, dans lesquelles il y aurait garnisons hollandaise et anglaise.

« Le roi ferait boucher le port du Havre et raser Dunkerque. Il ôterait tout commerce à la France pour l'abandonner tout entier à la Hollande.

« Le roi donnerait en propre aux états généraux des Provinces-Unies la Gueldre et tous les Pays-Bas espagnols et même Thionville et toutes les places de l'Escaut.

« Le roi céderait toute l'Alsace et toute la Franche-Comté

643

au duc de Lorraine et même l'évêché de Toul, et à l'empereur Strasbourg tout fortifié.

«Le roi donnerait au duc de Savoie le Dauphiné et la Provence.

Torcy reste un long moment silencieux, puis conclut :

— Le prince Eugène a ajouté qu'il s'agissait là de belles propositions, qu'il fallait accepter. Les alliés, a répété le prince, donnent à la France tout ce qu'ils lui laissent, puisqu'ils sont les maîtres de tout lui ôter.

Louis se tait. Il sent, il comprend ce que signifient ces exigences.

Eugène de Savoie, le duc de Marlborough et le stathouder Heinsius ne veulent pas la paix, mais l'humiliation de Louis le Grand et la soumission du royaume de France.

Croient-ils que les sujets de ce royaume respecteraient un roi reniant son petit-fils, roi d'Espagne ?

Ce qu'ils veulent, donc, c'est sa mort comme grand souverain et son rejet par son peuple.

Il se lève.

Il va jusqu'à la fenêtre du grand cabinet. Il contemple les statues et les jardins, les bassins, les fontaines, les cours et les bâtiments, tout ce qu'il a fait surgir d'une nature hostile, aujourd'hui ordonnée et soumise.

Il se tourne vers Jean-Baptiste Colbert de Torcy.

Il dit :

— Puisqu'il faut faire la guerre, j'aime mieux la faire à mes ennemis qu'à mes enfants.

Il faut qu'il explique cela à tous les sujets de son royaume.

34.

Il pose le texte que vient de lui remettre Torcy devant lui.

Il écarte du bout des doigts les feuillets les uns des autres, comme s'il voulait pouvoir d'un seul regard lire toutes les phrases de cet appel qu'il adresse aux gouverneurs et aux évêques de toutes les provinces du royaume.

Il veut, dit-il à Torcy, que les évêques fassent des mandements avec les principaux passages de l'appel.

Il veut que les curés, tous les curés de France – il hausse la voix, il répète –, tous les curés de France dans toutes les paroisses de France, lisent ces mandements après la grand-messe.

Il rassemble les feuillets qu'il a dictés à Torcy.

Il veut, ajoute-t-il, que les gouverneurs fassent distribuer l'appel et le collent en placards aux carrefours des rues de toutes les villes du royaume.

— Mes sujets, dit-il, sauront les raisons de leur roi.

Il veut relire cet appel, même s'il a l'impression d'en connaître chaque mot. Ils ont jailli de lui comme s'ils avaient été retenus et qu'enfin, le barrage levé, libérés, ils formaient ce grand fleuve des phrases qui allait irriguer tout le royaume.

Il commence par un murmure, pour lui-même, puis il enfle la voix, lit :

« L'espérance d'une paix prochaine était si généralement répandue dans mon royaume que je crois devoir à la fidélité que mes peuples m'ont témoignée pendant le cours de mon règne la consolation de les informer des raisons qui empêchent encore qu'ils ne jouissent du repos que j'avais dessein de leur procurer.

« J'avais accepté pour le rétablir des conclusions bien opposées à la sûreté de mes provinces frontières ; mais plus j'ai témoigné de facilité et d'envie de dissiper les ombrages que mes ennemis affectent de conserver de ma puissance et de mes desseins, plus ils ont multiplié leurs prétentions... »

Il s'interrompt, parcourt des yeux les lignes suivantes, s'indigne à nouveau en les relisant des prétentions de ces alliés, de ce marché de dupes et de ce contrat de mort qu'on lui propose.

Il devrait démanteler, raser ses places fortes, abandonner celles des Pays-Bas et de l'Alsace.

Et tout cela pour une suspension d'armes, laissant aux puissances ennemies le choix de reprendre les hostilités s'ils jugeaient que Philippe V tardait à abandonner le trône d'Espagne !

Il est si révolté de ce piège dans lequel on l'invite à entrer qu'il reprend la lecture, d'une voix forte :

« Je passe sous silence les insinuations qu'ils m'ont faites de joindre mes forces à celles de la Ligue et de contraindre le roi, mon petit-fils, à descendre du trône. [...]

« Il est contre l'humanité de croire qu'ils aient seulement eu la pensée de m'engager à former avec eux une pareille alliance.

« Mais quoique ma tendresse pour mes peuples ne soit pas moins vive que celle que j'ai pour mes propres enfants, quoique je partage tous les maux que la guerre fait souffrir à des sujets aussi fidèles, et que j'aie fait voir à toute l'Europe que je désirais sincèrement de les faire jouir de la paix, je

suis persuadé qu'ils s'opposeraient eux-mêmes à la recevoir à des conditions également contraires à la justice et à
l'honneur du nom français. »

Il ferme les yeux.

Il est le roi de France, Louis le Grand, le Roi Très-
Chrétien.

« Comme je mets ma confiance en la protection de Dieu,
reprend-il, et j'espère que la pureté de mes intentions
attirera les bénédictions divines sur les armes, j'écris
aux archevêques et aux évêques de mon royaume d'exciter
encore la ferveur des prières dans leurs diocèses.

« Et je veux en même temps que mes peuples, dans
l'étendue des provinces, apprennent des gouverneurs
qu'ils jouiraient de la paix s'il eût dépendu seulement de
ma volonté de leur procurer un bien qu'ils désirent avec
raison, mais qu'il faut acquérir par de nouveaux efforts,
puisque les concessions immenses que j'avais accordées
sont inutiles pour le rétablissement de la tranquillité
publique. »

Il attend dans les jours qui suivent les rapports que lui
envoient les intendants et celui du lieutenant général de
police d'Argenson.

À la lecture des premiers qu'il reçoit, il a le sentiment que
sa poitrine s'emplit d'un air vif et salubre.

Les intendants signalent que les manouvriers, les paysans
s'engagent dans la milice, après avoir entendu la lecture par
le curé de l'appel de Sa Majesté.

Dans les villes, on approuve le roi d'avoir refusé de faire
la guerre à son petit-fils.

Philippe V est roi d'Espagne par la volonté de Dieu, et
exiger de son grand-père qu'il contribue à sa chute est contre
tout droit et contre toute justice.

Oui, dit-on, l'honneur français ne l'accepte pas.

Il reçoit d'Argenson.

Celui-ci lui indique que la foule s'est rassemblée devant l'imprimerie dans laquelle l'appel, dont les premiers exemplaires s'étaient arrachés, est réédité.

Il reste impassible, mais il remercie Dieu pour cette grâce.

Car il n'est de grand roi que celui qui veut le bien et la gloire de son royaume, et celui qui reçoit l'aide et l'amour de ses sujets.

Il a l'impression qu'il vient de recevoir, alors que la fin de sa vie approche, la confirmation de son sacre.

Il veut remercier Dieu, et il donne satisfaction à Le Tellier qui ne cesse de le mettre en garde contre ces jansénistes qui, malgré les condamnations pontificales, continuent d'infester l'Église de leur hérésie sur la grâce, à laquelle les œuvres ne pourraient concourir.

Il autorise donc la destruction de l'abbaye de Port-Royal, et l'expulsion puis la dispersion dans d'autres couvents des dernières religieuses qui s'y trouvent encore.

Il apprend qu'il faut déterrer les restes de trois mille morts enfouis dans le cimetière de l'abbaye, et ceux qui ne seront pas réclamés par leurs familles seront déversés dans une fosse commune. Et on labourera la terre, on sèmera sur l'emplacement de l'abbaye. Mais force doit rester à l'Église qui est celle de la religion du roi.

Et Dieu en saura gré au Roi Très-Chrétien.

Il est ce souverain-là, qui honore Dieu, qui écoute son confesseur et assiste chaque jour à la messe, qui est conforté dans sa foi par la présence de la pieuse et charitable Mme de Maintenon, épouse fidèle devant Dieu.

Il voudrait que sa vie de débauche et d'adultère n'ait pas existé. Quand il apprend que La Reynie, l'ancien lieutenant général de police, vient de mourir, c'est toute cette époque, celle des soupçons, des messes noires, des accusations contre

Athénaïs de Montespan de Mortemart, qui lui revient en mémoire.

Il convoque Maître Nicolas Gaudion qui a la garde de tous les interrogatoires des coupables qui avaient mis en cause Athénaïs ou sa dame de compagnie, Mlle des Œillets.

Maître Gaudion s'avance, ce 13 juillet 1709, dans les appartements de Mme de Maintenon.

Il porte une cassette en cuir noir contenant les pièces qui avaient été retirées, à la demande de Sa Majesté, du dossier de justice.

Louis regarde le chancelier de France, le comte de Pontchartrain, qui est debout près du fauteuil de damas rouge dans lequel est assise Mme de Maintenon.

Il faut que ces papiers disparaissent, que rien ne demeure de cette époque noire, des accusations contre Athénaïs de Montespan, maîtresse du roi, mère de plusieurs de ses enfants, le duc du Maine, le comte de Toulouse, Mlle de Blois, duchesse d'Orléans, et Mlle de Nantes, épouse du prince de Condé, et donc Mme la duchesse.

Il fait sauter les serrures. Il sort les liasses vieilles de plus de vingt ans.

Il ne les ouvre pas. Tout cela ne doit pas exister. Tout cela doit être ignoré. Tout cela, les poisons, les messes noires, les poudres et les philtres, les accusations contre Athénaïs, n'a jamais eu lieu.

Il jette l'une après l'autre les liasses dans la cheminée.

Les flammes, d'abord vives, sont étouffées peu à peu par les cendres qui s'accumulent.

De ce passé, il ne reste que cette poussière noire.

Il est Roi Très-Chrétien du royaume de France qui ne doit penser qu'à l'avenir de sa dynastie, qui se confond avec celui de ses sujets.

35.

Dans le grand cabinet, il s'approche du maréchal de Villars.

Il veut lui confier le commandement de l'armée des Flandres, alors que la situation des troupes françaises face aux régiments anglais et hollandais du duc de Marlborough et du prince Eugène de Savoie est périlleuse, et quelquefois il pense, s'efforçant d'oublier ce mot, désespérée.

Un grand roi qui veut assurer l'avenir de sa dynastie et de son royaume, qui sert Dieu et croit à sa bienveillance, ne doit jamais perdre l'espoir. Et cependant, les gentilshommes blessés qui rentrent à Versailles après avoir combattu en Flandre décrivent des troupes découragées, mal ou point payées, désertant en foule.

Tournai est tombé, la citadelle résiste encore, mais pour combien de jours ?

Il sait qu'elle est condamnée, même si M. de Surville qui la commande a une conduite héroïque et si la ville ne s'est rendue qu'après un siège de près de deux mois.

Maintenant, les troupes d'Eugène et de Marlborough peuvent avancer, fortes de près de cent dix mille hommes accompagnés d'une puissante artillerie.

Il faut les arrêter, leur montrer que lorsque l'honneur français est en jeu, l'armée royale ne se débande pas.

Et pour cela il faut qu'elle ait un chef qui a fait ses preuves.

Louis ouvre les bras, serre le maréchal de Villars contre lui et l'embrasse. Il devine l'émotion de Villars.

— Je mets ma confiance en Dieu et en vous, dit Louis. Mais je ne puis rien vous ordonner puisque je ne puis vous donner aucun secours.

Il espère en Villars qui a sous son commandement quatre-vingt mille hommes, semblant décidés à combattre avec détermination.

Villars a dit que lorsqu'il leur a lu l'appel du roi, ils ont répondu par des «Vive le roi!» enthousiastes, en brandissant leurs fusils armés de baïonnettes.

Villars leur a répondu :

— Nous voici à la veille des grandes actions qui peuvent décider du salut de l'État.

Il faut attendre, apprendre par les courriers que les deux armées sont face à face à Malplaquet, non loin de Mons, que le maréchal de Boufflers est tout aussi résolu que Villars, et que les deux maréchaux sont dans une parfaite entente.

Puis, le 13 septembre, un officier arrive à Marly, annonce que la bataille a fait rage, que le maréchal de Villars qui conduisait les charges, creusant des sillons sanglants dans les rangs hollandais, a été grièvement blessé au genou, et qu'en dépit de ses protestations on a été contraint de l'évacuer.

Jamais, dit l'officier, on n'a vu autant de morts entassés enlacés sur un champ de bataille ; les pertes françaises seraient moins fortes que celles des armées anglo-hollandaises.

Louis écoute, ne pouvant s'empêcher d'exprimer sa tristesse et sa déception quand il apprend que le maréchal de Boufflers a décidé d'ordonner la retraite, livrant ainsi Mons à l'ennemi.

Autour de lui, Louis ne voit que visages consternés et

inquiets, car toutes les dépêches confirment que les morts se comptent par milliers, et que parmi eux on compte un grand nombre de gentilshommes qui ont à la Cour femmes, parents, amis.

Louis s'interroge. Si les troupes d'Eugène et de Marlborough ont essuyé plus de pertes que les françaises, pourquoi leur avoir abandonné le champ de bataille et concédé ainsi la victoire ?

Et puis, il reçoit ces quelques mots du maréchal de Villars :

« Si Dieu nous fait la grâce de perdre encore une pareille bataille, Votre Majesté peut compter que ses ennemis sont détruits. ».

Défaite ? Victoire ?

L'armée a reculé en bon ordre. Elle a blessé profondément l'ennemi, sans doute même l'a-t-elle arrêté.

Il se rassure. Peut-être cette bataille, ni perdue ni gagnée, mais montrant à l'ennemi que le royaume de France n'est pas à l'agonie, permettra-t-elle de conclure la paix ?

Il lit et relit les lettres que le maréchal de Boufflers lui adresse et qui affirment que « jamais malheur n'a été accompagné de plus de gloire... Je puis vous assurer, Sire, avec vérité que cette gloire est infiniment au-dessus de tout ce que je pourrais lui en dire. Votre Majesté le saura par la relation même des ennemis qui ne peuvent assez exalter, ni vanter l'audace, la valeur, la fermeté et l'opiniâtreté des troupes de Votre Majesté.

« Enfin, Sire, la suite des malheurs arrivés depuis quelques années aux armes de Votre Majesté avait tellement humilié la nation française que l'on n'osait quasi plus s'avouer français.

« J'ose assurer, Sire, que le nom français n'a jamais été plus en estime, ni plus craint qu'il l'est présentement dans toute l'armée des alliés.

« Ils parlent avec admiration de la beauté de notre retraite, et de la fierté avec laquelle elle a été faite. Ils disent qu'ils ont reconnu en cette action les anciens Français.

« Ce que je puis avoir l'honneur de dire à Votre Majesté, c'est que depuis longtemps armée n'acquit plus de gloire et n'a plus mérité l'estime du maître et des ennemis ».

Louis est satisfait.

Il lui semble qu'avec les moyens du royaume, la longue guerre qui comme une interminable maladie l'a épuisé, il ne pouvait faire plus que de blesser l'ennemi et ainsi de se faire respecter.

Mais il mesure le prix de cette bataille.

Lorsqu'il regarde autour de lui, à Marly, à Versailles, il ne voit que tristesse et larmes.

Tous les jours arrivent au château des officiers appuyés sur des béquilles. Il faut les récompenser et d'abord leur chef, le maréchal de Villars, dont la blessure est profonde.

Il décide de lui envoyer son premier chirurgien Mareschal, auquel il ordonne de lui adresser chaque jour un état de la santé de Villars.

Il demande à Mme de Maintenon d'aller visiter le blessé, et de lui apporter le salut du roi.

Le 22 décembre, après avoir écouté le sermon, il se rend auprès de Villars qui a été transporté à Versailles. Il s'assied au pied du lit. Il converse longuement avec lui. Un grand roi sait reconnaître les qualités et les vertus de ceux qui le servent avec fidélité et courage, et les gratifier pour cela.

Il dit à Villars que son duché est transformé en pairie, et qu'il n'oubliera pas le fils du maréchal, le jeune marquis de Villars.

Louis rentre dans sa chambre, et regarde les trente-trois drapeaux conquis sur l'ennemi à Malplaquet.

Il demande à ce qu'ils soient accrochés dans la nef de Notre-Dame.

Puis il prie pour que ce carnage de Malplaquet ouvre le chemin de la paix.

Car elle seule pourra faire sortir le royaume de ce grand hiver, commencé le 6 janvier de cette année 1709.

36.

Il a froid.

Il se tient emmitouflé dans son fauteuil face à la cheminée du grand cabinet.

Il a l'impression que tout est glace en lui et hors de lui.

Quand il tourne la tête et qu'il aperçoit le parc, il ne voit que l'étendue blanche qui emprisonne les fontaines et les arbres, les massifs, et recouvre les canaux.

Le grand hiver continue de régner, indifférent à la succession des années. Ce mois de janvier 1710 ressemble au mois de janvier 1709. La faim est la sœur du gel. La misère et la révolte sont leurs enfants.

Le lieutenant de police d'Argenson énumère dans ses rapports les «émotions», les pillages, les violences contre les riches en carrosse, les commissaires, tous ceux dont on soupçonne qu'ils remplissent leur ventre de pain de froment et non de miches grises de son, d'avoine et d'herbes. Et les coffres de l'État restent vides alors qu'il faudrait acheter du grain, pour le distribuer aux plus pauvres.

Louis reçoit le contrôleur général des Finances qui, le visage anxieux d'un homme aux abois, propose la création d'un impôt frappant chaque sujet du roi, prince ou manant, membre du Parlement, duc ou artisan, à hauteur du dixième de ses revenus. Et comme chaque fois, Desmarets énumère les oppositions des plus riches des princes, ce duc de Saint-Simon se faisant leur porte-parole, dénonçant la désolation que va provoquer cet impôt et le chaos des finances royales, tous ces billets émis qu'un édit vient de décréter sans valeur – et que faire alors de ces «billets d'État, billets de monnaie, billets de receveurs, billets sur taille, billets d'ustensile» dont le retrait provoque la ruine, que l'impôt du dixième va aggraver.

Louis écoute Desmarets. Il imagine les résistances qu'il va rencontrer. Mais un roi doit d'abord penser à sauver son royaume.

Il le rappelle aux ministres rassemblés en Conseil.

La situation est d'autant plus grave que les négociations avec les Impériaux, les Hollandais et les Anglais n'aboutissent pas.

— Je ne peux ni sortir de la guerre ni obtenir la paix, dit-il.

Il regarde les ministres les uns après les autres.

Il sait que certains sont favorables à la paix à tout prix. Même le maréchal de Villars lui a conseillé d'accepter toutes les exigences des alliés. «La paix à n'importe quel prix», a insisté Villars.

Louis doit le redire :

— Je ne promettrai jamais ni n'envisagerai de consentir à faire la guerre à mon petit-fils.

Et cependant, il ne faut pas interrompre les négociations.

La situation peut changer.

Les espions affirment qu'à Londres le Parlement veut en finir avec la guerre, et qu'il critique Marlborough.

En Espagne, la population castillane, les Grands sont, malgré les échecs militaires, fidèles à Philippe V.

Louis décide donc d'envoyer à Geertruidenberg, dans les Provinces-Unies où se déroulent les négociations, le maréchal d'Huxelles et l'abbé de Polignac. Qu'ils écoutent. Qu'ils proposent et même qu'ils laissent entendre qu'ils sont prêts à accepter les conditions qu'on leur soumet. Mais qu'ils ne s'engagent en rien.

— Gagnez du temps, dit Louis au ministre des Affaires étrangères Torcy.

Et il ajoute :

— Nous n'avons plus comme moyen pour porter nos ennemis à la paix que celui de faire véritablement la guerre.

Mais pour cela il faut de l'or et de l'argent. Alors, il faut approuver l'impôt du dixième, car il ne suffit pas que les princes et les ducs donnent leur vaisselle en métal précieux à la Monnaie pour qu'on l'y fonde et qu'ils se « mettent en faïence », il faut qu'ils paient comme tout sujet du royaume.

Et il annonce, en ce mois de janvier 1710, qu'il suspend le versement des étrennes à la famille royale.

Mais il le sait, il le sent, tout cela est insuffisant.

Le grand hiver, celui du froid, de la misère et surtout des défaites, persiste, s'aggrave même.

Il voudrait confier à nouveau au maréchal de Villars le commandement de l'armée des Flandres, mais Villars souffre encore de sa blessure, il boite, craint peut-être de dilapider sa gloire en affrontant avec des troupes encore affaiblies Eugène et Marlborough.

Alors il faut donner le commandement au maréchal de Montesquiou. Et, il l'apprend par des officiers blessés lors des premiers combats, les soldats se moquent de ce maréchal qui se laisse surprendre, ordonne la retraite.

Les hommes chantonnent « Montesquiou, montre ton cul ! ».

Et les villes du Nord tombent les unes après les autres : Douai, Arras, Cambrai, Béthune, Aire-sur-la-Lys.

En Espagne, la situation est pire.

L'Anglais Stanhope remporte la victoire d'Almenera,

l'Autrichien Starhemberg prend Saragosse et ses troupes marchent sur Madrid.

Louis est accablé, mais il doit masquer ses inquiétudes, ne pas céder au découragement quand un courrier lui annonce que l'archiduc Charles est entré à Madrid, que Philippe V, la reine, les Grands d'Espagne et une grande partie de la population se sont enfuis.

Il écoute Torcy lui lire une lettre qu'il vient de recevoir de la princesse des Ursins. Malgré l'exode, elle se montre confiante car partout les Castillans acclament Philippe V, leur roi, et rejettent le Habsbourg, Charles, cet usurpateur sous le nom de Charles III.

« Nous crevons tous de rhumes et de mille autres incommodités, que causent les maisons gelées où nous habitons, écrit la princesse des Ursins, mais tout ceci n'est rien quand on a le cœur aussi content que nous l'avons. J'attends avec la dernière impatience que vous me fassiez l'honneur de me témoigner que le vôtre l'est aussi. Vous ne seriez pas bon à jeter aux chiens si vous n'étiez pas dans ces sentiments. »

Il demande à Torcy de lui relire les dernières phrases. Elles portent l'espoir.

Non seulement il ne faut pas abandonner Philippe V, mais il doit l'aider. Et il approuve Torcy qui propose d'envoyer en Espagne le duc de Vendôme, exilé loin de la Cour depuis la défaite d'Audenarde. Mais c'est un bon chef de guerre. Il faut, dit Louis, que tous les sujets du royaume, ducs ou paysans, participent à cette guerre.

Il est indigné de lire dans une lettre de l'archevêque de Cambrai, qui a été interceptée, que Fénelon écrit au duc de Chevreuse :

« Notre mal vient de ce que cette guerre n'a pas été jusqu'ici que l'affaire du roi, qui est ruiné et discrédité. Il faudrait en faire l'affaire véritable de tout le corps de la nation. »

N'est-ce pas ce qu'il a fait dans l'appel adressé au pays ?

Il prend la plume. Il sent le besoin d'écrire une nouvelle Adresse à ses sujets, et les mots de cette harangue viennent sans que jamais un seul lui manque.

Il a le sentiment, en écrivant, de se confesser.

« J'ai soutenu cette guerre avec la hauteur et la fierté nécessaires qui conviennent à ce royaume, dit-il. C'est par la valeur de ma noblesse et le zèle de mes sujets que j'ai réussi dans les entreprises que j'ai faites pour le bien de l'État.

« J'ai donné tous mes soins et toute mon application pour y parvenir.

« Je me suis aussi donné les mouvements que j'ai cru nécessaires pour remplir mes devoirs et pour faire connaître l'amitié et la tendresse que j'ai pour mes peuples en leur procurant par mes travaux une paix qui les mette en repos le reste de mon règne pour ne penser plus qu'à leur bonheur.

« Après avoir étendu les limites de cet empire et couvert mes frontières par les importantes places que j'ai prises, j'ai écouté les propositions de paix qui m'ont été faites et j'ai peut-être passé, à cette occasion, les bornes de la sagesse pour parvenir à un aussi grand ouvrage.

« Je puis dire que je me suis sorti de mon caractère et que je me suis fait une violence extrême pour procurer promptement le repos à mes sujets aux dépens de ma réputation ou du moins de ma satisfaction particulière et peut-être de ma gloire. J'ai cru leur devoir cette reconnaissance.

« Mais voyant à cette heure que mes ennemis les plus emportés n'ont voulu que m'amuser, me tromper, je ne vois plus de parti à prendre que celui de songer à nous bien défendre en leur faisant voir que la France bien unie est plus forte que toutes les puissances rassemblées.

« Par les efforts que nous ferons par notre union, nos ennemis connaîtront que nous ne sommes pas en l'état qu'ils veulent faire croire et nous pourrons les obliger à faire une paix honorable pour nous, durable pour notre repos et convenable à tous les princes de l'Europe.

« C'est à quoi je penserai jusqu'au moment de sa conclusion, même dans le plus fort de la guerre, aussi bien qu'au bonheur et à la félicité de mes peuples qui ont toujours fait et feront jusqu'au dernier moment de ma vie ma plus grande et ma plus sérieuse application. »

Il pose la plume.

Il se sent mieux d'avoir ainsi écrit ce qu'il éprouve.

Mais, il le sait, son sort et donc celui du royaume sont entre les mains de Dieu.

37.

Il remercie Dieu quand, ce 14 février 1710, à sept heures du matin, son premier valet de chambre Blouin vient le réveiller.

La duchesse de Bourgogne, Marie-Adélaïde, est en travail, l'enfant, le deuxième arrière-petit-fils, peut naître d'un instant à l'autre.

Il faut se lever aussi vite que le corps lourd et douloureux le permet. Hier soir, Louis a ordonné aux valets qu'on laisse ses habits dans sa chambre.

Il n'a pas pu assister à l'accouchement du duc de Bretagne, né trop vite. Il ne veut pas manquer celui-là.

Un arrière-grand-père, un roi, doit être présent au moment de la naissance de ses descendants.

Il se rend dans la chambre de la duchesse.

L'accoucheur Clément lui murmure que l'enfant ne vient pas trop bien, puisqu'il se présente d'abord par le derrière et ensuite les jambes. Il faut faire faire un soubresaut à la duchesse, pour pouvoir tirer l'enfant par les pieds.

Louis croise les bras.

«Si Dieu le veut», murmure-t-il, puis il prie, ne détournant pas les yeux de l'accoucheur qui, assisté de deux médecins, s'affaire.

Enfin un cri. Il est né à huit heures trois minutes et trois secondes.

C'est un garçon qui sera appelé duc d'Anjou, le nom qu'avait porté le deuxième fils du Grand Dauphin avant de devenir le roi d'Espagne Philippe V.

Louis s'approche. L'enfant dort paisible, après avoir été ondoyé.

Louis veut croire les faiseurs d'horoscope qui prédisent que cet enfant sera heureux. Ils ajoutent : « Il est très avantageux à un État d'avoir beaucoup de princes d'une même race. »

Louis se retire dans l'appartement de Mme de Maintenon.

Il pense à ce nouveau descendant qui ne régnera sans doute pas puisque, avant lui, doivent accéder au trône le Grand Dauphin – son grand-père –, le duc de Bourgogne – son père – et le duc de Bretagne – son frère aîné.

Mais Dieu décide de ceux qui doivent survivre et régner[1].

Et cette naissance ainsi le fait de nouveau penser à la mort.

Il apprend que, dans le couvent des Carmélites, on a découvert, agonisant sur les dalles de la galerie du cloître, sœur Louise de la Miséricorde.

C'est un autre pan de son passé qui devient poussière. Et quelques instants sa mémoire retrouve le visage et la silhouette de Louise de La Vallière.

Mais tout se dissipe vite, et il ne réussit même pas à imaginer cette passion d'il y a près de cinquante ans, enfouie, qui lui semble appartenir à une autre vie que la sienne.

Et cependant il doit recevoir la princesse de Conti, sa fille, que Mlle de La Vallière a portée. Elle pleure sa mère, et lui demande l'autorisation d'en prendre le deuil.

Il l'accorde à regret.

Ses enfants sont les siens, et non ceux des femmes, ses maîtresses, qui les ont portés !

---

1. Le duc d'Anjou sera le successeur de Louis XIV et régnera sous le nom de Louis XV.

Ils sont de sang royal et, bâtards ou légitimes, ils font partie de la famille royale, et il veut en unir toutes les branches, afin que les bâtards ne soient séparés par rien des enfants légitimes.

Il connaît les réticences qu'il doit surmonter avant d'atteindre ce but.

Il se souvient qu'il a dû imposer à son frère et à Mme la Palatine le mariage de leur fils Philippe d'Orléans avec Mlle de Blois, la fille bâtarde d'Athénaïs de Montespan.

Maintenant, il veut marier son troisième petit-fils à Marie-Louise Élisabeth d'Orléans, la fille de Philippe d'Orléans et de Mlle de Blois. Elle est à la fois sa petite-nièce et sa petite-fille.

Elle n'a que quinze ans mais son corps déjà lourd est celui d'une femme avide de toutes les jouissances.

Elle est entêtée, orgueilleuse, fantasque, ambitieuse, dévorée par le désir d'épouser le duc de Berry, un gros jeune homme de vingt-quatre ans qui ne sait que chasser et jouer. Louis est aussi inquiet des relations équivoques que la jeune fille entretient avec son père le duc d'Orléans.

Mais il veut ce mariage.

Il obtient la dispense de Rome, nécessaire compte tenu des liens de parenté qui unissent les futurs époux. Et le mariage est célébré dans la nouvelle chapelle de Versailles.

Le duc de Berry est si corpulent qu'on n'a pu lui faire porter un pourpoint. Et sa jeune épouse ne peut elle aussi, sous sa robe de taffetas noir couverte de broderies, dissimuler ses formes généreuses.

Lorsque Louis entre dans la chapelle, il oublie les préoccupations qui l'assaillent. Il voit tous les princes du sang et les duchesses agenouillés de part et d'autre du prie-Dieu royal où lui-même prend place.

Il lève les yeux.

Les tribunes de la chapelle sont pleines de dames de cour et comme elles sont extrêmement parées et qu'elles portent une infinité de pierres précieuses, leur beauté et leurs parures forment l'un des plus magnifiques et des plus éclatants spectacles qu'il ait vus depuis longtemps.

Il est ému lorsque, à la fin de la messe, le curé dépose sur son prie-Dieu le livre des mariages, et lorsque le premier aumônier lui présente la plume pour signer. Il attend un instant avant de le faire. Il faut savourer ce moment.

Il est Louis le Grand, à l'origine de tout cela, la chapelle, l'étiquette, et aussi source des vies et des destins de tous ceux qui sont de son sang.

Et le soir, il les rassemble, dans le salon qui précède sa chambre, pour un grand souper de vingt-huit couverts.

Il préside la longue table rectangulaire avec à sa droite le Grand Dauphin, son fils, et à sa gauche le duc de Bourgogne, son petit-fils. Et il y a autour de la table ses bâtards, mêlés à ses enfants légitimes.

Il a réussi cela, cette fusion de tous ceux qui sont de son sang.

À la fin du souper, il conduit, suivi de toute la Cour, les mariés à leur lit. Il donne la chemise au duc de Berry, et la duchesse de Bourgogne fait de même avec la duchesse de Berry.

Puis le duc de Beauvillier ferme le rideau du côté du marié, et la duchesse de Saint-Simon, dame d'honneur de la mariée, fait de même de son côté. Puis il sort. Il est minuit et demi.

Il n'a pas voulu que les violons accompagnent les différents moments de cette journée.

Le temps n'est pas aux fêtes, a-t-il dit.

Si elles sont petites, elles ne conviennent pas à la grandeur d'un roi tel que lui.

Et les grandes fêtes ne sont pas de mise dans les temps et les circonstances où les affaires de l'État se trouvent.

Mais cette naissance d'un deuxième arrière-petit-fils et ce mariage le rassurent.

Le sang royal est encore vigoureux, plein de vie.

Et lorsqu'il reçoit des courriers qui lui annoncent que les Anglais, qui ont débarqué à Agde et à Sète afin d'aider les huguenots révoltés, ont été repoussés, et les camisards battus, tués, il y voit un signe d'espoir.

Il attend, s'efforçant de paraître insensible aux défaites et aux difficultés qui continuent de s'accumuler.

Et en décembre 1710 arrivent les premiers courriers d'Espagne qui annoncent que les troupes anglo-autrichiennes de Stanhope et de Starhemberg ont été écrasées à Brihuega et à Villaviciosa.

Philippe V et sa Cour ont pu regagner Madrid. Il n'y a plus de menace militaire sur la couronne. Son petit-fils peut ainsi conserver son trône.

Il lit la lettre que lui adresse le duc de Vendôme et chaque mot est comme une rémission longtemps espérée, inattendue.

Le duc de Vendôme écrit :

« Jamais bataille n'a été si glorieuse aux armes du roi, ni si complète que celle de Villaviciosa. Cette formidable armée qui avait percé jusqu'à Madrid et qui menaçait toute l'Espagne d'une invasion générale est détruite entièrement. »

Quelques jours plus tard, un autre courrier lui apprend que le duc de Noailles vient de conquérir Gérone, après avoir battu les troupes de Starhemberg.

Ces victoires, il en est sûr, changent toute la face des affaires d'Espagne en même temps que celles de toute l'Europe.

Il n'a ni trahi ni abandonné son petit-fils. Il a sauvé son trône.

Il veut croire que la paix est proche.

SIXIÈME PARTIE

1711-1714

38.

Il observe la duchesse de Berry assise en face de lui à la table du souper. Il voudrait ne penser qu'aux bonnes nouvelles que lui a apportées Torcy. Les espions des ministres, à Londres, à La Haye et à Amsterdam, sentent que le vent qui vient d'Espagne change le climat en Angleterre et dans les Provinces-Unies.

Les discours sont moins hauts en Hollande. Les pamphlets en faveur de la paix se multiplient à Londres.

Les tories devenus majoritaires depuis l'année dernière au Parlement sont pacifistes. Ils jugent la contribution anglaise à la guerre trop forte par rapport à celles des Hollandais et des Impériaux. Ils semblent prêts à des négociations séparées avec la France, et ils critiquent les initiatives de Marlborough.

Louis a écouté. Il s'est contenté d'approuver de la tête la suggestion de Torcy d'ouvrir avec les Anglais des conversations secrètes. Si elles aboutissent, les Hollandais et les Impériaux seront contraints de conclure à leur tour.

Mais il a appris au cours de son long règne que rien n'est jamais joué, qu'il ne faut jamais dévoiler ses pensées. Il vaut mieux répondre : «Je verrai», qui laisse toutes les issues ouvertes, que choisir trop vite une voie qui ferme les autres.

Il a pourtant dit à l'intendant de Flandre, Bernières :

— Vous m'avez mandé souvent l'année passée des choses tristes et dures, mais j'espère que cette année vous ne me manderez que rien de bon.

Il lui semble qu'il en a trop dit.

Depuis le début du souper, il n'a prononcé que quelques mots.

Le dauphin n'a pas été plus loquace, et les dames se sont tues, l'œil aux aguets, cherchant à saisir une expression, à comprendre le sens d'un regard, ou d'un signe, espérant être invitées à Marly.

Il n'y a que la duchesse de Berry, mariée depuis peu et déjà cheval rétif, engloutissant les mets, buvant à en perdre haleine, et il sait qu'on l'a plusieurs fois ramenée chez elle, ivre.

Elle a grossi, le visage rouge, et on murmure qu'elle participe aux soirées de débauche de son père.

Le duc de Berry s'est plaint, et la mère, Mme la Palatine, s'est inquiétée aussi. Mais la duchesse de Berry n'a écouté ni son mari ni sa mère. Et Louis a préféré se contenter d'un « je verrai » quand on lui a rapporté ces frasques et même ces soupçons de liens incestueux entre Philippe d'Orléans et sa fille.

Il est surpris par le mouvement brusque de la duchesse de Berry. Elle s'appuie à la table des deux mains, repousse sa chaise, la renverse en se levant, quitte la table, et on l'entend vomir dans l'antichambre.

Il est soucieux dans les jours qui suivent, comme si ce comportement de la duchesse de Berry révélait, malgré la naissance du duc d'Anjou et le mariage du duc de Berry, que l'étiquette de la Cour n'était qu'un masque posé sur des passions, des débauches et des ambitions.

Il a beau réunir autour de la même table, pour le souper du roi, son fils le dauphin et son petit-fils le duc de Bourgogne, il sait qu'entre le père et son fils aîné, l'entente ne règne pas. Il connaît les défauts et les qualités de l'un et de l'autre.

Le dauphin aime les arts et les plaisirs. Il est nonchalant. Les rumeurs le disent apathique, étouffé par sa graisse. On critique son mariage secret avec une Mlle Chouin qui régente les soirées du château de Meudon. Saura-t-il gouverner le royaume ? Les espions du lieutenant de police d'Argenson le disent populaire.

Ils assurent aussi qu'autour de son fils, le duc de Bourgogne, s'est constituée une coterie, une cabale, animée par le duc de Saint-Simon, les ducs de Beauvillier et de Chevreuse, et ce Fénelon qui, de son évêché à Cambrai, est l'âme de ce parti dévot. Ils espèrent que l'accession au trône du duc de Bourgogne permettra la constitution d'un gouvernement des ducs et des princes, consultant tous les trois ans les états généraux, « États du royaume entier ».

C'est la mort du roi qu'ils escomptent.

Il le sait, elle est là, toujours en embuscade.

Le 9 avril, un courrier venu du château de Meudon lui tend une missive des médecins du dauphin.

Le dauphin s'habillait pour la chasse au loup, sa passion quotidienne, quand il s'est affaissé sur sa chaise percée, le visage empourpré, frappé par une soudaine fatigue, un accès de fièvre. Et les médecins craignent la petite vérole.

Il faut se rendre à Meudon, même si l'air est chargé de tous les miasmes de la maladie.

Le dauphin est l'héritier du trône, son père doit être à ses côtés.

Il n'hésite pas à entrer dans la chambre, à s'approcher du

dauphin, dont le visage est couvert de pustules rouges. Mais les médecins se montrent confiants. Ils ont déjà saigné plusieurs fois le dauphin.

Louis se retire, tient ses Conseils des ministres, deux fois par jour, parce qu'il faut décider de poursuivre les négociations avec les Anglais et qu'elles sont difficiles. Marlborough prépare une offensive contre Bouchain, la dernière forteresse tenue par les troupes françaises. Il faut retenir le maréchal de Villars qui commande à nouveau en Flandre et voudrait attaquer les Anglais aussitôt. Il faut le convaincre que les négociations font espérer la paix.

Louis soupe après le Conseil. Et tout à coup, il voit Fagon entrer. Il connaît cette expression du médecin, son visage décomposé. Fagon balbutie, murmure que « tout est perdu », que le venin de la petite vérole a suffoqué M. le dauphin brusquement au moment où on le croyait sans danger. Sa mort a été aussi imprévue que s'il était mort d'apoplexie.

Louis a l'impression que tout son corps est devenu un bloc de pierre. Son fils, à peine âgé de plus de quarante-neuf ans, est mort, sans avoir eu le temps de se confesser, ayant reçu seulement l'extrême-onction.

Il faut penser au destin du royaume.

Il décide de ne pas rentrer à Versailles où se trouve toute la famille royale, ses fils, ses petits-fils, ses arrière-petits-fils.

Il faut les avertir du décès, de l'air vicié de petite vérole que tous ceux qui ont approché le dauphin peuvent porter avec eux.

Il va se rendre à Marly, et demain il y recevra les princes et les princesses. Mais il veut que le duc et la duchesse de Bourgogne, ceux qui maintenant vont régner après sa mort, viennent à sa rencontre quand son carrosse passera près de Versailles.

Il les aperçoit en pleurs dans cette nuit claire du 14 avril 1711.

Il sait gré à Mme de Maintenon de crier au duc et à la duchesse :

« Où allez-vous, n'approchez pas, nous sommes pestiférés ! »

Il ne craint pas la mort. Dieu donne les ordres. Mais il a vu au moment où il quittait le château de Meudon les officiers, les courtisans, les laquais s'enfuir, en courant, affolés, craignant de respirer plus longtemps l'air empoisonné par la petite vérole.

Il faut forcer la porte pour pouvoir entrer dans l'une des pièces du château de Marly, désert.

Il a froid.

L'une des dames qui arrive à Versailles raconte que le duc et la duchesse de Berry criaient si fort qu'on les entendait trois chambres plus loin. Toutes les dames assises sur le parquet autour de la duchesse de Bourgogne sanglotaient, comme le duc et la duchesse d'Orléans.

Il n'a pas encore pleuré.

Il pense à tous ceux de cette cabale qui entoure le duc de Bourgogne, et qui doivent se servir des larmes et des cris de douleur pour dissimuler leur joie, leurs espérances.

Ils espèrent gouverner avec le duc de Bourgogne, maintenant dauphin de France.

Mais il faut pour cela que je meure.

Il s'efforce de ne pas pleurer à son lever, devant les courtisans admis dans sa chambre, puis il fait entrer les ministres, et veut leur dire sa peine.

Tout à coup sa voix s'étrangle, les sanglots l'étouffent, les pleurs inondent son visage.

Il dit qu'il a peine à comprendre son état, puisque la veille, alors qu'autour de lui ce n'étaient que sanglots, cris, désolation, il n'a pas pleuré, et que maintenant...

Il s'interrompt, sa douleur est telle qu'il ne peut que répéter « Mon fils, Monseigneur le dauphin », et sa voix se brise.

Il voit les ministres qui pleurent aussi, et leur émotion, leur peine lui font obligation de se maîtriser.

Il les interroge.

Le titre de dauphin, dit-il, n'est attribué qu'au fils aîné. Mais celui-ci est mort.

Ces mots l'accablent. Il se mord les lèvres pour ne pas pleurer à nouveau.

— Le duc de Bourgogne, appelé à régner après ma mort, peut-il porter ce titre ? demande-t-il.

Il écoute Torcy répondre que le duc de Bourgogne étant l'héritier nécessaire immédiatement après le roi, personne ne pouvant survenir entre Sa Majesté et lui, ce titre lui revient.

Louis approuve, baisse la tête.

Qui peut savoir quel vif la mort désire prendre ?

Maintenant, il faut recevoir la Cour en grand deuil qui vient à Marly lui faire révérence.

Le lundi 27 avril, il faut écouter les compliments des ministres étrangers et après dîner, tout l'après-midi, accueillir les harangues des cours supérieures et autres corps.

Puis ce sera l'hommage des princesses et de toutes les dames en mante, et de tous les courtisans en manteau long.

Un roi doit se plier à ce cérémonial.

Mais pendant qu'il se déroule, jour après jour, il pense sans cesse à son fils dont le corps a été porté sans aucune pompe à Saint-Denis, tant on craint la contagion de la petite vérole.

On n'a ni ouvert ni embaumé son corps. On a mis du son dans le cercueil, lui un prince, comme on le fait au dernier des pauvres.

Et l'ouvrier qui a fabriqué le cercueil, l'ayant conçu trop

étroit, n'a fait entrer le corps dedans qu'à force de trépigner de ses genoux sur le ventre du dauphin.

Il sait qu'il n'y eut même pas de carrosse de deuil, et celui – un carrosse de sa suite – dans lequel on le chargea s'étant trouvé trop court, on en ôta la glace de devant par où une partie du cercueil sortait du carrosse.

Il a lu dans le rapport qu'a établi le lieutenant de police d'Argenson que «le peuple de Paris qui l'aimait est si offensé par ce traitement inouï, que les harengères de la Halle disent que si on avait voulu leur laisser le soin de faire le convoi de ce prince à leurs dépens, elles auraient trouvé un million, s'il l'avait fallu, pour en faire la dépense avec la magnificence qu'il convenait de faire».

Il est seul. Il pleure.

Il songe à ce spectacle affreux, et à cette nouvelle carte de la Cour qui se dessine.

Tous ceux qui, autour du dauphin, avaient espéré parvenir avec lui au gouvernement du royaume sont déçus, désemparés.

Et les autres, ceux de la cabale du duc de Bourgogne, se préparent à l'accession de leur prince au trône de France.

Fénelon et le duc de Chevreuse ont écrit déjà les *Tables de Chaulnes ou Plans de gouvernement pour être proposés au duc de Bourgogne*, et le duc de Saint-Simon a établi les *Projets de gouvernement résolus par Monseigneur le duc de Bourgogne*.

Il éprouve non pas de l'indignation devant l'impatience de ces hommes qui trépignent et ont hâte qu'il meure, mais du mépris.

Ne savent-ils pas que personne n'est maître de l'avenir? Et imaginent-ils qu'il ne gouvernera pas jusqu'à l'extrémité de sa vie? Sa peine ne peut entamer sa détermination.

Il écrit à son petit-fils, Philippe V, roi d'Espagne, et chaque mot qu'il trace lui arrache des larmes et l'apaise.

« J'ai perdu mon fils, dit-il, et vous perdez en lui un père qui vous aimait aussi tendrement que je l'aimais lui-même.

« Il méritait toute mon amitié pour son attachement pour moi, par son attention continuelle à me plaire, et je le regardais comme un ami à qui je pouvais ouvrir mon cœur et donner toute ma confiance.

« Quoique je trouve une sorte de soulagement à vous faire part d'une affliction aussi juste que la mienne et que vous ne ressentirez pas moins vivement que moi, ce n'est cependant que de Dieu que je puisse espérer les secours nécessaires pour la supporter constamment.

« Je le prie aussi de consoler Votre Majesté et, si l'assurance de mon amitié peut y contribuer, croyez que j'ai pour vous la même tendresse et que le seul plaisir que je puisse goûter est de retrouver aussi, de votre part, les mêmes sentiments que mon fils, votre père, m'a témoignés pendant le cours de sa vie. »

Il reste longtemps comme écrasé par cette peine, que seul Dieu en effet peut consoler.

Mais la mort oblige à tourner les pages.

Il s'adresse de plus en plus souvent, dans les Conseils, au duc de Bourgogne, le nouveau dauphin.

Il présente ce petit-fils aux députés de l'assemblée du clergé, rassemblés à Marly.

Son devoir de roi est de tout mettre en œuvre pour que son successeur dispose de tous les appuis, et celui de l'Église est le plus important.

Il dit :

— Voilà un prince qui me succédera bientôt et qui, par sa vertu et sa piété, rendra l'Église encore plus florissante et le royaume plus heureux.

Il ne peut cependant arracher cette sourde inquiétude qui s'accroche à lui

Tout meurt.

Il se rend auprès de Mme la Palatine qui vient d'apprendre que sa fille la duchesse de Lorraine a perdu sa fille aînée, victime de la petite vérole, que ses autres enfants sont malades de la rougeole, et que les médecins sont persuadés qu'ils vont mourir. Et c'est fait quelques jours plus tard.

Il faut à nouveau tenter de la consoler, cependant qu'elle répète :

— Ma pauvre fille a déjà perdu huit enfants.

Que répondre à cela sinon que Dieu dans son mystère accueille auprès de lui les défunts ?

Mais où ira la fille mort-née dont la duchesse de Berry vient d'accoucher à Fontainebleau ?

Il craint que désormais le grand voile du deuil ne se soit étendu sur tout le royaume, et qu'il ne se soulèvera plus jusqu'à ce que vienne sa propre mort.

Il se rend à Marly et y séjourne de plus en plus longuement.

Tous les autres châteaux, Saint-Germain, Versailles, Saint-Cloud, Meudon, ont été visités par la mort. Marly seul a jusqu'à maintenant été épargné.

Il soupe ce samedi 25 avril 1711, en compagnie de quelques courtisans. La mort et la tristesse rôdent. Personne ne parle. Il se retire pour aller se coucher quand Torcy se présente, s'approche, lit à voix basse une brève missive qu'un courrier vient d'apporter.

Louis regarde les courtisans.

La mort change toujours la donne.

Il dit :

— L'empereur est mort.

Il devine aux murmures, au frémissement de l'assistance que chacun a compris que cette disparition de l'empereur germanique Joseph Ier bouleverse la situation en Europe.

Son successeur ne peut être que l'archiduc Charles qui se prétend Charles III, et va devenir aussi Charles VI, empereur du Saint Empire romain germanique.

Comment les Anglais, les Hollandais, les autres souverains d'Europe accepteraient-ils que ce Charles VI reconstitue l'empire de Charles Quint?

Pour Londres et La Haye, Philippe V de Bourbon est moins inquiétant que Charles VI, empereur germanique et roi d'Espagne.

Peu importe que Marlborough lance son attaque, s'empare de la ville forte de Bouchain.

C'est la paix qui va sortir de cette nouvelle situation.

Il n'éprouve aucune joie.

Elle vient si tard, cette paix, elle a été accompagnée d'un si long hiver de morts, de souffrances, de misères, qu'il est las, même s'il est satisfait de voir enfin le bout de cette guerre interminable et de savoir que son petit-fils restera roi d'Espagne.

Il accepte, au terme de longues négociations, de signer avec Londres des préliminaires de paix.

Le prix qu'il doit payer est lourd, mais il lui semble qu'il a préservé l'essentiel, les conquêtes aux frontières du royaume et Philippe V régnant à Madrid.

Il doit reconnaître la monarchie anglaise, protestante, détruire les fortifications de Dunkerque, signer un traité de commerce avec Londres, et accorder pour trente ans à une compagnie anglaise le privilège de l'*asiento*, la traite négrière. Il abandonne aussi aux Anglais Gibraltar, Port-Mahon, et aux Antilles l'île Saint-Christophe.

Il a négocié en son nom et en celui de son petit-fils, qu'il faut rassurer.

«Ne soyez pas surpris, lui écrit-il, si j'ai interprété votre pouvoir sans vous consulter. Il fallait pour avoir la réponse de Votre Majesté perdre un temps précieux et je crois travailler utilement pour vous en cédant le moins pour conserver le principal.»

Le duc de Marlborough est disgracié, le prince Eugène n'exerce plus aucune influence sur le nouvel empereur Charles VI, et sous la pression anglaise les Hollandais acceptent de recevoir à Utrecht les plénipotentiaires français.

La paix, enfin, à l'horizon.

Il doit, il veut l'obtenir. Il veut négocier une nouvelle fois au nom de la France et de l'Espagne. Philippe V doit l'accepter.

«Laissez-moi conduire vos intérêts, lui dit-il. Vous pouvez accepter sur ma tendresse que je ne ferai rien à votre préjudice.»

39.

Il se lève de table. Le souper vient de se terminer. Il lui a paru long. Personne n'a parlé. Il a même hâte de se retrouver dans le cabinet, en compagnie des membres de la famille royale dont il apprécie la compagnie.

Il y a invité, depuis quelques semaines, Mme la Palatine. Même si le parler dru de Madame le choque souvent, il aime qu'elle dise la vérité et d'abord sur elle-même.

Elle ne s'illusionne pas, elle lui dit, lorsqu'il l'admet à nouveau dans ce qu'on appelle le «Saint des Saints» :

— Vous m'avez vue courir, sauter, légère et jeune. Maintenant, je suis vieille et pesante.

Elle s'est tournée vers le miroir.

— Regardez mes yeux ridés, mes grandes joues pendantes, mes cheveux blancs comme la neige, l'enfoncement entre mes oreilles et mes joues et mon grand menton double...

Elle continue avec une sorte de complaisance amère, parlant de ses épaules grosses et larges, de ses jambes fort enflées.

— Quand j'ouvre la bouche, poursuit-elle, mes dents reflètent bien mon délabrement, l'une est cassée, l'autre noire, et celles qui restent partent en morceaux. En un mot toute ma personne n'est que misère, mais que faire ?

Il a l'impression qu'elle vient aussi de parler de lui, de le décrire, et jetant un regard à Mme de Maintenon il imagine qu'elle doit être irritée, inquiète, croyant qu'il n'a pas supporté cette insistance sur les maux de la vieillesse.

Mais au contraire, ces vérités, il faut les regarder en face, se souvenir que la mort est là, tapie.

Il dit :

— Présentement que je suis vieux, mes enfants s'ennuient avec moi et sont ravis quand ils peuvent trouver quelque occasion de me planter là, et aller se divertir ailleurs.

Il incline la tête vers la princesse Palatine.

— Il n'y a que vous, Madame, qui ne me quittiez pas, et je vois bien que vous êtes bien aise d'être avec moi.

La duchesse de Bourgogne bondit, s'écrie qu'elle n'aime rien autant qu'être auprès de Sa Majesté. Elle s'approche, l'embrasse, fait une révérence, chantonne.

Il aime Marie-Adélaïde.

Elle est auprès de lui un jaillissement de gaieté.

Lorsqu'il la voit, il oublie pour quelques instants cette guerre qui continue alors qu'à Utrecht la négociation est difficile, que si les Anglais, les Hollandais, les Portugais, la Prusse et la Savoie semblent vouloir conclure la paix, l'empereur s'obstine et les troupes du prince Eugène continuent d'attaquer de la Sambre à l'Escaut.

Arras a été bombardé, Le Quesnoy occupé, Landrecies assiégé. Des éclaireurs des troupes du prince Eugène ont investi Pontoise, ravagent la Champagne, la Picardie, le pays messin. Ils sont à quelques jours de la capitale dont la route, depuis la chute de Corbie, est ouverte.

Il a le sentiment que la situation militaire n'a jamais été pire, que Paris peut tomber.

Certains à la Cour suggèrent de quitter Versailles, de s'installer sur les bords de la Loire. Et ce, au moment même où, à Utrecht, la négociation, ardue, n'a jamais cependant autant avancé.

Il évoque rarement cela, après souper, dans son cabinet avec les princesses, et il est surpris quand Marie-Adélaïde vient vers lui, s'immobilise et, le visage qu'elle a d'habitude si rieur tout à coup grave, dit :

— J'ai dans l'esprit que la paix se fera et que je mourrai sans la voir.

Elle vient de lui porter un coup au creux de la poitrine, et il tressaille, il a peur, ce sentiment qu'il éprouve si rarement.

Mais il aime tant la duchesse de Bourgogne ! Il ne veut pas que la mort la prenne. Il murmure :

— La paix se fera.

Il ne veut penser qu'à cet avenir-là.

Il répète les jours suivants, à l'abbé Polignac, au maréchal d'Huxelles et à Nicolas Mesnager, qui négocient à Utrecht, ses instructions.

— Il convient de ne rien offrir à mes ennemis au-delà de ce que je me suis proposé, eux-mêmes n'ayant pas encore répondu à mes offres, dit-il. Vous devez vous en tenir exactement aux instructions que je vous ai données et, lorsque vous jugerez pour mon service d'en changer quelques articles, vous m'en avertirez et vous attendrez la réponse.

Il faudrait pour que la négociation aboutisse remporter une victoire dans les Flandres et le Nord, briser ce prince Eugène dont il se souvient que lorsqu'il n'était qu'un gentilhomme vivant à Paris, quêtant une charge d'officier, il se prostituait pour un écu, si bien qu'on l'avait surnommé, lui, le fils d'une nièce de Mazarin, « Mme Putana », et qu'on disait qu'il n'était qu'un « petit salaud très débauché ».

Et le voici, après avoir accumulé les victoires, chef d'une armée de cent trente mille hommes, puissamment armée et équipée, nantie d'une forte artillerie et dont les avant-gardes sont à deux ou trois jours de chevauchée de Paris.

Louis est inquiet et même la dépêche qui lui annonce l'arrivée à Brest des navires de Duguay-Trouin, chargés d'un butin de lingots et de pièces d'or, pour une valeur de vingt millions de livres, arraché à des navires anglais dans la baie de Rio de Janeiro, ne le rassure pas.

Et au soir du 5 février 1712, quand Fagon demande à le voir, il ressent de nouveau cette douleur au creux de la poitrine.

Il n'est pas étonné que le médecin d'une voix tremblante dise que la duchesse de Bourgogne a été prise de frissons, de douleurs de tête et d'une forte fièvre.

La mort est là, il le sait.

Elle va frapper celle qui est sa joie, sa lumière dans cette pénombre qui depuis quelques années a envahi Versailles et obscurci l'avenir du royaume.

Il prie. Que pourrait-il faire ? Les médecins agissent à leur manière, brutale, faisant se succéder bains brûlants et saignées.

Il est tenté d'écouter la princesse Palatine qui crie qu'il faut « suivre la nature », qu'il faut attendre que Marie-Adélaïde ne soit plus en sueur pour la baigner et la saigner.

— Voulez-vous être plus habile que tous les docteurs qui sont là ? répond Mme de Maintenon.

Louis l'approuve.

Mais le 12 février, entre huit et neuf heures du soir, la duchesse de Bourgogne meurt. Elle a murmuré après avoir reçu l'extrême-onction :

— Aujourd'hui princesse, demain rien, dans deux jours oubliée.

Pourquoi Dieu le punit-il ainsi ?

Elle était celle qui lui rappelait que la jeunesse existe. Elle n'avait que vingt-six ans.

Il ne peut rester dans ce château où elle est morte.

Il veut quitter immédiatement Versailles, rejoindre, en compagnie de Mme de Maintenon, Marly.

Il respire avec peine, comme si sa poitrine était écrasée et blessée par une pierre lourde, aux angles vifs. Et chaque fois qu'il veut reprendre son souffle la pierre s'enfonce, lui brise les côtes, les avant-bras, les épaules.

Et la douleur s'accroît quand le lendemain matin il reçoit à Marly le duc de Bourgogne.

Il reste silencieux devant son petit-fils dont le visage livide est taché de plaques rouges.

Serait-il possible que lui aussi, comme sa femme, soit atteint par cette rougeole pourprée ?

Il l'observe, incapable de parler, suivant des yeux les gouttes de sueur qui glissent sur le front, les joues du duc de Bourgogne qui frissonne.

Il se souvient de cette phrase lancée tel un défi par le duc lors d'un souper à Marly, il y a quelques semaines, et qui était comme une accusation :

— Les rois sont faits pour leurs peuples, et non les peuples pour les rois, avait dit son petit-fils.

Louis n'avait pas répondu, mais il avait reconnu les idées de Fénelon, de Saint-Simon ou du duc de Chevreuse. Et il avait été blessé par l'incompréhension et la critique que révélait cette phrase.

Elle lui paraît dérisoire aujourd'hui, alors que les prêtres entrent dans la chambre de celui qui est le dauphin, et qui va mourir.

C'est fait le 18 février 1712, moins de six jours après la mort de la duchesse de Bourgogne, et le nouveau dauphin n'est qu'un enfant de cinq ans, ce duc de Bretagne, malade lui aussi, qu'il faut baptiser vite, avec son frère cadet, le duc d'Anjou, que la fièvre et la rougeole pourprée touchent à son tour.

Louis regarde le corps du duc de Bourgogne. Il est le premier des membres de la famille royale à mourir à Marly. La mort avait-elle jusqu'alors préservé ce château pour frapper encore plus fort, atteindre le roi en ce lieu qu'il aimait plus que tout autre ?

Il veut qu'on transporte le corps de son petit-fils à Versailles. Et il veut quitter Marly, recevoir à Versailles les dames en mante et les courtisans en manteau long, venus lui présenter leurs compliments de deuil. Il veut aussi pouvoir se rendre dans les appartements du duc de Bretagne et du duc d'Anjou, ces deux enfants qui viennent de perdre leur mère et leur père et qui, avec le duc de Berry frère cadet du duc de Bourgogne, sont les derniers descendants, mais l'un n'a que cinq ans et l'autre à peine deux.

Et il sait que déjà l'on murmure que Philippe d'Orléans sera le régent, et, si la mort frappe encore, alors il montera sur le trône de France.

Et si pour atteindre ce but « on » avait empoisonné le duc et la duchesse de Bourgogne ?

Qui ignore la passion de Philippe d'Orléans pour les alchimistes ? Ces expériences auxquelles il se livre dans les caves du Palais-Royal ?

Louis devine aux soupirs, aux allusions de Mme de Maintenon, qu'elle croit Philippe d'Orléans coupable !

Louis ne veut pas écouter ces rumeurs, soupçonner le fils de la princesse Palatine, l'époux de Mlle de Blois, bâtarde du roi et d'Athénaïs de Montespan.

Et puis Fagon lui annonce, le 8 mars, que le duc de Bretagne, le petit dauphin, est mort, tout empourpré de la rougeole.

Est-il possible que la mort s'acharne ainsi ?

Comment ne pas croire qu'une main criminelle a versé le poison pour s'ouvrir le chemin du trône ?

Il se souvient de ces liasses accusant Athénaïs de Montespan et qu'il a brûlées il y a trois ans.

Vrai, faux ? Il ne sait pas. Et le soupçon le ronge.

Il a l'impression que tout son corps est meurtri, que toutes les souffrances qu'il a endurées, dans sa vie, celles nées du ventre et de la goutte, ces étaux serrant ses chevilles, et ces maux de tête, ces étouffements, ces vapeurs, ces vertiges, et même ces douleurs quand les chirurgiens brisaient ses mâchoires, crevaient son palais, incisaient son anus, sont revenues toutes ensemble, plus aiguës.

La mort de ses descendants et de Marie-Adélaïde est la sienne.

Pourquoi a-t-elle frappé cet enfant, ce petit dauphin ?

Il veut savoir.

Il lit les lettres que la princesse Palatine adresse à sa tante et que le « cabinet noir » subtilise :

« Nous avons encore perdu M. le dauphin, ci-devant duc de Bretagne, qui est mort en quatre jours, écrit-elle. C'était le plus aimable et joli enfant qu'il soit possible de voir…

« Lorsque le petit dauphin était déjà tout empourpré de la rougeole et en transpiration les médecins l'ont saigné, puis donné de l'émétique et le pauvre enfant est mort au milieu de l'opération. Et ce qui prouve bien que les médecins ont tué aussi ce dauphin, c'est que son petit frère avait la même maladie.

« Pendant que les neuf médecins étaient occupés de l'aîné, les femmes du cadet se sont enfermées avec lui et lui ont donné un peu de vin et de biscuit.

« Hier, puisque l'enfant avait une forte fièvre, ils ont voulu le saigner lui aussi, mais sa gouvernante, Mme de Ventadour, mon ancienne dame d'honneur, s'est opposée catégoriquement aux médecins. On l'a simplement tenu bien au chaud. Cet enfant a été sauvé à la honte des médecins.

« Et ce sont eux pourtant qui prétendent que le duc et la duchesse de Bourgogne et le duc de Bretagne ont été empoisonnés, sans qu'ils expliquent pourquoi le duc d'Anjou, qu'ils n'ont pas pu "soigner", a été sauvé. »

Il se répète cela, mais les soupçons demeurent en lui, le rongent.

Quand il reçoit le duc d'Orléans, il ne peut regarder son neveu tant il craint de lui montrer qu'il ne peut rejeter totalement ces accusations qui lui paraissent pourtant, en raison, calomnieuses et monstrueuses.

Il sait qu'à la Cour, à Paris, on les reprend, on les amplifie. Des placards ont été affichés sur les murs du Palais-Royal, la demeure des Orléans.

On y accuse Philippe d'Orléans de fabriquer le «poison le plus fin» et d'avoir des relations incestueuses avec sa fille la duchesse de Berry.

Il faut tenter de dissiper ces ragots, et pour cela il demande à son chirurgien Mareschal d'établir la vérité en examinant les corps des défunts, qui ont déjà été autopsiés par les médecins.

Il reçoit quelques jours plus tard Mareschal qui l'assure que la rougeole pourprée est la seule cause du décès, que cette maladie a tué plusieurs centaines de personnes à Paris, qu'elle a frappé d'autres villes en Europe, que les corps ne recèlent aucune trace de poison.

Il est apaisé même si la douleur demeure, et s'il sait qu'elle ne le quittera plus, que cette plaie restera toujours ouverte.

Il remercie Mareschal, se tourne vers Mme de Maintenon.

— Eh bien, madame, eh bien, lance-t-il, ne vous avais-je pas dit que ce que vous m'avez dit de mon neveu était faux?

Il n'attend pas sa réponse.

Il doit essayer de sauver le royaume, dont l'héritier direct n'est plus que ce duc d'Anjou, un enfant de deux ans.

Il connaît la gravité du mal qui frappe le royaume.

Il a posé devant lui, sur la table de son grand cabinet, l'une de ces missives dont les auteurs restent masqués et, protégés par l'anonymat, décrivent les symptômes du mal.

Ils le font avec complaisance et amertume.

Ils espéraient gouverner avec le duc de Bourgogne.

Louis reconnaît leurs idées et, lisant cette missive, il est sûr qu'elle est du duc de Saint-Simon, ce serpent ambitieux et insatisfait.

«Sire, vous le savez, ce royaume n'a plus de ressources», écrit Saint-Simon. Rien ne trouve grâce à ses yeux.

«Le clergé est tombé dans une abjection de pédanterie et de crasse qui l'a tout à fait enfoncé dans un profond oubli... La noblesse française n'est plus qu'une bête morte, qu'un mari insipide, qu'une foule séparée, dissipée, imbécile, impuissante, incapable de tout et qui n'est plus propre qu'à souffrir sans résistance... Le tiers état est dans le même néant que les deux précédents corps...»

Et le seul remède proposé par le duc de Saint-Simon est un gouvernement des princes, des conseils aristocratiques, d'où serait exclue la «vile bourgeoisie».

«Il faut, Sire, que Votre Majesté règne enfin par elle-même... Secouez le joug des ministres...» conclut Saint-Simon.

Louis n'est même pas indigné. Il sait que chaque jour, depuis qu'il règne, et cela fait cinquante et un ans, et même quand la maladie l'a terrassé, il s'est soucié des affaires de l'État, il a présidé les Conseils, s'efforçant de ne négliger aucun domaine, ni celui des armées ni celui du commerce, avec pour seul souci sa gloire, et donc celle de l'État, et donc le bonheur de ses sujets.

Que savent faire ces princes et ces ducs? Ils ont donné leur mesure durant la Fronde, et il ne l'oubliera jamais.

Il n'a pas besoin des conseils des princes pour gouverner le royaume.

Il lui faut des serviteurs dévoués à sa personne et hommes de talent. Ainsi furent Colbert, Louvois, Vauban, ainsi est le maréchal de Villars.

Il le reçoit le 12 avril 1712, alors que les villages de Champagne, ceux des environs de Pontoise, sont pillés et brûlés par les cavaliers du prince Eugène.

Il regarde cet homme qui commande la dernière armée du royaume, à peine soixante-dix mille hommes, mal équipés, mal nourris, mal payés, ne disposant pas d'artillerie. Et c'est cette armée-là qui doit vaincre celle du prince Eugène, et ouvrir ainsi les portes de la paix. Louis commence à parler et l'émotion le submerge, il sent que les larmes emplissent ses yeux.

— Vous voyez mon état, monsieur le maréchal, dit-il. Il n'y a pas d'exemple de ce qui m'arrive, et que l'on perde dans la même semaine son petit-fils, sa petite-fille et leur fils, tous de très grande espérance, et très tendrement aimés.

Il s'efforce d'étouffer les sanglots qui secouent sa poitrine et envahissent sa gorge.

— Dieu me punit, reprend-il, je l'ai bien mérité. J'en souffrirai moins dans l'autre monde. Mais suspendons mes douleurs sur les malheurs domestiques, et voyons ce qui peut se faire pour prévenir ceux du royaume.

Il se maîtrise.

— La confiance que j'ai en vous est bien marquée, continue-t-il, puisque je vous remets les forces et le salut de l'État. Je connais votre zèle et la valeur de mes troupes, mais enfin la fortune peut vous être contraire. S'il arrivait ce malheur à l'armée que vous commandez, quel serait votre sentiment sur le parti que j'aurais à prendre pour ma personne ?

Villars se tait, hoche la tête sans répondre.

— Je ne suis pas étonné que vous ne répondiez pas bien promptement ; mais en attendant que vous me disiez votre pensée, je vous apprendrai la mienne.

Villars murmure :

— Votre Majesté me soulagera beaucoup.

— Eh bien, voici ce que j'en pense, vous me direz après

votre sentiment. Je sais les raisonnements des courtisans : presque tous veulent que je me retire à Blois et que je n'attende pas que l'armée ennemie s'approche de Paris, ce qui lui serait possible si la mienne était battue.

Il secoue la tête.

— Mais pour moi, monsieur le maréchal, je compterai aller à Péronne ou à Saint-Quentin, y ramasser tout ce que j'aurai de troupes, faire un dernier effort avec vous, et périr ensemble ou sauver l'État, car je ne consentirai jamais à laisser approcher l'ennemi de ma capitale. Voilà comme je raisonne, dites-moi présentement votre avis.

Il aime que Villars lève la tête, le regarde droit dans les yeux, dise :

— Les partis les plus glorieux sont aussi souvent les plus sages. Et je n'en vois pas de plus noble pour un roi que celui auquel Votre Majesté est disposée. Mais j'espère que Dieu vous fera la grâce de n'avoir pas à craindre de telles extrémités et qu'Il bénira enfin la justice, la piété et les autres vertus qui règnent dans vos actions.

Louis s'avance. Il a envie de serrer Villars contre lui, mais il se contente de lui poser la main sur l'épaule, comme pour l'adouber.

Il faut attendre alors qu'il sent, à Versailles ou à Marly, l'inquiétude et la tristesse imposer un silence lourd.

On chuchote à peine. On porte le deuil. On apprend, presque sans surprise, que le duc de Vendôme, après avoir chassé les Anglo-Autrichiens d'Espagne, est mort à Vineroz, près de Valence, d'indigestion !

Il semble que la mort ne veuille pas desserrer ses crocs, plantés, enfoncés dans la chair du royaume de France.

Villars pourra-t-il la faire reculer ? Les places fortes tombent aux mains du prince Eugène.

Louis quitte Versailles, s'installe avec l'été qui vient à Fontainebleau.

— Je ne vois pas, dit-il lorsqu'on lui apprend que le siège

autour de Landrecies s'est encore resserré, les troupes d'Eugène ayant ouvert de nouvelles tranchées, que la ville soit capable longtemps d'arrêter l'ennemi.

Mais il faut continuer à vivre, chasser, dîner, souper.

Il a fait réinstaller les tables de jeu afin de rompre, s'il se peut, cette atmosphère lugubre qui flotte dans le château. Mais si on joue gros, on perd et on gagne sans éclat.

Des courriers annoncent que les troupes du maréchal de Villars marchent vers Denain, au lieu de se porter au secours de Landrecies, et ainsi de protéger la capitale.

Et tout à coup, à l'aube du 25 juillet, un courrier épuisé demande à ce qu'on réveille le roi, parce qu'il annonce une grande victoire du maréchal de Villars.

Louis lit la dépêche. Conquête du camp retranché de Denain. Dix-sept bataillons détruits, comme les magasins pleins de l'équipement de toute l'armée du prince Eugène. L'armée de celui-ci contrainte d'abandonner le siège de Landrecies, ses arrières occupés par les troupes royales.

Les Impériaux laissent même sur le terrain toute leur artillerie lourde.

Il faut remercier Dieu, et Villars, faire célébrer aussitôt dans la chapelle un *Te Deum*.

Louis s'agenouille sur son prie-Dieu, le front appuyé sur ses mains nouées.

Peut-être l'étau se desserre-t-il enfin après cette grande épreuve, ces morts, ces défaites.

Il voudrait le croire, mais il connaît désormais les surprises noires que l'avenir peut recéler.

Il apprend pourtant dans les jours qui suivent que les troupes des maréchaux Villars et Montesquiou ont conquis Marchiennes où se trouvent tous les approvisionnements de l'armée du « hideux prince Eugène », ainsi qu'on le nomme à la Cour.

Puis tombent les villes fortifiées : Douai, Saint-Amand, Le Quesnoy, Bouchain. Les dépêches de Villars décrivent la déroute de l'armée du prince Eugène. Les Anglais et les Hollandais l'ont abandonné. Les désertions se multiplient. Maintenant, la paix est à portée de main.

Louis est étonné quand, avec ferveur, les courtisans l'acclament. Il aperçoit même au premier rang le duc de Saint-Simon.

La gloire et la victoire font aimer les rois. Et ils ont aussi besoin de paix.

Lorsque, le 5 novembre 1712, Philippe V d'Espagne renonce à ses droits sur la couronne de France, plus aucun obstacle n'empêche la signature à Utrecht d'une suspension d'armes.

Certes, l'empereur ne s'est pas associé à ce traité, et ce n'est donc pas encore la paix, mais ce n'est déjà plus la guerre générale.

Louis marche avec difficulté, en boitant, dans les allées des jardins du château de Versailles. Le chariot, poussé par les valets, le suit, mais il ne veut pas renoncer à sentir craquer sous ses pas les feuilles mortes qui s'enfoncent dans la terre humide.

Il ne pense pas à la paix prochaine, mais à ses trois dauphins, le grand-père, le père et le fils, et à la dauphine, son aimée Marie-Adélaïde, morts en moins d'une année.

Il sait qu'il ne quittera l'hiver que pour le tombeau.

40.

Il lève la tête.

Il regarde avec surprise la duchesse de Saint-Simon, qui bouscule les valets, entre en courant dans le cabinet, fait une courte révérence et d'une voix exaltée annonce que la duchesse de Berry, dont elle est la dame d'honneur, est au travail, que l'enfant va naître.

Il voudrait être heureux de cette annonce mais, tout en se rendant dans la chambre de la duchesse de Berry, suivi par toute la famille royale qui doit assister avec lui à l'accouchement, il ne peut échapper à l'inquiétude, à un pressentiment.

Le duchesse de Berry n'est enceinte que depuis sept mois. Même si, durant cette grossesse, elle a tempéré sa conduite, elle a continué à boire avec excès, à participer à toutes les fêtes intimes organisées par son père, Philippe d'Orléans.

Il s'approche du lit. Le visage de la duchesse est creusé par l'effort. Elle halète. Et enfin, à quatre heures du matin, l'enfant pousse son premier cri. Il est malingre et fripé mais il vit.

Louis est ému. C'est un nouvel arrière-petit-fils qui prend place après le duc d'Anjou dans la ligne de succession.

Il se penche sur l'enfant, et l'inquiétude l'étreint à

nouveau, en pensant au Grand Dauphin, au duc de Bour-gogne, au duc de Bretagne, à cette branche aînée dont il ne survit que le duc d'Anjou.

Il s'efforce de montrer de la joie, saluant la naissance de ce duc d'Alençon qui prend place dans la famille royale.

Il félicite le père, le duc de Berry, fils cadet du Grand Dauphin et frère du duc de Bourgogne !

Il serre contre lui le duc de Berry, ce jeune homme cor-pulent, son dernier petit-fils. Il veut se convaincre que le sang royal est encore vif.

Et cependant, au bout de quelques jours, il voit l'avenir à nouveau s'obscurcir. Il se rend plusieurs fois dans la chambre où l'enfant crie, le corps secoué par des convulsions.

Il lit sur le visage du duc de Berry, assis près du berceau de son fils, le désespoir et l'incompréhension devant ce tra-vail acharné de la mort, à l'œuvre dans ce corps qui le 11 avril, à peine trois semaines après sa naissance, se raidit, meurt.

Et il faut accepter cela, et il doit continuer à agir en roi qui croit en l'avenir de sa dynastie et de son royaume.

Il a fait enregistrer par le Parlement la renonciation à leurs droits sur la couronne d'Espagne du duc de Berry et du duc d'Anjou. Philippe V ayant renoncé déjà aux siens sur la couronne de France, les derniers obstacles à la signature à Utrecht du traité de paix entre les puissances sont ainsi levés.

Et cette signature est intervenue le jour de la mort du duc d'Alençon, comme si – Louis l'a souvent pensé – cette mort et celles qui ont précédé étaient le sacrifice exigé. La famille royale devant elle aussi payer l'impôt du sang pour cette longue guerre de près de trente années.

Mais il est satisfait des conditions de cette paix. L'Es-pagne perd ses possessions italiennes et dans les Pays-Bas, attribuées à l'empereur germanique Charles VI qui pourtant continue la guerre. Et la France retrouve Lille et Béthune.

Il voudrait que chaque sujet du royaume sache que cette guerre a été fructueuse pour la gloire et la sûreté du royaume, mieux protégé par la ceinture de fer de ses forteresses.

Il reçoit à Versailles l'Académie française qui vient lui rendre hommage. Et il est heureux d'entendre le cardinal de Polignac déclarer, au nom de l'Académie :

— Qui l'aurait cru, Sire, qu'après neuf ans de malheurs où jusqu'à la nature tout semblait avoir conjuré votre perte, vous dussiez en sortir plus glorieux et rétablir dans vos États le calme qu'on leur avait si longtemps refusé, conserver vos plus belles conquêtes, affermir des couronnes sur la tête de vos enfants, en donner même à vos alliés ?

Mais cette paix, il veut qu'elle soit complète.

Or le prince Eugène, au nom de l'empereur Charles VI, a rassemblé plus de cent mille hommes, entre le Rhin et la Forêt-Noire. Il faut imposer à Charles VI de conclure lui aussi la paix, de mesurer les avantages qu'on lui a accordés : il va être le maître des anciens Pays-Bas espagnols et du Milanais.

Une fois de plus, il faut vaincre par les armes.

Louis invite à Marly le maréchal de Villars, et le reçoit en compagnie du ministre de la Guerre Voysin.

Il faut encore une fois féliciter ce chef de guerre victorieux, lui confier le commandement des troupes qui vont attaquer celles du prince Eugène.

— Sire, dit Villars, je n'ai pas refusé des emplois très difficiles et très dangereux que personne ne voulait, ainsi je ne refuserai pas ceux que la dernière campagne rend moins embarrassants.

Villars écarte les bras, mains ouvertes.

— Sire, Votre Majesté n'a donc plus d'ennemis en Flandre ? poursuit Villars. Eh bien, il faut en transporter toute la cavalerie en Allemagne. Vous avez des marchés faits à vingt-cinq sous la ration : je les nourrirai à bien meilleur compte.

Louis dévisage Villars. Ce que dit le maréchal l'étonne.

— Les maréchaux d'Harcourt et de Bezons m'ont assuré que s'ils avaient plus de deux cents escadrons, ils ne pourraient les faire subsister.

— Plus j'aurai de troupes, Sire, et plus je trouverai de pays à les nourrir, dit Villars. Il n'est question que de cacher nos desseins, et de faire en sorte que nos premiers mouvements persuadent que nous ne songeons qu'à une guerre défensive.

Il a confiance dans Villars.

— Faites comme vous l'entendrez.

— Sire, la plus importante attention est le secret : ainsi, Votre Majesté seule et le ministre de la Guerre seront informés de mes projets.

Quelques semaines plus tard, Louis au reçu des dépêches a le sentiment que la partie militaire qui se joue sur les bords du Rhin est à la fois décisive et truquée.

Villars et Eugène savent bien que leurs armées s'affrontent pour parvenir au plus tôt à l'ouverture de négociations.

L'empereur Charles VI a besoin d'un prétexte pour y participer, et le but de Villars n'est pas de détruire l'armée du prince Eugène, mais de démontrer au prince, à l'empereur, aux populations de la Souabe, du Palatinat, qu'ils doivent exiger la paix.

Et il ne doute pas quand il ouvre les dépêches de Villars qu'elles n'annoncent des victoires.

Les villes de Spire, de Worms, de Landau, de Kaiserslautern, tombent aux mains de Villars. Et le maréchal annonce qu'il assiège la place forte de Fribourg.

Il faut prendre cette ville qui pourrait être le meilleur des gages, une monnaie d'échange contre Strasbourg.

Elle capitule le 16 novembre 1713. Et aussitôt des émissaires de Charles VI annoncent qu'ils sont prêts à ouvrir des négociations avec le royaume de France, au château de Rastadt.

Enfin !

Louis ordonne qu'on célèbre un *Te Deum* dans la chapelle de Versailles pour saluer la victoire de Villars et les rencontres prochaines de Rastadt.

Il prie et remercie Dieu.

Peut-être le Seigneur lui sait-il gré d'avoir suscité, approuvé la bulle pontificale *Unigenitus, Dei Filius.* Elle condamne les propositions jansénistes qui placent au centre du salut de chaque chrétien la grâce que Dieu lui accorde : «Tous ceux que Dieu veut sauver le sont infailliblement. Sans la grâce nous ne pouvons rien faire sinon notre propre condamnation. »

Propositions, dit la bulle, «fausses, captieuses, malsonnantes, capables de blesser les oreilles pieuses, scandaleuses, pernicieuses, téméraires, injurieuses à l'Église, outrageantes pour les puissances séculières, séditieuses, impies, blasphématoires, suspectes d'hérésie».

Il est sûr d'avoir eu raison quelles que soient les réserves et les résistances de quelques évêques de l'Église de France.

Il est le Roi Très-Chrétien, le héraut et le défenseur de Dieu et du pape.

41.

Il regarde ses deux fils, le duc du Maine et le comte de Toulouse, assis de part et d'autre de Mme de Maintenon.

Les valets passent, courbés, et servent de l'orangeade dans de grands verres de cristal à lisière d'or.

Il soulève à peine la main de son genou et les dix violons du roi, debout au fond de la pièce dans la pénombre, commencent à jouer.

Il ferme les yeux.

Il aime ce moment d'après souper, dans l'intimité des appartements de Mme de Maintenon. La musique le berce. Elle accompagne le ballet de ses souvenirs.

Il voit passer la silhouette dorée d'Athénaïs de Montespan, et parfois un sourire, une expression du duc du Maine ou du comte de Toulouse lui rappelle avec précision le visage de cette femme, leur mère.

Il la revoit dansant avec lui, elle, Vénus, lui, Apollon. C'était il y a près de cinquante ans. Il était le Dieu solaire, entouré de jeunes femmes, régnant sur l'Île enchantée.

Tout cela est si loin qu'il ne peut évoquer ces souvenirs qu'avec ses vieux compagnons, le maréchal de Villeroi et le duc de Gramont.

Et c'est pour pouvoir échanger quelques bribes de ce passé avec eux qu'il les convie souvent à ces soirées.

Mais après quelques phrases, il se tait.

Ces souvenirs lui rappellent ce qu'il est devenu, ce vieil homme de soixante-seize ans, dont à la Cour on guette les faiblesses, ces moments de vertige qui le saisissent, ces vapeurs qui empourprent son visage, et le pas traînant, la claudication parfois quand les genoux refusent de se plier.

On attend, il le sait, sa mort. Elle lui a déjà presque tout arraché.

Que lui reste-t-il de cette famille qui lui semblait si vigoureuse, arbre dont il était le tronc avec tant de branches?

Il y a ces fils bâtards, le duc du Maine et le comte de Toulouse. Et puis le duc de Berry, le frère cadet du duc de Bourgogne. Et quand il voit ce dernier petit-fils, il ne peut s'empêcher de lui dire :

— Mon cher enfant, je n'ai donc plus que vous.

Car il craint que le duc d'Anjou, son dernier arrière-petit-fils, un enfant souffreteux d'à peine quatre ans, ne soit emporté par ces maladies qui ont tué ses frères aînés.

Il voudrait préparer sa succession, et presque chaque soir le duc du Maine et Mme de Maintenon lui rapportent qu'à la Cour on est persuadé que le duc d'Orléans sera, dès la disparition du roi, un régent tout-puissant, s'entourant de Conseils composés des ducs et des princes, changeant ainsi la manière de gouverner du royaume.

Que pourra un roi qui n'aura pas dix ans?

Et certains ajoutent à mi-voix : «Et encore faut-il que le duc d'Anjou survive...»

Ils rappellent comment tous ceux dont l'existence était un obstacle sur le chemin qui mène Philippe d'Orléans au trône sont morts.

Il écoute. Il n'aime pas Philippe d'Orléans. Il ne le soupçonne pas d'être un empoisonneur, mais il se méfie de lui,
de sa vie de débauche, de son ambition, de sa volonté de
régner contre les descendants directs, le duc de Berry, le duc
d'Anjou, et les deux bâtards légitimés qui, issus aussi du roi,
devraient prendre place dans la succession.

C'est ce qu'il veut. C'est ce que Mme de Maintenon et le
duc du Maine lui suggèrent chaque soir.

Mais il hésite encore. Il sait qu'il ne respectera pas,
en décidant cela, ce que les parlementaires, les ducs, tel
ce Saint-Simon, appellent les lois fondamentales du
royaume.

Mais il est le roi Louis le Grand, et Dieu lui a donné le
pouvoir de gouverner le royaume, donc de changer, s'il le
veut, s'il le juge utile au bien de ses sujets, à sa gloire, les
habitudes du royaume. Et pourtant il diffère le moment où
il devra imposer les dispositions qu'il envisage pour le
lendemain de sa mort.

Il ne le peut pas encore, comme s'il refusait de la regarder
en face.

Et pourtant elle est en lui déjà.

La fatigue le terrasse souvent. Il somnole. Il est de plus en
plus fréquemment soumis à des vertiges. Il chancelle, la tête
envahie de vapeurs brûlantes. Il a envie de se laisser tomber
à même le sol. Rester droit, marcher, exige de lui un effort
de volonté qui le laisse épuisé. Il a l'impression que sa chair
devient une charpie molle qui ne le porte plus. Elle
s'effiloche. Elle se détend. Il maigrit.

Et pourtant, il a encore tant à faire.

Il veut servir Dieu et la religion. Pour le bien du royaume
et son propre salut. Faire que ses sujets et l'Église soient
soumis à la juste foi telle que le souverain de l'Église en ce
monde, le pape, la définit.

Il faut faire plier ces évêques, cet archevêque de Paris, Noailles, qui contestent la bulle *Unigenitus*. Comment osent-ils, eux les sujets du pape, se dresser contre lui?

Il faut briser cette Fronde, contraindre le Parlement de Paris, la Sorbonne, la faculté de théologie, à enregistrer cette bulle pontificale, et exiler au sein de leurs diocèses Noailles et les évêques réticents, qu'il ne veut plus voir à la Cour.

Il se sent apaisé quand son confesseur, le père Le Tellier, le félicite d'avoir ainsi servi Dieu, la religion, le souverain de l'Église, et brisé cette rébellion d'une Église tentée par l'hérésie janséniste ou par, plus grave encore, l'indépendance à l'égard de son souverain. N'est-ce pas ce qui s'est produit dans le royaume d'Angleterre? Et n'est-ce pas ce que veulent ici ces «gallicans»?

Il prie. Il a œuvré pour Dieu et l'Église en combattant les huguenots, et maintenant en étant aussi rigoureux avec les jansénistes.

Il a accompli sa tâche et Dieu lui en saura gré.

Il en est sûr quand il reçoit le maréchal de Villars qui vient de signer à Rastadt le traité de paix qui complète celui d'Utrecht et met fin à la guerre entre le royaume de France et l'empereur germanique. Villars a négocié avec le prince Eugène, et les conversations ont été longues et difficiles, mais le 6 mars 1714, tout est conclu.

Louis s'avance vers Villars, qui s'incline dans ce grand cabinet d'où l'on voit la fontaine d'Apollon.

— Voilà donc, monsieur le maréchal, le rameau d'olivier que vous m'apportez. Il couronne vos lauriers, dit Louis.

Villars s'incline à nouveau en une longue et profonde révérence.

— Permettez-moi, Sire, d'embrasser les genoux de Votre Majesté de la part du prince Eugène, dit Villars. Il m'a fait promettre d'assurer Votre Majesté de son regret sincère de tout ce qu'il a été forcé de faire pendant la guerre. À l'occasion de la paix qui est un temps de clémence, il prend la liberté de supplier Votre Majesté de recevoir favorablement les assurances de son profond respect.

Louis se tait. « Mme Putana », ce « hideux prince Eugène », le voici qui courbe la nuque, parce qu'on l'a vaincu.

— Il y a longtemps que je ne regarde le prince Eugène que comme sujet de l'empereur, dit Louis. En cette qualité il a fait son devoir.

Il hésite, puis ajoute :

— Je lui sais gré de ce que vous me dites de sa part, et vous pouvez l'en assurer.

Et maintenant il faut remercier le maréchal de Villars, qui attend ses récompenses, voudrait être connétable ou entrer au Conseil des finances. Et Louis ne veut pas lui accorder cela. Il est résolu à ce qu'il n'y ait point de connétable et il ne faut pas donner à un chef de guerre trop de pouvoirs. Il faut marquer cependant sa reconnaissance. Il lui ouvre les « grandes entrées » au lever du roi, le convie à la chasse, lui dit après un tir fructueux :

— Monsieur le maréchal vous m'avez porté bonheur, car jusqu'à votre arrivée j'avais mal tiré. Vous êtes accoutumé à rendre mes armes heureuses.

Elles le sont. Il ne veut pas entendre ceux qui murmurent qu'aux traités d'Utrecht et de Rastadt, le royaume de France a trop payé la paix ! Et ils ergotent sur les places abandonnées – Ypres ou Tournai. Il s'indigne de ce mauvais procès. L'Alsace et Strasbourg, et Philippe V régnant à Madrid, cela ne compte-t-il pour rien ?

Se souviennent-ils de l'état du royaume en 1709, au temps du grand hiver ?

Il lui arrive cependant de murmurer : « J'ai trop aimé la guerre... »

Mais voilà des années qu'il veut aboutir à la paix et il veut rechercher, maintenant que l'empereur a accepté qu'un Bourbon règne à Madrid, une entente avec Vienne.

Mais lorsqu'il évoque ce projet en Conseil, puis avec les ambassadeurs, l'angoisse l'envahit.

Aura-t-il le temps d'affermir la paix en Europe, avant que la mort ne l'emporte ?

Car elle est là, de nouveau à l'œuvre.

Il a appris avec une sorte d'effroi la mort de la reine d'Espagne. Marie-Louise de Savoie n'avait que vingt-six ans et depuis sa disparition Philippe V, qui l'aimait, vit cloîtré, sans doute dominé par cette vieille et perverse princesse des Ursins, qui à soixante-douze ans – c'est ce qui se murmure à la Cour – rêve peut-être de se faire épouser par un roi de trente et un ans !

Il faut l'empêcher.

— On ne peut penser à l'état où il est sans frémir, dit Mme de Maintenon, il faut qu'il se marie. Il est trop jeune et trop pieux pour demeurer en l'état où il est.

Louis s'efforce de prêter attention à cela. Mais Philippe V est roi d'Espagne. Ses troupes ont conquis Barcelone, mettant fin à la sécession catalane. Il a renoncé à ses droits sur la couronne de France, et le duc de Berry et le duc d'Anjou à celle d'Espagne. Que Philippe V décide ! Car Louis se sent las.

Il ne veut plus soutenir les manigances de la princesse des Ursins, que Philippe V chasse, après avoir décidé d'épouser une jeune princesse italienne, peu titrée, peu fortunée, Élisabeth Farnèse.

Louis a le sentiment que les rênes lui échappent, qu'il n'est plus déjà qu'un spectateur distant, qui écoute avec une indifférence lasse la princesse des Ursins venue se plaindre de la manière dont elle a été traitée.

— On m'a fait coucher dans la paille et jeûner d'une

manière bien opposée aux repas que j'avais coutume de faire, je ne mangeais que deux vieux œufs par jour...

Puis elle ajoute :

— Je n'ai point encore reçu l'argent que Votre Majesté m'a fait la grâce d'ordonner qu'il me soit délivré.

Qu'on la paie, qu'elle quitte le royaume !

Il se sent, il se croit indifférent.

Et tout à coup, Fagon qui entre, et sur le visage ce masque que le médecin a si souvent accroché, celui grimaçant et gris de la mort.

Qui ?

Le dernier petit-fils, le duc de Berry !

En chassant le 26 avril à Marly, le duc de Berry a retenu son cheval qui glissait, et la monture s'est cabrée si violemment que le pommeau de la selle s'est enfoncé dans l'estomac du duc de Berry.

Il a caché son mal. Et il a pensé, pour étancher ce sang qu'il avait les jours suivants dans la bouche, qu'il devait avaler nourritures et boissons, chocolat et viande. Il a même chassé le loup, le 30 avril. Il a vomi. On a cru qu'il rendait le chocolat, alors qu'il s'agissait de sang noir, jailli d'une petite veine rompue.

Il est mort le vendredi 4 mai 1714, à quatre heures du matin.

Lui, le dernier petit-fils.

Louis est accablé, et il lui faut recevoir le baron de Breteuil pour fixer les cérémonies et la durée du deuil.

On drapera les carrosses. On ne portera pas de «pleureuses», ces larges manchettes que l'on met sur l'habit en signe de deuil, mais seulement des cravates de mousseline claire avec de l'effilé autour et un petit crêpe noir pendant au chapeau.

Il doit décider de tout cela alors que sa peine et son désespoir sont si profonds qu'il a l'impression que son corps est fendu, crevé.

Mais il ne veut pas pleurer devant Breteuil.

Il lui dit, parce qu'il se sent incapable d'affronter à nouveau les regards pour ce deuil venu après tous les autres :

— Je ne recevrai aucun compliment public de la part des ministres étrangers, ni harangue des cours supérieures. Les pertes de la famille royale recommencent trop souvent depuis quelque temps, et les compliments et les harangues renouvellent trop vivement les douleurs.

Il attend d'être seul pour s'abandonner au désespoir.

Le duc de Berry, le dernier petit-fils, n'avait que vingt-huit ans, et sa jeune épouse, enceinte depuis six mois, n'a pas dix-neuf ans.

Il sort lentement de ses appartements. Il se dirige vers la chambre où dort le duc d'Anjou, enfant de quatre ans, sur la tête de qui repose la succession qu'il avait cru assurée sur cinq vies, toutes brisées.

Il se penche, prend le duc d'Anjou dans ses bras, et murmure :

— Voilà ce qui me reste de toute ma famille.

Il a le pressentiment que l'enfant que porte la duchesse de Berry ne vivra pas. Il attend, tassé, amaigri, si las.

Et le 16 juin, il n'est pas surpris quand les médecins lui annoncent que la duchesse de Berry a mis au monde une petite fille sans vigueur, et qui ne pourra pas survivre au-delà de quelques heures.

Il ne peut aller plus profond dans l'abîme de tristesse dans lequel ces morts l'ont précipité.

Il pense à cet enfant de quatre ans, le duc d'Anjou, ce qui

reste de toute sa famille, et il songe à sa propre enfance quand il a subi la domination du cardinal de Mazarin, et peut-être jusque dans sa chair.

Et aujourd'hui, Philippe d'Orléans, le débauché, peut-être le père incestueux de la duchesse de Berry, va être le tout-puissant régent, imposant sa loi, ses vices, au duc d'Anjou, afin d'être le vrai souverain.

Il ne peut l'accepter.

Il va régler sa succession, tenter de survivre après sa mort, en dictant ce qu'il veut et ce que veulent aussi Mme de Maintenon, le duc du Maine et le comte de Toulouse, qui chaque jour insistent pour qu'il agisse.

Il agit et il sait que c'est sans doute la dernière décision importante qu'il prend avant sa mort.

Car la mort est audacieuse et il lui faut, pour la dominer, faire appel à tout ce qui lui reste d'énergie.

Il décide et proclame que le duc du Maine et le comte de Toulouse, légitimés depuis vingt ans déjà, et mis au-dessus des ducs et des pairs, seront désormais aptes à succéder au roi, à défaut des princes légitimes.

Il ne se soucie pas des grimaces des ducs et des princes, celles d'un Saint-Simon qui murmure que ce «crime fait d'une nation si libre une nation d'esclaves».

Il se présente au Parlement qui enregistre cette «nouvelleté». Puis il rédige son testament.

Il veut que la régence ne tombe pas entre les mains de Philippe d'Orléans.

Il crée un Conseil de quatorze personnes qui décidera à la majorité. Le duc du Maine obtient la charge de la «sûreté, conservation, et éducation du roi mineur». Le maréchal de Villeroi sera gouverneur et le père Le Tellier, confesseur.

Il relit ce testament. Il ne s'illusionne pas. Mais il aura fait ce qu'il devait pour prolonger au-delà de sa mort son règne, et donner à son fils, Maine, la place que son sang doit lui réserver.

Le dimanche 17 août 1714, il reçoit dans le grand cabinet le premier président du Parlement et le procureur général.

Il leur tend une liasse scellée de sept cachets.

— Messieurs, dit-il, c'est mon testament. Il n'y a qui que ce soit qui sache ce qu'il contient. Je vous le remets pour le garder au Parlement.

Il s'interrompt, regarde tour à tour les deux parlementaires :

— L'exemple des rois mes prédécesseurs et celui du testament du roi mon père ne me laissent pas ignorer ce que celui-ci pourra devenir.

Il se tait à nouveau. Peut-être a-t-il aussi cédé aux pressions de Mme de Maintenon et de ses fils.

— Voilà, emportez-le, il deviendra ce qu'il pourra.

Il sait que même les rois, quand ils sont morts, ne connaissent plus les passions humaines.

SEPTIÈME PARTIE

1714-1715

42.

Il est debout devant le grand miroir.

Il ne peut détourner ses yeux de ce visage flétri, dont les joues paraissent couler en plis jaunes.

Il était le Roi-Soleil. Sa beauté rayonnait au milieu des danseurs. Il chevauchait tout une nuit pour rejoindre Louise de La Vallière ou Athénaïs de Montespan.

Il bondissait hors des tranchées durant le siège des villes. Il s'élançait sur les parapets, les glacis, se plaçant en avant des troupes, alors que tonnaient les canons.

Et la reine, ses maîtresses, leurs dames d'honneur, leurs jeunes suivantes attendaient dans les carrosses que Louis le Grand revienne vers elles.

Il lève lentement un bras, et ce mouvement est douloureux.

Il attend pour soulever l'autre que les valets qui s'affairent autour de lui aient terminé de retirer la manche de l'habit.

Il a besoin de toute son énergie et de sa volonté tendue pour rester ainsi debout, alors que la douleur monte dans sa jambe gauche, déchire la chair, fait éclater le talon, le genou, dévore la cuisse jusqu'à l'aine.

Mais il ne doit pas s'affaisser, donner un signe de faiblesse.

Il veut vivre droit jusqu'à ce que la mort le terrasse.

Il pense à Fénelon, l'archevêque de Cambrai, dont le père

Le Tellier, après le souper, lui a appris dans un murmure, en se signant, que Dieu l'avait rappelé à lui.

Un mort de plus, l'un de ceux qui avaient imaginé gouverner avec le duc de Bourgogne. Et le duc de Bourgogne et ses fils sont morts, et Fénelon est mort et tant d'autres.

Et il est encore le roi.

Il lève l'autre bras, ferme les yeux quelques instants. Les doigts des valets effleurent sa peau. Il entend le froissement du tissu des vêtements qu'on retire.

Il rouvre les yeux.

Ce corps si maigre qu'il découvre, c'est le sien.

Il lui semble que ses chairs ont fondu, qu'il a suffi de quelques semaines pour que son apparence se transforme. La peau est fripée, livide.

Il a en face de lui le corps d'un homme mort.

Il murmure comme s'il s'adressait à cet autre qui est lui :

— Je vois bien que ton heure approche et qu'il faut songer sérieusement à mourir.

Mais il ne veut pas céder à la tentation de fermer les yeux, de cesser ce combat qu'il mène contre la mort, cet affrontement de chaque instant, dont il s'efforce de masquer la cruauté.

Il voit bien dans les regards des courtisans, des ministres, et dans ceux de Mme de Maintenon ou du duc du Maine, qu'on suit, heure après heure, sa lutte contre la maladie et la mort.

Et certains espèrent leur victoire.

On lui rapporte que quand il paraît faiblir, les salons des appartements de Philippe d'Orléans, au Palais-Royal, se remplissent de la foule des courtisans qui s'empressent autour de celui qui doit être le futur régent.

Et d'apprendre cela lui donne un regain d'énergie.

Il veut qu'un édit royal attribue à ses bâtards, le duc du

Maine et le comte de Toulouse, la qualité de princes du sang. Et chacun comprendra ainsi les dispositions de son testament.

Il sait bien cependant qu'il ne s'agit que de batailles en retraite, et qu'il lutte pour que la fin de sa vie ne soit pas une déroute. Mais il n'est pas dupe. On attend sa mort, à la Cour et dans les royaumes d'Europe.

Il apprend par Torcy que des paris sont ouverts en Angleterre pour savoir s'il vivra au-delà du 1er septembre 1715, le mois de son soixante-dix-septième anniversaire.

Il toise les courtisans rassemblés autour de lui, au moment du dîner, et leur lance :

— On me dit qu'en Angleterre, on fait des paris sur ma mort prochaine.

Il les voit confus, baissant la tête.

Peut-être ici aussi, à Versailles, les paris sont-ils ouverts.

Mais il veut montrer à ces parieurs macabres que Louis le Grand peut encore être le Roi-Soleil.

Il écoute ses ministres, Torcy, Pontchartrain, Desmarets, qui répètent qu'il faudrait ouvrir aux manufactures du royaume le marché persan, et que l'occasion de nouer avec le shah de Perse Hussein Mirza des relations amicales est offerte à la France par l'arrivée à Paris, en ce mois de février 1715, de son ambassadeur Mehemet Reza Beg.

Il faut le recevoir avec faste, l'éblouir en l'accueillant dans la galerie du château de Versailles.

Louis veille avec le baron de Breteuil à chaque détail de cette réception. Il échappe ainsi à cette pénombre qui l'entoure et l'étouffe, à la mort qui s'avance, aux douleurs qui le tenaillent.

Il veut, dit-il, que toute la Cour soit magnifiquement vêtue. Qu'on installe des gradins dans la galerie, du côté qui est vis-à-vis des fenêtres. Les dames et les princes de la Cour y prendront place. Les dames ne porteront pas de grande robe de cour, puisqu'elles ne se lèveront pas alors que le roi le fera. Elles seront vêtues seulement en robe de chambre, comme à Marly, mais ces robes de chambre seront magnifiques et les dames auront beaucoup de pierreries sur la tête.

Il portera la couronne, et sur son habit or et noir seront placés les plus beaux, les plus gros diamants du roi.

Il veut que chaque membre de la famille royale, le petit dauphin, le duc d'Orléans, le duc du Maine et le comte de Toulouse portent eux aussi le plus grand nombre de pierreries.

Il veut que leurs rayons éblouissent Mehemet Reza Beg.

Et avant d'avancer lentement dans la galerie, le corps ployé sous le poids des diamants, il se regarde un long moment dans le miroir.

Il va montrer à tous les courtisans, à toute l'Europe présente par ses ambassadeurs, et à cet envoyé du shah de Perse, ce qu'est la magnificence du roi de France.

Et il ordonne que le peintre Antoine Coypel installe ses cartons et ses toiles dans la galerie, afin de préparer le tableau représentant cette cérémonie.

Il veut qu'elle soit plus que l'audience d'un ambassadeur venu de Perse. Elle doit rayonner comme l'ultime lumière d'Apollon.

Il faut qu'on se souvienne de ce qu'était le Roi-Soleil.

Il retrouve, après la réception, son appartement, le grand cabinet, et ce corps d'homme mort que son âme vivante habite.

Il ne veut renoncer à rien.

Il mange d'abondance. Il chasse en calèche légère, tenant lui-même les rênes. Il tient Conseil.

Et il veut, le samedi 8 juin, veille de la Pentecôte, recevoir tous ceux, plusieurs centaines, qui désirent être touchés par le roi. «Le roi te touche, Dieu te guérit.»

Ils sont parfois allongés sur des brancards, le corps gris, les plaies purulentes.

Il se penche. Il les touche. Et la douleur est si vive dans son corps, la chaleur si accablante qu'il craint de ne pouvoir se redresser.

Mais il accomplira sa tâche.

Il est le roi qui guérit. Et on est venu des plus lointaines provinces et même d'Espagne pour qu'il appose ses mains sur les corps malades.

Il le doit, puisqu'il vit.

Il veut encore chasser le cerf, mais ce 9 août, assis dans la calèche, sa jambe est si douloureuse qu'il a l'impression qu'on l'incise, qu'on la brise et la tranche à coups de hache, à hauteur du genou et de l'aine.

Le lendemain, il décide de rentrer à Versailles.

Il somnole dans le carrosse et, en arrivant à Versailles, ce samedi 10 août, il se sent si faible qu'il a de la peine à aller de son cabinet à son prie-Dieu.

Il convoque Fagon, lui parle de cette jambe gauche qui ne lui appartient plus que par la douleur qu'elle provoque, et qu'il a l'impression d'avoir perdue, membre étranger, ennemi.

Il écoute Fagon qui évoque une irritation des nerfs, une sciatique qu'on peut soigner, assure-t-il, avec du quinquina, des saignées et des purges.

Il écarte Fagon.

Il veut encore aller jusqu'à Trianon, voir les jardins, dans l'opulence de ce dimanche 11 août 1715.

Il rentre dans ses appartements et, au moment d'en franchir le seuil, il se retourne, et il regarde longuement ces bâtiments, ces fontaines, ces bassins.

Il pense que dans moins d'un mois il aura, le 5 septembre, soixante-dix-sept ans.

Qui reste en vie des temps de son enfance, de sa jeunesse et même de son âge mûr ?

Il faudra bien rejoindre ces morts.

Mais il doit d'abord donner son audience de congé à l'ambassadeur de Perse, le 13 août.

Il est debout. Il doit rester debout, malgré cette lance de douleur qui à partir de sa cuisse gauche s'enfonce jusqu'au cœur.

Mais il ne faiblira pas.

Il est encore le roi Louis le Grand.

43.

La nuit.

Est-elle passée? Ou bien l'a-t-elle englouti?

Il n'entend aucun bruit. Il entrouvre les yeux, mais la lumière vive du jour le blesse.

Il referme les paupières.

Il a donc échappé à la nuit.

Il vit encore en ce matin du 14 août 1715.

Il se souvient de ces mâchoires, de ces griffes qui tout au long de la nuit l'ont lacéré, déchiré, l'empêchant de trouver le sommeil, et il a le sentiment qu'il n'a pas dormi, mais été terrassé par la douleur, écrasé par cette jambe gauche, ce lourd boulet de fer rougi qui fond lentement, et le métal envahit le bas-ventre, la poitrine, emprisonne le cœur. Et il étouffe.

Il voudrait que la nuit paisible le recouvre, l'enveloppe.

Et il ne doit pas céder à ce désir. Il doit s'arracher à la nuit, ne pas s'y enfouir.

Il ouvre les yeux et il s'efforce de ne pas les refermer, d'affronter la lumière.

La matinée est avancée.

Il voudrait se lever, mais il ne peut déplacer cette jambe pansée, ce boulet qui le retient couché.

Il reconnaît les médecins qui, maintenant, entourent son lit. Les valets disposent des coussins.

Il sent qu'il ne pourra pas marcher.

Mais il veut réunir et présider le Conseil.

Il veut continuer.

Le lit est devenu son château et la chambre, son royaume.

Il fait ouvrir les portes pour pouvoir écouter la messe.

Qu'on laisse entrer les courtisans. Qu'ils s'avancent jusqu'à la balustrade, qu'ils le voient dîner dans son lit.

Il veut, il doit manger. Il doit vivre.

D'un geste, il demande qu'on l'installe dans son fauteuil à roulettes et qu'on le pousse jusqu'aux appartements de Mme de Maintenon.

Il veut entendre ses vingt-quatre violons. Il veut être parmi les dames qui jouent aux cartes.

Et tout à coup, il ne voit plus les visages, les candélabres, la nuit vient et avec elle les tourments, les souffrances. Il geint.

Il sent qu'on le soulève, le pose sur son lit.

Il y a tous ces murmures.

Puis le silence.

Il entend des chuchotements.

Il aperçoit des silhouettes.

Il comprend que les médecins, les apothicaires ont dormi dans l'antichambre.

Combien la nuit a-t-elle duré?

Il vent entendre ses violons.

Il les voit entrer dans la chambre, commencer à jouer. Et il s'enfonce dans la musique qui a accompagné toute sa vie.

Il ne veut plus suivre la succession des jours. Les heures forment une chaîne continue, jour, nuit, douleur violente ou apaisée.

Tout à coup il se souvient.

Il devait passer en revue les compagnies de gendarmes et de chevau-légers, et il ne peut bouger. Il ne veut pas se présenter, lui Louis le Grand, sur un fauteuil d'impotent, en robe de chambre.

Que le duc du Maine préside le défilé.

Il a l'impression que cette décision le fait surgir de la nuit. Il reconnaît le maréchal de Villars.

— Vous me voyez bien mal, monsieur le maréchal.

— Il n'est pas étonnant que Votre Majesté, accoutumée à beaucoup d'exercice, se croie mal par une incommodité qui l'empêche d'en faire.

Il secoue la tête, si lourde :

— Non, murmure-t-il, je sens dans ma jambe de très grandes douleurs.

Il ferme les yeux.

Combien de temps ?

Il reconnaît la voix de Fagon. Il entrouvre les yeux, mais le visage du médecin est masqué par un voile gris.

On est le vendredi 23 août, dit Fagon.

Il répète que la sciatique de Sa Majesté doit s'atténuer sous l'effet du traitement au quinquina et du lait d'ânesse.

Il voit derrière Fagon d'autres silhouettes noires, celles sans doute des médecins que Fagon a dû appeler en consultation.

Il ferme les yeux.

Que peuvent les médecins quand la mort a choisi un corps et qu'elle y creuse sa sape ?

Il voudrait ne pas entendre cette voix, qui murmure : « Après ton fils, tes petits-fils, tes arrière-petits-fils, c'est ton tour, et tu le sais. »

Mais il ne veut pas abandonner.

Il veut ce samedi 24 août réunir le Conseil, souper devant les courtisans qui se tiennent debout, dans le fond de la chambre.

Et brusquement cette douleur plus vive, cette pénombre qui éteint toutes les bougies. Et la voix altérée de Fagon qui dit qu'il faut interrompre le traitement au quinquina, et cesser de faire boire au roi du lait d'ânesse, car des stries noires sont apparues sur la jambe.

Il comprend ce mot, qu'on chuchote et qu'on répète : *gangrène.*

Voilà le nom de sa mort.

Il veut voir son confesseur.

Il murmure : « Quand j'étais roi... »

Il ne peut maîtriser les sursauts de son corps, tant la douleur dans la jambe est atroce.

Il est tout entier une chair qui pourrit.

Et c'est la Saint-Louis, ce dimanche 25 août.

Il veut qu'on fasse avancer les tambours sous le balcon, parce qu'il désire entendre encore les musiques martiales de la vie.

Et que les violons et les hautbois entrent dans l'antichambre et qu'ils jouent pendant son dîner.

Car il veut écouter vibrer les cordes et souffler l'air de la vie, pendant qu'il dîne.

S'il entend ces musiques, s'il mange, c'est que la mort est contenue.

Et tout à coup la nuit.

Puis peu à peu les sons reviennent, comme si la mort venait de lui rappeler qu'elle choisira à sa guise le moment.

Il ne doit pas se laisser surprendre. Il veut recevoir l'extrême-onction, les derniers sacrements, vite, en ce jour de la Saint-Louis, avant que la nuit ne l'engloutisse.

Il reconnaît le cardinal de Rohan, grand aumônier de France. Il porte Notre-Seigneur.

Derrière lui, un curé, chargé des saintes huiles, puis les princes du sang, tous ces visages qui vont s'estomper.

Il entend la voix qui dit :

— Voici un sacrement qui a la vertu de nous soulager dans les maladies du corps et de nous en délivrer même lorsqu'il est expédient pour notre salut, mais il a été principalement institué pour soulager notre âme dans ses infirmités et pour la guérir des blessures que le péché lui a faites et qui restent encore après qu'il est effacé.

Il voit ce crucifix qu'on approche de ses lèvres.

Il murmure les petits mots de sa grande foi, *Credo*, *Amen*.

A-t-il dormi ? A-t-il perdu conscience comme dans une avant-mort ?

Il sait seulement qu'il va mourir et qu'il lui faut utiliser ses derniers moments – quelques minutes, quelques heures, un jour, peut-être plus – pour dire les derniers mots de sa vie à ceux qui vont lui survivre, gouverner et servir ce royaume qui fut le sien.

Il ne peut plus penser : «ce royaume qui est le mien».

Il ne dit plus qu'il veut voir le dauphin, mais qu'il veut parler au roi, cet arrière-petit-fils de cinq ans et demi qui va lui succéder.

Il demande à l'enfant de s'approcher.

Il ne peut détacher ses yeux de ce visage rond, de cette petite bouche si bien dessinée, de cette peau lisse que la vie n'a pas encore ridée, de ce regard noir et vif qu'aucune désillusion, qu'aucune épreuve n'a encore terni.

Entre cet enfant et lui, il y a cet abîme profond de près de soixante-douze années.

Il faut le mettre en garde, lui montrer les précipices où il peut tomber.

— Mignon, commence-t-il, vous allez être un grand roi, mais tout votre bonheur dépendra d'être soumis à Dieu et du soin que vous aurez de soulager vos peuples.

Il reprend difficilement son souffle, s'efforce de parler plus fort :

— Il faut pour cela que vous évitiez autant que vous le pourrez de faire la guerre : c'est la ruine des peuples. J'ai trop aimé la guerre. Ne m'imitez pas en cela, non plus que dans le goût que j'ai eu pour les bâtiments, et les trop grandes dépenses que j'ai faites. Ne suivez pas le mauvais exemple que je vous ai donné sur cela. J'ai souvent entrepris la guerre trop légèrement et l'ai soutenue par vanité. Ne m'imitez pas mais soyez un prince pacifique et que votre principale application soit de soulager vos sujets. Profitez de la bonne éducation que Mme la duchesse de Ventadour vous donne, et suivez aussi pour bien servir Dieu les conseils du père Le Tellier que je vous donne pour confesseur.

Il est au bord des sanglots, et il voit les yeux de l'enfant se remplir de larmes. Il tourne la tête, fixe Mme de Ventadour, se souvient que cette dame a sauvé le dauphin en écartant de l'enfant les médecins.

— Pour vous, madame, j'ai bien des remerciements à vous faire du soin avec lequel vous élevez cet enfant et de la tendre amitié que vous avez pour lui. Je vous prie de la lui continuer et je l'exhorte à vous donner toutes les marques possibles de sa reconnaissance.

Il se redresse, invite le dauphin à s'approcher et il l'embrasse deux fois et en pleurant lui donne sa bénédiction, puis il se laisse retomber, en larmes.

Mais il doit encore parler au duc du Maine, au comte de

Toulouse, au duc d'Orléans, et à tous ces gentilshommes, ces courtisans, ces officiers qui se pressent dans la ruelle et contre la balustrade.

Il faut qu'il trouve l'énergie de s'adresser à eux, afin qu'ils voient, une dernière fois, même si sa voix est faible, Louis le Grand.

— Messieurs, je suis content de vos services, dit-il.

On s'approche du lit, on l'entoure.

— Vous m'avez fidèlement servi et avec envie de me plaire. Je suis fâché de ne vous avoir pas mieux récompensés que j'ai fait ; les derniers temps ne l'ont pas permis. Je vous quitte avec regret. Servez le dauphin avec la même affection que vous m'avez servi. C'est un enfant de cinq ans qui peut essuyer bien des traverses car je me souviens d'en avoir beaucoup essuyé pendant mon jeune âge.

Il s'interrompt, surmonte la douleur qui lui écrase la poitrine et étouffe sa voix, puis reprend :

— Je m'en vais mais l'État demeurera toujours. Soyez-y fidèlement attachés et que votre exemple en soit un pour tous mes autres sujets. Soyez tous unis et d'accord ; c'est l'union et la force d'un État, et suivez les ordres que mon neveu Philippe d'Orléans, futur régent, vous donnera. Il va gouverner le royaume, j'espère qu'il le fera bien. J'espère aussi que vous ferez votre devoir et que vous vous souviendrez quelquefois de moi.

Il ferme les yeux, et il entend leurs sanglots.

Il voudrait leur parler encore, mais il ne peut plus que murmurer qu'il veut voir le duc d'Orléans et le maréchal de Villeroi.

Il faut un nouvel effort, plus douloureux encore :

— Je vous ai conservé tous les droits que vous donne votre naissance, dit-il d'une voix faible au duc d'Orléans.

Il lui parle de Mme de Maintenon, qui doit être traitée avec respect, et protégée tout au long de ce qui lui reste de vie. Il l'a aimée.

Puis il se tourne vers le maréchal de Villeroi :

— Monsieur le maréchal, je vous donne une nouvelle marque de mon amitié et de ma confiance en mourant ; je vous fais gouverneur du dauphin qui est l'emploi le plus important que je puisse donner.

Il saisit la main de Villeroi. Il l'a serrée pour la première fois dans son enfance, quand ils jouaient ensemble. Et Villeroi va lui survivre.

— Je ne doute pas que vous me serviez après ma mort avec la même fidélité que vous l'avez fait pendant ma vie. J'espère que mon neveu vivra avec vous avec la considération et la confiance qu'il doit avoir pour un homme que j'ai toujours aimé.

Il sent les larmes de Villeroi qui lui embrasse la main.

— Adieu, monsieur le maréchal, j'espère que vous vous souviendrez de moi.

Maintenant, il veut voir la duchesse de Berry, Mme la Palatine, les autres princesses, ses filles et ses petites-filles.

Il murmure : « Souvenez-vous de moi », « Union entre vous ».

Il se tourne vers la Palatine qui sanglote.

— Je ne dis pas cela à vous, je sais que vous n'en avez pas besoin et que vous êtes trop raisonnable pour cela. Je le dis aux autres princesses.

Il sent l'émotion le gagner. Il ne le faut pas.

Il doit encore brûler les papiers secrets contenus dans ses cassettes. Il demande à Voysin de trier avec lui ses liasses, qui seront bientôt cendres.

Il veut aussi voir le père Le Tellier pour l'entendre parler de Dieu.

Après viennent les médecins qui pansent sa jambe gauche, disent que la gangrène n'a fait aucun progrès, qu'elle était comme hier au-dessous de la marque que l'habitude de porter une jarretière a faite autour de sa jambe.

Mais il sait que la mort ne lâchera pas prise.

Il la sent en lui rageuse, après cette nouvelle nuit.

Il veut que Le Tellier ne quitte pas l'antichambre, puisse venir auprès de lui à chaque instant. Il veut que son confesseur l'accompagne jusqu'au moment où il n'entendra plus les prières, où il ne pourra plus prononcer «je confesse à Dieu» en se frappant la poitrine.

Il demande au comte de Pontchartrain, secrétaire d'État à la Maison du roi, d'approcher.

Il l'interrompt alors que le comte commence à dire que les médecins sont pleins d'espoir puisque la gangrène ne progresse pas.

— Aussitôt que je serai mort, lui dit-il, vous expédierez un brevet pour faire porter mon cœur à la maison professe des jésuites et l'y faire placer de la même manière que celui du feu roi mon père. Je ne veux pas qu'on y fasse plus de dépense.

Puis il se tourne vers Mme de Maintenon.

— J'avais toujours ouï dire qu'il était difficile de se résoudre à la mort; pour moi qui suis sur le point de ce moment si redoutable aux hommes, je ne trouve pas que cette résolution soit si pénible.

Elle se signe, elle murmure, penchée vers lui :

— Cette résolution est difficile quand on a de l'attachement aux créatures, quand on a de la haine dans le cœur, des restitutions à faire.

Il sent une poussée d'énergie.

— Ah, pour des restitutions à faire, je n'en dois à personne comme particulier, mais pour celle que je dois au royaume, j'espère en la miséricorde de Dieu.

La douleur est tout à coup plus vive. Il veut voir son

confesseur, même si c'est pour la vingtième fois dans la journée.

— *Confiteor Deo omnipotenti*, murmure-t-il.

Puis c'est la nuit.

Et un nouveau jour commence que la souffrance, cette jambe pourrie font ressembler à la nuit.

On veut le faire boire, manger.

— Il ne faut pas me parler comme à un autre homme. Présentement, ce n'est pas un bouillon qu'il me faut : que l'on m'appelle mon confesseur.

Il hésite. Est-ce Le Tellier qui se penche vers lui ?

— Donnez-moi encore une absolution générale pour l'expiation de mes péchés.

Il ne veut pas entendre Le Tellier l'interroger sur l'intensité de sa douleur.

— Je voudrais souffrir davantage pour l'expiation de mes péchés, dit-il.

Ces sanglots autour de lui, ceux de ses officiers, des valets, l'irritent.

— Pourquoi pleurez-vous ? Est-ce que vous m'avez cru immortel ? Pour moi je n'ai point cru l'être, et vous avez dû dans l'âge où je suis vous préparer à me perdre.

Mais les pleurs et même les cris redoublent. Il a le sentiment que le désespoir qui l'entoure l'affaiblit, alors qu'il a besoin de toutes ses forces pour accueillir la mort.

— Ne vous semble-t-il pas que notre carrière a été très longue et que nous avons très longtemps vécu ? Il convient de faire place aux autres et de nous disposer à comparaître au tribunal du roi des rois. Il y a dix ans que je me prépare chaque jour à ce passage et j'espère que Dieu voudra me faire miséricorde.

Il s'enfonce dans la nuit et, quand il revoit le jour, il aperçoit Mme de Maintenon, assise près du lit cependant que les médecins défont les pansements, et qu'à leur mine il devine que la gangrène s'est étendue, qu'il faut faire des incisions, atteindre l'os, et constater que toute la chair est rongée, que la gangrène vient de l'intérieur.

Il murmure, tourné vers Mme de Maintenon :

— Je ne vous ai pas rendue heureuse.

Il veut qu'elle quitte la chambre et n'assiste pas à ces coups de lancette qui font gicler le sang et le pus.

Il ne peut empêcher son corps de se cabrer à chaque coup, et de retomber brisé, inerte.

On lui présente un verre rempli d'un élixir spiritueux qu'un guérisseur venu de Provence vient d'apporter.

— Je ne le prends ni dans l'espérance ni avec le désir de guérir, mais je sais qu'en l'état où je suis je dois obéir aux médecins. À la vie ou à la mort tout ce qui plaira à Dieu.

Il a l'impression qu'un peu de vie pétille dans son corps, et puis cela faiblit, disparaît.

— À quoi tient-il, mon Dieu, que vous ne me preniez ?

La nuit. Et de brefs éclairs de jour.

Il entend la messe. Il grignote deux petits biscuits trempés dans du vin. Il s'anéantit.

Il entend la voix de Fagon si lointaine qui dit que la jambe est aussi pourrie que s'il y avait dix mois que Sa Majesté était morte.

Il veut psalmodier avec les aumôniers qui récitent la prière des agonisants.

Nunc et in hora mortis.

Maintenant et à l'heure de notre mort.

« Oh ! mon Dieu, venez à mon aide, hâtez-vous de me secourir. »

Dimanche 1er septembre 1715.

« Le roi est mort ce matin à huit heures un quart et il a rendu l'âme sans aucun effort comme une chandelle qui s'éteint. »

Baron de Breteuil.

Chronologie du règne de Louis XIV

1638 – Naissance de Louis-Dieudonné, futur Louis XIV.

1642 – Mort de Richelieu. Mazarin entre au Conseil du roi.

1643 – Mort de Louis XIII. Avènement de Louis XIV et début de la régence d'Anne d'Autriche, sa mère.
Bataille de Rocroi.

1648 – Début de la Fronde. Fronde parlementaire jusqu'en 1649, puis Fronde des princes jusqu'en 1653.

1654 – Sacre de Louis XIV à Reims.
Fouquet est nommé surintendant des Finances.

1656 – Publication des *Provinciales* de Blaise Pascal, immédiatement mises à l'index.

1659 – Traité des Pyrénées qui met fin à la guerre avec l'Espagne.

1660 – Mariage de Louis XIV et de Marie-Thérèse d'Autriche.

1661 – Mort de Mazarin.
Début du règne personnel de Louis XIV.
Arrestation de Fouquet.

1662 – Colbert est nommé contrôleur général des Finances.

1663 – Première représentation de *L'Impromptu de Versailles*, de Molière.

1666 – Mort d'Anne d'Autriche, mère de Louis XIV.
Fondation de l'Académie des sciences.

1667 – Guerre de Dévolution. Louis XIV, après la mort du roi d'Espagne, revendique les Pays-Bas espagnols.
Disgrâce de Louise de La Vallière.
Mme de Montespan devient la favorite du roi.
Colbert entre à l'Académie française.

1668 – Pays d'Aix-la-Chapelle. Charleroi, Douai et Tournai, entre autres, sont annexées.

1670 – Molière présente au roi *Le Bourgeois gentilhomme*.
Publication des *Pensées* de Blaise Pascal.
Début de la guerre de Hollande (jusqu'en 1678).

1671 – Fondation de l'Académie d'architecture.
Veuf d'Henriette d'Angleterre depuis un an, Monsieur, frère du roi, épouse en secondes noces la Princesse Palatine (Élisabeth-Charlotte de Bavière).

1672 – Fondation de l'Académie de musique.
La guerre avec l'Espagne reprend, et le conflit devient européen.

1673 – Début de l'Affaire des poisons (jusqu'en 1679).
Mort de Molière.

1675 – Bataille de Turckheim. Mort de Turenne.

Victoires navales de Duquesne.

Le père de La Chaise devient le confesseur de Louis XIV.

1676 – Exécution de la marquise de Brinvilliers, à l'origine de l'Affaire des poisons.

1678 – Traité de Nimègue. Annexion de la Franche-Comté, de Valenciennes, de Cambrai et de Maubeuge.

Vauban est nommé commissaire aux Fortifications.

1680 – Le roi est séduit par Mme de Maintenon.

Fondation de la Comédie-Française.

1681 – Bossuet devient évêque de Meaux.

1682 – Louis XIV s'installe à Versailles.

1683 – Mort de la reine Marie-Thérèse.

Louis XIV épouse en secret Mme de Maintenon, qui accroît son influence.

Mort de Colbert.

1685 – Révocation de l'Édit de Nantes.

Ordonnance coloniale ou Code Noir, qui, en fixant les droits et devoirs des propriétaires d'esclaves, constitue une reconnaissance légale de l'esclavage.

1686 – Formation de la Ligue d'Augsbourg contre Louis XIV.

Louis XIV est opéré avec succès d'une fistule anale.

Mort du Grand Condé.

1688 – Guerre de la Ligue d'Augsbourg (jusqu'en 1697).

1689 – Fénelon est nommé précepteur du duc de Bourgogne, fils du Grand Dauphin.

1691 – Conquête de la Savoie.

Mort de Louvois.

Publication des *Contes* de Charles Perrault.

1692 – Les charges de maire et d'échevin deviennent vénales et héréditaires, ce qui permet de faire entrer de l'argent dans les caisses de l'Etat.

1693 – Publication des *Fables* de La Fontaine.

1694 – Publication du *Dictionnaire* de l'Académie française.

Anoblissement du corsaire Jean Bart.

1697 – Traité de Ryswick mettant fin à la guerre de la Ligue d'Augsbourg.

1698 – Mort de Charles II d'Espagne. Il a désigné par testament le petit-fils de Louis XIV, Philippe d'Anjou, comme devant lui succéder sur le trône d'Espagne.

1700 – Traité de partage de la succession d'Espagne entre la France et l'Angleterre.

1701 – Début de la guerre de succession d'Espagne (jusqu'en 1713).

Mort de Monsieur, frère de Louis XIV.

1702 – Début de la guerre des Camisards (jusqu'en 1705), soulèvement des Protestants cévenols contre le pouvoir royal.

1707 – Mort de Vauban.

1708 – Destruction de Port-Royal des Champs et dispersion des religieuses.

1709 – Famine et émeutes. Louis XIV explique sa politique à ses sujets.

1710 – Naissance du futur Louis XV.

1711 – Mort du Grand Dauphin.

1712 – Mort du duc de Bourgogne, troisième dauphin, et de la duchesse.

1713 – Paix d'Utrecht qui met fin à la guerre de succession d'Espagne.

1714 – Perte de Terre-Neuve et de l'Acadie.

Mort du duc de Berry.

1715 – Mort de Louis XIV. Régence de Philippe d'Orléans.

Du même auteur

Autobiographie

L'Oubli est la ruse du diable, XO Éditions, 2012.

Romans

Le Cortège des vainqueurs, Robert Laffont, 1972.
Un pas vers la mer, Robert Laffont, 1973.
L'Oiseau des origines, Robert Laffont, 1974.
Que sont les siècles pour la mer, Robert Laffont, 1977.
Une affaire intime, Robert Laffont, 1979.
France, Grasset, 1980 (et Le Livre de Poche).
Un crime très ordinaire, Grasset, 1982 (et Le Livre de Poche).
La Demeure des puissants, Grasset, 1983 (et Le Livre de Poche).
Le Beau Rivage, Grasset, 1985 (et Le Livre de Poche).
Belle Époque, Grasset, 1986 (et Le Livre de Poche).
La Route Napoléon, Robert Laffont, 1987 (et Le Livre de Poche).
Une affaire publique, Robert Laffont, 1989 (et Le Livre de Poche).
Le Regard des femmes, Robert Laffont, 1991 (et Le Livre de Poche).
Un homme de pouvoir, Fayard, 2002 (et Le Livre de Poche).
Les Fanatiques, Fayard, 2006 (et Le Livre de Poche).
Le Pacte des Assassins, Fayard, 2007 (et Le Livre de Poche).
La Chambre ardente, Fayard, 2008 (et Le Livre de Poche).
Le Roman des rois, Fayard, 2009 (et Le Livre de Poche).
Caïn et Abel, le premier crime, Fayard, 2011 (et J'ai Lu).

Suites romanesques

La Baie des Anges :
  I. *La Baie des Anges*, Robert Laffont, 1975 (et Pocket).
  II. *Le Palais des Fêtes*, Robert Laffont, 1976 (et Pocket).
  III. *La Promenade des Anglais*, Robert Laffont, 1976 (et Pocket). (Parue en un volume dans la coll. «Bouquins», Robert Laffont, 1998.)

Les Hommes naissent tous le même jour :
  I. *Aurore*, Robert Laffont, 1978.
  II. *Crépuscule*, Robert Laffont, 1979.

La Machinerie humaine :
  - *La Fontaine des Innocents*, Fayard, 1992 (et Le Livre de Poche).
  - *L'Amour au temps des solitudes*, Fayard, 1992 (et Le Livre de Poche).
  - *Les Rois sans visage*, Fayard, 1994 (et Le Livre de Poche).
  - *Le Condottiere*, Fayard, 1994 (et Le Livre de Poche).
  - *Le Fils de Klara H.*, Fayard, 1995 (et Le Livre de Poche).
  - *L'Ambitieuse*, Fayard, 1995 (et Le Livre de Poche).
  - *La Part de Dieu*, Fayard, 1996 (et Le Livre de Poche).
  - *Le Faiseur d'or*, Fayard, 1996 (et Le Livre de Poche).
  - *La Femme derrière le miroir*, Fayard, 1997 (et Le Livre de Poche).
  - *Le Jardin des Oliviers*, Fayard, 1999 (et Le Livre de Poche).

Bleu blanc rouge :
  I. *Mariella*, XO Éditions, 2000 (et Pocket).
  II. *Mathilde*, XO Éditions, 2000 (et Pocket).
  III. *Sarah*, XO Éditions, 2000 (et Pocket).

Les Patriotes :
  I. *L'Ombre et la Nuit*, Fayard, 2000 (et Le Livre de Poche).
  II. *La flamme ne s'éteindra pas*, Fayard, 2001 (et Le Livre de Poche).
  III. *Le Prix du sang*, Fayard, 2001 (et Le Livre de Poche).
  IV. *Dans l'honneur et par la victoire*, Fayard, 2001 (et Le Livre de Poche).

Morts pour la France :
  I. *Le Chaudron des sorcières*, Fayard, 2003 (et J'ai Lu).
  II. *Le Feu de l'enfer*, Fayard, 2003 (et J'ai Lu).
  III. *La Marche noire*, Fayard, 2003 (et J'ai Lu).
      (Parus en un volume, Fayard, 2008.)

L'Empire :
  I. *L'Envoûtement*, Fayard, 2004 (et J'ai Lu).
  II. *La Possession*, Fayard, 2004 (et J'ai Lu).
  III. *Le Désamour*, Fayard, 2004 (et J'ai Lu).

La Croix de l'Occident :
  I. *Par ce signe tu vaincras*, Fayard, 2005 (et J'ai Lu).
  II. *Paris vaut bien une messe*, Fayard, 2005 (et J'ai Lu).

Politique-fiction

La Grande Peur de 1989, Robert Laffont, 1966.
Guerre des gangs à Golf-City, Robert Laffont, 1991.

Histoire, essais

L'Italie de Mussolini, Librairie académique Perrin, 1964, 1982 (Marabout ; coll. « Texto », Tallandier, 2011).

L'Affaire d'Éthiopie, Le Centurion, 1967.

Gauchisme, Réformisme et Révolution, Robert Laffont, 1968.

Histoire de l'Espagne franquiste, Robert Laffont, 1969.

Cinquième Colonne, 1939-1940, Éditions Plon, 1970, 1980 ; Éditions Complexe, 1984.

Tombeau pour la Commune, Robert Laffont, 1971.

La Nuit des longs couteaux, Robert Laffont, 1971, 2001 (coll. « Texto », Tallandier, 2010).

La Mafia, mythe et réalités, Seghers, 1972.

L'Affiche, miroir de l'histoire, Robert Laffont, 1973, 1989.

Le Pouvoir à vif, Robert Laffont, 1978.

Le XXᵉ Siècle, Librairie académique Perrin, 1979.

La Troisième Alliance, Fayard, 1984.

Les Idées décident de tout, Galilée, 1984.

Lettre ouverte à Robespierre sur les nouveaux muscadins, Albin Michel, 1986.

Que passe la justice du roi, Robert Laffont, 1987 ; Éditions Complexe, 2011.

Les Clés de l'histoire contemporaine, Robert Laffont, 1989 ; Fayard, 2001 (et Le Livre de Poche, éd. mise à jour, 2005).

Manifeste pour une fin de siècle obscure, Odile Jacob, 1989.

La gauche est morte, vive la gauche, Odile Jacob, 1990.

L'Europe contre l'Europe, Éditions du Rocher, 1992.

Jè. Histoire modeste et héroïque d'un homme qui croyait aux lendemains qui chantent, Stock, 1994 (et Mille et Une Nuits).

L'Amour de la France expliqué à mon fils, Le Seuil, 1999.

Fier d'être français, Fayard, 2006 (et Le Livre de Poche).

L'Âme de la France : une histoire de la nation des origines à nos jours, Fayard, 2007 (J'ai Lu, 2 volumes).

La Grande Guerre (préface à...), XO Éditions, 2008.

Histoires particulières, CNRS Éditions, 2009.

RÉVOLUTION FRANÇAISE :
    I. *Le Peuple et le Roi*, XO Éditions, 2009.
    II. *Aux armes, citoyens !*, XO Éditions, 2009.

Dictionnaire amoureux de l'Histoire de France, Plon, 2011 (et Pocket).

UNE HISTOIRE DE LA DEUXIÈME GUERRE MONDIALE :
1940, de l'abîme à l'espérance, XO Éditions, 2010, (et Pocket).
1941, le monde prend feu, XO Éditions, 2011 (et Pocket).

1942, le jour se lève, XO Éditions, 2011 (et Pocket).
1943, le souffle de la victoire, XO Éditions, 2011 (et Pocket).
1944-1945, le triomphe de la liberté, XO Éditions, 2012 (et Pocket).

UNE HISTOIRE DE LA PREMIÈRE GUERRE MONDIALE :
1914, le destin du monde, XO Éditions, 2013.
1918, la terrible victoire, XO Éditions, 2013.

La Chute de l'empire romain, XO Éditions, 2014.

Biographies

Maximilien Robespierre, histoire d'une solitude, Librairie académique Perrin, 1968 (et Pocket, et Tempus, 2008).
Garibaldi, la force d'un destin, Fayard, 1982 (coll. «Texto», Tallandier, 2012).
Le Grand Jaurès, Robert Laffont, 1984, 1994 (et Pocket, et coll. «Bouquins», Robert Laffont, 2011).
Jules Vallès, Robert Laffont, 1988 (et coll. «Bouquins», Robert Laffont, 2011).
«Moi, j'écris pour agir.» Vie de Voltaire, Fayard, 2008 (et Pocket, 2012).
Jeanne d'Arc, jeune fille de France brûlée vive, XO Éditions, 2011.
François Ier, roi de France, Roi-Chevalier, Prince de la Renaissance française, XO Éditions, 2014.

NAPOLÉON :
    I. *Le Chant du départ*, Robert Laffont, 1997 (et Pocket).
    II. *Le Soleil d'Austerlitz*, Robert Laffont, 1997 (et Pocket).
    III. *L'Empereur des rois*, Robert Laffont, 1997 (et Pocket).
    IV. *L'Immortel de Sainte-Hélène*, Robert Laffont, 1997 (et Pocket).

DE GAULLE :
    I. *L'Appel du destin*, Robert Laffont, 1998 (et Pocket).
    II. *La Solitude du combattant*, Robert Laffont, 1998 (et Pocket).
    III. *Le Premier des Français*, Robert Laffont, 1998 (et Pocket).
    IV. *La Statue du Commandeur*, Robert Laffont, 1998 (et Pocket).

ROSA LUXEMBURG :
Une femme rebelle, vie et mort de Rosa Luxemburg, Fayard, 2000.

VICTOR HUGO :
    I. *Je suis une force qui va !*, XO Éditions, 2001 (et Pocket).
    II. *Je serai celui-là !*, XO Éditions, 2001 (et Pocket).

LES CHRÉTIENS :
   I. *Le Manteau du soldat*, Fayard, 2002 (et Le Livre de Poche).
  II. *Le Baptême du roi*, Fayard, 2002 (et Le Livre de Poche).
 III. *La Croisade du moine*, Fayard, 2002 (et Le Livre de Poche).

César Imperator, XO Éditions, 2003 (et Pocket).

LES ROMAINS :
   I. *Spartacus, la révolte des esclaves*, Fayard, 2006 (et J'ai Lu).
  II. *Néron, le règne de l'antéchrist*, Fayard, 2006 (et J'ai Lu).
 III. *Titus, le martyre des Juifs*, Fayard, 2006 (et J'ai Lu).
 IV. *Marc Aurèle, le martyre des chrétiens*, Fayard, 2006 (et J'ai Lu).
  V. *Constantin le Grand : l'empire du Christ*, Fayard, 2006 (et J'ai Lu).

LOUIS XIV :
   I. *Le Roi-Soleil*, XO Éditions, 2007 (et Pocket).
  II. *L'Hiver du grand roi*, XO Éditions, 2007 (et Pocket).

Jésus, l'homme qui était Dieu, XO Éditions, 2010.
Machiavel et Savonarole, La Glace et le Feu, XO Éditions, 2015.

Conte

La Bague magique, Casterman, 1981.

En collaboration

Au nom de tous les miens de Martin Gray, Robert Laffont, 1971 (et Pocket).

Composé par Nord Compo Multimédia
7, rue de Fives, 59650 Villeneuve-d'Ascq

Cet ouvrage
a été achevé d'imprimer
sur Roto-Page
par l'Imprimerie Floch
à Mayenne en juillet 2015.

N° d'édition : 2906/01 – N° d'impression : 88604
Dépôt légal : août 2015
Imprimé en France